LES FUREURS INVISIBLES DU CŒUR

Du même auteur :

Le Garçon en pyjama rayé, Gallimard Jeunesse, 2009.
La Maison Ipatiev, L'Archipel, 2012.
Noé Nectar et son étrange voyage, Gallimard Jeunesse, 2012.
Mon père est parti à la guerre, Gallimard Jeunesse, 2014.
Barnabé ou la vie en l'air, Gallimard Jeunesse, 2014.
Le Secret de Tristan Sadler, L'Archipel, 2015.
Le Garçon au sommet de la montagne, Gallimard Jeunesse, 2016.

www.editions-jclattes.fr

John Boyne

LES FUREURS INVISIBLES DU CŒUR

Roman

Traduit de l'anglais (Irlande)
par Sophie Aslanides

JC Lattès

Titre de l'édition originale
THE HEART'S INVISIBLE FURIES
publiée par Doubleday, un département de
Transworld Publishers,
une division de Penguin Random House UK

Maquette de couverture : Le Petit Atelier
Photo © Mark Owen / Trevillion Images

ISBN : 978-2-7096-5977-2

Première édition août 2018.

Pour John Irving

— Suis-je la seule à trouver que le monde devient de plus en plus répugnant ? demanda Marigold en lançant un coup d'œil en direction de son époux, Christopher, assis en face d'elle à la table du petit déjeuner.
— En fait, commença-t-il, je pense que…
— Ma question était rhétorique, dit Marigold en allumant une cigarette, la sixième de la journée. Je t'en prie, ne te ridiculise pas en énonçant un avis.

Comme l'Alouette, Maude Avery
(*Like to the Lark*, The Vico Press, 1950)

I.

HONTE

1945

Le coucou dans le nid

Les bonnes gens de Goleen

Bien longtemps avant que nous ne sachions qu'il était le père de deux enfants de deux femmes différentes, l'une à Drimoleague et l'autre à Clonakilty, le père James Monroe, devant l'autel de l'église Notre-Dame de l'Étoile de la mer, dans la paroisse de Goleen, à l'ouest de Cork, accusa ma mère d'être une putain.

Toute la famille occupait le second rang, et mon grand-père était assis à l'extrémité de la rangée ; il astiquait avec son mouchoir la plaque de bronze gravée à la mémoire de ses parents, clouée au dos du banc devant lui. Il portait son costume du dimanche, repassé la veille au soir par ma grand-mère, qui enroula son rosaire autour de ses doigts crochus et bougea les lèvres en silence jusqu'à ce qu'il pose sa main sur la sienne pour qu'elle se tienne tranquille. Mes six oncles, aux cheveux noirs couverts de brillantine parfumée à la rose, étaient assis à côté d'elle en ordre croissant d'âge et de stupidité. Chacun était de trois centimètres plus petit que son voisin de droite et les écarts étaient visibles depuis le fond. Les garçons faisaient de leur mieux pour garder les yeux ouverts ce matin-là. La veille ils étaient allés au bal à Skull. Ils étaient rentrés imbibés d'alcool, et n'avaient dormi que quelques heures avant d'être réveillés par leur père pour assister à la messe.

Au bout de la rangée, sous une sculpture en bois marquant la dixième station du chemin de croix, était assise ma mère, dont le ventre frémissait de terreur en pensant à ce qui allait arriver. Elle osait à peine lever les yeux.

La messe commença de manière habituelle, me raconta-t-elle, les rites effectués d'un air las par le curé et le Kyrie dissonant chanté par les fidèles. William Finney, un voisin de ma mère originaire de Ballydevlin, s'avança avec affectation jusqu'au pupitre pour les deux premières lectures, s'éclaircit la voix dans le micro avant de se mettre à énoncer chaque mot avec une telle intensité dramatique qu'on aurait dit qu'il jouait sur la scène de l'Abbey Theatre. Le père Monroe, qui transpirait abondamment sous le poids de ses vêtements sacerdotaux et de sa fureur, poursuivit avec l'Alléluia et l'Évangile avant d'inviter tout le monde à s'asseoir. Trois enfants de chœur aux joues rouges rejoignirent leur banc en échangeant des regards impatients. Peut-être avaient-ils lu avant la messe les notes du prêtre dans la sacristie, ou l'avaient-ils entendu répéter son discours pendant qu'il enfilait sa soutane. Ou savaient-ils seulement de quelle cruauté cet homme était capable et se réjouissaient-ils que, ce jour-là, elle ne soit pas dirigée contre eux.

« Les membres de ma famille sont tous de Goleen, aussi loin qu'on remonte dans le temps, commença-t-il en contemplant les cent cinquante têtes levées et la seule et unique qui était baissée. J'ai un jour entendu une rumeur terrible selon laquelle mon arrière-grand-père avait de la famille à Bantry, mais jamais il ne m'en a été fourni une quelconque preuve. » Un rire admiratif monta de l'assemblée ; un peu de bigoterie locale n'a jamais fait de mal à personne. « Ma mère, poursuivit-il, une femme pleine de bonté, aimait cette paroisse. Elle a été rappelée sans avoir jamais dépassé les quelques kilomètres à l'ouest de Cork, et pas un instant elle ne l'a regretté. “Ce sont des gens bien qui vivent ici, me disait-elle toujours. Des gens bons, honnêtes, catholiques.” Et, jamais, je n'ai eu une raison de douter de ses paroles. Jusqu'à aujourd'hui. »

L'assistance fut parcourue d'un frisson.

« Jusqu'à aujourd'hui, répéta le père Monroe lentement, en secouant la tête pour marquer sa peine. Catherine Goggin se trouve-t-elle parmi nous ce matin ? » Il regarda partout comme s'il n'avait aucune idée de l'endroit où elle pouvait être assise, bien qu'elle occupât la même place tous les dimanches matin depuis seize ans. En quelques instants, toutes les têtes, celles des hommes, des femmes et des enfants, se tournèrent dans sa direction. Toutes, sauf celles de mon grand-père et de mes six oncles, qui regardaient fixement droit devant eux, et de ma grand-mère, qui baissa la sienne au moment précis où ma mère leva les yeux – deux expressions inverses du déshonneur.

« Catherine Goggin, te voici, dit le curé, en souriant et en lui faisant signe d'approcher. Viens donc par ici, près de moi... en bonne fille obéissante. »

Ma mère se leva lentement et se dirigea vers l'autel, un endroit où elle n'était allée que pour recevoir la communion. Son visage n'était pas écarlate, me raconterait-elle des années plus tard, mais pâle. Ce jour-là, il faisait chaud dans l'église, où se mêlaient la moiteur de l'été et la respiration de paroissiens fébriles, et elle se sentait chancelante sur ses jambes. Elle eut peur de perdre connaissance – on la laisserait peut-être là, sur le sol de marbre, jusqu'à ce qu'elle agonise d'humiliation, pour servir d'exemple aux filles de son âge. Elle jeta un coup d'œil nerveux au père Monroe, croisant son regard vindicatif avant de détourner les yeux.

« N'est-elle pas le portrait même de l'innocence..., fit le père Monroe, en contemplant ses fidèles et affichant un demi-sourire. Quel âge as-tu, Catherine ? demanda-t-il.

— Seize ans, mon père.

— Dis-le plus fort. Pour que les bonnes gens qui se trouvent au fond de l'église puissent t'entendre.

— Seize ans, mon père.

— Seize ans. Maintenant, lève la tête et regarde tes voisins. Ta mère et ton père, de bons chrétiens, qui ont toujours mené une vie respectable, et font honneur à leurs parents avant eux. Tes frères, que nous savons tous être des jeunes gens parfaitement honnêtes, travailleurs, qui n'ont jamais détourné une fille du droit chemin. Les vois-tu, Catherine Goggin ?

— Oui, mon père.

— Si je dois encore te demander de parler plus fort, ce sera avec une gifle qui t'enverra de l'autre côté de l'autel, et personne dans l'église ne m'en tiendra rigueur.

— Oui, mon père, répéta-t-elle plus fort.

— "Oui." C'est la seule fois que tu énonceras ce mot dans une église, t'en rends-tu compte, fillette ? Il n'y aura jamais de jour de noce pour toi. Je vois que tes mains se posent sur ton gros ventre. Y a-t-il là un secret que tu cherches à cacher ? »

Un cri de surprise étouffé monta de l'assistance. C'était bien ce que les paroissiens avaient soupçonné, bien entendu

– aurait-il pu s'agir d'autre chose ? – mais ils attendaient la confirmation. Des regards s'échangèrent entre amis et ennemis, les conversations déjà prêtes dans leurs têtes. Les Goggin, souffleraient-ils. Ça ne m'étonne pas du tout de cette famille. Lui est à peine capable d'écrire son nom sur un bout de papier et elle, elle est vraiment spéciale.

« Je ne sais pas, mon père, répondit ma mère.

— Tu ne sais pas. Bien sûr que tu ne sais pas. Évidemment, tu n'es rien d'autre qu'une petite putain ignorante qui n'a pas plus de cervelle qu'un lapin dans un clapier. Et la morale qui va avec, pourrais-je ajouter. Vous toutes, jeunes filles, poursuivit-il d'une voix plus forte en se tournant face aux habitants de Goleen, qui se figèrent sur leurs bancs tandis qu'il pointait son index vers eux. Jeunes filles, regardez bien Catherine Goggin, et apprenez ce qu'il advient aux jeunes filles qui prennent des libertés avec leur vertu. Elles se retrouvent avec un enfant dans le ventre et pas de mari pour prendre soin d'elles. »

L'église fut parcourue d'une clameur. Une fille de l'île de Sherkin s'était fait engrosser l'année précédente. Le scandale avait été inouï. Un événement similaire s'était produit à Skibbereen au moment de Noël deux ans auparavant. Goleen allait-elle devoir vivre aussi sous le sceau de la honte ? Si cela arrivait, la nouvelle serait connue dans tout l'ouest de Cork avant l'heure du thé.

« Bon, Catherine Goggin, reprit le père Monroe en posant une main sur son épaule et en serrant sa clavicule très fort entre ses doigts. Devant Dieu, ta famille et toutes les bonnes gens de cette paroisse, tu vas nommer le gamin qui a péché avec toi. Tu dois le nommer de manière à ce qu'il soit obligé de confesser son acte pour être pardonné aux yeux de Dieu. Et après cela, tu quitteras cette église, cette paroisse et plus jamais tu ne terniras le nom de Goleen, as-tu entendu ? »

Elle leva les yeux et se tourna vers mon grand-père, dont le visage était aussi figé qu'une statue de granit, qui regardait fixement le Jésus crucifié derrière l'autel.

« Ton pauvre papa ne peut pas t'aider, trancha le curé qui avait suivi son regard. À l'évidence, il ne veut plus rien avoir à faire avec toi. Il me l'a dit lui-même hier soir lorsqu'il est venu au presbytère me rapporter la honteuse nouvelle. Et que personne ici ne blâme Bosco Goggin, car il a élevé ses enfants comme il convenait, il les a élevés dans le respect des valeurs catholiques. Comment peut-il être rendu responsable de la présence d'un fruit pourri dans un tonneau où tous les autres sont bons ? Donne-moi le nom du gamin tout de suite, Catherine Goggin, donne-moi son nom pour que nous puissions te bannir, et ne plus voir ton ignoble visage. Ou peut-être ne sais-tu pas comment il s'appelle ? Ils ont été trop nombreux pour que tu aies une certitude ? »

Un bruissement de mécontentement parcourut les bancs de l'église. Même si elle était avide de commérages, l'assemblée trouvait que le curé allait un peu trop loin, car il associait tous leurs fils à l'acte immoral qu'il dénonçait. Le père Monroe, qui avait fait des centaines de sermons dans cette église au cours des deux dernières décennies et qui savait parfaitement identifier l'état d'esprit de ses ouailles, battit légèrement en retraite.

« Non, non, je vois qu'il reste une once de décence morale chez toi, il n'y a eu qu'un seul garçon. Mais tu vas me donner son nom immédiatement, Catherine Goggin, ou je saurai pourquoi tu te tais.

— Je ne le dirai pas, fit ma mère en secouant la tête.

— Pardon ?

— Je ne le dirai pas, répéta-t-elle.

— Comment ça ? Le temps de la timidité est révolu ; ne le comprends-tu pas ? Le nom de ce garçon, fillette, ou je jure devant la croix que je te chasserai de cette maison de Dieu à coups de fouet, pour ta plus grande honte. »

Elle leva la tête et parcourut l'église des yeux. On se serait cru dans un film, me raconterait-elle plus tard, avec tous les paroissiens retenant leur souffle, en se demandant vers qui elle allait pointer le doigt accusateur, chaque mère priant pour que ce ne soit pas son fils. Ou pire, son mari.

Elle ouvrit la bouche, parut sur le point de livrer un nom, puis changea d'avis et secoua la tête.

« Je ne le dirai pas, répéta-t-elle à mi-voix.

— Alors, tu n'as plus rien à faire ici », ordonna le père Monroe, avant de se glisser derrière elle et de lui asséner un puissant coup de pied dans le dos qui l'envoya dévaler les marches de l'autel, les bras tendus devant elle – même à ce stade précoce de mon développement, elle tenait à me protéger à tout prix. « Quitte ces lieux, espèce de gourgandine, quitte Goleen, emporte ton infamie ailleurs. Il y a des maisons à Londres qui sont faites pour les filles comme toi, avec des lits où tu pourras te coucher et écarter les jambes pour que tout le monde puisse satisfaire tes besoins licencieux. »

L'assistance étouffa un cri d'horreur réjouie en entendant ces paroles, les jeunes gens émoustillés par ces descriptions, et tandis qu'elle se relevait, le curé s'avança et la traîna jusqu'à la porte de l'église, la bouche et le menton couverts de bave, le visage rouge d'indignation, et peut-être que son excitation était même visible pour ceux qui savaient où la chercher du regard. Ma grand-mère se retourna mais mon grand-père lui donna une tape sur le bras et elle reprit sa place. Mon oncle Eddie, le plus jeune des six et le plus proche en âge de ma mère, se leva et cria : « Allez, ça suffit comme ça. » Immédiatement, mon grand-père se leva et fit taire son fils en lui envoyant un droit dans la mâchoire. Ma mère ne put rien voir d'autre après cela ; le père Monroe l'abandonna dans le cimetière et lui signifia qu'elle devait quitter le village dans l'heure, qu'à partir de ce jour-là le nom de Catherine Goggin ne serait plus entendu ni prononcé dans la paroisse de Goleen.

Elle resta sur le sol, me dit-elle, pendant quelques minutes, sachant que la messe allait durer encore une bonne demi-heure, avant de se relever pour prendre la direction de la maison. Un sac tout prêt devait l'attendre à côté de la porte.

« Kitty. »

Entendant une voix dans son dos, elle se retourna et eut la surprise de voir mon père approcher d'un pas nerveux. Elle avait remarqué sa présence au dernier rang, bien sûr, tandis que le curé la traînait vers les portes, et pour sa défense, elle avait lu le remords sur son visage.

« Tu n'en as pas fait assez ? demanda-t-elle, en portant la main à sa bouche avant de regarder le sang sous ses ongles mal coupés.

— Je n'ai jamais voulu ça. Je suis navré que tu aies ces ennuis, vraiment, je t'assure.

— Que j'aie ces ennuis ? fit-elle. Dans un monde différent, ils seraient les nôtres.

— Allez, Kitty, lança-t-il, employant le nom qu'il lui donnait depuis qu'elle était enfant. Ne dis pas ça. Tiens, voici un peu d'argent, ajouta-t-il, en lui tendant deux livres irlandaises. Cela devrait t'aider à prendre un nouveau départ. »

Elle les contempla quelques instants avant de les brandir et de les déchirer d'un geste lent. « Ah, Kitty, tu n'es pas obligée de…

— Peu importe ce qu'a dit cet homme, je ne suis pas une putain, affirma-t-elle, écrasant les morceaux de billets dans sa main avant de les lui jeter à la figure. Prends ton argent. Avec un peu de scotch tu pourras les rafistoler et acheter à ma tante Jean une jolie robe pour son anniversaire.

— Bon sang, Kitty, baisse la voix !

— C'est la dernière fois que tu l'entends, lâcha-t-elle en se détournant, prête à rentrer chez elle avant de prendre le bus pour Dublin. Bonne chance à toi. »

Là-dessus, elle prit congé de Goleen, l'endroit où elle était née, un endroit qu'elle ne reverrait pas avant plus de soixante ans, jusqu'au jour où elle se retrouverait dans ce même cimetière avec moi pour chercher, parmi les tombes, celles des membres de la famille qui l'avaient bannie.

Un aller sans retour

Elle avait ses économies : quelques billets qu'elle avait réussi à mettre de côté au cours des dernières années, cachés dans une chaussette au fond du tiroir de sa commode. Une vieille tante, décédée depuis trois ans au moment de la disgrâce de ma mère, lui donnait quelques pennies lorsqu'elle faisait une course pour elle, et avec le temps, ils s'étaient accumulés. Et il restait un peu d'argent de sa communion, un peu plus de sa confirmation. Elle n'avait jamais été dépensière. Elle n'avait pas de grands besoins, et les choses qu'elle aurait pu aimer, elle ne savait même pas qu'elles existaient.

Comme elle s'en doutait, un sac l'attendait à la maison, prêt, à côté de la porte, avec son manteau et son chapeau jetés par-dessus. Elle les prit et les déposa sur l'accoudoir du canapé, c'était des vieilleries héritées de quelqu'un d'autre. À Dublin, les habits du dimanche qu'elle avait sur le dos auraient plus de valeur. Elle ouvrit le sac et vérifia que sa chaussette-porte-monnaie était bien là ; elle la trouva, cachée avec autant de soin que son grand secret – jusqu'à la veille au soir, lorsque sa mère était entrée dans sa chambre sans frapper et l'avait surprise devant le miroir, son chemisier ouvert, la main caressant son ventre rebondi avec un mélange de peur et de fascination.

Le vieux chien installé devant la cheminée leva les yeux et la gratifia d'un long bâillement, mais ne s'empressa pas de venir la rejoindre en frétillant, dans l'espoir de recevoir une caresse ou une flatterie.

Elle alla dans sa chambre et la balaya une dernière fois du regard. Il y avait des livres, mais elle les avait tous lus, elle en trouverait à l'autre bout de son voyage. Une petite statue en porcelaine de sainte Bernadette était posée sur sa table de nuit, et juste pour agacer ses parents, elle la retourna face au mur. Il y avait également une petite boîte à musique, qui lui venait de sa mère, où elle rangeait ses souvenirs et ses trésors. Elle se mit à les trier tandis que la ballerine enchaînait des pirouettes sur l'air d'*Esmeralda* de Pugni, puis se ravisa, décidant que ces objets appartenaient à une autre vie. Elle referma la boîte d'une main assurée, et la danseuse s'inclina avant de disparaître.

Bien, se dit-elle en sortant de la maison pour la dernière fois. Elle marcha jusqu'au bureau de poste, s'assit dans l'herbe sèche en attendant l'arrivée d'un autocar et monta à l'arrière, à côté d'une fenêtre ouverte. Elle respira avec application pendant tout le trajet pour ne pas avoir la nausée, le long de la voie caillouteuse qui la mena à Ballydehob, puis Leap, ensuite à Bandon et Innishannon, avant de prendre la route sinueuse vers le nord pour entrer dans Cork – une ville qu'elle ne connaissait pas mais son père disait toujours qu'elle était peuplée de joueurs, de protestants et d'ivrognes.

Pour deux pence, elle but un bol de soupe à la tomate et une tasse de thé dans un café sur Lavitt's Quay puis remonta à pied les berges du fleuve Lee jusqu'à Parnell Place, où elle acheta un billet d'autocar pour Dublin.

« Voulez-vous un retour ? demanda le chauffeur, tout en farfouillant dans sa sacoche pour trouver de la monnaie. C'est plus économique, si vous comptez revenir.

— Je ne reviendrai pas », répondit-elle, lui prenant le billet des mains pour ranger soigneusement dans son sac ce souvenir avec la date du début de sa nouvelle vie tamponnée à l'épaisse encre noire. Elle avait la vague impression que ce papier aurait une certaine valeur.

Pas loin de Ballincollig

Une personne moins forte aurait pu être effrayée ou contrariée au moment où l'autocar démarra, mais ma mère ne l'était pas. Elle avait la ferme conviction que les seize années passées à Goleen, où on ne lui avait témoigné que du mépris, on l'avait ignorée ou traitée comme si elle était moins importante que chacun de ses six frères, l'avait menée à ce saut vers l'indépendance. Bien qu'elle fût jeune, elle avait déjà presque accepté son état, qu'elle avait découvert à l'épicerie de Davy Talbot, alors qu'elle se trouvait à côté d'une pile de dix cartons d'oranges ; elle avait senti mon pied encore informe donner un petit coup dans sa vessie. Ce minuscule instant d'inconfort aurait pu être dû à n'importe quoi, mais elle savait qu'il deviendrait moi, un jour. Elle n'envisagea pas une interruption de grossesse clandestine, bien qu'il circulât parmi certaines filles du village une rumeur au sujet d'une veuve à Tralee qui faisait des choses terribles avec du sel d'Epsom, des poires à succion en caoutchouc et une paire de forceps. Pour six shillings, disaient-elles, on pouvait être allégée d'un ou deux kilos en deux ou trois heures. Non, elle savait ce qu'elle ferait lorsque je naîtrais. Elle devait simplement attendre mon arrivée pour concrétiser son Grand Dessein.

L'autocar pour Dublin était plein, et au premier arrêt, un jeune homme monta à bord, portant une valise marron ; il jeta un coup d'œil aux quelques places libres. Il s'arrêta un instant à côté de ma mère. Elle sentit son regard appuyé mais n'osa pas se tourner de peur que ce soit quelqu'un qui, connaissant sa famille, ait déjà appris la nouvelle de son bannissement ; il lui suffirait de voir son visage pour faire une remarque acerbe. Mais rien ne fut dit, et il poursuivit son chemin. C'est seulement lorsque le car eut parcouru sept ou huit kilomètres qu'il revint près d'elle.

« Je peux ? demanda-t-il en désignant le siège à côté du sien.

— Vous n'avez pas une place au fond ?

— Le gars à côté de moi mange des sandwichs à l'œuf et l'odeur me donne mal au cœur. »

Elle haussa les épaules et enleva son manteau pour qu'il puisse s'asseoir, tout en l'observant à la dérobée. Il portait un costume en tweed avec une cravate dont le nœud n'était pas serré autour de son col et une casquette, qu'il enleva et tint entre ses mains. Il devait avoir deux ou trois ans de plus qu'elle, décida-t-elle, dix-huit ou dix-neuf ans peut-être, et bien que ma mère fût ce qu'on appelait en ce temps-là « un joli petit lot », entre sa grossesse et les événements terribles de la matinée, elle n'était pas d'humeur à badiner. Les garçons du village avaient souvent essayé de lui faire les yeux doux, mais elle n'était pas intéressée, ce qui lui avait valu une réputation de vertu qui, ce jour-là, avait volé en éclats. De certaines on disait qu'il ne fallait qu'un tout petit encouragement pour qu'elles passent aux actes, se dénudent ou embrassent, mais Catherine Goggin n'avait jamais été de ces filles-là. Ces garçons auraient un choc, songea-t-elle, lorsqu'ils apprendraient sa disgrâce et plus d'un regretterait de ne pas avoir persévéré pour la séduire. Une fois qu'elle ne serait plus là, ils raconteraient qu'elle avait toujours été une gourgandine et ma mère en était fort contrariée, car la personne que leur imagination sordide inventerait et celle qu'elle était n'auraient guère en commun que le nom.

« Il fait doux, déclara le garçon assis à côté d'elle.

— Pardon ? demanda-t-elle en se tournant vers lui.

— J'ai dit qu'il faisait doux, répéta-t-il. Agréable pour cette période de l'année.

— Si vous voulez.

— Hier, il pleuvait et le ciel ce matin paraissait chargé d'averses. Mais pas une goutte n'est tombée. Le temps est magnifique.

— Vous vous intéressez donc tellement au temps qu'il fait ? demanda-t-elle, percevant la pointe de sarcasme dans sa voix, sans s'en préoccuper.

— C'est une seconde nature, chez moi. J'ai grandi dans une ferme.

— Moi aussi. Mon père a passé la moitié de sa vie à regarder le ciel ou à renifler l'air du soir pour essayer de deviner ce qui arriverait le lendemain. On dit qu'il pleut toujours à Dublin. À votre avis, c'est vrai ?

— Nous le découvrirons bien assez vite. Vous irez jusqu'au bout ?

— Je vous demande pardon ? »

Son visage vira au rouge écarlate, de la base de son cou jusqu'au bout de ses oreilles, à une vitesse qui la fascina.

« Jusqu'à Dublin, s'empressa-t-il de préciser. Allez-vous jusqu'à Dublin ou descendez-vous avant ?

— Vous voulez ma place près de la fenêtre ? C'est ça ? Parce que je vous la laisse volontiers, ça m'est égal.

— Non, non, pas du tout. Pour savoir, c'est tout. Je suis très bien à ma place. À moins que vous ne vous mettiez à manger des sandwichs à l'œuf.

— Je n'ai rien à manger. Mais je le regrette.

— J'ai la moitié d'un jambon cuit dans ma valise, répondit-il. Voulez-vous que je vous en coupe une tranche ?

— Je ne pourrais pas manger dans l'autocar. Cela me donnerait envie de vomir.

— Est-ce que je peux vous demander votre nom ?

— Pourquoi vous voulez le connaître ? hésita ma mère.

— Pour que je puisse vous appeler par votre nom. »

Elle le regarda droit dans les yeux et elle remarqua à cet instant-là quel beau jeune homme il était. Un visage pareil à celui d'une fille, me raconta-t-elle par la suite. Une peau parfaite qui n'avait jamais connu le feu du rasoir. De longs cils. Des cheveux blonds qui lui couvraient le front et lui tombaient dans les yeux quoi qu'il fasse pour les discipliner. Quelque chose dans sa manière d'être lui fit penser qu'il ne représentait pas la moindre menace. Elle se radoucit, baissant enfin la garde.

« Je m'appelle Catherine. Catherine Goggin.

— Heureux de faire votre connaissance. Je m'appelle Seán MacIntyre.

— D'où venez-vous, Seán ?

— D'un endroit pas loin de Ballincollig. Vous savez où ça se trouve ?

— J'en ai entendu parler mais je n'y suis jamais allée. Je ne suis jamais allée nulle part, en fait.

— Eh bien, vous allez quelque part, maintenant. En route pour la grande ville.

— Oui, c'est ça... » Elle se tourna pour regarder par la fenêtre les champs qui défilaient, les enfants qui travaillaient dans le foin et sautaient pour leur faire de grands signes en voyant le car. « Vous montez et descendez souvent ? s'enquit Seán quelques instants plus tard.

— Je quoi ? fit-elle, en fronçant les sourcils.

— À Dublin, dit-il en portant sa main à son visage ; peut-être se demandait-il pourquoi tous ses propos semblaient être compris de travers. Est-ce que vous faites souvent cette route ? Vous avez de la famille, là-bas ?

— Je ne connais personne passé l'ouest de Cork. Dublin sera une grande découverte pour moi. Et pour vous ?

— Je n'y suis jamais allé, mais un de mes amis s'y est installé il y a un mois et a rapidement trouvé un travail à la Brasserie Guinness. Il m'a assuré qu'il y en avait un pour moi là-bas, si je voulais.

— Et les employés ne passent pas leur temps à boire la bière ?

— Ah non, évidemment, il y a des règles. Des chefs et tout. Des gars qui s'assurent que personne ne tète au biberon. Mais d'après mon ami l'odeur qui règne dans cet endroit rend à moitié dingue. Le houblon, l'orge, la levure, et je ne sais plus quoi d'autre. Il dit qu'on la sent dans tout le quartier et que les gens qui habitent à côté ont l'air complètement abruti.

— Ils sont probablement tous imbibés. Et ça ne leur a pas coûté un penny.

— Il faut quelques jours pour s'habituer à la puanteur, et à ce que dit mon ami, on a parfois une nausée du tonnerre.

— Mon père aime bien boire une Guinness de temps en temps, dit ma mère, se rappelant le goût amer des bouteilles aux étiquettes jaunes que mon grand-père rapportait parfois à la maison et qu'elle avait goûtées, un jour où il avait le dos tourné. Il va au pub tous les mercredis et vendredis soir, avec la régularité d'une horloge. Le mercredi, il se limite à trois pintes avec ses copains et rentre à la maison à une heure convenable, mais le vendredi soir, il se cuite. Il arrive souvent à 2 heures du matin et fait lever ma mère pour qu'elle lui prépare une assiette de saucisses et de boudin noir, et si elle dit non, il menace de la frapper.

— C'était vendredi soir tous les soirs, avec mon père, confia Seán.

— C'est la raison pour laquelle vous partez ? » Il haussa les épaules. « En partie, reprit-il après un long silence. Il s'est passé deux ou trois petites choses à la maison, pour être honnête. Il valait mieux que je m'en aille.

— Quel genre de choses ? questionna-t-elle, intriguée.

— Vous savez, je crois que je préférerais tourner la page, si ça ne vous ennuie pas.

— Bien sûr. Ça ne me regarde pas, de toute manière.
— Ce n'était pas ce que je voulais dire.
— Je sais. Tout va bien. »

Il ouvrit la bouche pour ajouter quelque chose, mais leur attention fut détournée par un petit garçon qui courait dans le couloir. Il portait une coiffe d'Indien et poussait les cris inspirés par sa tenue, des hurlements terribles qui auraient donné la migraine à un sourd. Le chauffeur finit par rugir de fureur et annonça que si quelqu'un ne maîtrisait pas cet enfant, il ferait demi-tour et ramènerait tout le monde à Cork, sans remboursement pour personne.

« Et vous, Catherine ? demanda Seán lorsque la paix fut revenue. Qu'est-ce qui vous amène à la capitale ?

— Si je vous en parle, commença ma mère, qui avait déjà l'impression qu'elle pouvait faire confiance à cet étranger, vous me promettez de ne rien me dire de méchant ? J'ai entendu beaucoup de paroles cruelles aujourd'hui et, pour être franche, je n'ai pas la force d'en entendre davantage.

— J'essaie de ne jamais dire de choses méchantes.

— Je vais avoir un bébé, annonça ma mère, en le regardant droit dans les yeux, sans la moindre honte. Je vais avoir un bébé et je n'ai pas de mari pour m'aider à l'élever. Du coup, c'est la guerre, inutile de le préciser. Mon père et ma mère m'ont mise à la porte et le curé a affirmé que j'étais la honte de Goleen, que je devais partir et ne jamais revenir. »

Seán hocha la tête, mais cette fois, malgré l'indécence du sujet de la conversation, il ne rougit pas. « Ces choses arrivent parfois, j'imagine. Personne n'est parfait.

— Lui, il l'est, rétorqua ma mère, en désignant son ventre. Pour le moment, en tout cas. »

Seán sourit et regarda droit devant lui. Après cela, ils ne se parlèrent plus pendant un certain temps ; ils somnolèrent sans doute un peu, ou l'un d'eux ferma les yeux pour le faire croire. Plus d'une heure s'était écoulée lorsque ma mère se tourna vers son compagnon de voyage et le toucha d'une main légère sur le bras.

« Qu'est-ce que tu sais de Dublin ? » demanda-t-elle. Peut-être venait-elle de se rendre compte qu'elle n'avait pas la moindre idée de ce qu'elle allait y faire, ni de l'endroit où elle irait une fois arrivée.

« Je sais que c'est là que siège le Dáil Éireann, que le cœur de la ville est traversé par la Liffey et que le magasin Clerys se trouve sur une grande et longue rue nommée d'après Daniel O'Connell.

— Il doit y avoir une rue comme ça dans chaque comté d'Irlande.

— Probablement. Tout comme il y a une Shop Street. Et une Main Street.

— Et une Bridge Street.

— Et une Church Street.

— Que Dieu nous préserve des Church Streets, ajouta ma mère en riant, et Seán rit aussi – deux enfants gloussant bêtement de leur irrévérence. J'irai en enfer pour avoir dit ça, ajouta-t-elle lorsqu'ils eurent retrouvé leur calme.

— C'est sûr, nous irons tous en enfer. Et moi encore plus certainement.

— Pourquoi donc ?

— Parce que je suis un mauvais bougre », lâcha-t-il avec un clin d'œil et elle rit à nouveau. Elle eut envie d'aller aux toilettes et se demanda dans combien de temps ils s'arrêteraient. Elle me raconta par la suite que ce fut le seul instant, pendant le temps qu'ils passèrent ensemble, où elle ressentit quelque chose qui ressemblât à une attirance pour Seán. Dans sa tête, elle eut une brève vision d'eux amoureux, quittant le bus, se mariant dans le mois suivant et m'élevant comme leur fils. Un joli rêve, je suppose, mais qui ne se réaliserait jamais.

« Tu ne me donnes pas l'impression d'être un mauvais bougre.

— Ah, tu devrais me voir, quand je commence.

— Je m'en souviendrai. Alors, parle-moi de cet ami. Depuis quand est-il à Dublin ?

— Un peu plus d'un mois, répondit Seán.

— Et tu le connais bien ?

— Oui. Nous nous sommes rencontrés il y a deux ou trois ans, quand son père a acheté la ferme voisine de la nôtre et depuis, nous sommes les meilleurs amis du monde.

— J'imagine, s'il t'a trouvé un travail. La plupart des gens cherchent pour eux, pas pour les autres. »

Il hocha la tête et se mit à contempler le plancher, puis ses ongles, puis le paysage. « Portlaoise, fit-il en remarquant un panneau au passage. Nous approchons, on dirait.

— Est-ce que tu as des frères ou des sœurs qui penseront à toi ?

— Non, je suis enfant unique. Après ma naissance, ma mère ne pouvait plus en avoir d'autre et père ne lui a jamais pardonné. Il va voir ailleurs. Il a plusieurs petites amies et personne ne dit jamais rien parce que d'après le curé, un homme a le droit de s'attendre à ce que sa femme lui donne une maison pleine d'enfants, et un champ stérile ne peut être semé.

— Ah les curés... toujours compréhensifs, hein ? » Seán fronça les sourcils. Son espièglerie n'allait pas jusqu'à moquer le clergé. « J'ai six frères, lui dit-elle au bout d'un moment. Cinq d'entre eux ont de la paille à la place du cerveau. Le seul pour lequel j'ai de l'affection, mon plus jeune frère Eddie, veut devenir curé.

— Quel âge a-t-il ?

— Un an de plus que moi. Dix-sept ans. Il entre au séminaire en septembre. Je ne crois pas qu'il sera heureux là-bas, parce que je sais très bien qu'il aime vraiment les filles. Mais c'est le plus jeune, tu vois, et la ferme a déjà été divisée entre les deux aînés ; les deux suivants vont devenir maîtres d'école, et le cinquième ne peut pas travailler parce qu'il est un peu bête dans sa tête. Il ne reste plus qu'Eddie, et il devra forcément devenir curé. La famille est très enthousiaste, bien sûr. Je suppose que tout ça va me manquer, ajouta-t-elle avec un soupir. Les visites, les habits, l'ordination par l'évêque. Tu crois qu'ils laissent les filles-mères écrire des lettres aux frères séminaristes ?

— Je ne sais rien de cette vie-là, répondit Seán en secouant la tête. Est-ce que je peux te poser une question, Catherine ? Tu pourras m'envoyer paître si tu n'as pas envie de répondre.

— Vas-y.

— Est-ce que le papa a refusé de prendre une part de responsabilité dans... enfin, tu vois... pour le bébé ?

— Tu ne crois pas si bien dire. Il est très soulagé que je sois partie. Il y aurait un meurtre si quelqu'un découvrait qui il était.

— Et tu n'es pas inquiète du tout ?

— Pourquoi inquiète ?

— De la manière dont tu vas t'en sortir ? »

Elle sourit. Il était innocent, gentil et peut-être un peu naïf, et en son for intérieur, elle se demanda si une grande ville comme Dublin était bien indiquée pour un garçon comme lui. « Bien sûr que je suis inquiète. Je suis morte d'inquiétude. Mais je suis excitée aussi. Je détestais la vie à Goleen. Ça me va, de quitter ce village.

— Je comprends ce que tu veux dire. L'ouest de Cork, ça attaque drôlement quand on y reste trop longtemps.

— Comment s'appelle ton ami ? Celui qui travaille chez Guinness ?

— Jack Smoot.

— Smoot ?

— Oui.

— Drôle de nom.

— Il y a des Néerlandais dans sa famille, je crois. Il y en avait, autrefois.

— Tu penses qu'il pourra me trouver un emploi à moi aussi ? Peut-être un travail dans un bureau. »

Seán regarda au loin et se mordit la lèvre. « Je ne sais pas. Pour être honnête avec toi, je préférerais ne pas lui demander. Il s'est déjà décarcassé pour nous trouver un logement, alors que ça ne fait qu'une semaine qu'il a une paye.

— Bien sûr, je n'aurais pas dû te poser la question. Je pourrai toujours aller voir moi-même un jour, si rien d'autre ne se présente. Je vais dessiner une pancarte et me l'accrocher autour du cou. *Fille honnête cherche un emploi. Aura besoin d'un long congé dans environ quatre mois*. Mais je ne devrais sans doute pas plaisanter avec ça…

— Tu n'as rien à perdre, j'imagine.

— Tu crois qu'il y a du travail à Dublin ?

— Il ne te faudra pas longtemps pour trouver. Tu es une… enfin, tu vois ce que je veux dire… tu es une…

— Une quoi ?

— Tu es jolie, fit Seán en haussant les épaules. Et les patrons aiment ça, n'est-ce pas ? Tu peux toujours être vendeuse.

— Vendeuse…, répéta ma mère, pensive, en hochant lentement la tête.

— Oui, vendeuse.

— Peut-être, oui. »

Trois petits canards

De l'avis de ma mère, Jack Smoot et Seán MacIntyre étaient totalement différents, et elle fut très surprise qu'ils soient si amis. Alors que Seán était sociable et aimable à un point confinant à l'innocence, Smoot était plus sombre et plus réservé, enclin à de longues périodes d'introspection qui parfois tournaient au désespoir.

« Le monde est un lieu terrible, lui confiait-il, quelques semaines après leur rencontre. Quel malheur d'y être nés.

— Malgré tout, le soleil brille, répondait-elle alors avec un sourire. Il y a au moins ça. »

Alors que l'autocar approchait de Dublin, Seán se mit à s'agiter sur son siège en regardant par la fenêtre, les yeux écarquillés devant les rues et les bâtiments nouveaux, bien plus grands et denses que tout ce qu'il avait connu. Lorsque le chauffeur se gara sur Aston Quay, Seán fut le premier à s'emparer de sa valise et, impatient, dut attendre que les passagers rassemblent leurs bagages. Lorsqu'il descendit enfin, il jeta un regard affolé autour de lui, jusqu'à ce qu'il aperçoive, en face, un jeune homme qui, sortant de la salle d'attente à côté du grand magasin McBirney, se dirigeait vers lui. Son visage se fendit alors d'un sourire soulagé.

« Jack ! » rugit-il, la voix presque cassée par l'émotion tandis que l'homme, d'un ou deux ans plus âgé que lui, approchait. Ils se tinrent face à face quelques instants, le visage radieux, puis échangèrent une poignée de main chaleureuse et Smoot, dans un rare moment d'allégresse, arracha à Seán son bonnet et le lança en l'air d'un geste joyeux.

« Tu as réussi, se réjouit-il.

— Tu doutais de moi ?

— Je ne savais pas trop. Je me disais que je pourrais bien me retrouver planté là comme un couillon. »

Ma mère s'approcha, ravie comme tout le monde de sortir à l'air frais. Sans savoir qu'un plan avait été échafaudé quelque part entre Newbridge et Rathcoole, Smoot ne lui accordait aucune attention et n'en avait que pour son ami. « Et ton père ? demanda-t-il. As-tu…

— Jack, je te présente Catherine Goggin », déclara Seán lorsqu'elle s'arrêta à côté de lui, faisant de son mieux pour rester discrète. Smoot la dévisagea ; pourquoi lui présentait-on cette jeune fille ?

« Bonjour, dit-il après une courte pause.

— Nous nous sommes rencontrés dans l'autocar, précisa Seán. Nous étions assis côte à côte.

— Ah oui ? fit Smoot. Vous venez rendre visite à un proche ?

— Pas exactement, répondit ma mère.

— Catherine se retrouve en mauvaise posture, expliqua Seán. Ses parents l'ont mise à la porte, alors elle est venue à Dublin tenter sa chance. »

Smoot hocha la tête, et eut l'air de réfléchir, la langue collée à l'intérieur de la joue. Il avait les cheveux noirs, aussi noirs que ceux de Seán étaient blonds, et son visage était piqueté de minuscules cicatrices. Voyant ses épaules larges, ma mère l'imagina en train de transporter des tonneaux de Guinness, courbé sous l'air empesté des odeurs de houblon et d'orge. « Ils sont nombreux à tenter l'aventure, répondit-il enfin. Il y a des opportunités, bien sûr. Mais certains ne réussissent pas et finissent par choisir la grande traversée en bateau.

— Depuis que je suis enfant, je fais souvent le même rêve : si je pose le pied sur un bateau, il coulera et je me noierai », révéla ma mère, inventant cette fable de toutes pièces. Elle raconta ce rêve uniquement pour faire avancer le plan qu'elle avait mis au point avec Seán. Elle n'avait à aucun moment eu peur auparavant, me confia-t-elle, mais une fois arrivée dans la ville, l'idée de se retrouver seule la terrorisa.

Smoot ne trouva rien à répondre et se contenta de lui adresser un long regard dédaigneux avant de se tourner vers son ami.

« Bon, mettons-nous en route, fit-il, enfonçant ses mains dans ses poches et congédiant ma mère d'un signe de tête. Nous allons là où nous logeons, puis nous sortirons manger quelque chose. Je n'ai rien avalé d'autre qu'un sandwich aujourd'hui, je pourrais dévorer un petit protestant si quelqu'un voulait bien lui verser un peu de sauce sur la tête.

— Très bonne idée », acquiesça Seán. Smoot pivota et ouvrit la marche, Seán suivit deux pas derrière lui sa valise à la main, tandis que Catherine avançait quelques mètres en arrière. Smoot leur lança un coup d'œil, fronça les sourcils et ils s'arrêtèrent tous les deux. Il les regarda comme s'ils avaient perdu l'esprit puis repartit et ils lui emboîtèrent le pas. Finalement, il se retourna vers eux, les poings sur les hanches, perplexe.

« Il se passe quelque chose qui m'échappe ?

— Écoute Jack, avoua Seán. La pauvre Catherine est seule au monde. Elle n'a pas de travail, ni tellement d'argent pour vivre jusqu'à ce qu'elle en trouve un. Je lui ai dit que peut-être, elle pourrait rester avec nous quelques jours, le temps qu'elle trouve une solution. Ça ne t'ennuie pas, hein ? »

Pendant quelques instants, Smoot se tut, et ma mère reconnut un mélange de déception et de ressentiment sur son visage. Elle se demanda si elle ne devrait pas dire que tout allait bien, qu'elle ne voulait pas les déranger et qu'elle allait les laisser tranquilles ; mais Seán s'était montré si gentil dans le bus, et si elle ne le suivait pas, où irait-elle ?

« Vous vous connaissez de là-bas ? C'est ça ? demanda Smoot. C'est une blague que vous me faites ?

— Non Jack, nous venons de nous rencontrer, je t'assure.

— Attends une minute, intervint Smoot, qui se mit à plisser les yeux en observant le ventre de ma mère, qui, cinq mois après ma conception, commençait à s'arrondir. Es-tu... ? Est-ce bien... ? »

Ma mère leva les yeux au ciel. « Je devrais publier une annonce dans le journal, vu l'intérêt que provoque mon ventre aujourd'hui.

— Ah..., fit Smoot, le visage plus sombre que jamais. Seán, est-ce que tu as quelque chose à voir avec ça ? Tu cherches à m'embarquer dans une histoire à dormir debout ?

— Mais non ! Je t'assure, nous nous connaissons à peine. Nous étions assis l'un à côté de l'autre dans le car.

— Et j'étais déjà à cinq mois à ce moment-là, précisa ma mère.

— Si c'est vrai, pourquoi on prendrait une responsabilité quelconque ? Tu ne portes pas d'alliance, à ce que je vois, ajouta-t-il en désignant la main gauche de ma mère.

— Non, effectivement. Et j'ai peu de chance d'en porter une un jour.

— Tu cherches à te faire épouser par Seán, c'est ça ? »

Ma mère ouvrit la bouche, à la fois offensée et prête à éclater de rire. « Absolument pas. Combien de fois faut-il vous le répéter, nous venons de nous rencontrer. Je ne vais pas me jeter à la tête de quelqu'un après un voyage en car !

— Non, mais tu n'hésites pas à demander à un inconnu de te rendre service.

— Jack, s'il te plaît, intervint Seán d'une voix douce. Elle est seule. Nous savons ce que ça fait, tous les deux… Je me suis dit qu'un peu de charité chrétienne ne nous ferait pas de mal.

— Toi et ton putain de Dieu, rétorqua Smoot en secouant la tête – et ma mère, si forte fût-elle, blêmit en entendant cette obscénité, car à Goleen, les gens n'utilisaient pas ce genre de mot.

— C'est seulement pour quelques jours, insista Seán. Juste le temps qu'elle trouve une solution.

— Mais il y a très peu de place, dit Smoot d'une voix abattue. *A priori*, on ne devait être qu'à deux, dans ce logement. » Il y eut un long silence. « Allez, viens, fit-il, en capitulant d'un haussement d'épaules. Apparemment, je n'ai pas mon mot à dire dans cette affaire, alors, je vais prendre mon mal en patience. Quelques jours, tu as dit ?

— Quelques jours, répéta ma mère.

— Le temps que tu trouves une solution.

— Pas plus longtemps.

— Mmm », marmonna-t-il, avant de se mettre à marcher à grands pas, Seán et ma mère sur les talons.

L'appartement de Chatham Street

En avançant vers le pont, ma mère regarda par-dessus la balustrade pour contempler la Liffey, dont les impétueux flots marron et vert sale filaient vers la mer d'Irlande comme s'ils voulaient quitter la ville le plus vite possible, laissant les curés, les pubs et la politique loin derrière. Ma mère inspira par le nez, fit la grimace et déclara que cette eau était bien moins propre que celle à l'ouest de Cork.

« Là-bas, raconta-t-elle, on pouvait se laver les cheveux dans les torrents. Et beaucoup de gens le font, bien sûr. Mes frères se lavent dans une petite rivière derrière la ferme tous les samedis matin, en se partageant un seul morceau de savon Lifebuoy. Quand ils reviennent, propres comme des sous neufs, ils brillent sous le soleil d'été. Un jour, Maisie Hartwell a été surprise en train de les épier, et son père lui a mis une trempe. Bien fait. Elle voulait voir leur zizi.

— On ne te retient pas, si tu préfères repartir, déclara Smoot, avant de se retourner et d'écraser son mégot sous sa chaussure.

— Allez, Jack..., souffla Seán, et la déception perceptible dans sa voix était si touchante que ma mère espéra qu'elle n'aurait jamais à répondre à une prière énoncée sur ce ton.

— C'était une plaisanterie », dit Smoot, après s'être fait si discrètement réprimander.

Il secoua la tête et poursuivit sa route. Elle eut tout loisir d'observer la ville, dont elle avait entendu parler toute sa vie, cette ville qui était censée regorger de putains et d'athées, mais qui ressemblait beaucoup à chez elle, sauf que les voitures étaient plus nombreuses, les constructions, plus grandes, et les vêtements, plus jolis. À Goleen, il n'y avait que des travailleurs, leurs femmes et leurs enfants. Personne n'était riche, personne n'était pauvre et le monde préservait sa stabilité en faisant circuler quelques centaines de livres d'une entreprise à l'autre, de la ferme à l'épicerie, du salaire à la caisse du pub. Mais ici, elle voyait des rupins en costumes noirs à fines rayures arborant des moustaches sophistiquées, des dames apprêtées, des dockers et des marins, des vendeuses et des cheminots. Un avocat, en grande tenue, passa à côté d'eux sur le chemin des Four Courts, sa robe en popeline noire volait dans son sillage comme une cape, sa perruque blanche gonflée menaçait de s'envoler. De la direction opposée approchèrent deux jeunes séminaristes, tellement ivres qu'ils ne marchaient plus droit, puis un petit garçon au visage noirci de charbon et un homme habillé en femme – elle n'avait jamais vu une créature pareille. Oh, si seulement j'avais un appareil photo ! songea-t-elle. Ça leur couperait le sifflet, là-bas, à Goleen ! Lorsqu'ils arrivèrent au carrefour, elle se tourna pour contempler O'Connell Street et vit la haute colonne dorique située à mi-chemin et la statue trônant fièrement au sommet ; elle gardait le nez levé de manière à ne pas avoir à respirer la puanteur du peuple.

« C'est la colonne Nelson ? demanda-t-elle en la montrant du doigt, et Smoot et Seán levèrent les yeux.

— Exactement, répondit Smoot. Comment tu le sais ?

— Je suis allée à l'école. Je sais même écrire mon nom. Et compter jusqu'à dix. C'est un bien beau monument, en tout cas, non ?

— C'est un tas de vieilles pierres qui est là pour célébrer la victoire des Britanniques dans une nouvelle bataille, dit Smoot, ignorant son sarcasme. Ils devraient renvoyer ce salopard d'où il vient, si tu veux mon avis. Ça fait plus de vingt ans que l'Irlande est indépendante, et nous avons toujours un mort venu du Norfolk en train de nous regarder de haut, d'observer chacun de nos faits et gestes.

— Moi, je trouve qu'il embellit la rue, déclara-t-elle, uniquement pour l'énerver.

— Vraiment ?

— Oui.

— Eh bien, tant mieux pour toi. »

Mais elle n'approcherait pas Horatio de plus près ce jour-là, car ils allaient dans la direction opposée, pour prendre Westmoreland Street, et passer devant les grilles de Trinity College. Ma mère contempla les élégants jeunes hommes rassemblés sous la voûte dans leurs beaux habits et ressentit un pincement de jalousie au creux du ventre. De quel droit fréquentaient-ils un endroit pareil alors qu'il lui serait toujours interdit ?

« Je suis sûr qu'ils sont snobs comme des pots de chambre, tous ces gars, dit Seán, suivant son regard. Et qu'ils sont tous protestants, bien sûr. Jack, est-ce que tu as rencontré des étudiants de ce *college* ?

— Oh, je les connais tous. Tu imagines bien, on sort dîner ensemble tous les soirs, on lève notre verre à la santé du roi et on répète que Churchill est un grand bonhomme. »

Ma mère sentit l'agacement la gagner. Ce n'était pas elle qui avait eu l'idée de partager leur logement pendant quelques nuits, c'était Seán, un acte de charité chrétienne, en plus ; mais maintenant que tout le monde était d'accord, elle ne voyait pas pourquoi Smoot devait se montrer si grossier. Ils poursuivirent sur Grafton Street avant de prendre Chatham Street à droite, et s'arrêtèrent enfin devant une petite porte rouge à côté d'un pub. Smoot sortit une clé en laiton de sa poche et se tourna vers eux.

« Pas de propriétaire qui habite sur place, dieu merci. Mr Hogan passe le samedi matin prendre l'argent du loyer, je le rejoins à l'extérieur et il ne parle que de cette fichue guerre. Il est à fond pour les Allemands. Il voudrait bien qu'ils prennent leur revanche. Cet abruti pense que ce ne serait que justice si les Anglais se faisaient casser les reins, mais qu'est-ce qui se passerait ensuite, je lui dis, quel sera le pays suivant ? Ce sera nous. D'ici Noël, nous serions tous en train de saluer Hitler et de descendre Henry Street au pas de l'oie avec le bras tendu. Mais bon, on n'en arrivera pas là, cette sale guerre est presque finie. Bref, je paie un loyer de trois shillings par semaine », ajouta-t-il en regardant Catherine, et même si elle comprit le message, elle ne manifesta pas pour autant son approbation. Sept jours dans une semaine, autrement dit, cinq pence par jour. Deux ou trois jours : quinze pence. Rien à redire, décida-t-elle.

« Un penny la photo ! s'écria un gamin qui descendait la rue avec un appareil suspendu autour du cou. Un penny la photo !

— Seán ! s'exclama ma mère en le tirant par le bras. Regarde ! Un ami de mon père à Goleen avait un appareil comme celui-là. Est-ce que tu t'es déjà fait prendre en photo ?

— Non.

— Faisons-le, allez ! fit-elle avec enthousiasme. Pour fêter notre premier jour à Dublin.

— Un penny perdu, grogna Smoot.

— Ça sera un joli souvenir, dit Seán en donnant un penny à l'enfant. Allez, Jack. Il faut que toi aussi, tu sois sur la photo. »

Ma mère se plaça à côté de Seán mais lorsque Smoot s'approcha, il la poussa d'un coup de coude et l'obturateur se déclencha au moment précis où elle se tournait vers lui, irritée.

« Vous l'aurez dans trois jours, annonça le gamin. C'est quoi, l'adresse ?

— Ici, dit Smoot. Tu peux la glisser dans la boîte aux lettres.

— On n'en aura qu'une ? demanda ma mère.

— Elles valent un penny chacune, répondit le garçon. Si vous en voulez une autre, ça vous coûtera plus cher.

— Une, ce sera parfait. » Elle le laissa pour emboîter le pas à Smoot qui venait d'ouvrir la porte.

L'escalier était étroit, ils devaient monter en file indienne. Le papier peint était jaune et décollé par endroits, des deux côtés. Il n'y avait pas de main courante, et au moment où ma mère saisit son sac, Seán le prit et lui fit signe de passer devant.

« Monte entre nous. Il ne faudrait pas que tu tombes et que le bébé soit blessé. »

Elle lui sourit, reconnaissante, et arrivée sur le palier, elle entra dans une petite pièce avec une baignoire en étain dans un coin, un évier, et collé contre le mur le plus éloigné, le plus énorme canapé que ma mère ait jamais vu de sa vie. Comment donc avait-on réussi à le monter ? Mystère. Il avait l'air si rebondi et confortable qu'il fallut qu'elle se retienne pour ne pas se laisser tomber au milieu des coussins moelleux et s'imaginer que toutes ses aventures des vingt-quatre dernières heures n'étaient qu'un mauvais rêve.

« Eh bien, voilà l'appartement, annonça Smoot, un peu gauche, regardant autour de lui avec une certaine fierté. Les robinets fonctionnent quand ils veulent, ces saloperies, mais l'eau est froide, et c'est emmerdant de remplir le seau et de le traîner jusqu'à la baignoire chaque fois qu'il faut se laver. Pour les toilettes, on peut aller dans un des pubs du quartier. Mais il faut donner l'impression de chercher quelqu'un, sinon, on se fait mettre dehors.

— Faut-il vraiment des *saloperies* et des *emmerdant* à tout bout de champ, Mr Smoot ? demanda ma mère en lui souriant. Je ne suis pas choquée, je vous rassure, mais c'est juste pour savoir à quoi m'attendre. »

Smoot la regarda longuement. « Tu n'aimes pas ma façon de parler, Kitty ? fit-il, et le sourire de ma mère disparut instantanément.

— Ne m'appelez pas comme ça. C'est Catherine, mon nom.

— Eh bien, j'essaierai de surveiller mes manières, si ça t'offense tellement, Kitty. Je surveillerai mes putain de s... et de em... maintenant que nous avons une... » Il s'arrêta et désigna d'un mouvement de tête le ventre de ma mère. « Une dame à la maison. »

Elle déglutit, prête à sortir ses griffes, mais que pouvait-elle faire ? Il lui procurait un toit...

« C'est magnifique, finit par dire Seán pour faire retomber la tension. Très confortable.

— Oui », dit Smoot en lui souriant. Ma mère se demanda si elle gagnerait un jour l'amitié de Jack comme Seán y était parvenu, mais pour l'instant, elle ne voyait pas comment. Jetant un coup d'œil à travers une porte entrouverte, elle aperçut un lit une place. « Peut-être, hésita-t-elle, peut-être que c'était une erreur. Il n'y a pas assez de place pour nous trois ici. Mr Smoot a sa chambre, et le canapé t'était destiné, Seán, je suppose. Ce ne serait pas juste que je t'en prive. »

Seán, les yeux rivés sur ses chaussures, ne dit rien.

« Tu peux dormir tête-bêche avec moi, assura Smoot en regardant son ami, dont le visage était écarlate. Et Kitty peut prendre le canapé. »

Le malaise devint si perceptible que ma mère ne sut plus quoi penser. Des minutes passèrent, me raconta-t-elle, et ils restèrent plantés tous les trois au milieu du salon, sans dire un mot.

« Bon, eh bien, fit-elle, soulagée d'avoir réussi à trouver une idée. Est-ce que quelqu'un a faim ? Je crois que j'ai assez d'argent pour vous offrir un dîner de remerciement. »

Journaliste, peut-être

Deux semaines plus tard, le jour où parvint à Dublin la nouvelle qu'Adolf Hitler s'était mis une balle dans la tête, ma mère entra dans un magasin de bijoux bon marché sur Coppinger Row et s'acheta une alliance – un petit anneau doré avec une minuscule pierre. Elle n'avait toujours pas quitté l'appartement de Chatham Street, mais était parvenue à une entente tacite avec Jack Smoot qui s'accommodait de sa présence en l'ignorant, la plupart du temps. Pour se rendre utile, elle maintenait le logement propre et dépensait le peu d'argent qu'elle avait pour faire en sorte qu'un repas soit servi le soir lorsqu'ils rentraient du travail. Seán avait trouvé un emploi à la brasserie Guinness, même s'il n'y était pas particulièrement heureux.

« Je passe la moitié de la journée à transporter des sacs de houblon. » Un soir, il s'était plongé dans la baignoire pour détendre ses muscles. Ma mère était assise sur le lit dans la chambre voisine, lui tournant le dos, mais la porte était entrouverte pour qu'ils puissent se parler. Cette chambre était étrange, songea-t-elle. Rien sur les murs à part une croix de sainte Brigitte et une photographie du pape Pie XII. À côté se trouvait la photo qui avait été prise le jour de leur arrivée à Dublin. Le gamin n'avait guère réussi son cliché : bien que Seán fût souriant et que Smoot parût presque humain, son corps à elle était coupé en deux verticalement, et elle avait la tête tournée vers la droite, contrariée que Smoot l'ait ainsi poussée. Dans une seule commode, les vêtements des deux jeunes gens étaient mélangés – apparemment peu importait qui possédait quoi. Et le lit était à peine assez grand pour une personne, alors, pour eux deux, tête-bêche... Ce n'était pas surprenant qu'elle entende, la nuit, des bruits bizarres provenant de cette pièce. Les pauvres garçons devaient avoir beaucoup de mal à trouver le sommeil.

« Mes épaules sont couvertes de bleus, poursuivit Seán, j'ai mal au dos et j'ai des migraines terribles à cause des odeurs. Je vais peut-être me mettre bientôt à chercher autre chose, parce que je ne sais pas combien de temps je vais pouvoir tenir.

— En tout cas, on dirait que Jack s'y plaît.

— Il est plus robuste que moi.

— Qu'est-ce que tu voudrais faire d'autre ? »

Seán prit son temps avant de répondre et elle l'écouta barboter dans la baignoire. Je me demande si, en son for intérieur, elle n'eut pas envie de se retourner, de poser les yeux sur le corps du jeune homme et de lui proposer, sans la moindre gêne, de l'y rejoindre ? Il avait été gentil avec elle et il était très charmant, du moins, c'est ce qu'elle me raconta. Elle aurait eu du mal à ne pas éprouver pour lui quelque chose proche de l'attachement.

« Je ne sais pas, lâcha-t-il enfin.

— J'ai comme l'impression que tu sais, en fait.

— J'ai une idée, fit-il, un peu gêné. Mais je ne sais pas si j'en aurais les capacités.

— Dis-moi.

— Tu ne riras pas ?

— Peut-être que si. Ça me ferait du bien de rire un bon coup.

— Eh bien, tu vois, les journaux, reprit-il après une courte pause. Le *Irish Times*, bien sûr, et le *Irish Press*. Je crois que je pourrais écrire des choses pour eux.

— Quel genre de choses ?

— Des nouvelles. J'ai écrit un peu, quand j'étais à Ballincollig. Des histoires, des textes de ce genre. Quelques poèmes. Mauvais, pour la plupart, mais quand même. Je progresserais sans doute si on m'en donnait l'occasion.

— Tu veux dire que tu serais journaliste ?

— Oui, tu trouves que c'est bête ?
— Pas du tout. Il faut bien que quelqu'un le fasse, non ?
— Jack trouve que ce n'est pas une bonne idée.
— Quelle importance ? Il n'est pas ta femme, si ? Tu peux prendre tes décisions tout seul.
— Je ne sais même pas si on m'embaucherait. Mais Jack ne veut pas rester chez Guinness éternellement, lui non plus. Son projet, c'est d'ouvrir son propre pub.
— C'est exactement ce dont Dublin a besoin. Un pub de plus.
— Pas ici. À Amsterdam.
— Quoi ? s'étonna ma mère. Pourquoi là-bas ?
— Je suppose que c'est son côté néerlandais. Il n'est jamais allé à Amsterdam mais il n'en a entendu dire que du bien.
— Quel bien ?
— Que c'est différent de l'Irlande.
— En voilà une grande révélation ! Il y a des canaux et des rivières là-bas, non ?
— Ce ne sont pas ces différences-là qui comptent, pour lui. »

Il n'ajouta rien d'autre, et ma mère commença à s'inquiéter – peut-être s'était-il endormi et enfoncé sous l'eau.

« J'ai une nouvelle moi aussi, lui annonça-t-elle, espérant qu'il répondrait vite sinon elle n'aurait d'autre choix que de se retourner.
— Vas-y.
— J'ai un entretien pour un emploi demain matin.
— C'est pas vrai !
— Si », fit-elle tandis qu'il recommençait ses ablutions, avec le petit morceau de savon qu'elle avait offert à Smoot, en partie pour le remercier de lui avoir permis de s'installer sous leur toit, et en partie pour l'encourager à se laver plus souvent.

« Félicitations. Où vas-tu passer cet entretien ?
— Au Dáil[1].
— Au quoi ?
— Au Dáil. Sur Kildare Street. Tu sais bien, le parlement.

1. Le Dáil Éireann est la chambre basse du parlement irlandais. Les élus y sont appelés des TD (ou Teachtaí Dála). (*N.d.T.*)

— Je sais ce qu'est le Dáil, répondit Seán en riant. Je suis surpris, c'est tout. De quel travail s'agit-il ? Tu vas devenir TD ? Nous allons avoir notre premier Taoiseach[1] femme ?

— Je serais serveuse dans le salon de thé. Je dois rencontrer une certaine Mrs Hennessy à 11 heures, et elle va m'évaluer.

— Eh bien, c'est une très bonne nouvelle. Est-ce que tu crois que... »

Une clé fut introduite dans la serrure, resta coincée un instant, fut ressortie puis réintroduite, et lorsque ma mère entendit Smoot entrer dans l'autre pièce, elle se déplaça un peu sur le lit pour qu'il ne remarque pas sa présence. Elle garda les yeux fixés sur la fissure dans le mur qui ressemblait au tracé du Shannon dans les Midlands.

« Te voici, dit-il, avec une tendresse dans la voix qu'elle n'avait jamais perçue auparavant. Quelle jolie scène pour m'accueillir à la maison...

— Jack, l'interrompit Seán précipitamment, son ton de voix lui aussi différent. Catherine est là. »

Ma mère se retourna et jeta un coup d'œil du côté de la pièce principale au moment où Smoot leva les yeux et elle eut, comme elle me le raconta par la suite, le regard tiraillé entre le beau torse nu de Seán, musclé et glabre, dans l'eau sale, et le visage de Smoot, sur lequel on lisait une contrariété de plus en plus marquée. Troublée, ne parvenant pas à comprendre exactement quelle faute elle avait commise, elle tourna à nouveau le dos aux jeunes hommes, heureuse de pouvoir cacher son visage empourpré.

« Bonsoir Jack, s'écria-t-elle gaiement.

— Kitty.

— Libéré du bagne ? »

Un long silence s'installa dans le salon ; ma mère brûlait d'envie de se retourner. Les deux garçons ne parlaient pas, mais même dans le silence, elle se rendait compte qu'ils échangeaient, même si ce n'était que par le regard. Puis, Seán prit la parole.

« Catherine venait juste de me dire qu'elle a un entretien d'embauche demain matin. Au salon de thé du Dáil, tu arrives à y croire ?

1. Premier ministre irlandais désigné par le Dáil Éireann. (*N.d.T.*)

— Je crois volontiers tout ce qu'elle raconte. C'est vrai, Kitty ? Tu vas donc rejoindre les rangs des femmes qui travaillent ? Grands dieux, la prochaine étape, c'est l'Irlande unifiée.

— Si je me présente bien, répondit Catherine, ignorant ses railleries, si j'impressionne la patronne, avec un peu de chance, la place sera à moi.

— Catherine, je sors du bain, déclara Seán un peu fort. Alors ne te retourne pas.

— Je vais tout simplement fermer la porte et te laisser te sécher. Tu veux des vêtements propres ?

— Je vais les chercher. » Smoot entra dans la chambre et prit le pantalon de Seán posé sur le dossier d'une chaise, une chemise propre, des sous-vêtements et des chaussettes dans le tiroir de la commode. Il resta là, les bras chargés pendant une demi-minute en contemplant Catherine, jusqu'à ce qu'elle finisse par lever les yeux vers lui.

« Est-ce qu'ils n'auront pas un problème, à ton avis ? Les gens du Dáil ?

— Quel problème ? » Elle remarqua la manière dont il tenait les vêtements de Seán dans ses bras d'un geste protecteur, les sous-vêtements sur le devant comme s'il cherchait à la mettre mal à l'aise.

« Avec ça, fit-il en pointant un doigt vers le ventre de ma mère.

— J'ai acheté une alliance, répondit-elle en tendant sa main gauche pour la lui montrer.

— Si tu crois que ça fera illusion. Et qu'est-ce qui se passera quand l'enfant sera né ?

— J'ai un Grand Dessein.

— Tu n'arrêtes pas de répéter ça. Tu nous diras un jour de quoi il s'agit ou il faut qu'on devine ? »

Ma mère ne répondit pas et Smoot s'éloigna.

« J'espère que tu le décrocheras, marmonna-t-il en passant près d'elle, pour qu'eux seuls puissent entendre. J'espère que tu auras ce fichu boulot et qu'ensuite, tu t'en iras d'ici en vitesse pour nous laisser tranquilles. »

Entretien d'embauche au Dáil Éireann

Lorsque ma mère arriva au Dáil le matin suivant, l'alliance était bien visible sur le quatrième doigt de sa main gauche.

Elle donna son nom au garde posté à l'entrée, un individu bien bâti dont l'expression suggérait qu'il aurait préféré se trouver n'importe où ailleurs. Il consulta le registre des visiteurs du jour puis secoua la tête et déclara qu'elle ne s'y trouvait pas.

« J'y suis, dit ma mère, se penchant pour lui montrer le nom inscrit à côté de *11 heures – pour Mrs C. Hennessy*.

— Je lis Gogan. Catherine Gogan.

— Ce n'est qu'une faute d'orthographe. Mon nom est Goggin, pas Gogan.

— Si vous n'avez pas de rendez-vous, je ne peux pas vous laisser passer.

— Garde, répondit ma mère en le gratifiant d'un sourire enjôleur. Je vous assure que je suis bien la Catherine Gogan que Mrs Hennessy attend. Quelqu'un a écrit mon nom de travers, voilà tout.

— Et comment suis-je censé le savoir ?

— Eh bien, je vais patienter ici, et si aucune Catherine Gogan ne se présente, me permettrez-vous d'entrer à sa place ? Elle aura laissé passer sa chance et je serai en meilleure position pour mon entretien. »

Le garde soupira. « Oh là là, j'en ai pourtant assez à la maison.

— Assez de quoi ?

— Je viens travailler pour échapper à ce genre de choses.

— Quel genre de choses ?

— Passez et fichez-moi la paix, lança-t-il en la poussant presque pour la faire entrer. La salle d'attente se trouve à gauche. Ne vous avisez pas d'aller ailleurs, sinon je vous rattraperai, je suis aussi rapide que la chiasse qui sort du cul de l'oie.

— Charmant », répliqua ma mère, en se glissant entre les portes pour se diriger vers la pièce qu'il lui avait indiquée. Elle entra, s'assit et contempla le faste de l'endroit. Son cœur battait la chamade.

Quelques minutes plus tard, la porte s'ouvrit et une femme d'environ cinquante ans entra ; elle était mince comme un saule et ses cheveux noirs étaient coupés très court.

« Miss Goggin ? Je suis Charlotte Hennessy.

— C'est Mrs Goggin, en fait », s'empressa de rectifier ma mère en se levant, et en un instant, une mine déconcertée fit disparaître l'expression chaleureuse du visage de la dame.

« Oh, fit-elle en remarquant le ventre de ma mère. Oh...
— C'est un plaisir de faire votre connaissance. Je vous remercie de prendre le temps de me recevoir. J'espère que l'emploi est toujours vacant. »

La bouche de Mrs Hennessy s'ouvrit et se referma plusieurs fois comme celle d'un poisson jeté sur le pont d'un bateau, se tortillant jusqu'à ce qu'il ne reste plus une étincelle de vie en lui. « Mrs Goggin..., commença-t-elle – elle s'interrompit et lui indiqua en souriant qu'elles devraient s'asseoir. Il l'est toujours, oui, mais je crains qu'il y ait un malentendu.
— Oh ? fit ma mère.
— Je cherchais une jeune fille pour le salon de thé, voyez-vous. Pas une femme mariée avec un enfant en route. Nous ne pouvons pas donner un emploi à des femmes mariées, ici au Dáil Éireann. Une femme mariée doit être à la maison auprès de son mari. Le vôtre ne travaille pas ?
— Mon mari travaillait, oui, dit ma mère en la regardant droit dans les yeux et en faisant légèrement trembler sa lèvre inférieure, un numéro qu'elle avait répété toute la matinée devant le miroir de la salle de bains.
— Et il a perdu son emploi ? Je suis désolée, mais je ne peux rien faire pour vous. Toutes nos employées sont célibataires. Ce sont des jeunes filles comme vous, naturellement, mais elles ne sont pas mariées. Telle est la préférence de ces messieurs les représentants.
— Il n'a pas perdu son emploi, Mrs Hennessy, rectifia ma mère, qui sortit son mouchoir de sa poche pour se tamponner les yeux. Il a perdu... la vie.
— Oh ma chère, je suis tellement désolée, assura Mrs Hennessy en portant une main à sa gorge tant elle était choquée. Le pauvre homme. Que lui est-il arrivé, si ça ne vous ennuie pas que je pose la question ?
— C'est la guerre qui lui est arrivée, Mrs Hennessy.
— La guerre ?
— La guerre. Il est allé combattre, comme son père avait combattu avant lui et son grand-père encore avant. Les Allemands l'ont eu. Il y a moins d'un mois. Déchiqueté par une grenade. Tout ce qui me reste de lui, c'est sa montre et ses fausses dents. Celles du bas. »

Telle était l'histoire qu'elle avait concoctée et même à ses propres yeux, elle paraissait risquée. Ils étaient nombreux, surtout dans cette honorable institution, à ne pas avoir une haute opinion des Irlandais partis se battre aux côtés des Anglais. Mais l'histoire avait une résonance héroïque et, sans pouvoir l'expliquer, elle avait décidé que c'était la bonne tactique.

« Ma pauvre petite, quel malheur, reconnut Mrs Hennessy, et lorsqu'elle prit la main de ma mère pour la serrer, celle-ci sut qu'elle avait déjà parcouru la moitié du chemin. Et vous qui êtes sur le point de fonder une famille… Quelle tragédie.

— Si j'avais le temps de penser aux tragédies, c'en serait une. Mais je ne peux pas me le permettre, voilà la vérité. Il faut que je me soucie de ce petit-là, dit ma mère en posant une main protectrice sur son ventre.

— Vous n'allez pas le croire, mais la même chose est arrivée à ma tante Jocelyn pendant la Première Guerre mondiale. Elle était mariée à mon oncle Albert depuis un an seulement et devinez, il s'est enrôlé avec les Anglais et s'est fait tuer à Passchendaele. Le jour où elle apprit la nouvelle fut aussi le jour où elle découvrit qu'elle allait avoir un enfant.

— Pardonnez-moi de vous poser la question, Mrs Hennessy, mais comment votre tante Jocelyn a-t-elle surmonté tout cela ? s'enquit ma mère. A-t-elle fini par s'en sortir ?

— Oh, ne vous en faites pas pour elle, affirma Mrs Hennessy. Jamais on n'a vu femme plus positive. Elle a avancé, un jour après l'autre. Mais les gens fonctionnaient ainsi, en ce temps-là. Des femmes fortes, toutes sans exception.

— Des femmes magnifiques, Mrs Hennessy. Je suis certaine que je pourrais en apprendre beaucoup de votre tante Jocelyn. »

La directrice du salon de thé sourit de plaisir, puis son sourire perdit de son intensité. « Mais je ne sais pas si cela va pouvoir se faire. Me pardonnez-vous si je vous demande à combien vous êtes du terme ?

— Trois mois.

— Trois mois. Il s'agit d'un poste à plein temps. Je suppose que vous seriez obligée de partir après la naissance du bébé. »

Ma mère acquiesça. Bien entendu, avec son Grand Dessein, elle savait que cela ne se passerait pas ainsi, mais chaque chose en son temps. Elle tenait sa chance et elle ne la laisserait pas passer.

« Mrs Hennessy, vous me paraissez tellement gentille. Vous me rappelez ma défunte mère, qui a pris soin de moi chaque jour de sa vie jusqu'à ce qu'elle succombe au cancer l'an dernier...

— Oh, ma chère, quelles épreuves vous avez connues !

— Je vois la même bonté sur votre visage, Mrs Hennessy. Permettez-moi d'abandonner toute dignité et de me jeter à vos pieds. J'ai besoin d'un travail, Mrs Hennessy, j'en ai tellement besoin pour mettre de l'argent de côté, pour l'enfant lorsqu'il ou elle arrivera. Je n'ai presque rien. Si vous écoutez votre cœur et me donnez cet emploi pour les trois prochains mois, je travaillerai comme un cheval de trait et vous n'aurez aucune raison de regretter votre décision. Et quand viendra le moment, peut-être que vous pourrez publier une nouvelle annonce et trouver une jeune fille qui aura besoin qu'on lui donne sa chance, comme moi aujourd'hui. »

Mrs Hennessy se redressa, et ses yeux se remplirent de larmes. Quand j'y repense aujourd'hui, je me demande pourquoi ma mère postulait pour un emploi au Dáil alors qu'elle aurait pu aller sur l'autre rive de la Liffey pour passer une audition à l'Abbey Theatre.

« Puis-je vous demander si vous êtes en bonne santé ? demanda enfin Mrs Hennessy.

— Je vais parfaitement bien, assura ma mère. Je n'ai pas été malade un seul jour de toute ma vie. Pas même ces six derniers mois. »

Mrs Hennessy soupira et jeta un regard circulaire, comme si tous les hommes dans leurs cadres dorés pouvaient lui donner un conseil. Un portrait de W. T. Cosgrave était accroché au-dessus de son épaule et il semblait fusiller ma mère du regard, signifiant qu'il n'était dupe d'aucun de ses mensonges et que s'il avait pu s'extraire de la toile qui le retenait prisonnier, il l'aurait chassée à coups de bâton.

« Et la guerre est presque finie, reprit ma mère au bout d'un moment, d'une manière un peu inattendue, compte tenu de leur conversation. Avez-vous su qu'Hitler s'était donné la mort ? Les perspectives sont bien meilleures pour nous tous. »

Mrs Hennessy hocha la tête. « J'ai appris, oui, fit-elle en haussant les épaules. Bon débarras, si Dieu veut bien me pardonner de dire une chose pareille. Nous allons vers des temps plus cléments, j'espère. »

Prolongation de séjour

« Alors, c'est vous qui décidez, déclara ma mère à Seán et Smoot ce soir-là tandis qu'ils étaient tous les trois installés au Brazen Head pour manger un bon ragoût, qu'ils répartirent entre leurs assiettes. Je peux m'en aller la semaine prochaine quand j'aurai reçu ma première paye, ou je peux rester dans l'appartement de Chatham Street jusqu'après la naissance du bébé et vous donner un tiers de ce que je gagne pour payer ma part du loyer. J'aimerais bien rester, le logement est confortable et vous êtes les deux seules personnes que je connaisse à Dublin. Mais vous avez été très gentils avec moi depuis mon arrivée et je ne veux pas abuser de votre hospitalité.

— Moi, je veux bien, approuva Seán avec un sourire. Je suis heureux comme ça. Mais c'est le logement de Jack, alors, c'est lui qui décide. »

Smoot prit une tranche de pain dans l'assiette posée au milieu de la table et la passa sur le bord de son bol. Il la mit dans sa bouche et mâcha soigneusement avant d'avaler puis il but une gorgée de sa pinte.

« On t'a supportée jusque-là, Kitty. Quelques mois de plus, ça ne changera pas grand-chose. »

Le salon de thé

L'emploi dans le salon de thé du Dáil était bien plus difficile que ma mère ne l'avait imaginé et, comme c'était à prévoir dans un lieu pareil, chaque fille devait apprendre à se montrer diplomate avec les élus. Toute la journée, des relents d'odeurs corporelles et de fumée de cigarette accompagnaient les TD qui entraient et sortaient, exigeant un gâteau à la crème ou un éclair avec leur tasse de café en donnant l'impression d'ignorer les bonnes manières. Certains faisaient du charme aux filles, mais n'avaient pas l'intention que leur badinage mène où que ce soit ; d'autres l'espéraient, au contraire, et pouvaient devenir agressifs s'ils étaient repoussés. Des filles avaient été séduites puis licenciées lorsque l'homme s'était lassé d'elles ; d'autres avaient refusé une proposition indécente et avaient été congédiées. Si l'on se faisait repérer par un TD, cela ne menait apparemment qu'à une seule issue, le bureau de placement. Seulement quatre femmes étaient élues au Dáil à cette époque-là et ma mère les appelait les MayBes – Mary Reynolds de Sligo-Leitrim et Mary Ryan de Tipperary, Bridget Redmont de Waterford et Bridget Rice de Monaghan. Elles étaient les pires, me raconta-t-elle, car elles ne voulaient pas être vues en train de parler aux serveuses au cas où l'un des élus hommes viendrait leur demander de réchauffer son déjeuner ou de l'aider à recoudre un bouton sur sa manche de chemise.

Mr de Valera ne venait pas souvent, me dit-elle. Il se faisait apporter son thé dans son bureau par Mrs Hennessy en personne, mais de temps en temps, il passait la tête quand il cherchait quelqu'un et s'asseyait avec certains des députés d'arrière-ban, pour juger de l'ambiance qui régnait dans le groupe. Grand, maigre, l'air un peu idiot, il était toujours d'une politesse irréprochable et une fois, il réprimanda un de ses ministres de second rang pour avoir appelé ma mère d'un claquement de doigts, ce qui lui valut sa gratitude éternelle.

Les filles avec qui elle travaillait montraient une grande sollicitude pour ma mère. Elle avait dix-sept ans, un époux fictif mort dans une guerre qui avait fini par se terminer, et un enfant on ne peut plus réel prêt à venir au monde. Elles la considéraient avec un mélange de fascination et de pitié.

« Et ta pauvre maman est morte aussi, à ce que j'ai entendu ? demanda une fille plus âgée, Lizzie, alors qu'elles se trouvaient ensemble devant l'évier en train de faire la vaisselle.

— Oui, répondit ma mère. Un accident terrible.

— On m'a dit que c'était un cancer.

— Oh oui, se reprit-elle. Je voulais dire un malheur terrible. Qu'elle ait eu le cancer.

— Apparemment c'est de famille, déclara Lizzie, qui devait être le boute-en-train de service. Tu n'es pas inquiète de l'avoir un jour, toi aussi ?

— Eh bien, je n'y avais jamais pensé, avoua ma mère, s'interrompant dans sa tâche pour y réfléchir. Mais maintenant que tu l'as dit, je ne penserai plus à rien d'autre. » Pendant un moment, me raconta-t-elle, elle se demanda si effectivement, elle ne risquait pas de développer la maladie, jusqu'à ce qu'il lui revienne que sa mère, ma grand-mère, était vivante et bien portante, et qu'elle se trouvait à 370 kilomètres de là, à

Goleen, à l'ouest de Cork, avec son mari et ses six fils sans cervelle. Après cela, elle se détendit.

Le Grand Dessein

À la mi-août, Mrs Hennessy convoqua ma mère dans son bureau et lui dit qu'à son avis, le temps était venu pour elle de quitter son emploi.

« Est-ce parce que j'étais en retard ce matin ? demanda ma mère. C'est la première fois que cela arrive. Mais un homme était planté devant ma porte au moment où je partais, et il avait une telle mine qu'on aurait dit qu'il projetait de m'assassiner. Je n'ai pas voulu sortir seule tant qu'il était là. Je suis remontée, j'ai guetté à la fenêtre et il m'a fallu attendre vingt minutes avant qu'il tourne les talons et s'en aille dans Grafton Street.

— Ce n'est pas parce que tu étais en retard, dit Mrs Hennessy, en secouant la tête. Tu as toujours été ponctuelle, Catherine, contrairement à certaines filles. Non, j'estime que le temps est venu, c'est tout.

— Mais j'ai encore besoin du salaire, protesta-t-elle. Je dois penser à mon loyer à payer et mon enfant et…

— Je sais et je compatis, mais regarde-toi une minute, tu es très imposante. Il ne doit plus te rester que quelques jours, maintenant. Est-ce que tu sens un changement ?

— Non, répondit-elle. Pas encore.

— En fait, poursuivit Mrs Hennessy, j'ai eu… est-ce que tu veux bien t'asseoir, Catherine, grands dieux, et reposer tes jambes. Pour commencer, tu ne devrais pas rester debout, dans ton état. Je disais… j'ai eu des plaintes de la part de certains TD.

— Ils se sont plaints de moi ?

— Oui, de toi.

— Mais j'ai toujours été parfaitement polie. Sauf à l'égard de ce rustre de Donegal, qui se colle à moi chaque fois qu'il passe et m'appelle son coussin.

— Oh, je le sais bien, acquiesça Mrs Hennessy. Ne t'ai-je pas supervisée moi-même pendant ces trois mois ? Tu aurais un emploi à vie ici s'il n'y avait pas, disons, le fait que tu vas avoir d'autres responsabilités très bientôt. Tu es exactement ce que je recherche. Tu étais née pour le rôle. »

Ma mère sourit, décidant de prendre la chose comme un compliment bien qu'elle ne fût pas complètement certaine que c'en fût un.

« Non, ils ne se plaignent pas de tes manières. Mais de ton état. Ils prétendent que voir une femme si avancée dans sa grossesse les dégoûte de leur pâtisserie.

— Seriez-vous en train de vous moquer de moi ?

— C'est ce qu'ils ont affirmé. »

Ma mère rit et secoua la tête. « Qui a dit des choses pareilles ? Voulez-vous bien me donner des noms, Mrs Hennessy ?

— Non, je ne veux pas.

— Serait-ce l'une des MayBes ?

— Je ne dirai rien.

— Mais de quel parti, alors...

— Des deux. Et quelques autres de Fianna Fáil, pour ne rien te cacher. Enfin, tu sais comment ils sont. Les Blueshirts ne semblent pas tellement dérangés par ton état.

— S'agit-il de cette petite fouine qui se fait appeler ministre de...

— Catherine, je refuse d'entrer dans les détails avec toi, insista Mrs Hennessy en levant la main pour lui intimer le silence. Tu es à quelques jours seulement du terme, au plus une semaine, et il est dans ton intérêt de ne pas être constamment debout. S'il te plaît, accepte ma décision sans faire d'histoire, veux-tu ? Tu as été formidable, vraiment et...

— D'accord, accepta ma mère, comprenant qu'il valait mieux pour elle ne pas la supplier davantage. Vous avez été très gentille avec moi, Mrs Hennessy. Vous m'avez donné un emploi quand j'en avais besoin et je sais que ce n'était pas une décision des plus faciles. Je finirai la journée et je partirai en gardant dans mon cœur une place particulière pour vous. »

Mrs Hennessy soupira de soulagement et se rassit sur sa chaise. « Merci. C'est bien, Catherine. Tu feras une mère formidable, tu sais. Et si jamais tu as besoin de quelque chose...

— Eh bien, il y a quelque chose, en fait. Après la naissance du bébé, est-ce que je pourrai revenir, à votre avis ?

— Revenir où ? Ici, au Dáil ? Oh non, ça ne serait pas possible. Et qui s'occuperait du bébé ? »

Ma mère regarda par la fenêtre et prit une profonde inspiration. Elle allait énoncer son Grand Dessein à haute voix pour la première fois. « Sa mère s'occupera de lui. Ou d'elle. Selon que c'est un garçon, ou une fille.

— Sa mère ? répéta Mrs Hennessy, sans comprendre. Mais...

— Je ne vais pas garder le bébé, Mrs Hennessy. Toutes les dispositions sont prises. Après la naissance, une sœur rédemptoriste bossue va venir à l'hôpital et elle emportera l'enfant. Il sera adopté par un couple qui habite à Dartmouth Square.

— Dieu tout-puissant ! s'écria Mrs Hennessy. Et quand toutes ces décisions ont-elles été prises, si je peux me permettre de poser la question ?

— Le jour où j'ai découvert que j'étais enceinte. Je suis trop jeune, je n'ai pas d'argent, et je ne pourrai jamais élever cet enfant. Je ne suis pas sans cœur, je vous assure, mais le bébé sera en bien meilleure posture si je renonce à lui pour qu'il soit confié à une famille qui pourra lui offrir un bon foyer.

— Eh bien, répondit Mrs Hennessy, pensive. J'imagine que ce genre de choses arrive. Mais es-tu certaine que tu pourras vivre avec cette décision ?

— Non, mais je pense néanmoins que c'est la meilleure option. L'enfant aura plus de chances d'avoir une belle vie avec eux qu'avec moi. Ils ont de l'argent. Et je n'ai pas un sou.

— Et ton mari ? Est-ce ce qu'il aurait voulu ? »

Ma mère ne put se résoudre à mentir une fois encore à cette femme si bonne, et peut-être la honte se lut-elle sur son visage.

« Aurais-je raison de soupçonner qu'il n'y a jamais eu de Mr Goggin ? demanda enfin Mrs Hennessy.

— Vous auriez raison, fit ma mère à mi-voix.

— Et l'alliance ?

— Je l'ai achetée moi-même. Dans un magasin sur Coppinger Row.

— J'y avais bien pensé. Aucun homme n'aurait le bon goût de choisir un bijou aussi élégant. »

Ma mère leva les yeux, sourit un peu et découvrit avec surprise que Mrs Hennessy commençait à pleurer. Elle fouilla dans sa poche et lui tendit un mouchoir.

« Est-ce que ça va ? demanda-t-elle, étonnée par ce soudain déferlement d'émotion.

— Ça va, affirma Mrs Hennessy. Parfaitement bien.

— Mais vous pleurez.

— Un tout petit peu.

— S'agit-il de quelque chose que j'ai dit ? »

Mrs Hennessy leva les yeux et déglutit avec peine. « Pouvons-nous considérer cette pièce comme l'équivalent d'un confessionnal ? Et décider que ce qui sera dit ici restera entre nous ?

— Bien sûr. Vous avez été d'une extrême gentillesse. J'espère que vous savez que je vous porte une immense affection et un grand respect.

— Je te remercie, Catherine. J'ai toujours plus ou moins su que l'histoire que tu m'avais racontée n'était pas tout à fait vraie, et je voulais te montrer la compassion qui ne m'a jamais été témoignée lorsque je me suis trouvée dans ta situation. Peut-être que tu ne seras pas surprise d'apprendre qu'il n'y a jamais eu de Mr Hennessy non plus. » Elle tendit sa main gauche et elles regardèrent toutes les deux son alliance. « Je l'ai achetée pour quatre shillings dans un magasin sur Henry Street en 1913. Je ne l'ai jamais enlevée depuis.

— Avez-vous eu un enfant aussi ? Avez-vous été obligée de l'élever seule ?

— Pas tout à fait, répondit Mrs Hennessy d'une voix hésitante. Je viens de Westmeath, tu le savais ?

— Oui, vous me l'avez dit, un jour.

— Je n'y ai jamais remis les pieds depuis que je suis partie. Mais je ne suis pas venue à Dublin pour avoir mon bébé. Je l'ai mis au monde à la maison. Dans la chambre où j'avais dormi toutes les nuits depuis ma naissance, la chambre où le pauvre enfant a été conçu.

— Et que lui est-il arrivé ? demanda ma mère. Était-ce un garçon ?

— Non, une fille. Une jolie petite fille. Elle n'a pas survécu longtemps. Maman a coupé le cordon et papa l'a emmenée dans le jardin derrière, où se trouvait un seau. Il l'a maintenue sous l'eau pendant une ou deux minutes, assez longtemps pour la noyer. Ensuite, il l'a jetée dans une tombe qu'il avait creusée quelques jours auparavant, l'a recouverte de terre et ce fut tout. Personne n'en a jamais rien su. Ni les voisins, ni le curé, ni les Gardaí[1].

— Jésus Marie Joseph, fit ma mère horrifiée.

1. Gardaí, pluriel de Garda, membres de An Garda Síochána, police de la République d'Irlande. (*N.d.T.*)

— Je n'ai même pas pu la tenir dans mes bras. Maman m'a lavée et ils m'ont déposée au bord de la route un peu plus tard ce jour-là, m'ordonnant de ne jamais revenir.

— J'ai été dénoncée depuis la chaire, expliqua ma mère. Le curé de la paroisse m'a traitée de putain.

— Ces gars-là n'ont pas plus de jugeote qu'une cuillère en bois. Je n'ai jamais vu pire cruauté que celle des curés. Ce pays… » Elle ferma les yeux et secoua la tête, et ma mère crut qu'elle allait se mettre à hurler.

« C'est une histoire terrible. Je suppose que le papa du bébé n'a pas proposé de vous épouser ? »

Mrs Hennessy eut un rire amer. « Il n'aurait pas pu, de toute manière. Il était déjà marié.

— Sa femme a-t-elle appris la chose ? »

Mrs Hennessy la regarda fixement et lorsqu'elle parla, sa voix était à peine audible, déformée par la honte et la haine. « Elle était parfaitement au courant. Ne t'ai-je pas dit qu'elle a coupé le cordon ? »

Ma mère resta silencieuse quelques instants, et lorsqu'elle finit par comprendre, elle porta la main à sa bouche et eut l'impression qu'elle allait vomir.

« Comme je l'ai dit, ce genre de choses arrive, reprit Mrs Hennessy. Ta décision est prise, Catherine ? Tu vas renoncer à cet enfant ? »

Ma mère ne trouva pas la force de parler mais elle hocha la tête.

« Alors, accorde-toi deux semaines après pour reprendre des forces et ensuite, reviens me voir. Nous dirons aux gens que le bébé est mort et bientôt, ils auront oublié toute l'affaire.

— Ça passera ?

— Ça passera auprès d'eux, répondit-elle en tendant le bras pour prendre la main de ma mère dans la sienne. Mais je suis navrée de te le dire, Catherine, pour toi, ça ne passera jamais. »

Violence

Le soir tombait lorsque ma mère prit le chemin de la maison ce soir-là. En arrivant dans Chatham Street, elle remarqua avec inquiétude une silhouette qui sortait en titubant du

Clarendon. C'était l'homme dont la présence devant sa porte, ce matin-là, avait causé son retard au travail. Il était obèse, avait le visage ridé et rougi par la boisson, et une barbe de deux ou trois jours qui lui donnait l'air d'un vagabond.

« Te voici donc, fit-il en s'approchant d'elle tandis qu'elle se dirigeait vers la porte d'entrée – l'odeur de whisky était tellement forte qu'elle eut un mouvement de recul. Grosse comme un cachalot et deux fois plus laide. »

Sans un mot, elle sortit la clé de sa poche et essaya, malgré sa nervosité, de l'insérer correctement dans la serrure.

« Il y a des chambres au-dessus, n'est-ce pas ? demanda l'homme en levant les yeux vers la fenêtre. Un paquet ou seulement une ?

— Seulement une. Alors si vous cherchez un logement, je crains que vous vous trompiez.

— Cet accent... Tu viens de la région de Cork, c'est ça ? D'où exactement ? Bantry ? Drimoleague ? J'ai connu une fille de Drimoleague, autrefois. Une femme de rien qui suivait tous les hommes qui le lui demandaient. »

Ma mère détourna les yeux et essaya à nouveau d'actionner la clé, tout en jurant intérieurement contre cette serrure qui se grippait. Elle tordit le métal d'un geste brusque.

« Si vous vouliez bien vous écarter de la lumière, lui demanda-t-elle en se tournant pour le regarder droit dans les yeux.

— Seulement un logement, dit-il en se grattant le menton pensivement. Alors, tu vis avec eux, c'est ça ?

— Avec qui ?

— C'est un arrangement bien curieux.

— Avec qui ? insista-t-elle.

— Avec les pédales, bien sûr. Mais qu'est-ce qu'ils peuvent bien avoir à faire avec toi ? Ils ne s'intéressent pas aux femmes, ni l'un ni l'autre. » Il regarda son gros ventre et secoua la tête. « C'est l'un d'eux qui t'a fait ça ? Non, ils en seraient incapables. Et probablement, tu ne sais même pas qui est responsable, hein, sale petite putain. »

Ma mère se retourna vers la porte et cette fois, la clé fonctionna. Mais avant qu'elle ait le temps d'entrer, il la bouscula, pénétra dans le hall, et elle resta plantée sur le seuil, sans trop savoir quoi faire. Lorsqu'il commença à monter l'escalier, elle reprit ses esprits et se mit en colère.

« Descendez tout de suite, l'interpella-t-elle. C'est un logement privé, vous m'entendez ? Je vais appeler les Gardaí !

— Appelle qui tu veux, rien à foutre ! » rugit-il, et elle examina la rue, sans voir âme qui vive. Rassemblant tout son courage, elle le suivit dans l'escalier, et le trouva en train de secouer la poignée de la porte.

« Ouvre cette porte tout de suite », ordonna-t-il en pointant un index sur elle, et elle ne put s'empêcher de remarquer la terre incrustée sous ses ongles longs. Il est fermier, décida-t-elle. Et son accent était de la région de Cork aussi, mais pas de l'ouest de Cork, sinon elle aurait été capable de l'identifier. « Ouvre la porte tout de suite, gamine, ou je passe mon pied à travers.

— Pas question. Et vous allez sortir d'ici immédiatement ou alors je… »

Il lui tourna le dos, la repoussant d'un geste de la main, et envoya un coup puissant dans la porte qui s'ouvrit en grand et alla cogner derrière, contre le mur. Une casserole tomba dans la baignoire en un fracas assourdissant. Le salon était désert, mais au moment précis où il entra avec ma mère sur les talons, des voix crispées se firent entendre dans la chambre.

« Sors de là, Seán MacIntyre ! rugit l'homme, tellement ivre qu'il titubait. Sors de là tout de suite, que je te corrige pour t'apprendre la morale. Je t'avais prévenu de ce que je ferais si je vous attrapais à nouveau tous les deux ensemble. »

Il brandit son bâton – ma mère ne l'avait même pas remarqué – et l'abattit sur la table avec une force telle que ma mère sursauta à chaque coup. Son père à elle avait un bâton identique et nombre de fois, elle l'avait vu se déchaîner comme une furie sur l'un de ses frères. Il avait essayé de l'utiliser contre elle le soir où son secret avait été révélé mais, Dieu merci, ma grand-mère l'en avait empêché.

« Vous vous trompez d'adresse, s'écria ma mère. C'est de la folie !

— Sors de là ! éructa l'homme à nouveau. Sors ou je viens te chercher moi-même. Tout de suite !

— Partez ! » insista ma mère, en le tirant par la manche. Mais il l'écarta violemment et elle tomba contre le fauteuil. Une douleur fulgurante lui traversa le dos et remonta le long de sa colonne vertébrale comme une souris courant se mettre à l'abri. L'homme se jeta sur la porte de la chambre, l'ouvrit brusquement et là, sous les yeux de ma mère ahurie, se trouvaient Seán et Smoot, nus comme des vers, adossés à la tête du lit, blêmes de terreur.

« Bon sang, lâcha l'homme en se détournant avec une expression de dégoût. Sors de là tout de suite, espèce de sale petite pourriture.

— Papa, dit Seán en sautant du lit, et ma mère ne put s'empêcher de regarder son corps nu tandis qu'il se précipitait pour enfiler un pantalon et une chemise. Papa, s'il te plaît, descendons et... »

Dans le salon, avant qu'il ne puisse dire un mot de plus, l'homme, son propre père, l'attrapa par la nuque et projeta sa tête violemment contre l'unique étagère fixée au mur et sur laquelle il n'y avait que trois livres, une Bible, un exemplaire d'*Ulysse*, et une biographie de la reine Victoria. On entendit un bruit terrible et Seán laissa échapper un gémissement qui semblait monter du plus profond de son être. Lorsqu'il se retourna, son visage était tout blanc et une marque noire se forma sur son front, palpitant un instant comme si elle était incertaine de ce qu'on attendait d'elle, puis elle devint rouge et le sang se mit à couler. Ses jambes se dérobèrent et il s'écroula. L'homme tendit le bras et le tira d'une seule main vers la porte, puis se mit à le rouer de coups de pied, de coups de bâton, tout en blasphémant.

« Laissez-le ! » hurla ma mère en se jetant sur l'homme tandis que Smoot sortait de la chambre avec une crosse de hurling. Il fonça droit sur leur assaillant. Il n'avait pas mis le moindre vêtement et même dans ce moment affreusement dramatique, ma mère fut choquée par la quantité de poils recouvrant son torse, si différent de celui de Seán, de mon père ou de mes oncles, et par le membre long, encore luisant, qui ballottait entre ses jambes.

L'homme beugla lorsque la crosse l'atteignit dans le dos mais le coup était insignifiant. Il repoussa Smoot avec une telle force que celui-ci partit en arrière, bascula par-dessus le canapé et alla s'échouer contre la porte de la chambre où les garçons avaient été amants depuis le jour de leur arrivée à Dublin, comprenait-elle soudain. Elle avait entendu parler de gens comme ça. Les garçons à l'école se moquaient d'eux tout le temps. Ce n'était donc pas surprenant, que Smoot n'ait jamais voulu d'elle dans cet appartement. Il devait être leur nid d'amour, et elle était le coucou venu le coloniser.

« Jack ! » cria ma mère, tandis que Peadar MacIntyre – car tel était son nom – attrapait à nouveau son fils par la nuque et bourrait son corps de coups de pied avec une force si barbare qu'elle entendait ses côtes se briser. « Seán ! » s'égosilla-t-elle. Mais lorsque la tête du jeune homme pivota, elle vit dans ses yeux grands ouverts qu'il avait déjà quitté ce monde. Malgré tout, elle refusa qu'il lui soit fait plus de mal, et elle traversa la pièce aussi vite qu'elle put, déterminée à obliger l'homme à lâcher sa proie. Mais dès sa première tentative, il la saisit par un bras et d'un mouvement preste, lui asséna un coup de pied redoutable qui l'expédia dans l'escalier. À chaque marche, me dit-elle plus tard, elle avait l'impression de se rapprocher de la mort.

Elle finit sa course en s'écrasant sur le sol, et resta pendant un moment les yeux rivés au plafond, cherchant son souffle. Dans son ventre, je protestai vigoureusement contre cette violence et décidai que le moment était venu. Ma mère laissa échapper un hurlement féroce lorsque je commençai à sortir de son ventre pour entamer mon premier voyage.

Elle se mit debout, regarda autour d'elle. Une autre femme dans sa situation aurait peut-être ouvert la porte et se serait jetée dans Chatham Street, en appelant à l'aide. Pas Catherine Goggin. Seán était mort, elle en était certaine, mais elle entendait Smoot là-haut supplier qu'on lui laisse la vie sauve, les bruits de coups qui s'abattaient sur la tête du jeune homme, les hurlements de douleur, les jurons tandis que le père de Seán se déchaînait sur lui aussi.

Gémissant à chaque mouvement, elle se hissa sur la première marche, puis sur la suivante, jusqu'à ce qu'elle parvienne à mi-chemin. Elle cria quand je lui fis sentir ma présence et quelque chose dans sa tête, me raconta-t-elle bien plus tard, lui dit que si j'avais attendu neuf mois, je pouvais bien attendre encore neuf minutes. Elle poursuivit son ascension, entra dans l'appartement la sueur lui coulant sur le visage, de l'eau et du sang dégoulinant le long de ses jambes, effrayée par l'image de la folle qui apparut dans le miroir en face d'elle – une folle aux cheveux hirsutes, à la lèvre fendue et à la robe déchirée. Depuis la chambre, les cris de Smoot étaient de plus en plus faibles et les coups de pied et de bâton ne cessaient pas. Elle passa par-dessus le corps de Seán, regarda rapidement les yeux ouverts au milieu de ce visage autrefois si beau et dut se retenir pour ne pas éclater en sanglots.

J'arrive, lui dis-je tandis qu'elle progressait sans se laisser détourner de son but, cherchant des yeux une arme dans la pièce. Elle trouva la crosse que Smoot avait abandonnée. *Es-tu prête à m'accueillir ?*

Il ne fallut pas plus d'un coup, Dieu la bénisse, et Peadar MacIntyre s'écroula. Il n'était pas mort mais inconscient. Il vivrait encore huit ans, avant de s'étrangler avec une arête de poisson dans son pub habituel, après que le jury l'avait laissé en liberté, décidant que son crime avait été commis sous l'effet de la provocation extrême que constituait le fait d'avoir un fils mentalement dérangé. Ma mère et moi, nous nous jetâmes sur le corps de Smoot, défiguré par les coups. Sa respiration était irrégulière, il était à l'agonie.

« Jack », cria-t-elle, prenant son visage dans ses bras, avant d'émettre un hurlement à glacer le sang alors que tout son corps lui disait de pousser, de pousser maintenant. Et ma tête commença à émerger entre ses jambes. « Jack, reste avec moi. Ne meurs pas. Tu m'entends, Jack ? Ne meurs pas !

— Kitty, articula Smoot, les syllabes à peine reconnaissables, entre les dents cassées et les chairs meurtries.

— Et putain, arrête de m'appeler Kitty ! hurla-t-elle, criant à nouveau tandis que mon corps continuait à sortir pour rencontrer la nuit d'été.

— Kitty, chuchota-t-il, les paupières mi-closes, et elle le secoua malgré la douleur qui la transperçait.

— Tu dois vivre, Jack ! Tu dois vivre ! »

Ensuite, elle dut perdre connaissance, car le silence s'installa dans la pièce, jusqu'à ce qu'une minute plus tard, profitant du calme revenu, je me fraye un chemin avec mon corps minuscule jusqu'à la moquette crasseuse de l'appartement de Chatham Street, dans une mare gluante de sang et de placenta. J'attendis quelques instants de retrouver mes esprits avant de déployer mes poumons pour la première fois dans un cri assourdissant, qui dut être entendu par les hommes dans le pub en bas, puisqu'ils montèrent l'escalier quatre à quatre pour découvrir la cause d'un tel raffut. J'annonçai au monde que j'étais arrivé, que j'étais né, que j'en faisais enfin partie.

1952

La popularité, c'est si vulgaire

Une petite fille dans un manteau rose pâle

Je rencontrai Julian Woodbead pour la première fois quand son père vint à la maison de Dartmouth Square pour discuter des différents moyens d'éviter que son client le plus important ne soit jeté en prison. Max Woodbead était avocat, un très bon avocat, unanimement reconnu, motivé par un ardent désir d'accéder aux plus hautes sphères de la société de Dublin. Son bureau était installé sur Ormond Quay, près des Four Courts. De sa fenêtre, il jouissait d'une vue sur la cathédrale de Christchurch, de l'autre côté de la Liffey, et il aimait répéter, sans grande conviction cependant, que chaque fois qu'il entendait les cloches sonner, il se mettait à genoux et disait une prière pour le défunt pape Benoît XV, qui avait accédé au trône de saint Pierre le jour de sa naissance, en septembre 1914. Mon père adoptif avait fait appel à lui à la suite d'une série de mésaventures en rapport avec le jeu, les femmes, des escroqueries, de l'évasion fiscale, et une agression sur un journaliste du *Dublin Evening Mail*, entre autres. La Bank of Ireland, où mon père occupait un poste important, celui de directeur des Investissements et Portefeuilles Clients, n'avait pas de règles explicites sur la manière dont ses employés devaient se comporter lorsqu'ils n'étaient pas à leur bureau, mais la banque prit ombrage de cette mauvaise publicité. Ces derniers mois, il avait joué des milliers de livres aux courses de Leopardstown, avait été photographié sortant du Shelbourne Hotel à 4 heures du matin avec une prostituée, avait été verbalisé pour avoir uriné en état d'ivresse par-dessus le parapet du Ha'penny Bridge, et il avait donné une interview à Radio Éireann dans laquelle il avait clamé que les finances du pays seraient en bien meilleur état si les Anglais avaient abattu le ministre responsable, Seán MacEntee, après l'Insurrection de Pâques, comme ils l'avaient initialement projeté. Il avait également été épinglé pour avoir tenté de kidnapper un garçon de sept ans sur Grafton Street. Une accusation farfelue, puisqu'il s'était contenté de l'attraper par la main et de l'entraîner jusqu'à Trinity College, croyant que cet enfant terrorisé, qui avait la même taille et la même couleur de cheveux que moi, mais malheureusement était muet, c'était moi. Une liaison avec une actrice d'un certain renom fut suggérée par l'*Irish Press*, qui exprima clairement sa désapprobation et le fustigea pour « des frasques extraconjugales avec une femme de théâtre alors que sa propre femme, qui, comme le savent peut-être nos lecteurs amateurs de littérature, jouit d'une certaine notoriété, se remet lentement d'un pénible cancer du conduit auditif ». Le fisc avait enquêté sur les comptes de mon père, et découvert, sans que cela ne surprenne personne, que depuis des années celui-ci trichait dans ses déclarations de revenus. Le préjudice s'élevait à plus de trente mille livres. La banque imposa une suspension immédiate et l'Homme du fisc annonça qu'il avait l'intention d'user de tous les pouvoirs qu'offrait la justice pour faire de son cas un exemple. C'est à ce moment-là qu'on fit appel à Max Woodbead, forcément.

Lorsque je dis « mon père », il ne s'agit pas de l'homme qui a donné à ma mère deux billets d'une livre devant l'église Notre-Dame Étoile de la mer, à Goleen, sept ans plus tôt, pour soulager sa conscience. Non, je veux dire Charles Avery qui avec sa femme, Maude, m'ouvrirent leur maison après avoir signé un chèque d'un montant conséquent au bénéfice du couvent des rédemptoristes – en remerciement de l'aide apportée pour trouver un enfant convenable. Ils ne prétendirent jamais remplir un autre rôle que celui de parents adoptifs, et effectivement, ils me transmirent cette information dans le détail dès que je fus capable de comprendre le sens des mots. Maude affirmait qu'elle ne voulait pas que la vérité soit révélée plus tard et que je risque de l'accuser de m'avoir trompé. Charles, quant à lui, insistait sur la nécessité d'établir sans ambiguïté que, même s'il avait accepté cette adoption pour faire plaisir à sa femme, je n'étais pas un vrai Avery et que je ne bénéficierais pas, à l'âge adulte, du soutien financier qu'aurait reçu un vrai Avery.

« Vois ça plutôt comme un bail, Cyril, me dit-il – ils m'avaient appelé Cyril en souvenir d'un épagneul qu'ils avaient eu autrefois et qu'ils avaient beaucoup aimé –, un bail de dix-huit ans. Mais pendant tout ce temps, il n'y a aucune raison qu'on ne s'entende pas tous bien, n'est-ce pas ? Même si je me plais à penser que si j'avais eu un fils, il aurait été plus grand que toi. Et il aurait montré un peu plus d'aptitudes sur le terrain de rugby. Mais tu n'es pas ce qu'il y a de pire. Dieu seul sait sur qui nous aurions pu tomber. À un moment, on nous a même suggéré de prendre un bébé africain. »

La relation entre Charles et Maude était cordiale et pragmatique. La plupart du temps, ils n'avaient pas grand-chose à faire ensemble, et n'échangeaient rien de plus que quelques phrases nécessaires à la gestion efficace du foyer. Charles partait tous les matins à 8 heures et rentrait rarement avant minuit. Il passait invariablement une ou deux minutes sur le perron, à essayer de mettre sa clé dans la serrure, se fichant pas mal d'empester l'alcool ou le parfum bon marché. Ils ne dormaient pas dans la même chambre, ni au même étage, et il en était ainsi depuis mon arrivée. Je ne les vis jamais se tenir la main, échanger un baiser ou se dire qu'ils s'aimaient. Pour autant, ils ne se disputaient pas. Maude avait une manière particulière de traiter Charles, comme une ottomane qui ne sert à personne mais qui vaut la peine d'être gardée. Charles ne témoignait qu'un intérêt limité à sa femme, trouvant sa présence à la fois rassurante et dérangeante, un peu comme Edward Rochester à l'égard de son épouse Bertha Mason lorsqu'elle s'agitait dans le grenier de Thornfield Hall, un vestige de son passé qui demeure inexorablement dans sa vie quotidienne.

Ils n'avaient pas d'enfants à eux, évidemment. Il me reste un souvenir précis et ancien de Maude me confiant qu'elle avait eu une petite fille, un an après son mariage avec Charles. Mais l'accouchement avait été difficile, l'enfant, Lucy, était mort et Maude avait subi une opération qui compromettait toute grossesse ultérieure.

« Un soulagement béni par tant d'aspects, Cyril. » Sur ces mots, elle alluma une cigarette et examina le jardin clôturé au centre de Dartmouth Square, à la recherche d'intrus. (Elle avait horreur de voir des étrangers apparaître là, bien qu'il s'agisse d'un espace public, au sens strict, et elle avait coutume de tapoter sur les vitres pour les chasser comme des chiens.) « Il n'y a rien de plus dégoûtant que le corps d'un homme nu. Tous ces poils, et ces odeurs épouvantables, parce que les hommes ne savent pas se laver correctement à moins d'être passés par l'armée. Et, quand ils sont excités, les sécrétions qui suintent de leur appendice sont repoussantes. Tu as de la chance de n'avoir jamais à supporter l'indignité des relations avec le membre des mâles. Le vagin est un instrument tellement plus pur. Je ressens une admiration pour le vagin que je n'ai jamais éprouvée pour le pénis. » Si je me rappelle bien, j'avais environ cinq ans lorsqu'elle m'inculqua ce sage précepte. Peut-être était-ce parce que Charles et Maude me parlaient tous deux comme à un adulte, oubliant (ou ne remarquant pas) que j'étais juste un enfant, que mon vocabulaire s'enrichit plus rapidement que celui des autres enfants de mon âge.

Maude avait une carrière, elle aussi. Elle était l'auteur d'un certain nombre de romans, publiés par une petite maison d'édition à Dalkey. Un nouveau livre sortait tous les trois ou quatre ans et donnait lieu à des critiques positives mais à des ventes minuscules, ce qui lui causait un plaisir immense, car elle considérait que la popularité était vulgaire. Charles fut toujours prêt à encourager cette entreprise, et il aimait assez la présenter comme « mon épouse, la romancière Maude Avery. Je n'ai jamais lu un seul mot de ses textes mais elle ne cesse d'en pondre, Dieu la bénisse ». Elle écrivait toute la journée, chaque jour, même le jour de Noël, et émergeait rarement de son bureau, sauf pour arpenter la maison dans un nuage de fumée de cigarette, à la recherche de boîtes d'allumettes.

La raison pour laquelle elle voulut adopter un enfant est un mystère pour moi. Elle ne manifestait pas le moindre intérêt pour mon bien-être, même si elle ne fut jamais délibérément méchante ou cruelle. Néanmoins, je ne pouvais m'empêcher de me sentir privé d'affection. Un jour, je rentrai à la maison en larmes et lui racontai que l'un de mes camarades de classe, le garçon qui était assis à côté de moi en latin et avec qui je déjeunais souvent, avait été renversé et tué par un autobus sur Parnell Square. Elle se contenta de commenter en ces termes : ce serait épouvantable si une telle chose m'arrivait – ils s'étaient donné tant de mal pour m'avoir.

« Tu n'étais pas le premier, tu sais, déclara-t-elle en allumant une nouvelle cigarette et en tirant une longue bouffée avant de se mettre à compter les bébés sur les doigts de sa main gauche. Il y avait une jeune fille à Wicklow, à qui nous avons donné une somme d'argent considérable, mais lorsque le bébé est né, sa tête avait une forme bizarre, et je n'avais tout simplement pas l'énergie de gérer ça. Ensuite, il y en a eu un autre à Rathmines que nous avons pris à l'essai pendant quelques jours, mais ce bébé pleurait tout le temps et je n'ai pas pu le supporter, alors, on l'a rendu. Ensuite, Charles a dit qu'il n'accepterait plus de filles, seulement un garçon, et je me suis retrouvée avec toi, mon chéri. »

Je n'ai jamais été blessé par ce genre de remarques, car elle n'y mettait aucune intention malveillante. C'était sa manière de parler et comme je n'avais rien connu d'autre, j'acceptais de n'être qu'une insignifiante créature qui vivait sous le même toit que deux adultes qui ne prêtaient guère d'attention l'un à l'autre. J'étais nourri, vêtu et envoyé à l'école, et si je m'étais plaint, ils auraient probablement été tous deux abasourdis face à mon ingratitude.

C'est seulement lorsque j'atteignis un âge où je devins capable de saisir la différence entre des parents biologiques et des parents adoptifs que j'enfreignis une des règles d'or et entrai sans permission dans le bureau de Maude pour l'interroger sur l'identité de mes véritables parents. Lorsque je finis par la distinguer dans l'air enfumé et que j'eus réussi à m'éclaircir la voix, elle secoua la tête avec perplexité, comme si je lui avais demandé quelle était la distance, au kilomètre près, entre la grande mosquée de Nairobi et la gorge du Todgha au Maroc.

« Grands dieux, Cyril. C'était il y a sept ans. Comment diable pourrais-je m'en souvenir ? Ta mère était une jeune fille, ça, j'en suis sûre.

— Et que lui est-il arrivé ? Est-elle en vie ?

— Comment le saurais-je ?

— Vous ne vous rappelez même pas son nom ?

— C'était probablement Mary. Les filles de la campagne irlandaise ne s'appellent-elles pas presque toujours Mary ?

— Alors, elle n'était pas de Dublin ? demandai-je en sautant sur cette information comme sur une minuscule pépite d'or au cœur d'un gisement alluvial.

— Je n'en sais absolument rien. Je ne l'ai jamais rencontrée et je n'ai jamais rien su d'elle sinon qu'elle avait permis à un homme d'avoir une relation charnelle qui avait donné lieu à un enfant. Et cet enfant, c'était toi. Bon, écoute, Cyril, tu ne vois pas que je suis en train d'écrire ? Tu n'as pas le droit d'entrer ici quand je travaille. Je perds le fil de mes pensées si je suis interrompue. »

Je les appelais toujours Charles et Maude, jamais « Père » et « Mère ». Charles avait en effet insisté sur le fait que je n'étais pas un vrai Avery. Cela ne m'ennuyait pas outre mesure, mais je savais que cela éveillait une certaine perplexité chez les gens, et un jour, à l'école, lorsque je les appelai par leur prénom, le curé me mit un coup sur les oreilles et me réprimanda pour la modernité de mes manières.

Quand j'étais petit, j'avais deux problèmes, dont l'un était peut-être le résultat de l'autre. J'étais affligé d'un bégaiement qui semblait avoir une volonté propre – il était présent certains jours et disparaissait d'autres jours – et la capacité de rendre fous mes parents adoptifs. Il ne me quitta pas jusqu'au jour où je rencontrai Julian Woodbead pour la première fois. Ce jour-là, il disparut pour toujours. Je ne comprends absolument pas le lien entre ces deux événements. Mais ma confiance en moi était déjà bien entamée et, à sept ans, j'étais un garçon affreusement timide, nerveux, devant mes camarades, à l'exception de celui qui avait été écrasé sous les roues du bus numéro 16, horrifié à la perspective de prendre la parole en public et tout simplement incapable de converser avec quiconque au risque que mon affection se manifeste et provoque des moqueries. Elle me dérangeait beaucoup, car je n'étais pas solitaire par nature et j'aurais bien voulu avoir un ami, quelqu'un avec qui partager des jeux ou des secrets. Parfois, Charles et Maude recevaient à dîner et ils se présentaient alors comme Mari et Femme. À ces occasions-là, on me convoquait et je passais d'un couple à l'autre comme un œuf Fabergé qu'ils auraient acheté à un descendant du dernier tsar de Russie.

« Sa mère était une fille-mère, aimait à dire Charles. Et nous, dans un acte de charité, l'avons pris chez nous et lui avons donné un foyer. Une sœur rédemptoriste bossue nous l'a apporté. Si vous voulez un enfant un jour, ce sont les nonnes qu'il faut appeler, je vous assure. Elles en ont plein. Je ne sais pas où elles les stockent, ni comment elles les trouvent, à vrai dire, mais il n'y a jamais pénurie. Présente-toi à nos invités, Cyril. »

Je parcourais la pièce des yeux, observais les six ou sept couples portant des vêtements extraordinaires, parés de bijoux, et tous me dévisageaient comme s'ils s'attendaient à ce que je chante une chanson, exécute un pas de danse, ou sorte un lapin de mon oreille. Divertis-nous, semblaient-ils ordonner. Si tu ne sais pas nous divertir, à quoi sers-tu donc ? Mais j'étais si angoissé que je ne pouvais dire un mot. Je me contentais de baisser les yeux, éventuellement je me mettais à pleurer, avant que Charles me renvoie d'un geste de la main et rappelle aux convives qu'en vérité je n'étais pas du tout son fils.

Quand le scandale éclata, j'avais sept ans et je pris conscience de la situation grâce aux commentaires de mes camarades de classe, dont les pères travaillaient pour la plupart dans des milieux similaires à celui de Charles. Ils prenaient un malin plaisir à me raconter que ça allait être sa fête et qu'il serait certainement jeté en prison avant la fin de l'année.

« Il n'est pas mon père, leur signifiais-je, incapable de les regarder dans les yeux, serrant les poings de manière convulsive tant j'étais furieux. Il est mon père adoptif. » J'avais été bien formé.

Néanmoins, intrigué par ce qu'on disait de lui, je me mis à parcourir les journaux à la recherche d'informations. Bien qu'on prît garde de ne pas publier d'écrit diffamatoire, il était clair que Charles, comme l'archevêque de Dublin, était un homme à la fois craint, admiré et haï. Et les rumeurs allaient bon train. On le trouvait régulièrement aussi bien en compagnie de membres de l'aristocratie anglo-irlandaise que d'escrocs notoires. Tous les soirs, on pouvait l'apercevoir dans un cercle de jeux illicite en train de jeter des billets de dix livres sur la table. Il avait assassiné sa première femme, Emily. (Y a-t-il eu une première femme ? demandai-je un jour à Maude. — Ah, oui, maintenant que tu le dis, je crois qu'il y en avait une, répondit-elle.) Par trois fois, il avait fait fortune, avant de tout perdre. Il était alcoolique et se faisait envoyer par Fidel Castro en personne des cigares de Cuba. Il avait six orteils au pied gauche. Il avait eu une liaison avec la princesse Margaret. Les histoires qu'on écrivait sur Charles étaient innombrables et certaines d'entre elles contenaient parfois une part de vérité.

Alors, il était inévitable qu'un jour on ait recours aux services de Max Woodbead. La situation devait être périlleuse pour que cela arrive, et même Maude émergeait parfois de son bureau et errait dans la maison en marmonnant de sinistres apartés à propos de l'Homme du fisc comme s'il aurait pu être surpris caché sous l'escalier ou en train de lui voler sa réserve de cigarettes planquée dans la boîte à pain. Le jour où Max fit son apparition, je n'avais parlé à personne depuis huit jours. Je l'avais noté dans mon journal intime. Je n'avais pas levé la main en classe, je n'avais pas dit un mot à quiconque à l'école, j'avais pris mes repas dans un silence absolu, ce que Maude préférait, de toute façon. Je passais le plus clair de mon temps terré dans ma chambre, à me demander ce qui clochait chez moi, car même à cet âge précoce, je savais que j'avais quelque chose de différent et d'impossible à modifier, jamais.

Ce jour-là, je serais resté dans ma chambre – j'étais plongé dans la lecture de *Enlevé* de Robert Louis Stevenson – s'il n'y avait pas eu ce cri. Il venait du deuxième étage, où se trouvait le bureau de Maude, et il résonna si fort dans toute la maison que je supposai que quelqu'un était mort. Je courus jusqu'au palier, me penchai par-dessus la balustrade et aperçus à l'étage inférieur une petite fille d'environ cinq ans vêtue d'un manteau rose pâle, les mains plaquées sur les joues tandis que le son le plus affreux sortait de sa bouche. Je ne l'avais jamais vue et quelques secondes plus tard, elle tourna les talons et comme une athlète olympique dévala l'escalier, traversa le hall et sortit dans la rue en claquant la lourde porte en bois si fort derrière elle que le heurtoir cogna plusieurs fois contre la plaque. Je retournai dans ma chambre et regardai par la fenêtre. Elle filait tout droit vers le centre de Dartmouth Square. Je la perdis de vue. Mon cœur battait la chamade et je repartis sur le palier dans l'espoir de trouver une explication, mais il n'y avait personne. La maison était redevenue silencieuse.

Ainsi dérangé dans ma lecture, je me rendis compte que j'avais soif et je descendis. À ma grande surprise, je découvris un autre enfant, un garçon de mon âge, en train de tourner les pages d'une bande dessinée. Il était assis dans notre entrée, sur un fauteuil dont la fonction était purement ornementale et qui n'était pas censé être utilisé.

« Bonjour », dis-je et il leva la tête et sourit. Il avait des cheveux blonds et des yeux bleus perçants qui me fascinèrent immédiatement. Peut-être était-ce parce que j'étais silencieux depuis plus d'une semaine que les mots sortirent de ma bouche comme l'eau débordant d'un bain. « Je m'appelle Cyril Avery et j'ai sept ans. Charles et Maude sont mes parents, même s'ils ne sont pas mes vrais parents, ils sont mes parents adoptifs, je ne sais pas qui sont mes vrais parents mais j'ai toujours vécu ici et j'ai une chambre au dernier étage. Personne ne monte jamais là-haut sauf la bonne pour faire le ménage, alors mes affaires sont exactement comme je veux. Comment t'appelles-tu ?

— Julian Woodbead. » Et quelques instants plus tard, je me rendis compte que devant lui je n'étais pas du tout intimidé. Et que mon bégaiement avait disparu.

Julian

On ne peut ignorer les privilèges dans lesquels Julian et moi étions élevés. Nos familles avaient de l'argent et un statut social. Elles évoluaient dans des cercles élégants, avaient des amis qui occupaient des postes importants au gouvernement et dans les arts. Nous habitions dans de grandes maisons où les tâches subalternes étaient assurées par des femmes entre deux âges qui arrivaient par le premier bus du matin, qui parcouraient les pièces armées de plumeaux, de serpillières et de balais, rarement invitées à nous parler.

Notre gouvernante s'appelait Brenda, et Maude insistait pour qu'elle se déplace en chaussons dans la maison, car le bruit des chaussures de Brenda sur les parquets la dérangeait. Son bureau était la seule pièce que Brenda n'avait pas l'autorisation de nettoyer, ce qui expliquait pourquoi il y avait toujours des acariens qui flottaient dans l'air au milieu de la fumée de cigarette, et cette atmosphère lourde atteignait son point culminant en fin d'après-midi, quand le soleil se déversait par les fenêtres, poursuivant sa trajectoire vers l'ouest. Alors que Brenda fut une constante durant mon enfance, la famille de Julian employa une série de gouvernantes, dont aucune ne resta plus d'un an, sans que je susse si c'était la difficulté du travail ou la rudesse des Woodbead qui les poussait à partir. Mais malgré tout ce que nous avions, malgré le luxe auquel nous étions accoutumés, nous manquâmes d'amour tous les deux. Et cette carence serait gravée au fer rouge dans notre vie, comme un tatouage fait sur une fesse après une nuit de beuverie, nous précipitant inévitablement l'un et l'autre vers la solitude et le désastre.

Nous n'allions pas dans la même école. Je me rendais à pied à Ranelagh tous les matins, où j'avais une place dans une petite école primaire, tandis que Julian fréquentait un établissement similaire à quelques kilomètres vers le nord sur une rue paisible à côté de St Stephen's Green. Nous ne savions ni l'un ni l'autre où nous irions après, mais comme Charles et Max avaient tous deux été élèves de Belvedere College – c'était là qu'ils s'étaient rencontrés et liés d'amitié en devenant supporters de l'équipe de rugby qui avait perdu contre Castleknock College lors de la finale de la Leinster Schools Cup en 1931 – nous pensâmes qu'il y avait de bonnes chances pour que nous nous y retrouvions, nous aussi. Julian n'était pas aussi malheureux à l'école que moi, mais il était de nature bien plus extravertie et s'intégrait plus facilement aux groupes.

L'après-midi où nous fîmes connaissance, nous n'échangeâmes que quelques amabilités dans l'entrée avant que je l'invite à monter, comme le font les enfants, pour voir ma chambre, et il me suivit gaiement et sans poser de question jusqu'au dernier étage. Alors qu'il restait à côté de mon lit défait, à examiner mes livres sur mes étagères et les jouets étalés par terre, il m'apparut qu'il était le premier enfant, en dehors de moi, à mettre les pieds dans cette pièce.

« Tu as de la chance d'avoir autant de place, dit-il en se hissant sur la pointe des pieds pour regarder par la fenêtre et observer la rue en bas. Et tu ne partages avec personne ?

— Non, personne. » Mon domaine se composait de trois pièces : une chambre, une petite salle de bains et un salon, ce qui, j'imagine, en faisait l'équivalent d'un appartement, en tout cas pas un lieu de vie auquel pouvaient prétendre la plupart des enfants de sept ans. « Charles a le premier étage, Maude le deuxième et nous partageons le rez-de-chaussée.

— Tu veux dire que tes parents ne dorment pas ensemble ?

— Oh non, dis-je. Les tiens, si ?

— Bien sûr.

— Mais pourquoi ? Vous n'avez pas assez de chambres ?

— Nous en avons quatre. Ma chambre se trouve à côté de celle de ma sœur, fit-il en grimaçant.

— La petite fille qui s'est enfuie en hurlant tout à l'heure ? demandai-je.

— Oui.

— Pourquoi criait-elle ? Qu'est-ce qui l'a effrayée ?

— Je n'en ai pas la moindre idée, répliqua Julian en haussant les épaules. Elle ne cesse de piquer des crises. Les filles sont des drôles de créatures, tu ne trouves pas ?

— Je n'en connais pas, avouai-je.

— Moi, j'en connais plein. J'adore les filles, même si elles sont folles et mentalement déséquilibrées, d'après mon père. Est-ce que tu as déjà vu une paire de seins ? »

Je le regardai avec de grands yeux ahuris. Je n'avais que sept ans ; de telles pensées ne m'étaient pas encore venues. Mais même à cette époque, Julian était déjà sexuellement précoce et commençait à s'intéresser aux femmes. « Non, dis-je.

— Moi si, déclara-t-il avec fierté. Sur une plage de l'Algarve l'été dernier. Toutes les filles se promenaient sans haut. J'ai pris des coups de soleil tellement je suis resté longtemps dehors. Des brûlures au deuxième degré ! Je suis très impatient de coucher avec une fille, pas toi ? »

Je fronçai les sourcils. Le mot était nouveau pour moi. « C'est quoi, coucher ? demandai-je.

— Tu ne sais pas, pour de vrai ?

— Non, répondis-je, et il prit un plaisir immense à me raconter en détail des actions qui me parurent non seulement déplaisantes et peu hygiéniques, mais peut-être même criminelles.

— Oh, c'est ça, fis-je quand il eut terminé, prétendant que je savais depuis le début, car je ne voulais pas qu'il me trouve trop innocent pour mériter son amitié. Je croyais que tu parlais d'autre chose. Je sais tout sur ce sujet.

— Est-ce que tu as des magazines cochons ?

— Non, admis-je en secouant la tête.

— Moi, j'en ai. J'en ai trouvé un dans le bureau de mon père. Il était plein de filles nues. C'était un magazine américain, bien sûr, parce que les filles nues, c'est encore illégal en Irlande.

— Ah bon ? » Je me demandais comment les filles faisaient pour se laver, si c'était le cas.

« Oui, l'Église n'autorise pas les filles à se mettre nues jusqu'à ce qu'elles soient mariées. Mais les Américains, si, et là-bas, elles enlèvent leurs vêtements tout le temps et elles donnent leurs photos aux magazines, et ensuite, les hommes vont dans des boutiques et ils les achètent avec des numéros de *History Today* ou *Stamps Monthly* pour qu'on ne les prenne pas pour des pervers.

— Qu'est-ce que c'est, un pervers ?

— C'est quelqu'un qui est fou de sexe, m'expliqua-t-il.

— Oh.

— Je serai un pervers quand je serai grand, poursuivit-il.

— Moi aussi, affirmai-je, pressé de lui plaire. Peut-être qu'on pourrait être des pervers ensemble. »

Au moment précis où les mots sortirent de ma bouche, je compris que quelque chose clochait dans ce que je venais de dire et l'expression que je lus sur son visage, du dédain mêlé à de la défiance, me gêna.

« Je ne crois pas, non, s'empressa-t-il de répondre. Ce n'est pas du tout comme ça que ça marche. Les garçons ne peuvent être des pervers qu'avec les filles.

— Oh, fis-je, déçu.

— Est-ce que tu as un gros bazar ? demanda-t-il quelques instants plus tard, après avoir ramassé l'un après l'autre tous les souvenirs posés sur mon bureau pour les examiner, avant de les reposer n'importe comment.

— Est-ce que quoi ?

— Est-ce que tu as un gros bazar ? répéta-t-il. Il faut que tu aies un gros bazar si tu veux être un pervers. Voyons lequel est le plus gros, entre le tien et le mien. Je parie que c'est le mien. »

La surprise me fit ouvrir la bouche et je ressentis une drôle de vibration au creux de mon ventre, une sensation totalement nouvelle que je ne réussis pas à comprendre, mais que je trouvai plaisant d'encourager.

« D'accord, acceptai-je.

— Toi d'abord, ordonna Julian.

— Pourquoi moi ?

— Parce que je l'ai dit, voilà pourquoi. »

J'hésitai, mais craignant qu'il change d'avis et qu'il passe à un autre jeu, je défis la boucle de ma ceinture, et descendis mon pantalon et mon slip jusqu'aux genoux. Il se pencha, et sur son visage se peignit un certain intérêt tandis qu'il l'examinait. « Je crois qu'il est ce qu'on appelle moyen, lâcha-t-il au bout d'un moment. Mais je suis peut-être un peu gentil.

— Je n'ai que sept ans, rétorquai-je, offensé, en remontant mon pantalon.

— Moi aussi, je n'ai que sept ans, mais le mien est plus gros », affirma-t-il en se déculottant à son tour pour m'en donner la preuve. Cette fois je sentis la pièce tourner un peu lorsque je le regardai. Je savais que la situation était dangereuse, que si nous étions surpris, nous serions réprimandés et humiliés, mais le risque m'excita. Le sien était assurément plus gros et il me fascina. C'était le premier pénis à part le mien que j'aie jamais vu, et comme il était circoncis, et pas moi, il m'intriguait.

« Où se trouve le reste ?

— Comment ça ? demanda-t-il en se rhabillant avant de reboucler sa ceinture, sans la moindre gêne.

— Le reste de ton bazar.

— Il a été coupé. Quand j'étais bébé. »

Je sentis une douleur fulgurante me traverser. « Pourquoi ils ont fait ça ?

— Je ne sais pas trop. Ça arrive à beaucoup de garçons quand ils sont jeunes. C'est un truc juif.

— Est-ce que tu es juif ?

— Non, pourquoi ? Tu l'es, toi ?

— Non.

— Ben c'est bien.

— Pas question que ça m'arrive, déclarai-je, horrifié à l'idée que quiconque s'approche de mes parties armé d'un couteau.

— Ça t'arrivera peut-être. Au fait, est-ce que tu es déjà allé en France ?

— En France ? demandai-je, sans trop savoir pourquoi il posait la question. Non. Pourquoi ?

— Nous y allons pour les vacances d'été cette année, c'est tout.

— Oh », fis-je, déçu que nous nous soyons éloignés du sujet du sexe, des pervers et autres. J'aurais bien aimé que nous continuions à en parler un peu mais il semblait s'être lassé. Peut-être que si j'essayais de ramener la conversation sur les filles, il me ferait ce plaisir.

« Est-ce que tu n'as qu'une sœur ?

— Oui. Alice. Elle a cinq ans.

— Tu as des frères ? »

Il secoua la tête. « Non. Et toi ?

— Non, je suis fils unique. » À cet âge, il ne me venait même pas à l'idée que ma mère biologique avait peut-être eu d'autres enfants. Ou que mon père biologique avait probablement engendré une ribambelle de descendants avant ou après ma conception.

« Pourquoi appelles-tu tes parents Charles et Maude ?

— Ils préfèrent. J'ai été adopté, tu sais, et c'est exprès pour montrer que je ne suis pas un vrai Avery. »

Il rit, secoua la tête et sortit quelque chose que je trouvai drôle : « Bizarroïde. »

Tout à coup, on frappa à la porte et je me retournai lentement, comme dans un film qui fait peur et où le personnage suppose qu'un meurtrier se trouve sur le palier. Personne ne montait jamais jusqu'ici à part Brenda, et même elle n'entrait que lorsque j'étais à l'école.

« Qu'est-ce qu'il y a ? demanda Julian.

— Rien.

— Tu as l'air mal à l'aise.

— Je ne suis pas mal à l'aise.

— J'ai dit que tu *avais l'air* mal à l'aise. »

Je regardai la poignée de la porte tourner, puis fis un pas en arrière, et Julian, à qui j'avais communiqué mon angoisse, se rapprocha de la fenêtre. Quelques instants plus tard, un nuage de fumée entra dans la pièce, suivi de Maude. Je ne l'avais pas vue depuis des jours et je fus surpris de constater que ses cheveux n'étaient pas aussi blonds qu'auparavant et qu'elle était d'une maigreur atroce. Sa récente maladie lui avait ôté presque tout appétit et elle ne mangeait plus grand-chose. « Je ne peux rien garder, m'avait-elle expliqué la dernière fois que nous avions parlé. Rien à part la nicotine, évidemment. »

« Maude, fis-je, surpris de la voir là.

— Cyril, répondit-elle regardant autour d'elle, étonnée de découvrir un autre garçon dans ma chambre. Tu es là. Mais qui est-ce ?

— Julian Woodbead, se présenta Julian d'une voix pleine d'assurance. Mon père est Max Woodbead, le célèbre avocat. »

Il tendit la main et elle la contempla pendant un moment comme si elle trouvait son apparition ahurissante. « Que veux-tu ? De l'argent ?

— Non, objecta Julian en riant. Mon père dit que pour avoir de bonnes manières, on doit échanger une poignée de main lorsqu'on rencontre quelqu'un pour la première fois.

— Oh, je vois, dit-elle en se penchant pour examiner ses doigts. Est-elle propre ? Es-tu allé aux toilettes récemment ? T'es-tu lavé les mains après ?

— Elle est parfaitement propre, Mrs Avery. »

Elle soupira, tendit la main et serra la sienne pendant un dixième de seconde. « Tu as la peau très douce, ronronna-t-elle. C'est généralement le cas des petits garçons. Ils ne sont pas accoutumés au dur labeur. Quel âge as-tu, si tu me permets de poser la question ?

— J'ai sept ans.

— Non, Cyril a sept ans, rétorqua-t-elle en secouant la tête. Je te demande quel âge tu as.

— J'ai sept ans aussi. Nous avons le même âge.

— Sept ans tous les deux, souffla-t-elle. N'est-ce pas une drôle de coïncidence ?

— Je ne crois pas, observa-t-il en réfléchissant. Tout le monde dans ma classe à l'école a sept ans. Et dans la classe de Cyril, aussi, j'imagine. Il y a probablement le même nombre d'enfants de sept ans à Dublin que de gens de n'importe quel autre âge.

— Peut-être, répondit Maude, peu convaincue. Puis-je te demander ce que tu fais dans la chambre de Cyril ? Savait-il que tu allais venir ? Tu n'es pas déplaisant avec lui au moins ? Il est assez doué pour attirer les petites brutes.

— Julian était assis dans l'entrée. Sur le fauteuil décoratif sur lequel on ne doit pas s'asseoir.

— Oh non, fit Maude, consternée. Il appartenait à ma mère.

— Je ne l'ai pas abîmé, assura Julian.

— Ma mère était Eveline Hartford, dit Maude, comme si cela avait une quelconque signification pour l'un ou l'autre d'entre nous. Alors, comme tu le sais, elle a-do-rait tout simplement les sièges.

— Ils sont terriblement utiles, répondit Julian en croisant mon regard et en me faisant un clin d'œil. Quand on veut s'asseoir, je veux dire.

— Oui, admit Maude d'un air absent. Ils sont faits pour ça, n'est-ce pas ?

— Mais pas le fauteuil décoratif, fis-je remarquer. Vous m'avez ordonné de ne jamais m'asseoir sur celui-là.

— C'est parce que tu as la vilaine habitude de te salir. Julian a l'air plutôt propre. As-tu pris un bain ce matin ?

— Oui, en effet. En même temps, je prends un bain presque tous les matins.

— Tant mieux. Il m'est presque impossible de persuader Cyril de se laver.

— Ce n'est pas vrai, protestai-je, insulté, parce que j'étais extrêmement méticuleux sur mon hygiène corporelle, et car même à cet âge-là, je détestais que les gens m'attribuent des particularités qui n'étaient fondées sur aucune réalité.

— Cependant, je te demanderai de ne plus t'asseoir sur ce fauteuil, si tu veux bien, poursuivit Maude sans tenir compte de mon intervention.

— Je vous le promets, Mrs Avery », s'engagea Julian en s'inclinant légèrement. Maude sourit, un événement qui était presque aussi rare qu'une éclipse de soleil. « Vous écrivez des romans, n'est-ce pas ?

— C'est exact. Comment le sais-tu ?

— Mon père me l'a dit. Il a ajouté qu'il n'en a pas lu parce que vous écrivez surtout sur les femmes.

— C'est vrai, admit-elle.

— Puis-je savoir pourquoi ?

— Parce que les écrivains hommes ne le font jamais. Ils n'ont pas le talent nécessaire. Ou la sagesse.

— Le père de Julian est venu voir Charles, dis-je, désireux de détourner la conversation des fauteuils et des livres. Lorsque j'ai trouvé Julian en bas, j'ai pensé qu'il voudrait peut-être monter voir ma chambre.

— Était-ce le cas ? s'enquit Maude, comme si elle était très étonnée. Voulais-tu voir la chambre de Cyril ?

— Oui, tout à fait. Il a beaucoup d'espace ici, je suis jaloux. Et cette fenêtre dans le toit est magnifique. Ce doit être merveilleux de regarder les étoiles en étant allongé dans son lit !

— Quelqu'un est mort ici, autrefois, tu sais, révéla Maude en reniflant l'air, déjà chargé des substances cancérigènes de ses cigarettes, comme si elle espérait repérer les effluves de la mort.

— Quoi ? fis-je, effondré. Qui ? » C'était la première fois que j'entendais une chose pareille.

« Oh, je ne me souviens plus. Un homme, je crois. Ou alors, peut-être une femme. Une personne, dirons-nous. C'était il y a si longtemps.

— Elle est morte de causes naturelles, Mrs Avery ?

— Non, je ne crois pas. Si ma mémoire est bonne, il ou elle a été assassiné. Je ne sais pas si le meurtrier a été arrêté. C'était dans tous les journaux, à l'époque. » Elle agita la main et un peu de cendre tomba sur mes cheveux. « Je ne me rappelle plus bien des détails. Y avait-il un couteau dans l'affaire ? Pour une raison quelconque, j'ai le mot couteau en tête.

— Il a été poignardé ! s'exclama Julian en se frottant les mains de plaisir.

— Cela ne t'ennuie pas si je m'assois, Cyril ? demanda Maude, en montrant le lit.

— Si vous êtes obligée. »

Elle s'assit et lissa sa jupe, avant de sortir une autre cigarette de son étui en argent. Ses doigts étaient longs et osseux, la peau presque transparente. Il n'aurait pas fallu que je m'approche beaucoup pour apercevoir les articulations entre les phalanges.

« Est-ce que tu as du feu ? interrogea-t-elle en brandissant la cigarette vers moi.

— Non, bien sûr que non.

— Je parie que toi, tu en as », dit-elle à Julian tout en promenant doucement sa langue sur sa lèvre supérieure. Si j'avais été un peu plus âgé, je me serais rendu compte qu'elle le draguait et qu'il répondait à ses avances. Ce qui est un peu troublant quand j'y repense, vu qu'il était encore un enfant et qu'elle avait trente-quatre ans.

« J'ai peut-être des allumettes », répondit-il en vidant le contenu de ses poches sur mon dessus-de-lit : un bout de ficelle, un yo-yo, un florin, l'as de pique et effectivement, une allumette. « Je le savais, fit-il en lui souriant.

— Mais tu es parfait, toi. Je devrais t'enfermer ici et ne plus jamais te laisser partir. »

Julian la frotta sur la semelle de sa chaussure et lorsqu'elle s'alluma du premier coup, j'eus du mal à cacher mon admiration. Il la tendit à Maude, qui se pencha en avant sans le quitter des yeux tandis que sa cigarette commençait à rougeoyer puis elle reprit sa place, la main gauche posée négligemment sur le matelas derrière elle. Elle continua à l'observer fixement, puis elle leva le visage vers le plafond et souffla un gigantesque nuage de fumée blanche, comme si elle se préparait à annoncer l'élection d'un nouveau pape.

« J'écrivais, vois-tu, déclara-t-elle au bout d'un moment. J'écrivais mon nouveau roman et j'ai entendu des voix venant d'en haut. C'était simplement trop distrayant. J'ai perdu le fil de mes pensées. Et je me suis dit que j'allais monter voir ce qui se passait. »

Je levai un sourcil, sceptique. Il me paraissait peu probable que Maude nous ait entendus parler depuis l'étage en dessous, surtout que nous n'avions pratiquement pas fait de bruit, mais son audition était sans doute plus affûtée que je ne le croyais, malgré son cancer du conduit auditif aujourd'hui guéri.

« Est-ce que vous aimez être écrivain, Mrs Avery ? demanda Julian.

— Non, bien sûr que non. C'est une profession détestable. Envahie d'êtres narcissiques qui pensent que leur pathétique imagination intéressera des gens qu'ils n'ont jamais connus.

— Mais avez-vous du succès ?

— Ça dépend de ce que tu entends par le mot succès.

— Avez-vous beaucoup de lecteurs ?

— Oh non. Dieu m'en préserve. Il y a quelque chose de terriblement vulgaire dans les livres qui ont du succès, tu ne trouves pas ?

— Je ne sais pas. Je ne lis pas beaucoup, malheureusement.

— Moi non plus, répondit Maude. Je ne me rappelle pas le dernier roman que j'ai lu. Ils sont tous tellement ennuyeux, et les écrivains s'épanchent indéfiniment. La concision est la clé, si tu veux mon avis. Quel est le dernier livre que tu as lu ?

— *Le Club des cinq en roulotte*, annonça Julian.

— Écrit par qui ?

— Enid Blyton. »

Elle secoua la tête comme si ce nom ne signifiait rien pour elle.

« Pourquoi ne voulez-vous pas que les gens lisent vos livres, Maude ? me lançai-je, une question que je ne lui avais jamais posée.

— Pour la même raison que je n'entre pas chez des étrangers pour leur dire combien j'ai fait de selles depuis le petit déjeuner. Cela ne les regarde pas.

— Alors, pourquoi les publiez-vous ?

— Il faut bien en faire quelque chose, Cyril, non ? dit-elle en haussant les épaules. Autrement, ça ne sert à rien de les écrire. »

Je fronçai les sourcils. Tout ceci n'avait aucun sens pour moi, mais je ne voulais pas poursuivre sur ce sujet. Je voulais qu'elle redescende et qu'elle nous laisse, Julian et moi, à notre amitié naissante. Peut-être souhaiterait-il à nouveau voir mon bazar et sortirait-il le sien pour que je puisse l'observer une deuxième fois.

« Ton père est ici pour sauver la situation, n'est-ce pas ? demanda Maude en se tournant à nouveau vers Julian et en tapotant la place sur le lit à côté d'elle.

— Je ne sais pas trop », avoua Julian qui comprit l'allusion et s'assit. Je fus surpris et agacé de voir comment il regardait les jambes de Maude. Tout le monde a des jambes, pensai-je. Qu'est-ce que celles de Maude avaient de si spécial ? « Il faut la sauver ?

— L'Homme du fisc est après nous, expliqua-t-elle sur le ton de quelqu'un se confiant à un de ses amis les plus proches. Mon mari, le père adoptif de Cyril, n'a pas toujours été aussi scrupuleux avec ses finances qu'il l'aurait dû et ses incartades semblent le rattraper. J'ai un autre comptable que le sien, bien sûr, qui s'occupe de mes affaires. Heureusement, je vends si peu que je n'ai rien à payer. C'est une bénédiction à certains égards. Pour tout dire, je donne plus d'argent à mon comptable qu'à l'Homme du fisc. Est-il venu chez toi ?

— Qui ? questionna Julian.

— L'Homme du fisc. À ton avis, à quoi ressemble-t-il ? »

Il fronça les sourcils, sans comprendre. Je réfléchis aussi et malgré ma jeunesse, j'étais certain qu'il y avait de nombreux hommes employés par le fisc, et peut-être même quelques femmes.

« Ne sont-ils pas plusieurs ? voulus-je savoir. Et chacun se charge de différentes affaires ?

— Oh non, fit Maude en secouant la tête. Non, pour ce que j'en sais, il n'y en a qu'un. Qui est très occupé, j'imagine. Bref, ton père est ici pour empêcher que mon mari soit jeté en prison. Un petit séjour là-bas lui ferait sans doute le plus grand bien, mais je serais obligée d'aller lui rendre visite, pour la forme au moins, et à mon avis, j'en suis incapable. J'imagine que les prisons sont des endroits assez déplaisants. Et on ne doit pas pouvoir fumer.

— Je crois que si. Les prisonniers utilisent les cigarettes comme une sorte de monnaie, non ?

— Et pour repousser les attaques potentielles des homosexuels, ajouta Julian.

— Tout à fait, acquiesça Maude qui ne paraissait pas le moins du monde choquée par les mots employés par Julian. Mais je ne crois pas que Charles ait trop à se soucier de ce problème. Ses charmes ne sont plus ce qu'ils étaient.

— Les homosexuels en prison ne sont pas difficiles, Mrs Avery. Ils prennent ce qu'ils trouvent.

— Non, mais ils ne sont pas aveugles non plus.

— C'est quoi, un homosexuel ? demandai-je.

— Un homme qui a peur des femmes, dit Maude.

— D'après ce que je vois, tous les hommes ont peur des femmes, énonça Julian qui affichait une compréhension de l'univers bien plus élaborée que la plupart des enfants de son âge.

— C'est vrai, concéda-t-elle. Mais seulement parce que la plupart des hommes ne sont pas aussi intelligents que les femmes, et pourtant ils continuent à détenir tout le pouvoir. Ils craignent un changement dans l'ordre du monde.

— Est-ce que Charles va aller en prison ? » Bien que je ne nourrisse pas une grande affection pour cet homme, l'idée me mettait mal à l'aise. « Cela va dépendre du père de Julian. S'il est bon dans son domaine.

— Je ne sais pas grand-chose des affaires entre mon père et votre mari. Il m'a amené avec lui aujourd'hui parce que j'ai mis le feu à un rideau la semaine dernière et je n'ai plus la permission de rester seul à la maison.

— Pourquoi as-tu fait cela ?

— C'était un accident.

— Oh. » Elle parut satisfaite de cette réponse et se leva, écrasant sa cigarette sur ma table de nuit, dont le bois se trouva définitivement orné d'une trace de brûlé. Elle jeta un coup d'œil autour d'elle et parut surprise de l'existence même de cette pièce. Où croyait-elle que j'avais dormi, ces sept dernières années ? « Alors c'est ici que tu te caches, Cyril ? fit-elle d'un ton rêveur. Je me suis souvent demandé où tu étais fourré. » Elle pivota et montra le lit du doigt. « Et je suppose que c'est ici que tu dors ?

— Oui.

— À moins que ce soit un meuble décoratif, comme le fauteuil de ta mère », commenta Julian.

Maude nous adressa un sourire et se dirigea vers la porte. « Essayez de ne pas faire trop de bruit, les garçons, si vous pouvez. J'ai l'intention de reprendre l'écriture. On dirait que j'entrevois à nouveau le fil de mes pensées. Si par chance je l'attrape, j'arriverai peut-être à coucher quelques centaines de mots sur le papier. »

Et là-dessus, à mon grand soulagement, elle nous laissa seuls.

« Quelle femme étrange ! » s'exclama Julian avant d'enlever ses chaussures et ses chaussettes et, sans raison compréhensible, de se mettre à sauter sur mon lit. Je regardai ses pieds et remarquai le soin qui avait été apporté à ses ongles. « Ma mère n'a rien de commun avec la tienne.

— C'est ma mère adoptive, lui fis-je observer.

— Ah oui. Est-ce que tu connais ta vraie mère ?

— Non.

— Est-ce que tu penses que ta mère adoptive est en fait ta vraie mère ?

— Non. Cela n'aurait aucun sens.

— Et ton père adoptif ?

— Non, répétai-je. Certainement pas. »

Il tendit la main et prit le mégot que Maude avait laissé sur la table de nuit. Il se mit à tirer bruyamment sur le filtre, faisant la grimace tandis qu'il le tenait dangereusement près du rideau. Maintenant que je savais qu'il s'était fait une réputation d'incendiaire, je me méfiais.

« À ton avis, ton père va aller en prison ?

— Mon père adoptif, rectifiai-je. Je ne sais pas. C'est possible. Je ne sais pas grand-chose, sauf qu'il a une petite difficulté. C'est comme ça qu'il en parle.

— Un jour, je suis allé à la prison », lâcha Julian d'un air dégagé en se laissant tomber sur le lit et en s'étalant comme s'il était chez lui. Sa chemise était sortie de son pantalon, son ventre et son nombril étaient visibles ; je les regardai fixement, assez fasciné par la pâleur de sa peau.

« Ce n'est pas vrai.

— Si, je le jure.

— Quand ? Qu'est-ce que tu avais fait ?

— Je n'étais pas prisonnier, bien sûr.

— Oh, fis-je en éclatant de rire. Je croyais.

— Non, quelle idée ridicule. J'y suis allé avec mon père. Il représentait un homme qui avait assassiné sa femme et il m'a emmené avec lui au Joy. »

J'ouvris de grands yeux, fasciné. J'avais une obsession étrange à cet âge-là pour les histoires de meurtres et une visite au Joy, le raccourci familier désignant la prison de Mountjoy, était une menace utilisée souvent par les maîtres et les maîtresses pour nous faire des remontrances. Chacune de nos fautes, que ce soit oublier nos devoirs ou bâiller en classe, donnait lieu à la promesse que nous allions probablement finir nos jours là-bas au bout d'une corde, même si la peine capitale n'était plus légale en Irlande.

« C'était comment ?

— Ça sentait les toilettes, affirma-t-il en souriant et je gloussai de bonheur. Et j'ai été obligé de rester dans le coin d'une cellule quand ils ont fait entrer le prisonnier. Mon père a commencé à lui poser des questions, à prendre des notes. Il avait besoin de clarifier certains points pour les expliquer à son avocat plaidant. L'homme demande : est-ce que c'est important de dire que ma femme était une sale traînée qui ouvrait les pattes à tout Ballyfermot. Et mon père lui assure : on va faire notre possible pour mettre en cause le caractère de la victime. Parce qu'il y avait de bonnes chances que le jury pardonne un meurtre si la victime était une pute. »

Je hoquetai. Je n'avais jamais entendu de tels mots énoncés à haute voix auparavant et ils provoquèrent chez moi à la fois un sentiment d'horreur et d'excitation. J'aurais pu rester là tout l'après-midi à écouter Julian, si grande était l'impression qu'il me faisait, et je lui aurais volontiers posé mille autres questions sur son expérience à la prison, sauf qu'à ce moment-là, la porte s'ouvrit à nouveau et un homme de grande taille aux sourcils ridiculement broussailleux passa la tête dans ma chambre.

« On y va, annonça l'homme et Julian bondit aussitôt. Comment se fait-il que tu n'aies pas tes chaussettes ni tes chaussures ?

— Je faisais du trampoline sur le lit de Cyril.

— Qui est Cyril ?

— C'est moi, Cyril. » L'homme me jaugea comme si j'étais un meuble qu'il envisageait d'acheter. « Oh, c'est toi, l'orphelin recueilli », fit-il sans manifester le moindre intérêt. Je n'avais rien à répondre à ça et le temps que je trouve quelque chose d'intelligent à dire, ils avaient tous les deux quitté la pièce et descendaient l'escalier.

Une grande histoire d'amour

Toute mon enfance, je me suis demandé, fasciné, comment Charles et Maude s'étaient rencontrés, étaient tombés amoureux et s'étaient mariés. Deux personnes qui n'auraient pas pu être plus mal assorties avaient réussi à se trouver et à entretenir quelque chose qui ressemblait à une relation tout en ne ressentant, en apparence, aucun intérêt ni aucune affection l'un pour l'autre. En avait-il toujours été ainsi ? C'étaient-ils regardés, avaient-ils éprouvé du désir, du respect ou de l'amour ? À un moment, avaient-ils compris qu'ils avaient devant eux la personne avec qui ils voulaient être absolument ? Et si non, pourquoi diable s'étaient-ils engagés dans une vie commune ? Je leur posai la question séparément à différentes périodes de notre vie ensemble et les réponses que j'obtins n'auraient pu être plus dissemblables.

Charles :

« J'avais vingt-six ans quand j'ai rencontré Maude et je ne cherchais ni petite amie, ni épouse, à ce moment-là. J'avais déjà tenté cette voie et l'expérience s'était avérée insupportable. Tu ne le sais probablement pas, Cyril, mais je me suis marié à vingt-deux ans et quelques années plus tard, j'étais veuf. Oh, tu le savais ? Eh bien, toutes sortes de rumeurs ont circulé sur la manière dont Emily est décédée mais je vais être très clair : je ne l'ai pas assassinée. Et il n'y a eu aucune mise en accusation de ce genre, malgré les efforts déployés par un certain sergent Henry O'Flynn du commissariat de police de Pearse Street. Jamais il n'y a eu le moindre élément de preuve, mais les rouages qui font marcher Dublin sont huilés par ce genre de cancans irresponsables et la réputation d'un homme peut être détruite du jour au lendemain si on n'est pas prêt à la riposte. En vérité, Emily était une fille charmante, très plaisante si on apprécie cette qualité, mais elle était aussi ma première petite amie, la fille avec qui j'avais perdu ma virginité, et aucun homme doté d'une once de bon sens ne devrait épouser la fille qui le dépucelle. C'est comme apprendre à conduire dans une vieille guimbarde poussive puis s'y cramponner jusqu'à la fin de ses jours alors qu'on a acquis l'adresse nécessaire à la conduite d'une BMW à l'heure de pointe sur une Autobahn encombrée. Quelques mois après mon mariage, je me suis rendu compte que me satisfaire d'une seule femme jusqu'à la fin de ma vie m'était impossible et j'ai commencé à lancer mes filets un peu plus loin. Regarde-moi, Cyril. Aujourd'hui, je suis un homme terriblement beau, alors tu peux imaginer quand j'avais une vingtaine d'années. Les femmes se marchaient dessus pour arriver jusqu'à moi. Et j'ai eu la générosité de les laisser approcher. Mais Emily a eu vent de mes magouilles extra-conjugales et a réagi de manière totalement excessive, menaçant de convoquer le curé de la paroisse, comme si ça allait me faire de l'effet. Je lui ai déclaré : "Chérie, prends un amant si tu veux, cela ne fait aucune différence pour moi. Si tu as besoin d'un coup de queue, il y en a plein, là, dehors. Des grosses, des petites, des jolies, des biscornues. Des tordues, des courbées, des droites. Les jeunes hommes sont essentiellement des queues en érection sur pattes, et n'importe lequel d'entre eux serait ravi de fourrer la sienne dans une femme aussi belle que toi. Essaie un adolescent, pourquoi pas. Il ne serait que trop heureux et tu sais, il peut enchaîner cinq ou six fois dans la nuit sans avoir besoin de reprendre son souffle." Pour moi, c'était un compliment, mais pour une raison que je ne connais pas, ce n'est pas ainsi qu'elle l'a pris. Elle est partie dans une spirale de récriminations et s'est enfoncée dans la dépression. Peut-être qu'elle avait toujours souffert d'une affection psychologique quelconque, comme beaucoup de femmes, mais au bout de quelques mois, elle prenait des médicaments pour éviter de devenir complètement timbrée. Puis, un jour, elle a avalé quelques cachets de trop juste avant de prendre un bain et hop, elle a coulé, bloup bloup, bonne nuit et bonne chance à tous. Il est vrai que j'ai hérité de beaucoup d'argent, ce qui est précisément la raison de toutes ces rumeurs. Mais je t'assure que je n'ai rien eu à voir avec ce qui s'est passé ce jour-là et sa mort m'a fort attristé. Après, je n'ai pas couché pendant presque deux semaines, par respect pour sa mémoire. Tu vois, Cyril, je vais te dire, et si j'avais eu un vrai fils, je me serais assuré qu'il comprenne bien ceci : la monogamie n'est tout simplement pas naturelle pour l'homme, et quand je dis l'homme, je veux dire l'homme ou la femme. Cela n'a aucun sens de se menotter sexuellement à la même personne pendant cinquante ou soixante ans, alors que la relation avec cette personne peut être tellement plus épanouie si on se donne mutuellement la liberté de pénétrer et d'être pénétré par des gens du sexe opposé qu'on trouve séduisants. Un mariage devrait être d'abord une amitié, une camaraderie, pas une affaire de sexe. Quel homme raisonnable a envie de coucher avec sa propre femme ? Néanmoins, malgré tout cela, lorsque j'ai posé les yeux sur ta mère adoptive la première fois, j'ai su immédiatement que je voulais qu'elle devienne la deuxième Mrs Avery. Elle se trouvait dans le rayon lingerie du grand magasin Switzer. Elle passait la main sur un présentoir de soutiens-gorges et de culottes, une cigarette en équilibre instable juste au-dessus des soieries. Je me suis approché et je lui ai demandé si elle avait besoin d'aide pour choisir l'ensemble qui lui irait. Mon dieu, cette femme avait des nichons parfaits ! Elle les a toujours. Est-ce que tu as bien regardé les nichons de ta mère adoptive, Cyril ? Non ? N'aie pas l'air aussi gêné, c'est la chose la plus naturelle du monde. On les tète quand on est bébé et on rêve de les téter quand on est adulte. En guise de réponse ce jour-là, elle m'a giflé, mais cette gifle demeure l'un des instants les plus érotiques de ma vie. J'ai saisi sa main et j'ai déposé un baiser au creux de son poignet. J'y ai senti un mélange de Chanel n° 5 et de sauce Marie-Rose. Elle devait avoir déjeuné peu de temps auparavant et comme tu le sais, elle a toujours eu un faible pour les cocktails de crevettes. Je lui ai dit que si elle ne m'accompagnait pas au Gresham Hotel cet après-midi-là pour boire une coupe de champagne, je me jetterais dans la Liffey. Elle m'a répondu : "Vous pouvez bien vous noyer, je m'en fiche." Elle n'avait aucune intention de passer un mercredi après-midi à se saouler dans le bar d'un hôtel avec un homme étrange. Je ne sais pas bien comment, mais j'ai réussi à la faire changer d'avis et nous avons fini par aller en taxi jusqu'à O'Connell Street où nous avons bu, non pas une mais six bouteilles de champagne, non pas en une heure, mais en six. Tu y crois ? À la fin nous étions pratiquement paralysés. Mais pas au point de ne pas pouvoir prendre une chambre et faire l'amour pendant quarante-huit heures quasiment sans nous arrêter. Mon Dieu, cette femme m'a fait des choses qu'aucune ne m'a jamais faites. Tant que tu n'auras pas eu de fellation de ta mère adoptive, Cyril, tu ne sauras pas vraiment ce qu'est une pipe de qualité. Quelques mois plus tard, nous étions mariés. Mais une fois de plus, le temps a fait son œuvre. Maude est devenue plus obsédée par son écriture et moi, par ma carrière. Je me suis lassé de son corps et je crois bien qu'elle s'est lassée du mien. Mais alors que j'allais chercher du réconfort ailleurs, elle ne semblait pas du tout intéressée à l'idée de prendre un amant. Et c'est ainsi qu'elle est célibataire depuis des années, maintenant, ce qui explique probablement ses sautes d'humeur. C'est vrai, nous ne sommes pas le couple idéal mais je l'ai aimée autrefois et elle m'a aimé. Quelque part au fond de nous demeure l'ombre de deux êtres sexuels âgés d'une vingtaine d'années, buvant du Veuve Clicquot au Gresham, riant à gorge déployée, tout en envisageant de demander une chambre au réceptionniste, au risque qu'il appelle la police ou l'archevêque de Dublin. »

Maude :

« Je ne me souviens pas du tout. C'était peut-être un mercredi, si cette précision peut t'être utile. À moins que ce soit un jeudi. »

Lorsque mes ennemis me poursuivent

La relation entre mes parents adoptifs n'était tout simplement pas assez forte pour engendrer le genre de passion qui rend possible une dispute. Dartmouth Square était donc la plupart du temps un lieu de vie harmonieux. Le seul conflit sérieux auquel j'assistai eut lieu le soir où les jurés vinrent dîner, un plan si malavisé qu'aujourd'hui encore il me sidère.

Ce fut un de ces rares soirs où Charles revint à la maison tôt. Je quittais la cuisine avec un verre de lait et je fus très étonné de le voir franchir le seuil, sans qu'il ait la cravate de guingois, le cheveu en bataille, la démarche hésitante. Cette mise suggérait qu'il était arrivé quelque chose de terrible.

« Charles, fis-je. Est-ce que ça va ?

— Oui, très bien. Pourquoi ça n'irait pas ? »

Je jetai un coup d'œil à l'horloge qui trônait dans un coin de l'entrée et, comme si elle était de mèche avec moi, elle sonna 18 heures avec une demi-douzaine de longs carillons dont l'écho s'attarda. Nous attendîmes que ça cesse, en restant exactement à la même place, sans dire un mot, avec un sourire gêné et quelques hochements de tête pour toute communication. La sonnerie prit fin.

« C'est juste que vous n'êtes jamais rentré si tôt, poursuivis-je. Vous vous rendez compte que dehors il fait jour et que les pubs sont encore ouverts ?

— Ne sois pas insolent.

— Je ne suis pas insolent. Je suis inquiet, c'est tout.

— OK, dans ce cas, je te remercie. Je note ta sollicitude. Tu sais, c'est étonnant comme il est plus facile de mettre la clé dans la serrure lorsqu'il fait jour. Généralement, je reste coincé sur le perron quelques minutes au moins avant de parvenir à entrer. J'ai toujours cru que c'était un problème avec la clé mais peut-être que ça vient de moi, depuis le début.

— Charles, dis-je en posant mon verre sur une table avant de m'approcher de lui. Vous êtes sobre, n'est-ce pas ?

— Oui, Cyril. Je n'ai rien bu depuis hier soir.

— Mais pourquoi ? Vous êtes malade ?

— Il m'arrive de tenir une journée sans avoir besoin de lubrifiant, tu sais. Je ne suis pas totalement alcoolique.

— Pas totalement, non. Mais vous l'êtes pas mal. »

Il sourit et l'espace de quelques instants je crus voir dans ses yeux quelque chose ressemblant à de la tendresse. « C'est gentil à toi de t'inquiéter. Mais je vais parfaitement bien. »

Je n'en étais pas si sûr. Ces dernières semaines, son exubérance avait presque disparu et souvent, lorsque je passais devant son bureau, je le surprenais assis à sa table, une expression pensive sur le visage, comme s'il ne parvenait pas à comprendre comment la situation avait pu se détériorer à ce point. Il avait acheté un exemplaire de *Une journée d'Ivan Denissovitch* chez Hodges Figgis, et on le trouvait absorbé dans sa lecture dès qu'il avait un moment libre – il manifestait beaucoup plus d'intérêt pour le roman de Soljénitsyne que pour ceux de Maude, y compris *Comme l'alouette*, qu'elle avait pratiquement renié lorsque les ventes avaient atteint un nombre à trois chiffres. Qu'il comparât ses épreuves à celles d'un prisonnier dans un camp de travail soviétique en disait long sur le sentiment d'injustice qu'il ressentait. Bien sûr, il n'aurait jamais imaginé que son affaire irait jusqu'au tribunal, car il partait du principe qu'un homme occupant sa position et ayant un tel réseau parmi les gens influents réussirait à empêcher qu'un abus aussi flagrant se produise. Et même lorsqu'il apparut clairement qu'il ne pouvait rien faire pour arrêter le processus, il était certain qu'il serait déclaré innocent, malgré sa culpabilité évidente. La prison, croyait-il, était quelque chose qui arrivait aux autres.

Pendant ces semaines, Max Woodbead fut un visiteur régulier de Dartmouth Square. Lors de leurs soirées ensemble, on entendait des feulements alcoolisés, de vieilles chansons de Belvedere College – Dieu seul est mon salut quand mes ennemis me poursuivent / Sur Dieu seul repose ma gloire quand je suis humble et soumis – autant que des disputes déchaînées et des hurlements de fureur, qui résonnaient dans la maison et amenaient même Maude à ouvrir la porte de son bureau et à sortir de son crépuscule empesté, pour jeter des regards éperdus dans l'escalier.

« Est-ce toi, Brenda ? me demanda-t-elle un jour, lors d'une de ces querelles, où je me trouvais, pour une raison que j'ai oubliée, en train d'errer au deuxième étage.

— Non, c'est moi, Cyril.

— Oh, Cyril, oui. Bien sûr, l'enfant. Mais que se passe-t-il donc en bas ? Y a-t-il eu un cambriolage ?

— Mr Woodbead est là. Il est venu discuter de l'affaire avec Charles. Je crois qu'ils ont dévalisé le placard à alcools.

— Cela ne sert strictement à rien. Il va aller en prison. Personne ne l'ignore. Tout le whisky du monde n'y changera rien.

— Et qu'adviendra-t-il de nous ? » questionnai-je avec angoisse. Je n'avais que sept ans – je n'étais pas prêt à vivre dans la rue.

« Tout ira bien. J'ai un peu d'argent à moi.

— Mais que m'arrivera-t-il, à moi ?

— Pourquoi font-ils autant de bruit ? s'inquiéta-t-elle sans avoir entendu ma question. Vraiment, c'est trop. Comment est-on censé arriver à travailler dans ces conditions. Et puisque tu es là, est-ce que tu pourrais me trouver un autre mot pour fluorescent ?

— Rayonnant ? proposai-je. Lumineux ? Incandescent ?

— Incandescent, c'est ça. Tu es intelligent, pour un garçon de onze ans.

— J'ai sept ans, rectifiai-je, surpris que mes parents adoptifs ne voient pas que j'étais un enfant, non pas une espèce d'adulte miniature qui leur avait été imposé.

— Eh bien, c'est encore plus impressionnant », trancha-t-elle en rentrant dans sa caverne pleine de fumée avant de refermer la porte derrière elle.

Le mot qui revint le plus souvent dans notre maison au cours de l'année 1952 fut « l'affaire ». Il n'était jamais loin dans nos pensées et toujours sur le bout de la langue de Charles. Celui-ci paraissait outragé qu'on lui fasse subir une telle indignité publique et il détestait voir son nom dans les journaux pour d'autres raisons que des louanges. Lorsque l'*Evening Press* publia un article expliquant que sa fortune avait été considérablement exagérée ces dernières années, que s'il devait perdre son procès, et se voir infliger non seulement une peine d'emprisonnement mais une lourde sanction financière, il irait très probablement droit à la faillite et serait forcé de vendre la maison de Dartmouth Square, il se déchaîna. Ce fut une tornade de rage fulminante ; comme le roi Lear dans les badlands, il en appela aux vents, aux cataractes et au tonnerre qui ébranle tout à inonder les clochers, noyer leurs coqs et roussir ses cheveux noirs jusqu'à ce que l'épaisse rotondité du monde soit aplatie. Max reçut l'ordre de poursuivre le journal en justice et eut la sagesse d'ignorer l'injonction.

Le dîner fut organisé un jeudi, quatre jours après le début du procès qui devait durer deux semaines. Max avait choisi un juré qu'il pensait particulièrement influençable et l'avait rencontré par hasard un soir où il se promenait sur Aston Quay. Il l'avait invité dans un pub pour boire un verre. Une fois là-bas, Max informa l'homme – un certain Denis Wilbert de Dorset Street, qui enseignait les mathématiques, le latin et la géographie dans une école près de Clanbrassil Street – que la relation qu'il avait nouée avec Conor Llewellyn, son élève star qui avait toujours les meilleures notes malgré le désert qui régnait dans sa jolie tête, pourrait être facilement mal interprétée à la fois par les journaux et par la Garda. S'il ne voulait pas que cette information sorte au grand jour, il devait se montrer prêt à réfléchir sérieusement à son verdict dans le procès qui opposait le ministère des Finances à Mr Avery.

« Et bien entendu, ajouta-t-il, tout ce que vous pourrez faire pour persuader les autres jurés serait opportun. »

Avec un juré dans sa poche, Max fit appel à un policier en disgrâce pour fouiller dans la vie des autres. À sa grande déception, l'ancien commissaire Lavery trouva bien peu de choses. Trois d'entre eux avaient un secret. Un juré avait été accusé de s'être exhibé devant une fille sur Milltown Road, mais les charges avaient été abandonnées car la jeune fille était protestante. Un autre avait un abonnement auprès d'une agence à Paris qui lui envoyait tous les mois un assortiment de cartes postales de femmes portant seulement un pantalon de cheval. Et une troisième (l'une des deux femmes de ce jury) avait donné naissance à un bâtard et n'en avait pas informé son employeur, qui l'aurait sans aucun doute mise à la porte puisqu'il était censé être le garant de la moralité publique : le parlement d'Irlande, le Dáil Éireann.

Plutôt que de pourchasser chaque personne en la menaçant quasi explicitement de révéler son secret, Max agit de manière bien plus élégante : il les invita à dîner. Se servant de Mr Wilbert, le professeur pédophile, comme entremetteur, il leur fit savoir que s'ils refusaient, les informations rassemblées sur eux seraient transmises aux journaux. Ce qu'il ne dit pas, en revanche, c'était qu'il ne serait ni leur hôte ni un convive. Cet honneur revenait à l'homme assis sur le banc des accusés, mon père adoptif, Charles Avery.

Charles nous demanda, à Maude et à moi, de le rejoindre dans son bureau, peu de temps avant l'arrivée des invités, et nous nous installâmes dans les fauteuils à oreilles, disposés face à lui pour qu'il nous expose son projet.

« Le plus important est que nous montrions un front uni. Nous devons donner l'impression que nous sommes une famille heureuse et aimante.

— C'est exactement ce que nous sommes, fit Maude, comme si elle était offensée qu'on eût pu suggérer le contraire.

— Voilà pour l'atmosphère. Il ne suffit pas de leur prouver que ce n'est pas leur intérêt personnel d'énoncer un verdict de culpabilité, il faut que nous apaisions leur conscience en leur signifiant que nous séparer tous les trois serait un acte aussi condamnable que d'admettre le divorce en Irlande.

— Qui sont-ils, ces gens-là ? s'enquit Maude en allumant une nouvelle cigarette pour remplacer celle qu'elle fumait. Sont-ils de notre classe ?

— Je crains que non. Un professeur, un ouvrier des docks, un conducteur de bus et une femme qui travaille dans le salon de thé du Dáil Éireann.

— Grand Dieu, s'exclama-t-elle. De nos jours, ils laissent vraiment n'importe qui faire partie des jurys.

— Je crois qu'il en a toujours été ainsi, ma chérie.

— Mais est-ce absolument nécessaire de les convier chez nous ? N'aurions-nous pas pu simplement les inviter à dîner en ville ? Il y a le choix parmi les restaurants où des personnes de ce genre n'auraient jamais l'occasion d'aller.

— Ma chérie, répondit Charles en souriant, ô ma douce épouse, rappelle-toi, ce dîner est un secret. Si la nouvelle s'ébruite, eh bien, elle provoquerait d'importants remous. Personne ne doit l'apprendre.

— Bien sûr, mais ces gens ont l'air tellement ordinaires, lâcha Maude en se frottant le bras comme si un vent froid s'était soudain mis à souffler dans la pièce. Se seront-ils lavés ?

— Au tribunal, ils paraissent propres. À vrai dire, ils font de beaux efforts. Mettent leur plus beau costume, etc. Comme s'ils allaient à la messe. »

Maude ouvrit la bouche dans une expression horrifiée. « Sont-ils papistes ?

— Je n'en ai pas la moindre idée, rétorqua Charles, exaspéré. Quelle importance ?

— Tant qu'ils ne demandent pas à réciter la prière avant qu'on mange, marmonna-t-elle, parcourant du regard l'antre de Charles, cette pièce dans laquelle elle n'entrait presque jamais. Oh, ça alors, s'étonna-t-elle en désignant un exemplaire des *Méditations* de Marc Aurèle posé sur un guéridon. J'ai la même édition dans mon bureau. C'est drôle.

— Bon, Cyril, commença mon père adoptif, se tournant vers moi. Ce soir, le règlement intérieur s'applique au sens strict, c'est compris ? Tu parles seulement lorsqu'on s'adresse à toi. Pas de plaisanteries. Pas de flatulences. Regarde-moi avec toute l'adoration dont tu es capable. J'ai déposé sur ton lit une liste de choses que nous faisons ensemble, père et fils. L'as-tu mémorisée ?

— Oui.

— Répète-les-moi.

— Nous allons à la pêche dans les grands lacs du Connemara. Voir des matchs à Croke Park. Nous avons une partie d'échecs en cours dans laquelle nous bougeons une pièce par jour. Nous nous tressons mutuellement les cheveux.

— J'ai dit, pas de plaisanteries.

— Pardon.

— Et ne nous appelle pas Charles et Maude, d'accord ? Pour ce soir, tu t'adresseras à nous en utilisant Père et Mère. Sinon, cela paraîtra bizarre à nos invités. »

Je fronçai les sourcils. Je n'étais pas certain de pouvoir me résoudre à dire ces mots ; cela me semblait aussi difficile que, pour un autre enfant, d'appeler soudain ses parents par leur prénom.

« Je ferai de mon mieux... père.

— Tu n'es pas obligé de commencer maintenant, ordonna Charles. Attends que les invités arrivent.

— Oui, Charles.

— Tu n'es pas un vrai Avery, après tout.

— Pourquoi faisons-nous tout cela ? intervint Maude. Pourquoi devons-nous nous abaisser devant ces gens ?

— Pour que je puisse éviter la prison, ma chère, répondit Charles gaiement. Nous devons flatter et amadouer, et si tout cela échoue, je les prendrai un par un dans mon bureau et je leur signerai un chèque à chacun. D'une manière ou d'une autre, j'ai l'intention de finir la soirée avec une confiance inébranlable en un verdict de non-culpabilité.

— Est-ce que Mr Woodbead sera présent ? demandai-je et Charles secoua la tête.

— Non. Si tout se barre en couille, il ne peut pas se permettre d'être soupçonné d'avoir participé à tout ça.

— Charles, surveille ton langage, s'il te plaît, le tança Maude avec un soupir.

— Alors Julian ne viendra pas non plus ? questionnai-je.

— Qui est Julian ?

— Le fils de Mr Woodbead.

— Pourquoi diable viendrait-il ? »

Je baissai les yeux et sentis mon cœur se déchirer. Je n'avais vu Julian qu'une seule fois depuis sa toute première visite et cela faisait presque un mois. Nous nous étions encore mieux entendus, bien que, à ma grande déception, il ne s'était pas présenté d'occasion pour que nous baissions nos pantalons et exposions notre intimité. J'avais été enivré par l'idée d'une amitié avec lui et qu'il paraisse aussi se plaire en ma compagnie était tellement étonnant que cela avait commencé à occuper toutes mes pensées. Mais nous ne fréquentions pas la même école, et par conséquent, nous avions peu de chances de nous rencontrer à nouveau, à moins que Max l'amène à Dartmouth Square. J'éprouvai soudain une très grande frustration.

« J'ai cru qu'il viendrait peut-être.

— Désolé de te décevoir. J'ai envisagé d'inviter quelques gamins de sept ans au dîner mais ensuite, je me suis rappelé que cette soirée était vraiment très importante et que notre bonheur futur dépendait sans doute de la manière dont elle se passerait.

— Alors, il ne vient pas ? demandai-je, juste pour clarifier les choses.

— Non, trancha Charles.

— Elizabeth ne viendra donc pas non plus ? s'enquit Maude.

— Elizabeth ? répéta Charles, qui se redressa comme s'il était surpris, et s'empourpra un peu.

— La femme de Max.

— Je ne savais pas que tu connaissais Elizabeth.

— Je ne la connais pas. Pas très bien, en tout cas. Mais nous nous sommes rencontrées à deux ou trois soirées de bienfaisance. Elle est assez charmante dans son manque de raffinement.

— Non, Elizabeth ne viendra pas, répondit Charles, baissant les yeux à nouveau et tapotant du bout des doigts son sous-main.

— Il n'y a que des gens de la classe ouvrière, résuma Maude.

— Oui.

— Quelle perspective amusante.

— Il ne s'agit que de quelques heures, ma chérie. Je suis sûr que tu y survivras.

— Est-ce qu'ils sauront quels couverts utiliser ?

— Oh, par pitié, fit Charles en secouant la tête. Ce ne sont pas des animaux. Qu'est-ce que tu crois qu'ils vont faire ? Piquer leur morceau de viande de bœuf avec un cure-dent, le porter à leur bouche et le ronger ?

— Nous aurons du bœuf ? J'aurais plutôt eu envie de poisson, ce soir.

— Il y a une entrée de poisson, indiqua Charles.

— Des coquilles Saint-Jacques, précisai-je. Je les ai aperçues à la cuisine.

— Je ne joue pas les snobs, insista Maude. Je me renseigne seulement, parce que si ces gens ne sont pas habitués aux raffinements de la table, ils risquent d'être intimidés. Confrontés à plusieurs paires de couverts, ils pourraient penser que nous nous moquons d'eux et, se sentant humiliés, réagir en te méprisant encore plus. Tu oublies que je suis romancière, Charles. J'ai une fine compréhension de la nature humaine. »

La langue de mon père adoptif fit une bosse dans sa joue tandis qu'il réfléchissait. Elle avait raison. « Eh bien, qu'est-ce que tu suggères ? On va servir cinq plats. Il y a une douzaine de couverts à chaque place. Je peux difficilement coller des étiquettes sur chacun d'entre eux mentionnant "ceci est le couteau à poisson, ceci est le couteau à pain, ceci est la fourchette à pudding", quand même.

— Non, intervint Maude. Et il serait impossible de trouver des étiquettes aussi petites, de toute manière. Surtout en si peu de temps. Il faudrait que nous les commandions à l'avance. »

Charles la regarda fixement et parut sur le point d'éclater de rire, ce qui nous aurait probablement choqués tous les deux – c'était une manifestation à laquelle nous assistions rarement.

« Y a-t-il autre chose que nous devons savoir ? interrogea Maude en jetant un coup d'œil à sa montre. Ou pouvons-nous y aller ?

— Est-ce que je te retiens ? Serais-tu attendue quelque part ? Le buraliste du coin ferait-il une vente exceptionnelle de cigarettes dans l'heure qui vient ?

— Tu sais que je n'aime pas les plaisanteries », fit-elle avant de se lever et de lisser les pans de sa jupe. Je jetai un coup d'œil à Charles et constatai avec surprise qu'il la scrutait, la détaillant de haut en bas avec un désir évident, car elle était encore une très belle femme. Et elle savait s'habiller. « À quelle heure arrivent-ils ? Il me faut le temps de me ravaler la façade.

— Dans une demi-heure », annonça Charles. Elle acquiesça et s'éclipsa.

« Est-ce que le juge ne serait pas contrarié s'il l'apprenait ? » demandai-je quelques instants plus tard, alors que Charles était retourné à ses papiers et semblait avoir oublié que j'étais encore là. Il sursauta même un peu sur son fauteuil lorsqu'il entendit ma voix.

« Est-ce que le juge ne serait pas contrarié par quoi ?

— Par le fait que vous invitez quatre jurés à dîner. Ne va-t-il pas penser qu'il y a quelque chose de malhonnête ? »

Charles sourit et me gratifia d'un regard qui se voulait tendre. « Oh, mon cher petit. Décidément, tu n'es vraiment pas un Avery. C'est le juge qui en a eu l'idée. »

La famille parfaite

« Permettez-moi, Mr Avery…

— Je vous en prie, laissons tomber les manières formelles. Appelez-moi Charles.

— Permettez-moi, Charles, de vous dire que j'ai depuis toujours un certain intérêt pour le droit, déclara Denis Wilbert, le professeur pédophile de Dorset Street, qui m'avait serré la main et l'avait tenue fermement, en sandwich entre ses deux pattes moites, plus longtemps que nécessaire – j'avais couru immédiatement après à la salle de bains pour la laver. Je suis les affaires dans les journaux, vous voyez. Le travail de An Garda Síochána. Les différents procès, les avocats, les conseils juridiques, et tout le reste. Les appels déposés à la Haute Cour et les recours en inconstitutionnalité. J'avais envisagé d'étudier le droit à l'université avant de me rendre compte que ma véritable vocation était de m'occuper d'enfants. Je ne suis jamais plus heureux que lorsque je suis en compagnie d'un petit garçon. De nombreux petits garçons, en fait, autant que possible ! Mais je dois reconnaître que, certaines fois, j'ai véritablement cru que si un homme se trouve sur le banc des accusés, alors il est probablement coupable du crime...

— Ou la femme, interrompit Jacob Turpin, l'ouvrier des docks pervers qui aimait passer ses soirées à traîner vers Milltown Road, guettant l'arrivée de petites jeunes filles pour pouvoir les gratifier d'un aperçu de ses faiblesses.

— Je vous en prie, Mr Turpin, le sermonna Wilbert, qui semblait croire qu'il était un cran au-dessus, étant donné sa formation. Si ça ne vous ennuie pas, je voudrais juste terminer ce que je disais à Charles et ensuite, si vous avez quelque chose de pertinent à ajouter, vous pourrez...

— Je voulais seulement dire qu'on trouvait aussi des femmes sur le banc des accusés, insista Turpin, dont les cheveux étaient d'un roux flamboyant, presque lumineux, étrangement hypnotique. Il y avait cette fille qui travaillait dans les bureaux du CIÉ, elle avait monté une escroquerie avec les factures et elle a pris cinq ans. Vous n'y auriez jamais pensé, n'est-ce pas ? Aux femmes, j'entends.

— Comme j'expliquais, poursuivit Wilbert plus fort cette fois de manière à ne pas être à nouveau interrompu, je croyais que si un homme était en position d'accusé, alors non seulement il était probablement coupable mais il était également peu recommandable – quelqu'un que la société devrait bannir hors de ses murs, comme un lépreux ou un Australien. Mais ce soir, assis dans cette magnifique demeure, en train de partager ce dîner raffiné en compagnie d'une famille si respectable, cette idée est fort mise à mal et je la renie. Je la renie de tout mon cœur et sans le moindre préjugé ! Et si je puis me permettre, j'aimerais lever mon verre à votre santé, Charles, et vous présenter tous mes vœux pour les jours à venir, quand vous subirez cette épreuve difficile et injuste.

— Je bois à ça aussi », précisa Joe Masterson, le conducteur de bus de Templeogue à l'intérêt lubrique pour la pornographie en tenue d'équitation, qui n'avait cessé de boire depuis son arrivée à Dartmouth Square. Il avala son verre de vin et regarda avec avidité du côté de la bouteille. Constatant que personne ne lui proposait de le servir, il se servit lui-même, un geste qui contrevenait – même moi, je le savais – à l'étiquette en vigueur dans ces occasions.

« Vous êtes très gentils, déclara Charles en souriant avec bienveillance. Tous. Cependant, j'espère que vous ne pensez pas que mon invitation à vous joindre à nous, Maude et moi, pour dîner ce soir soit motivée par autre chose que le désir de vous connaître un peu mieux.

— Mais, l'invitation ne venait pas de vous, fit remarquer Charlotte Hennessy, la quatrième jurée présente, et la seule femme. C'était celle de Mr Woodbead. Et nous ne savions pas que nous étions attendus chez vous. Nous avions l'impression que c'était lui qui nous recevait.

— Comme je l'ai expliqué tout à l'heure, Max a été appelé en province pour une affaire urgente, et n'ayant aucun moyen de vous contacter, m'a demandé de le remplacer au pied levé pour vous recevoir.

— Vous êtes un gentleman et un humaniste, dit Masterson.

— Mais alors, pourquoi nous a-t-il invités ici ? voulut savoir Mrs Hennessy.

— Il fait faire des travaux dans sa maison, expliqua Charles. Par conséquent, il demeure ici quelque temps. Bien sûr, je n'avais pas prévu de passer la soirée à la maison ce soir. Habituellement je suis pris au bureau local de Saint-Vincent de Paul. Et pour être honnête, j'ai pensé que ma présence pourrait être mal interprétée, me porter préjudice. Mais je n'aurais pas pu permettre que vous vous présentiez et soyez renvoyés sans dîner. Ce n'est pas ainsi que nous procédons, à Dartmouth Square.

— Tant de circonstances inhabituelles, renchérit Mrs Hennessy. Et tant de coïncidences. C'est presque incroyable.

— Parfois, la vérité est difficile à croire, répondit-il d'une voix douce. Mais je suis content que les choses aient fini par s'arranger de cette manière. Chaque jour, quand je suis au tribunal, à contempler vos honnêtes visages, je me répète souvent que j'aimerais tellement mieux vous connaître, loin de l'atmosphère moisie de la salle d'audience.

— J'ai toujours dit, annonça Turpin qui se baissa pour se gratter et le fit avec une efficacité certaine, que l'homme qui a le plus d'élégance est celui qui ne reconnaît pas l'existence du système de classes. Il y en a plus d'un dans votre situation qui n'auraient pas accepté de recevoir des gens comme nous.

— Sauf votre respect, Mr Turpin, rétorqua Wilbert en enlevant ses lunettes – j'avais remarqué qu'il les ôtait chaque fois qu'il voulait paraître sérieux – je suis professeur dans une célèbre école privée. J'ai une licence de mathématiques. Mon père était pharmacien et ma mère a accordé un jour une interview à Radio Éireann sur la meilleure farine à utiliser pour réussir le Barm Brack traditionnel irlandais. Je me considère comme l'égal de n'importe quel homme.

— Oh très bien, très bien, fit Turpin ainsi réprimandé. Où habitez-vous donc, Denis ? Possédez-vous une grande maison comme celle-ci ?

— Il se trouve que je vis avec ma mère, répondit Wilbert en se rengorgeant, prêt à repousser toute attaque sur sa personne. Elle ne rajeunit pas et il faut que je m'occupe d'elle. Bien sûr, ajouta-t-il en me regardant droit dans les yeux et d'une manière tout à fait explicite, j'ai ma propre chambre et elle passe de nombreuses soirées au bingo. Je suis libre de mes mouvements.

— N'avez-vous pas une épouse, Mr Wilbert ? s'enquit Maude depuis l'autre extrémité de la table, d'une voix si abrupte que je sursautai. N'y a-t-il pas une Mrs Wilbert tapie dans le sous-bois, quelque part ?

— Malheureusement non, répliqua-t-il en rougissant un peu. Je crains de n'avoir pas eu de chance dans ce domaine.

— Le plus beau jour de ma vie, énonça Charles qui posa ses couverts – et je jure que des larmes se formèrent dans ses yeux quand il reprit son discours –, fut le jour où Maude a accepté de m'épouser. Je ne pensais pas du tout qu'elle l'envisagerait. Mais je savais aussi que je pourrais tout réussir, avec elle à mes côtés, et que notre amour nous donnerait la force de traverser les mauvais moments comme les bons. »

Nous nous tournâmes tous comme un seul homme vers Maude, guettant sa réaction. Si j'avais su en ce temps-là qui était Joan Crawford, j'aurais dit qu'elle nous servait son plus beau numéro à la Joan Crawford, une expression où se mêlaient le mépris et la vulnérabilité, tout en tirant longuement sur sa cigarette avant de souffler la fumée entre ses lèvres dans un jet si puissant qu'il produisit un nuage de puanteur derrière lequel ses véritables sentiments se dissimulaient.

« J'en suis à ma deuxième femme, déclara Masterson. Ma première épouse est morte en tombant de cheval. Elle était cavalière de concours hippique. De jeunes chevaux. J'ai toujours ses tenues dans le placard de la chambre d'amis et parfois, j'aime bien y aller et passer la main sur le velours ou respirer leur odeur pour me souvenir d'elle. J'ai demandé à ma femme actuelle de me faire un défilé, mais elle est bizarre sur certains trucs. Pour être honnête, et je ne le dis que parce que j'ai l'impression d'être entouré d'amis, je regrette de m'être remarié. Ma première compagne était une fille charmante. La nouvelle… eh bien, elle a la langue affilée, je n'en dirai pas plus.

— La langue affilée ? s'alarma Mrs Hennessy. N'est-ce pas inquiétant ? Comment la pauvre s'est-elle retrouvée avec un handicap pareil ?

— Enfin, vous voyez ce que je veux dire, insinua Masterson avant d'éclater de rire et de regarder les autres hommes tout en pointant son pouce vers elle comme pour dire "Mais d'où elle sort, celle-là ?". Elle est constamment insolente. Je l'ai avertie, un de ces jours, je lui amènerai le curé si elle ne se calme pas un peu.

— Quelle chance elle a, rétorqua Mrs Hennessy en se détournant. Ai-je lu quelque part que vous aussi aviez été marié auparavant, Mr Avery ? demanda-t-elle à Charles.

— Je ne sais pas, répondit-il. Et vous ?

— Parlez-nous de vous, Cyril, intervint Wilbert en m'adressant un clin d'œil si lubrique que je ne sus plus où me mettre. Aimez-vous l'école ? Prenez-vous vos études au sérieux ?

— Ça va.

— Et quelle est votre matière préférée ? »

Je réfléchis un instant. « L'histoire, probablement.

— Pas les mathématiques ?

— Non, je ne suis pas très bon en mathématiques.

— Ai-je précisé que j'ai une licence de mathématiques ?

— Oui, dirent Charles, Maude, Mrs Hennessy, Turpin, Masterson et moi à l'unisson.

— Peut-être pourrais-je vous donner un coup de main, proposa-t-il. Parfois, quelques heures de cours particulier font une grande différence. Passez un soir lorsque Mère est au bingo et…

— Non merci, l'interrompis-je en enfournant une bouchée de steak en espérant de toutes mes forces qu'il s'intéresserait à quelqu'un d'autre.

— Et vous, Mrs Hennessy, vous avez un salon de thé ? claironna Maude tout à coup et Masterson colla une main contre sa poitrine, effrayé, comme s'il allait avoir une attaque. C'est bien cela ?

— Pas tout à fait. Je dirige le salon de thé au Dáil Éireann.

— Comme c'est intéressant. Et vous occupez ce poste depuis longtemps ?

— Depuis 1922, quand l'Oireachtas[1] a siégé pour la première fois à Leinster House.

— Fascinant, remarqua Charles, et je devais le reconnaître, il avait sincèrement l'air intéressé. Alors, vous étiez présente quand l'État a été fondé ?

— Oui.

— Ce jour a dû être extraordinaire.

— Oui, acquiesça Mrs Hennessy, d'une voix un peu attendrie. C'était très enthousiasmant. Je n'oublierai jamais notre bonheur ce jour-là. Et Mr Cosgrave bien sûr a été acclamé par tous les représentants de la Chambre quand il s'est levé pour faire son premier discours en tant que président du Conseil exécutif.

— Grand Dieu, c'était il y a trente ans, lâcha Turpin en secouant la tête. Mais quel âge avez-vous donc ? Vous devez commencer à vieillir un peu, non ?

— J'ai soixante-quatre ans, répondit-elle complaisamment. Merci d'avoir posé la question.

— J'aurais dit à peu près cet âge-là, fit-il en hochant la tête. Vous avez cette mine que beaucoup de femmes de votre âge finissent par avoir. Les joues toutes flasques, vous voyez ? Et les poches noires sous les yeux. Les veines sur vos jambes, ça doit être à force de rester debout dans le salon de thé toute la journée. Ne le prenez pas mal, bien sûr.

— Comment pourrais-je prendre mal un discours aussi galant ? ironisa-t-elle.

— N'est-ce pas un drôle d'endroit où travailler ? intervint Charles. Tous ces hommes importants qui passent par là tous

1. Le corps législatif irlandais. (*N.d.T.*)

les jours. Vous devez entendre beaucoup de secrets, n'ai-je pas raison ?

— Si c'était le cas, Mr Avery, pensez-vous que je laisserais le moindre d'entre eux franchir mes lèvres ? Je n'ai pas gardé mon poste pendant ces trente années en commettant des indiscrétions.

— Mais vous devez prendre votre retraite bientôt, d'après ce que j'ai entendu. Et je vous en prie, ne m'appelez plus Mr Avery. Je vous l'ai dit, c'est Charles.

— Je prévois en effet de le faire vers la fin de l'année, admit-elle en plissant les yeux. Et comment l'avez-vous appris si vous permettez ?

— Eh bien, je n'ai pas bâti cette maison en commettant des indiscrétions, moi non plus, répondit-il en lui adressant un clin d'œil. Disons seulement que c'est un petit oiseau qui me l'a dit. Comment se présente le financement de votre retraite ? J'espère que vous avez été prudente. Vous pourriez encore avoir un grand nombre d'années devant vous et il faut que vous soyez à l'abri du besoin.

— Je crois avoir été prudente, trancha-t-elle d'un ton glacial.

— Je suis heureux de l'apprendre. L'argent prend de l'importance quand on vieillit. On ne sait jamais quand peut arriver la maladie. On entend des choses terribles sur ce qui se passe dans les hôpitaux. Si jamais vous avez besoin de conseils, n'hésitez pas à me demander.

— Je crois d'abord que nous attendrons le résultat du procès, avant d'envisager de venir vous voir pour des conseils financiers.

— Voulez-vous aussi devenir banquier, Cyril ? me questionna Masterson. Comme votre père ? »

Je jetai un coup d'œil à Charles, attendant qu'il fasse remarquer que je n'étais pas un vrai Avery, juste un fils adoptif, mais il resta silencieux, chipota dans son assiette en me lançant un regard qui signifiait *Tu peux répondre*.

« Je ne crois pas », fis-je, les yeux rivés devant moi. Je sentis la chaussure de Wilbert toucher la mienne sous la table et rangeai instantanément mon pied sous ma chaise. « Je n'y ai pas encore réfléchi. Je n'ai que sept ans.

— Un âge merveilleux, s'exalta Wilbert. Mon préféré de tous les âges entre six et dix ans.

— Un bien joli garçon, en tout cas, affirma Turpin, en se tournant vers Maude. C'est votre portrait craché.

— Il ne me ressemble en rien, répliqua Maude - une remarque très sensée.

— Ah mais si, insista Turpin. On le voit à ses yeux. Et son nez. Il est bien le fils de sa mère.

— Vous êtes un homme très perspicace, Mr Turpin, déclara-t-elle, avant d'allumer une autre cigarette alors que le cendrier posé à côté d'elle commençait à déborder. La justice bénéficiera sans aucun doute de votre présence parmi les jurés.

— Je ne suis pas certain que vous en ayez conscience, révéla Charles, mais ma chère épouse est l'une des plus grandes romancières d'Irlande.

— Oh Charles, s'il vous plaît, non », supplia-t-elle en agitant la main en l'air pour le faire taire. Mais elle ne réussit qu'à envoyer encore plus de fumée au milieu des convives. Mrs Hennessy détourna le visage et s'éclaircit la gorge.

« Je suis désolé, ma chère, mais je dois le dire à nos invités. Je suis si fier de Maude, voyez-vous. Combien de romans as-tu écrits ? »

Une longue pause. Je me mis à décompter les secondes dans ma tête et j'atteignis vingt-deux quand elle répondit.

« Six, lâcha-t-elle enfin, et je suis en train de travailler au septième.

— C'est formidable, s'exclama Turpin. C'est formidable, d'avoir un hobby. Ma femme tricote.

— La mienne joue de l'accordéon, ajouta Masterson. Elle fait un raffut épouvantable. Mais ma première femme, elle, montait à cheval aussi bien qu'Elizabeth Taylor dans *Le Grand National*. Elle lui ressemblait énormément aussi, tout le monde le disait.

— Vous allez vous retrouver sur le torchon un de ces jours, avança Turpin.

— Le torchon ? demanda Maude en fronçant le sourcil.

— Vous savez, celui qu'achètent tous les touristes, expliqua-t-il. Celui sur lequel il y a les têtes de tous les grands écrivains irlandais.

— Cela n'arrivera jamais, trancha Maude. Ils n'y mettent jamais de femmes, que des hommes. Même s'ils nous laissent les utiliser pour essuyer la vaisselle.

— Qui était cette romancière qui se faisait passer pour un homme ? voulut savoir Turpin.

— George Eliot, dit Wilbert en retirant ses lunettes pour les nettoyer avec son mouchoir.

— Non, c'était bien un homme, déclara Masterson. Mais il y en avait un qui en réalité était une femme, mais qui disait être un homme.

— Oui, George Eliot, répéta-t-il.

— Qui a jamais entendu parler d'une femme appelée George ?

— George Eliot était son pseudonyme, expliqua Wilbert patiemment, comme s'il s'adressait à un garçon de sa classe, retardé mais mignon.

— Quel était son vrai nom, alors ? »

Wilbert ouvrit la bouche mais aucun son n'en sortit.

« Mary Ann Evans, énonça Mrs Hennessy avant que la situation puisse devenir gênante. En fait, j'ai lu un de vos romans, Mrs Avery, ajouta-t-elle. Par pur hasard. Rien en lien avec le procès de votre mari. Une des filles du salon de thé me l'a offert comme cadeau d'anniversaire l'an dernier.

— Oh mon Dieu, fit Maude, dont le visage changea comme si elle avait la nausée. J'espère que vous ne l'avez pas lu.

— Bien sûr que je l'ai lu. Qu'aurais-je pu en faire d'autre, m'en servir comme dessous de plat ? J'ai trouvé qu'il était très bien écrit.

— Lequel était-ce ?

— *La Qualité de la lumière.* »

Maude grimaça de dégoût et secoua la tête avec dédain. « J'aurais dû brûler le manuscrit de celui-là. Je me demande ce qui m'est passé par la tête quand je l'ai écrit.

— Eh bien, je l'ai bien aimé, insista Mrs Hennessy. Mais c'est vous l'auteur, et si vous dites qu'il n'est pas bon, je suppose que je devrais vous croire sur parole. Je dois l'avoir mal compris.

— Vous devriez renvoyer la fille qui vous l'a offert. Elle a très mauvais goût, à l'évidence.

— Oh non, c'est mon bras droit, répondit Mrs Hennessy. Je serais perdue sans elle. Cela fait sept ans qu'elle travaille avec moi. C'est d'ailleurs elle qui reprendra la direction du salon de thé lorsque, comme l'a si bien dit Mr Avery, je prendrai ma retraite à la fin de l'année.

— Eh bien, mieux vaut un salon de thé qu'une bibliothèque, rétorqua Maude. Bon, allons-nous passer toute la soirée à bavarder de tout et de rien ou allons-nous aborder le fond du sujet ? »

Nous la regardâmes tous avec surprise. Charles écarquilla des yeux pleins d'angoisse espérant qu'elle n'allait pas détruire son plan en déclarant quelque chose de fâcheux.

« Quel est le fond du sujet, exactement ? » demanda Wilbert.

Maude éteignit sa cigarette sans en avoir allumé une autre, prit une longue gorgée de vin et contempla ses invités avant de nous présenter une expression qui était celle du plus pur chagrin. « Je sais que je ne devrais pas, commença-t-elle d'un ton que je ne lui avais jamais entendu auparavant, je sais que je ne devrais pas aborder ce sujet alors que nous sommes tous réunis ici pour savourer ce délicieux repas et cette conversation pleine d'un bel entrain, mais je le dois. Absolument ! Je dois vous informer, madame et messieurs du jury, que mon mari Charles est complètement innocent de toutes les choses dont on l'accuse et...

— Maude, chérie, interrompit Charles mais elle le fit taire d'un geste de la main.

— Non, Charles, laisse-moi dire ce que j'ai à dire. Il a été accusé à tort et je m'inquiète qu'il soit jugé coupable et mis en prison. Qu'adviendrait-il de nous ? Chaque jour qui passe, chaque minute est embellie par l'amour qui nous lie, et quant à notre fils, notre pauvre, cher Cyril... »

Je levai les yeux et déglutis, souhaitant de toutes mes forces qu'elle ne m'entraîne pas dans cette affaire.

« Cyril a pris cette habitude de venir dans notre lit toutes les nuits, éperdu, versant des larmes brûlantes, redoutant le sort qui attend son père bien-aimé. Deux fois il a souillé son lit, mais nous ne lui en voulons pas, bien que cela nous coûtât une fortune en blanchisserie. Être témoin d'une si grande souffrance chez un enfant si jeune brise le cœur d'une mère. Surtout aujourd'hui, alors qu'il est si malade. »

Toutes les têtes se tournèrent vers moi et mes sourcils s'arquèrent. Étais-je malade ? Je ne m'en étais pas aperçu. Mon nez coulait un peu ces derniers jours mais il n'y avait pas de quoi s'affoler.

« Je sais que ça n'a rien à voir, poursuivit Maude, et vous avez tous des soucis avec votre propre famille, mais je suis juste émerveillée par le courage de Cyril, qui vit son cancer d'une manière si brave et si stoïque alors que tous ces désagréments redoublent autour de nous.

— Grands dieux ! s'exclama Mrs Hennessy.

— Un cancer, vraiment ? demanda Turpin en se tournant vers moi, ravi.

— Oh, fit Wilbert qui recula sur son siège comme s'il pouvait être contaminé.

— En phase terminale, je le crains, précisa Maude. Nous aurons de la chance s'il est toujours parmi nous à Noël. Il sera sans doute parti à Halloween. Et si Cyril devait mourir sans avoir son père adoré à ses côtés, si je devais me retrouver seule dans cette maison sans les deux personnes que je chéris le plus au monde... » Elle secoua la tête et les larmes commencèrent à couler à flots en creusant des lignes dans son maquillage. Sa main gauche se mit à trembler, mais c'était peut-être parce qu'elle n'était pas habituée à rester si longtemps sans une cigarette coincée entre le deuxième et le troisième doigt. « Eh bien, je sais déjà ce que je finirais par faire, dit-elle doucement. Néanmoins, je ne l'énoncerai pas à haute voix car cet acte est un péché mortel, mais ce serait le seul recours possible. »

La pièce fut plongée dans un silence total. Charles était un père de famille aimant, Maude prévoyait de se suicider et je n'avais que quelques mois à vivre. Ces informations étaient toutes nouvelles pour moi. Pendant quelques instants, je me demandai si l'une ou l'autre était vraie, puis je me souvins que je n'avais pas vu de médecin depuis longtemps et qu'il était peu probable qu'un diagnostic fatal soit posé sans qu'on me prenne ma température ou ma tension.

« Personne ne devrait être abandonné dans une telle solitude, intervint Turpin.

— Un homme doit forcément se trouver avec sa famille à un moment aussi douloureux, insista Masterson.

— Veux-tu que je te serre dans mes bras ? proposa Wilbert.

— De quel type de cancer souffres-tu ? me demanda Mrs Hennessy. Je dois dire que tu donnes l'impression d'être en très bonne santé. »

J'ouvris la bouche, essayant de concevoir une réponse. Je ne savais rien sur le cancer, rien d'autre que le fait qu'il s'agissait d'un vocable effrayant que les adultes utilisaient pour sous-entendre la mort imminente d'amis autant que d'ennemis. Je me triturai les méninges pour trouver la meilleure réponse. Cancer des ongles ? Des cils ? Des pieds ? Le cancer des pieds existait-il ? Ou peut-être devrais-je m'approprier la maladie récente de Maude et prétendre que j'avais un cancer du conduit auditif ? Heureusement, je n'eus pas besoin de parler, car avant que j'aie le temps de choisir l'endroit où je mettrais ma tumeur, on sonna à la porte et nous entendîmes Brenda aller ouvrir. Un rugissement fut émis par le visiteur, puis nous perçûmes les cris de notre bonne qui essayait d'empêcher l'intrus d'accéder au salon. C'est alors que la porte s'ouvrit brusquement et qu'apparut Max Woodbead, les cheveux en bataille, le visage écarlate, nous dévisageant tous avant de repérer Charles. Il le fusilla du regard, les yeux brûlants de fureur, mais choisit de ne rien dire, bondit droit sur lui, le fit tomber de sa chaise et se mit à le rouer de coups avec une férocité qui aurait fait la fierté d'un homme ayant la moitié de son âge. Et même dans le chaos ambiant, je ne pus m'empêcher de jeter un coup d'œil du côté de la porte, dans l'espoir que Julian l'ait accompagné. Mais il n'y avait personne d'autre que Brenda, qui contemplait la rossée avec une vague expression réjouie sur le visage.

L'île de Lesbos

« De toutes les femmes d'Irlande, vous étiez obligé de sauter l'épouse de l'homme qui essaie de vous éviter la prison », lança Maude une fois que les invités furent partis. Elle buvait du whisky avec Charles dans le petit salon tandis que j'écoutais en catimini, caché au pied de l'escalier, et dans sa voix on percevait un mélange venimeux de colère, d'incrédulité et d'exaspération. Depuis mon poste d'observation, je voyais mon père adoptif appuyer un doigt sur le bleu qui était en train de se former sur sa joue, et sa langue apparaître de temps en temps, comme chez un lézard, pour explorer sa lèvre fendue par sa dent brisée, responsable des traînées de sang sur son menton. Des nuages de fumée agressifs s'approchèrent de lui et lorsqu'il détourna la tête, il m'aperçut assis dans l'entrée et me gratifia d'un petit salut d'excuse, quatre de ses doigts dansant dans l'air comme un pianiste emprisonné qui aurait été obligé de jouer de mémoire l'une des sonates les plus déprimantes de Chopin. Il ne parut pas contrarié par ma présence, ni vraiment perturbé par les événements grotesques de la soirée. « Max aurait pu vous sauver, poursuivit Maude en élevant la voix. Et plus important, il aurait pu sauver cette maison. Que va-t-il nous arriver maintenant ?

— Il n'y a aucune inquiétude à avoir. Mon avocat s'occupera de tout. À part le spectacle final, la soirée s'est plutôt bien passée, je trouve.

— Si vous pensez ce que vous dites, vous êtes un idiot.

— Ne nous abaissons pas à manier les insultes.

— Si nous perdons Dartmouth Square…

— Cela n'arrivera jamais, insista Charles. Ayez confiance en Godfrey, d'accord ? Vous ne l'avez pas vu en action. Le jury boit littéralement ses paroles.

— Il risque d'avoir une opinion très différente de vous quand il apprendra que vous avez séduit Elizabeth Woodbead. Max et lui ne sont-ils pas des amis proches ?

— Ne soyez pas ridicule, Maude. Qui a jamais entendu parler d'un avocat plaidant et d'un avocat conseil qui ressentent autre chose qu'une haine réciproque ? Et Elizabeth n'a pas eu besoin d'être séduite. Pour le coup, elle était le prédateur lorsqu'il s'est agi de notre petite *affaire de cœur*[1]. Elle m'a poursuivi comme un lion pourchassant un impala.

— Je trouve cela difficile à croire.

— Je suis beau et puissant, et dans cette ville j'ai une réputation tout à fait méritée d'amant formidable. Les femmes apprécient ce genre de choses.

— Ce que vous savez des femmes pourrait être recopié en grands caractères au dos d'un timbre-poste et il resterait encore de la place pour le Notre Père. Malgré toute votre activité de séduction et de flirt, toutes les grues, putains, petites amies et épouses, vous n'avez vraiment rien appris sur nous, depuis le temps.

— Et qu'y a-t-il à apprendre ? s'enquit-il, peut-être juste pour l'énerver maintenant qu'elle crachait son mépris sur sa virilité. Ce n'est pas comme si nous parlions de créatures particulièrement complexes. Contrairement aux dauphins, par exemple. Ou aux saint-bernard.

1. En français dans le texte. (*N.d.T.*)

— Mon Dieu, vous êtes insupportable.

— Et pourtant, vous m'avez épousé et vous êtes depuis toutes ces années mon inébranlable compagne et mon soutien », rétorqua-t-il, avec une nouvelle pointe d'irritation dans la voix. D'habitude, il repoussait tous les affronts d'un éclat de rire, si certain de sa supériorité, mais pas ce soir. Peut-être devenait-il nerveux, lui aussi, en pensant à ce qui l'attendait. « Les qualités que vous jugez insupportables sont précisément celles qui vous motivent à rester auprès de moi depuis dix ans.

— À cette heure-ci, Max est forcément chez Godfrey pour lui raconter toute l'histoire, fit-elle, ignorant son observation. Et s'il a une épouse, il risque de prendre le parti de Max.

— Godfrey n'a pas de femme, rétorqua Charles en secouant la tête. Il n'est pas du genre à se marier.

— Que voulez-vous dire ?

— Eh bien, qu'il en est une. Une pédale. Une tapette. Mais il est terriblement compétent dans son métier, malgré tout. On penserait que ces gens-là ne peuvent servir qu'à être coiffeurs ou fleuristes, mais je n'ai jamais vu un avocat plus dévoué ni plus impitoyable que Godfrey. Il ne perd presque jamais, c'est pour ça que je l'ai choisi. »

Il y eut un long silence avant que Maude reprenne la parole. « Est-ce que quelqu'un sait ?

— Sait quoi ?

— Pour Godfrey. Qu'il est de la jaquette ?

— C'est un secret de polichinelle dans le milieu des juristes. À l'évidence il ne peut rien y faire, le pauvre. C'est un délit, après tout.

— Dégoûtant, lâcha Maude.

— Qu'est-ce qui est dégoûtant ?

— La simple idée. »

Charles rit. « Ne soyez pas si prude.

— Ce n'est pas de la pruderie de savoir ce qui est naturel et ce qui ne l'est pas.

— Naturel ? demanda Charles. Ne m'avez-vous pas raconté un jour que vous aviez eu des sentiments analogues pour une fille que vous aviez rencontrée dans un de vos cercles littéraires ?

— Balivernes, rétorqua Maude. Vous fantasmez.

— Non, pas du tout. Je m'en souviens très bien. Vous m'avez confié un rêve que vous aviez fait. Vous étiez ensemble en train de pique-niquer au bord d'une rivière, le soleil brillait et elle a suggéré que vous enleviez vos vêtements et que vous alliez vous baigner et ensuite, vous étiez allongées sur la rive côte à côte, vous vous êtes tournée vers elle et...

— Oh, fermez-la, Charles, le rabroua-t-elle.

— L'amour saphique, énonça-t-il gaiement.

— Totalement ridicule.

— Un voyage par la mer jusqu'à l'île de Lesbos.

— Vous avez tout inventé, déclara-t-elle plus fort.

— Non, et vous le savez très bien.

— Que signifient les rêves, de toute manière ? Ce ne sont que des tissus de bêtises.

— Ou l'expression d'une envie intime. La représentation inconsciente de nos véritables désirs.

— Ce que vous dites est stupide.

— Ce n'est pas de moi. C'est de Sigmund Freud.

— Oui, et il a aussi dit que les Irlandais étaient la seule race pour qui la psychothérapie n'avait pas la moindre utilité. Alors, s'il vous plaît, n'essayez pas de découvrir mes pensées. Vous n'en serez pas capable. Mais où voulez-vous en venir ?

— À rien du tout, ma chère. Si je suis allé chercher de l'affection physique ailleurs, vous ne pouvez pas vraiment m'en tenir rigueur. Ni nier que vous ne témoignez pas beaucoup d'intérêt pour la chose depuis ce fameux après-midi au Gresham, il y a fort longtemps.

— C'est parce que je sais quel genre d'homme vous êtes. Vous avez toujours eu une affinité pour les gens déviants, n'est-ce pas ? Et pour les pratiques sexuelles bizarres. Ce truc que vous vouliez faire avec les pneus et le tuyau d'arrosage dans le jardin, l'autre fois. Je frissonne encore quand j'y pense.

— Vous auriez pu apprécier si vous aviez accepté d'essayer. En tout cas, je trouve un peu hypocrite de la part de Max d'être si furieux. Comme s'il était fidèle à Elizabeth. Il est même pire que moi. La seule différence est qu'il ne peut s'empêcher d'être jaloux, alors que pour moi c'est un délire qui n'a pas le moindre intérêt. Il peut fourrer sa queue où il veut, d'après lui, mais que Dieu le garde de voir Elizabeth chercher un peu de variété.

— Ce n'est pas pertinent du tout, objecta Maude. Elizabeth est une de mes amies.

— Ma chère, ne soyez pas ridicule. Vous n'avez pas d'amis.

— Une connaissance, alors.

— Vous vous inquiétez pour rien, je vous le promets. Max se réveillera demain et s'en voudra à mort de s'être comporté d'une manière aussi grossière. Il sera ici à la première heure, pour présenter ses excuses avant même que j'aille à la cour.

— Si vous croyez cela, vous êtes encore plus bête que je ne le pensais. »

Je ne pus supporter d'en entendre davantage et montai dans ma chambre, fermai la porte derrière moi et ouvris grand la bouche en me plaçant face au miroir. J'éclairai même le fond de ma gorge avec une lampe torche pour m'assurer que je n'avais pas un cancer. Rien ne me parut différent des autres jours.

Il était difficile de savoir comment les quatre jurés réagiraient à la scène à laquelle ils avaient assisté. Quand Charles et Max avaient commencé à se battre, Masterson et Turpin avaient bondi pour encourager les combattants, hurlant leurs conseils, comme des enfants excités par une bagarre dans la cour de récréation. Wilbert avait enlevé ses lunettes et il tenta, mollement, de séparer les deux hommes. Pour tout remerciement, il prit un coup dans le nez qui le fit saigner et éclater en sanglots, avant de battre en retraite dans un coin de la pièce. Il y resta, la tête dans les mains, répétant que sa mère ne serait pas contente du tout quand elle le verrait rentrer. Mrs Hennessy s'était levée de table et avait quitté la salle à manger en silence et avec dignité. J'avais couru pour la rattraper, me demandant si elle comptait appeler la police, mais elle s'était contentée de prendre son chapeau et son manteau sur la patère, avant de remarquer ma présence.

« Tu ne devrais pas assister à une scène pareille, Cyril », fit-elle, le visage soucieux. Depuis l'entrée, j'entendais le bruit des chaises qu'on renversait, la voix de Maude ordonnant de faire attention à un présentoir à cigarettes qui venait de Saint-Pétersbourg. « Il est honteux que des hommes adultes se comportent ainsi devant toi.

— Est-ce que Charles va aller en prison ? demandai-je, et elle jeta un coup d'œil du côté de la salle à manger pour s'assurer que la bagarre n'était pas sur le point de se déplacer.

— Cette décision n'a pas encore été prise », m'assura-t-elle en s'accroupissant devant moi. Elle écarta une mèche de cheveux qui était retombée sur mon front, comme les adultes le font souvent avec les enfants. « Nous sommes douze dans le jury. Nous devons avoir connaissance de toutes les preuves avant de parvenir à un verdict. Je n'ai aucune idée de la raison pour laquelle Mr Woodbead nous a invités ici ce soir pour cette imposture. Tous les jours, je suis forcée d'écouter ces imbéciles aux Four Courts, et, en plus, je me retrouve à dîner avec eux. Je suis venue seulement parce qu'il a sous-entendu que... enfin, peu importe ce qu'il a sous-entendu. Je suis certaine qu'il ne mettra pas sa menace à exécution. J'aurais dû lui dire que cela m'était égal. Maintenant, va te coucher, sois gentil. » Elle pencha la tête sur le côté et sourit, le visage pensif. « Comme c'est étrange. Tu me rappelles quelqu'un, mais je n'arrive pas à retrouver qui. » Elle réfléchit quelques instants et haussa les épaules. « Non, rien à faire. Je dois y aller. Il faut que je sois au tribunal à 9 heures demain matin. Bonne nuit, Cyril. »

Là-dessus, elle me serra la main, glissa une pièce de six pence dans ma paume et sortit sans bruit dans la nuit de Dartmouth Square où, par chance, un taxi passait à ce moment-là. Elle disparut dans la pénombre alors que je restai sur le pas de la porte, contemplant la ville et me demandant si quelqu'un le remarquerait, si je disparaissais.

L'Homme du fisc

Les jours suivants filèrent dans un tourbillon d'activité. La manière dont l'affaire se terminerait était sans doute inéluctable. Mon père adoptif croyait que son amitié avec Max Woodbead survivrait à leur petite chamaillerie. Il n'aurait pu se tromper davantage. Lorsque Max prendrait sa revanche, quelques mois plus tard, elle serait à la fois imprévisible et violemment efficace. Mais entre-temps, il continua à défendre Charles tout en affirmant qu'il se comporterait de manière professionnelle jusqu'à la fin du procès, mais qu'après, il mettrait définitivement fin à leur relation.

Maude et moi allâmes ensemble aux Four Courts pour entendre le verdict, et comme je n'avais pas eu le droit d'assister aux audiences pendant le procès, j'étais fasciné et un peu effrayé par la majesté de Round Hall. Les familles des victimes et des criminels se mêlaient dans un curieux brassage de proies et de prédateurs, tandis que les avocats arpentaient les lieux en toge noire et perruque blanche, chargés de lourds dossiers et suivis d'assistants zélés. Ma mère adoptive bouillonnait, car l'affaire avait reçu tant de publicité ces dernières semaines que son roman, *Parmi les anges*, avait pris place sur la grande table chez Hodges Figgis sur Dawson Street, une position qu'aucun de ses précédents ouvrages n'avait même approchée. Informée ce matin-là par notre bonne, Brenda, qui la veille était allée faire des courses, elle écrasa sa cigarette en plein milieu de son jaune d'œuf et se mit à trembler de fureur, le visage blême tant elle était humiliée.

« Comme c'est vulgaire. La popularité. Les lecteurs. Je ne le supporte pas. Je savais que Charles finirait par détruire ma carrière. »

Cependant, il y aurait pire encore. Peu après que nous nous étions assis, une femme s'approcha avec un exemplaire du livre et se mit à tourner autour de notre banc, en souriant ostensiblement, attendant que nous remarquions sa présence.

« En quoi puis-je vous aider ? fit Maude avec toute la chaleur de Lizzie Borden[1] venue souhaiter bonne nuit à ses parents.

— Vous êtes Maude Avery, n'est-ce pas ? » La femme devait avoir une soixantaine d'années ; sa tête était coiffée d'un casque de cheveux bleus dont la couleur ne correspondait à rien qu'on puisse trouver dans la nature. Si j'avais été un peu plus âgé, je l'aurais prise pour une de ces habituées des audiences, le bâtiment étant chauffé et le divertissement offert, une de ces personnes qui connaissaient les noms de tous les avocats, juges et huissiers, et comprenaient probablement mieux le droit que la plupart d'entre eux.

« Oui, répondit Maude.

— J'espérais que vous seriez présente aujourd'hui, avoua la femme avec un sourire radieux. Je vous guette depuis le début du procès mais vous n'êtes jamais venue. Je suppose que vous étiez occupée à écrire. Où trouvez-vous donc vos idées ? Vous avez une imagination débordante. Vous écrivez à la main ou sur une machine ? J'ai une histoire qui pourrait se vendre par millions d'exemplaires mais je n'ai pas le talent

---

1. Lizzie Borden (1860-1927), en Nouvelle-Angleterre, fut accusée d'avoir tué à coups de hache son père et sa belle-mère avant d'être finalement acquittée, faute de preuves. L'affaire judiciaire est restée célèbre. (*N.d.T.*)

pour l'écrire. Je devrais vous la raconter, vous l'écririez à ma place et nous pourrions partager l'argent. Ça parle d'autrefois. Les gens adorent les histoires d'autrefois. Et il y a un chien dans l'histoire. Et le pauvre meurt à la fin.

— Pourriez-vous me laisser tranquille, s'il vous plaît ? demanda Maude qui faisait tous les efforts du monde pour se contrôler.

— Oh, fit la femme, le sourire un peu moins franc. Vous êtes toute contrariée, je le vois. Vous êtes inquiète pour votre mari. Je suis venue tous les jours et je peux vous dire que vous avez raison d'être inquiète. Il n'a pas la moindre chance. Ceci dit, c'est un très bel homme. Si vous vouliez bien juste signer ce livre pour moi, je vous laisserais tranquille. Voici un stylo. Je veux que vous écriviez : *Pour Mary-Ann, je vous souhaite bonne chance pour l'opération de vos varices. Amitiés* et puis, votre signature et la date. »

Maude scruta le livre comme si elle n'avait jamais vu un objet aussi repoussant de sa vie et je crus qu'elle allait le lui prendre et le balancer à l'autre bout de la salle. Mais avant qu'elle ait le temps de faire un mouvement, l'huissier ouvrit une des portes latérales, le jury et les fonctionnaires du tribunal entrèrent et elle chassa l'importune d'un geste de la main comme un touriste dispersant les pigeons sur Trafalgar Square.

Je regardai Charles prendre place dans le box et pour la première fois, je lus une véritable angoisse sur son visage. Jamais il n'avait dû croire que la situation s'envenimerait à ce point. Pourtant, son avenir reposait bien entre les mains de douze étrangers, dont aucun, de son point de vue, n'avait la moindre compétence pour le juger.

Je cherchai des yeux Turpin, l'ouvrier des docks, et le découvris au deuxième rang – il portait le même costume que celui qu'il avait le soir où il était venu dîner à Dartmouth Square. Lorsqu'il croisa mon regard, il se détourna et rougit un peu, ce que j'interprétai comme un mauvais signe. Assis à côté de lui, Masterson imita les mouvements d'un boxeur avec ses poings. Au premier rang, visiblement très agacé de ne pas avoir été désigné président du jury, se trouvait Wilbert. Mais le président n'était pas un homme, mais une femme, et lorsque l'huissier demanda à Mrs Hennessy de se lever, Wilbert donna l'impression d'avoir avalé un bourdon.

Cependant, juste avant que Mrs Hennessy ouvre la bouche, je ne savais pas du tout ce que j'avais envie qu'elle énonce. D'autres garçons de mon âge auraient peut-être murmuré une prière pour que leur père soit libéré, car l'éventualité de la prison et la perspective d'une famille déchirée étaient déshonorantes, surtout à cette période rétrograde du début des années 1950. Qu'arriverait-il à Maude et moi ? me demandai-je. Comment survivrais-je un seul jour à l'école avec un tel scandale attaché à mes basques ? Pourtant, à ma grande surprise, je découvris que finalement, la conclusion de cette affaire m'importait peu. Maude gratta bruyamment une allumette. Le bruit fit sursauter tout le monde et tous, y compris mon père adoptif, se tournèrent pour lui lancer un regard désapprobateur. Elle soutint impudemment leur regard, coinça la cigarette entre ses lèvres et tira une longue bouffée avant de souffler un nuage de fumée au beau milieu de la salle du tribunal. Puis du bout de l'index, elle fit tomber sa cendre sur le plancher entre nous. Je vis passer sur le visage de Charles un sourire fugace, qui révélait sans doute une adoration émerveillée – expliquant probablement comment ces deux personnes si mal assorties étaient restées ensemble aussi longtemps. Était-ce bien un clin d'œil que Maude lui adressa juste avant que Mrs Hennessy le déclare coupable de tous les faits qu'on lui reprochait ? Oui, c'était bien un clin d'œil.

Mais qu'en était-il de Max Woodbead ? Sourit-il quand la condamnation fut prononcée ? Il avait le dos tourné mais je remarquai qu'il se pencha sur ses papiers et se couvrit la bouche d'une main ; soit il cachait sa joie, soit il venait de perdre une autre dent à la suite du rififi avec son client.

La tribune où se trouvait la presse se vida rapidement. Ses occupants se précipitèrent dans les cabines téléphoniques pour transmettre le verdict à leur journal. Le juge fit quelques commentaires, spécifiant que Charles pouvait s'attendre à une peine de prison. Mon père adoptif se leva et demanda d'une voix fière si on pouvait lui accorder quelques instants pour s'adresser à la cour.

« Si vous y tenez, soupira le juge.

— Serait-il possible que je commence à purger ma peine aujourd'hui ? Dès que je quitte le box ?

— Mais je n'ai pas encore décidé de la durée de votre peine, répondit le président de la cour. Et vous avez le droit d'être libéré sous caution jusqu'à la date du jugement. Vous pouvez rentrer passer une ou deux semaines chez vous, Mr Avery, pour mettre vos affaires en ordre.

— Mes affaires sont précisément ce qui m'a amené à la situation dans laquelle je me trouve aujourd'hui, Votre Honneur. J'aimerais autant ne plus m'en occuper du tout. Non, si je dois aller en cabane, que ce soit dès maintenant. Plus tôt j'y entre, plus tôt j'en sors, n'est-ce pas ? déclara-t-il, pragmatique.

— J'imagine que oui.

— Merveilleux, fit Charles. Je commence aujourd'hui, donc, si cela vous importe peu. »

Le juge gribouilla quelque chose sur un bloc-notes et lança un coup d'œil en direction de Godfrey, l'avocat de Charles, qui haussa les épaules comme pour signifier qu'il respectait le souhait de son client et ne ferait pas appel.

« Y a-t-il autre chose que vous aimeriez dire avant d'être incarcéré ? s'enquit le juge.

— Que j'accepte humblement la décision de la cour. Et que je purgerai ma peine sans me plaindre. Je suis seulement content de ne pas avoir d'enfant qui soit le témoin de cette honte. Cela au moins est un soulagement. » Affirmation qui fut accueillie par au moins quatre membres du jury par une expression totalement ahurie.

Lorsque nous quittâmes la salle d'audience, nous fûmes immédiatement entourés d'une nuée de journalistes et de photographes. Maude ignora leurs questions et leurs flashs, et avança d'un pas décidé sans même une cigarette pour lui servir de bouclier. Je fis de mon mieux pour rester à sa hauteur, conscient que si je trébuchais, je serais écrabouillé sous les semelles des chroniqueurs.

« Lui ! » cria Maude tout à coup, sa voix résonnant dans tous les couloirs des Four Courts, et lorsqu'elle s'arrêta brutalement, elle fut imitée par la meute qui nous entourait. Comme lorsqu'elle avait gratté son allumette au début de l'audience, toutes les têtes se tournèrent vers elle. « Quel culot ! »

Je suivis son regard et vis un individu d'une quarantaine d'années, debout au milieu d'un groupe d'hommes qui le félicitaient. D'apparence ordinaire, il portait un costume sombre et arborait une petite moustache qui, à mon avis, ressemblait trop à celle d'Hitler pour que ce soit confortable.

« Qui est-ce ? demandai-je. Le connaissez-vous ?

— C'est l'Homme du fisc », déclara-t-elle, en s'avançant vers lui tandis qu'une main disparaissait dans son sac. Le fonctionnaire se tourna et l'observa approcher avec une certaine frayeur, avant de remarquer la main qui venait d'émerger du sac. Peut-être crut-il qu'elle allait sortir une arme et lui tirer une balle dans le cœur ; peut-être se demandait-il pourquoi il avait voué sa vie à enquêter sur les transactions financières illégales dans le secteur bancaire irlandais, alors que son premier amour avait toujours été les performances artistiques. Ou peut-être n'avait-il pas la moindre idée de qui elle était. Quoi qu'il en soit, il ne dit pas un mot et lorsqu'elle s'arrêta devant lui, le visage rouge de rage, il fut certainement abasourdi de la voir brandir un exemplaire de *Parmi les anges* sous son nez, pour lui asséner un coup sur la tête avec le livre.

« Vous êtes content, maintenant ? hurla-t-elle. Vous êtes content de vous ? Bon sang, à cause de vous, je suis populaire ! »

1959

Sous le sceau de la confession

Un nouveau compagnon de chambre

Même s'il fallut que passent sept années avant que je revoie Julian Woodbead, il demeura présent dans mon esprit, telle une figure presque mythologique, entrée dans ma vie pour m'étourdir de son assurance et de son charme, puis disparaître tout aussi rapidement. Lorsque je me réveillai, je pensais souvent à lui en train de se réveiller aussi, sa main, comme la mienne, glissée dans son pyjama pour stimuler la cascade de plaisir que notre tumescence débordante de jeunesse avait commencé à offrir. Toute la journée il était présent sous une forme ou une autre, et commentait mes agissements, en jumeau plus sage, plus sûr de lui qui savait comment je devais me comporter, quand je devais parler et ce que je devais dire. Bien que nous n'ayons passé que deux brefs moments ensemble, je ne me demandais jamais la raison pour laquelle il avait pris une telle importance. Bien entendu, j'étais encore trop jeune pour identifier ma fascination, je la mettais sur le compte d'une sorte de vénération pour un héros, du genre que j'avais trouvé dans les livres. Et cet émerveillement semblait caractéristique des garçons de mon genre – des garçons paisibles qui passaient trop de temps seuls et se trouvaient mal à l'aise en présence d'êtres de leur âge. Alors, quand nous nous retrouvâmes de façon tout à fait inattendue, j'en fus décontenancé autant que ravi, mais j'étais déterminé à ce que nous bâtissions une solide amitié. Évidemment, je n'aurais jamais imaginé qu'avant la fin de cette année-là, Julian serait devenu l'adolescent le plus célèbre du pays, mais qui aurait pu prévoir de tels rebondissements ? En 1959, la violence et les troubles politiques ne faisaient pas partie des préoccupations quotidiennes des garçons de quatorze ans. Comme la plupart des générations, nous étions surtout intéressés par l'heure du prochain repas, la manière dont nous pouvions améliorer notre prestige auprès de nos pairs, et la possibilité que quelqu'un nous fasse les choses que nous nous prodiguions à nous-mêmes plusieurs fois par jour.

J'étais entré à Belvedere College comme interne une année auparavant, et, à ma grande surprise, je ne détestai pas l'établissement autant que je l'aurais cru. L'angoisse qui avait marqué mon enfance avait commencé à diminuer, et même si je n'étais pas le plus sociable des élèves, je ne craignais plus les agressions ou les insultes. J'étais un de ces chanceux que, généralement, on laisse tranquille, ni populaire ni détesté, pas assez intéressant pour qu'on se lie d'amitié avec lui mais pas assez fragile pour qu'on le tyrannise.

L'internat avait des chambres meublées avec deux lits, une grande armoire et une seule commode. La première année, mon camarade de chambre était un garçon appelé Dennis Caine, dont le père était une créature terriblement rare dans les années 1950 : un critique de l'Église catholique qui écrivait des articles incendiaires et était régulièrement invité par des producteurs nerveux sur Radio Éireann. Un copain de Noël Browne, dont le Mother and Child Scheme avait causé la chute d'un gouvernement, lorsque l'archevêque McQuaid s'était rendu compte que sa proposition revenait à permettre aux femmes irlandaises d'avoir légalement une opinion bien à elles sans être obligées de la faire entériner d'abord par leur mari. On racontait qu'il s'était donné pour mission d'extraire le poison clérical du corps laïque, et dans les dessins qu'on trouvait dans les journaux catholiques, il était régulièrement caricaturé comme un serpent, ce qui n'avait aucun sens, vu l'analogie. Dennis, qui avait été admis au College avant que les Jésuites ne réalisent qui était son père, fut accusé d'avoir triché à un examen, et fut mis à la porte sans la moindre preuve après un simulacre d'enquête et expédié dans la jungle des écoles non confessionnelles.

Tout le monde savait que l'affaire avait été montée de toutes pièces et que les curés, agissant sur les ordres d'une autorité supérieure, avaient simplement fabriqué les preuves à charge pour montrer à son père ce qui arrivait à ceux qui s'élevaient contre l'Église. Dennis protesta, mais peut-être n'était-il pas trop affecté, car le verdict signifiait qu'il quitterait Belvedere et les bras chaleureux de l'établissement pour toujours. Il disparut en disant à peine au revoir.

Puis Julian arriva.

La nouvelle nous parvint qu'un nouvel élève allait rejoindre nos rangs, ce qui était inhabituel car nous étions déjà au milieu de l'année scolaire. La rumeur alla bon train, c'était le fils d'un homme qui occupait une position publique, un garçon qui, comme Dennis, avait été mis à la porte de son école pour un délit monstrueux. On parla de Michael, le fils de Charlie Chaplin, ainsi que d'un des enfants de Gregory Peck. Pendant quelques heures se répandit l'étrange croyance qu'un ancien président français avait choisi Belvedere pour son fils. L'un des délégués du lycée avait juré avoir entendu les professeurs d'histoire et de géographie discuter des mesures de sécurité à prendre. Ainsi, lorsque le directeur, le père Squires, se leva devant l'assemblée des élèves la veille de l'arrivée de Julian pour annoncer le nom du nouveau, la plupart de mes camarades furent déçus que son nom de famille n'évoque pas une ascendance plus illustre.

« Woodbead ? demanda Matthew Willoughby, l'odieux capitaine de l'équipe de rugby. Est-il l'un des nôtres ?

— L'un des nôtres, de quelle manière ? interrogea le père Squires. C'est un être humain, si c'est ce que vous voulez dire.

— Il n'est pas boursier, n'est-ce pas ? Nous en avons déjà deux.

— Son père est l'un des avocats les plus en vue du pays, et un ancien élève de Belvedere. Ceux d'entre vous qui lisent les journaux connaissent peut-être Max Woodbead. Il a représenté la plupart des grands criminels d'Irlande ces dernières années, dont beaucoup sont les pères de certains d'entre vous. Vous aurez tous la gentillesse d'accueillir Julian comme il convient et de le traiter avec courtoisie. Cyril Avery, vous serez son camarade de chambre, puisqu'il y a un lit disponible chez vous et nous espérons qu'il ne se révélera pas aussi malhonnête que son prédécesseur. »

J'en savais plus long sur Max Woodbead que les autres mais je ne parlai à personne de nos rencontres passées. Mon intérêt pour Julian m'avait poussé à suivre la carrière et la célébrité grandissante de son père durant les sept années écoulées depuis le procès de Charles. J'avais pu observer à quel point son cabinet avait prospéré, seuls les plus nantis pouvaient désormais s'offrir ses services. Certaines sources évaluaient sa fortune à plus d'un million de livres, un montant exorbitant à cette époque. Il possédait une maison de campagne sur la péninsule de Dingle, un appartement à Knightsbridge où vivait sa maîtresse, une actrice célèbre. Mais sa résidence principale, qu'il partageait avec sa femme Elizabeth et leurs enfants Julian et Alice, se trouvait à Dartmouth Square à Dublin. C'était la maison qui autrefois appartenait à Charles et Maude et qu'il avait achetée dans un acte de vengeance six mois après l'incarcération de mon père adoptif à la prison de Mountjoy. Y installer sa famille et forcer Elizabeth à dormir à côté de lui dans la chambre qui autrefois avait été celle de Charles, voilà la punition qu'il avait fomentée.

L'autre aspect qui faisait la renommée de Max était sa présence publique toujours plus importante. Il apparaissait régulièrement dans les journaux et à la radio pour critiquer le gouvernement, tous les gouvernements, quelle que soit leur couleur, et défendait ardemment une restauration de la place de l'Irlande dans l'Empire. Il vivait une histoire d'amour exaltée avec la jeune reine, qu'il adorait, et considérait Harold Macmillan comme le plus grand homme politique que la terre ait jamais porté, rien de moins. Il désirait que l'on revienne à l'époque de l'aristocratie anglo-irlandaise avec un gouverneur général sur Kildare Street et le prince Philip passant ses journées à arpenter Phoenix Park pour tuer tous les malheureux animaux qui avaient la témérité de croiser son chemin. Il finit par s'attirer l'animosité d'une nation tout entière pour ses opinions antirépublicaines, mais cela ne fit qu'augmenter sa popularité dans la presse, qui relayait la moindre de ses phrases déchaînées et se frottait les mains de plaisir, attendant que le scandale éclate. Max était la preuve vivante que peu importe que les gens vous aiment ou vous haïssent ; tant qu'ils savent qui vous êtes, vous pouvez aisément gagner votre vie.

Lorsque je revins du cours de latin le lendemain après-midi, je trouvai la porte de ma chambre entrebâillée et j'entendis le bruit de quelqu'un qui s'affairait à l'intérieur. Je ressentis alors un mélange d'excitation et de malaise, devinant que

Julian était arrivé. Je tournai les talons et repartis à l'autre bout du couloir jusqu'à la salle de bains où on avait disposé un miroir en pied avec l'intention manifeste de nous intimider lorsque nous sortions de notre douche matinale, et m'inspectai rapidement. Je pris un peigne dans ma poche et le passai dans mes cheveux, puis vérifiai que je n'avais rien coincé entre les dents. Je souhaitais de tout cœur faire une bonne impression, mais j'étais si nerveux que je craignais de me couvrir de ridicule.

Je frappai à la porte. Personne ne réagit. Je la poussai et entrai. Julian était à côté de l'ancien lit de Dennis, il sortait ses vêtements d'une valise et les rangeait dans le bas de notre commode commune. Il se retourna, il me regarda sans manifester d'intérêt particulier et bien que beaucoup de temps se fût écoulé depuis notre dernière rencontre, je l'aurais reconnu entre tous. À peu près aussi grand que moi, il avait une carrure plus musclée. Des cheveux blonds retombaient sur son front avec autant de langueur que lorsqu'il était enfant. Et il était d'une beauté insolente, avec des yeux d'un bleu limpide et une peau qui, contrairement à celle de beaucoup de nos camarades, n'était pas altérée par l'acné.

« Salut, fit-il, en dépliant un manteau avant de le brosser soigneusement puis de le suspendre dans l'armoire. Qui es-tu ?

— Cyril Avery », me présentai-je en tendant la main. Il la regarda fixement avant de la saisir. « C'est ma chambre. Enfin, la nôtre maintenant, j'imagine. Je la partageais avec Dennis Caine. Mais il a été viré parce qu'il a triché à un examen même si tout le monde sait que ce n'est pas vrai. Maintenant, c'est notre chambre. La tienne et la mienne.

— Si c'est ta chambre, pourquoi as-tu frappé ?

— Je ne voulais pas te faire sursauter.

— Je ne sursaute pas facilement. » Il referma les tiroirs, m'examina de haut en bas avant de lever la main droite, trois doigts repliés, pour imiter un pistolet et pointa de l'index un endroit juste à droite de mon cœur. « Tu as sauté un bouton sur ta chemise. »

Je baissai les yeux, et effectivement, l'un des boutons était défait, les pans de ma chemise bâillaient comme la bouche d'un minuscule oisillon, et dévoilaient ma peau blanche en dessous. Comment avais-je réussi à ne pas voir ça ? « Désolé, dis-je en m'empressant de le boutonner.

— Cyril Avery, énonça-t-il en fronçant un peu les sourcils. Pourquoi ce nom m'est-il familier ?

— Nous nous sommes déjà rencontrés.

— Quand ?

— Quand nous étions enfants. Dans la maison de mon père adoptif à Dartmouth Square.

— Oh, nous sommes voisins ? Mon père possède aussi une maison à Dartmouth Square.

— En fait, c'est la même maison. Il l'a rachetée au mien.

— Je vois. » Un souvenir sembla remonter à la surface de sa mémoire et il claqua des doigts, avant de pointer à nouveau son index sur moi. « Ton père est allé en prison, c'est ça ?

— Oui, reconnus-je. Mais seulement deux ans. Il est sorti, maintenant.

— Où était-il ?

— Au Joy.

— Génial. Est-ce que tu lui as rendu visite ?

— Pas souvent, non. Ce n'est pas un endroit pour un enfant, du moins, c'était ce qu'il répétait toujours.

— J'y suis allé une fois. Quand j'étais petit. Mon père représentait un homme qui avait tué sa femme. Ça sentait...

— Les toilettes. Je me souviens. Tu me l'as déjà raconté.

— Ah oui ?

— Oui.

— Et tu t'en souviens ? Toutes ces années après ?

— Eh bien, balbutiai-je et je sentis mon visage commencer à rougir légèrement alors que je ne voulais pas que ma fascination pour lui se révèle trop rapidement. J'y suis allé depuis, comme je te l'ai dit, et je suis du même avis.

— Les grands esprits bla bla bla. Alors, que s'est-il passé quand il est sorti ? Est-ce qu'il a quitté le pays ?

— Non, la banque l'a repris.

— Vraiment ? fit-il en éclatant de rire.

— Oui. En fait, il poursuit une belle carrière. Mais ils ont changé l'intitulé de son poste. Autrefois il était directeur des Investissements et Portefeuilles Clients.

— Et maintenant ?

— Directeur des Investissements Clients et Portefeuilles.

— Ils ne sont pas rancuniers, on dirait. Enfin, une peine de prison, c'est l'équivalent d'une médaille d'honneur pour les gens qui travaillent dans ce domaine. »

Je regardai ses pieds et remarquai qu'il portait des chaussures de sport, une mode qui à l'époque était encore nouvelle en Irlande.

« Mon père me les a rapportées de Londres, déclara-t-il en suivant mon regard. C'est ma deuxième paire. Je les avais en taille 39 mais mes pieds ont grandi. Je fais du 42, maintenant.

— Arrange-toi pour que les curés ne les voient pas. Ils disent que les chaussures de sport ne sont portées que par les protestants et les socialistes. Ils vont te les confisquer.

— Ils auront du mal », rétorqua-t-il. Malgré tout, il les ôta et repoussa la paire sous le lit. « Tu ne ronfles pas, hein ?

— Pas à ma connaissance.

— Bien. Moi, si, à ce qu'on m'a dit. J'espère que je ne t'empêcherai pas de dormir.

— C'est pas grave. J'ai le sommeil profond. Je ne t'entendrai probablement pas.

— Peut-être que si. Ma sœur dit que quand je m'y mets, on dirait une corne de brume. »

Je souris. J'avais déjà hâte que vienne l'heure du coucher. Je me demandai s'il était l'un de ces garçons qui allaient se changer dans les toilettes ou s'il se déshabillerait dans la chambre. Il semblait plutôt du genre à se dénuder. À mon avis, il n'avait pas la moindre pudeur.

« Alors, c'est comment ici ? demanda-t-il. Est-ce qu'on a l'occasion de s'amuser un peu ?

— Ça va. Les gars sont sympa, les curés méchants, bien sûr, mais...

— On pouvait s'y attendre. Est-ce que tu as déjà rencontré un curé qui ne cherche pas à te mettre une trempe ? Ils prennent leur pied en faisant ça. »

Mes yeux s'écarquillèrent et ma bouche s'ouvrit grand en une délectation scandalisée. « Non, admis-je. Pas jusqu'à maintenant. Je crois que c'est quelque chose qu'on leur enseigne au séminaire.

— Ils sont tous tellement frustrés sexuellement. Ils ne peuvent pas coucher, tu vois, alors ils tabassent les petits garçons et ça leur donne la trique. C'est ce qu'ils connaissent de plus proche d'un orgasme pendant la journée. C'est ridicule. Moi, je suis sexuellement frustré, mais je ne crois pas que taper sur des enfants résoudrait le problème.

— Qu'est-ce qui le résoudrait ?

— Baiser, évidemment, lâcha-t-il, comme si c'était la chose la plus naturelle du monde.

— Évidemment.

— Tu n'as jamais remarqué ? La prochaine fois qu'un des curés te corrige, mate au bon endroit et tu verras qu'il bande comme un âne. Et après, ils retournent dans leur chambre et se branlent comme des malades en pensant à nous. Est-ce qu'ici ils viennent dans les douches ?

— Eh bien, oui. Pour s'assurer que tout le monde se lave correctement.

— Béni sois-tu, cœur pur ! s'exclama-t-il en me regardant comme si j'étais un enfant innocent. Ce n'est pas notre hygiène qui les intéresse, Cyril. Dans l'école où j'étais avant, le père Cremins a essayé de m'embrasser et je lui ai mis un coup de poing dans le nez. Il a eu le nez cassé. Il y avait du sang partout. Mais il ne pouvait rien y faire parce que s'il me dénonçait, je risquais d'expliquer les raisons de l'agression. Il a raconté à tout le monde qu'il avait foncé dans une porte.

— Des garçons qui embrassent des garçons ! fis-je, en riant nerveusement et en me grattant la tête. Je ne savais pas que… Ça paraît étrange que… après tout, quand il y a…

— Est-ce que ça va, Cyril ? demanda-t-il. Tu es tout rouge et tu parles dans le vide.

— Je crois que je couve un rhume, bredouillai-je et ma voix choisit exactement ce moment-là pour sauter dans les registres. Je crois que je couve un rhume, répétai-je de ma voix la plus basse.

— Eh bien, ne me le refile pas. » Il se détourna pour poser sa brosse à dents et son gant de toilette sur sa table de nuit à côté d'un exemplaire de *Howards End*. « Je ne supporte pas d'être malade.

— Où étais-tu avant de venir ici ? le questionnai-je après un long silence, pendant lequel on aurait cru qu'il avait même oublié que je me trouvais dans la pièce.

— Blackrock College.

— Ton père était un ancien élève de Belvedere, pourtant.

— Exact. Mais il est un de ces élèves d'autrefois qui aime se remémorer les jours de gloire sur le terrain de rugby, sans oublier probablement les choses déplaisantes, et du coup il a préféré envoyer son fils ailleurs. Il m'a sorti de Blackrock quand il a découvert que mon professeur de langue irlandaise avait écrit un poème publié dans l'*Irish Times* où il jetait le doute sur la vertu de la princesse Margaret. Il refuse d'entendre un mot contre la famille royale, tu vois. Bien qu'on raconte quand même que la princesse Margaret est un peu pute. Apparemment, elle couche avec la moitié des hommes de Londres, et des femmes aussi. Je ne dirais pas non, moi. Et toi ? C'est une bombe. Bien moins coincée que la reine, je pense. Tu imagines la reine en train de tailler une pipe au prince Philip ? C'est une image à donner des cauchemars.

— Je me souviens de ton père, dis-je, ahuri de la crudité de sa conversation et souhaitant la ramener vers des terrains moins glissants. Il a interrompu un dîner dans ma maison un jour et s'est battu avec mon père adoptif.

— Est-ce que ton paternel lui a rendu ses coups ?

— Oui. Mais ça ne lui a pas réussi. Il a pris une dérouillée.

— Eh bien, le vieux Max était boxeur professionnel quand il était jeune, annonça Julian avec fierté. En fait, il est plutôt adroit avec ses poings. Je suis bien placé pour le savoir.

— Est-ce que tu te rappelles qu'on s'est rencontré, à cette époque-là ?

— Très vaguement.

— Ma chambre était au dernier étage de la maison.

— C'est ma sœur Alice qui a cette chambre maintenant. Je ne monte jamais là-haut. Ça pue le parfum.

— Et toi ? demandai-je, un peu triste qu'il n'ait pas hérité de mon ancienne chambre – j'aimais assez l'idée que nous avions cela en commun. Tu dors où ?

— Dans une chambre au deuxième. Pourquoi, c'est important ?

— C'est la pièce qui donne sur la place ou celle qui donne sur le jardin à l'arrière de la maison ?

— Sur la place.

— C'était le bureau de ma mère adoptive. Charles occupait le premier étage et Maude le deuxième.

— Bien sûr. Ta mère était Maude Avery, c'est ça ?

— Oui, enfin, ma mère adoptive.

— Pourquoi tu dis toujours ça ?

— J'ai été élevé comme ça. Je ne suis pas un vrai Avery, tu vois.

— C'est bizarre, de dire ça.

— Mon père adoptif insiste pour que j'en parle clairement aux gens.

— Alors, je dors dans la pièce où Maude Avery a écrit tous ses livres ?

— Si ta chambre est celle qui donne sur la place, oui.

— Ouah, fit-il, impressionné. C'est quelque chose. C'est bon pour ma réputation, tu trouves pas ?

— Vraiment ?

— Bien sûr. C'était la pièce de travail de Maude Avery ! La grande Maude Avery ! Ton père doit avoir plein de blé, maintenant, ajouta-t-il. L'an dernier elle n'avait pas six livres dans la liste des dix meilleures ventes ? J'ai lu que c'était la première fois que cela arrivait.

— Je crois qu'il y en avait sept. Mais oui, je suppose qu'il est à l'aise. Il gagne plus d'argent grâce aux livres de sa femme que par son travail.

— Et en combien de langues est-elle traduite, maintenant ?

— Je ne sais pas. Beaucoup. Ça change tout le temps.

— C'est dommage qu'elle soit morte avant d'avoir connu un vrai succès. Elle aurait bien aimé savoir qu'elle est un auteur respecté. Il y a tellement d'artistes qui doivent attendre de disparaître pour être appréciés. Tu sais que Van Gogh n'a vendu qu'un seul tableau pendant sa vie ? Et que Herman Melville était un parfait inconnu de son vivant, et qu'il n'a été découvert, pour ainsi dire, qu'une fois dans la tombe ? Il nourrissait les vers de terre alors que personne n'avait encore jeté un coup d'œil à *Moby Dick*. Il admirait follement Hawthorne et il allait tout le temps chez lui prendre le thé, mais qui peut donner le titre d'un roman d'Hawthorne aujourd'hui ?

— *La Lettre écarlate*.

— Ah oui. Celle sur la fille qui couche partout pendant que son mari est en mer. Je ne l'ai pas lu. C'est cochon ? J'adore les bouquins cochons. Tu as lu *L'Amant de Lady Chatterley* ? Mon père s'est procuré un exemplaire en Angleterre et je l'ai pris en douce dans sa bibliothèque pour le lire. C'est très cochon. Il y a un passage fantastique où...

— Je crois que la célébrité n'était pas ce que recherchait Maude, l'interrompis-je. L'idée même d'être approuvée par les milieux littéraires l'aurait horrifiée.

— Pourquoi ? Quel est l'intérêt d'écrire si personne ne vous lit ?

— Eh bien, si l'ouvrage a une certaine valeur, ça donne du mérite, non ?

— Ne sois pas ridicule. C'est comme si quelqu'un avait une voix magnifique mais ne chantait que devant un public de sourds.

— Elle ne concevait pas l'art ainsi, j'imagine. La popularité ne l'intéressait pas. Elle ne souhaitait pas que ses romans soient lus. Elle aimait la langue, tu vois. Elle aimait les mots. Son vrai bonheur, c'était quand elle restait sur un paragraphe pendant des heures et essayait de le retravailler pour qu'il devienne un objet de beauté. Elle publiait ses livres seulement parce qu'elle détestait l'idée que tout ce travail finisse à la poubelle.

— Quel tissu d'idioties, fit-il en balayant tout ce que j'avais dit comme si cela valait à peine qu'il s'y attarde. Si j'étais écrivain, je voudrais que les gens lisent mes livres. Et s'ils ne les lisaient pas, j'aurais l'impression d'avoir échoué.

— Je ne suis pas complètement d'accord, rétorquai-je, surpris de m'entendre le contredire, mais je voulais défendre les convictions de Maude. Je pense vraiment qu'il y a plus que cela dans la littérature.

— Est-ce que tu en as lu ? Des romans de ta mère, je veux dire.

— De ma mère adoptive. Non, pas encore.

— Pas un seul ? fit-il en riant. Mais c'est consternant. C'était ta mère, après tout.

— Ma mère adoptive.

— Arrête de dire ça. Tu devrais essayer *Comme l'alouette*. C'est magnifique. Ou *Le Codicille d'Agnès Fontaine*. Il y a une scène extraordinaire dans ce livre où deux filles se baignent ensemble dans un lac. Elles sont complètement nues et il y a tellement de tension sexuelle entre elles que je te garantis que tu n'arriveras pas à la fin du chapitre sans sortir Popol et aller voir madame-cinq-doigts. J'adore les lesbiennes, pas toi ? Si j'étais une femme, je serais forcément lesbienne. Londres est plein de lesbiennes. En tout cas, c'est ce que j'ai entendu dire. Et New York aussi. Quand je serai plus grand, j'irai là-bas, je deviendrai ami avec quelques-unes et je leur demanderai si je peux les regarder pendant qu'elles le font. Qu'est-ce qu'elles font exactement, d'après toi ? Je n'ai jamais trop compris. »

Je me sentis un peu chancelant sur mes jambes. Je n'avais pas de réponse à ses questions, et je n'étais pas totalement certain de savoir ce qu'était une lesbienne. Si excité que j'aie pu être à la perspective de l'arrivée de Julian à Belvedere, je commençais à me dire que nous fonctionnions à des niveaux de conscience totalement différents. Le dernier livre que j'avais lu était un *Clan des sept*.

« Est-ce qu'elle te manque ? me demanda-t-il, en refermant sa valise avant de la fourrer sous le lit à côté de ses chaussures de sport.

— Comment ? fis-je, distrait que j'étais par d'autres pensées.

— Ta mère. Ta mère adoptive. Est-ce qu'elle te manque ?

— Un peu, je suppose, reconnus-je. Nous n'étions pas très proches, pour être honnête. Elle est morte seulement quelques semaines avant que Charles sorte de prison, il y a presque cinq ans. Je ne pense plus beaucoup à elle.

— Et ta vraie mère ?

— Je ne sais rien d'elle. Charles et Maude ont dit qu'ils n'avaient pas la moindre idée de qui elle était. Ils m'ont eu par l'intermédiaire d'une sœur rédemptoriste bossue quelques jours après ma naissance.

— Qu'est-ce qui l'a tuée, Maude ?

— Le cancer. Elle l'avait eu quelques années auparavant dans le conduit auditif. Mais il est revenu dans sa gorge et sur sa langue. Elle fumait comme une cheminée. Je ne l'ai presque jamais vue sans une cigarette à la main.

— C'est sûrement à cause de ça. Tu fumes, Cyril ?

— Non.

— Je n'aime pas l'idée de fumer. Est-ce que tu as déjà embrassé une fille qui fumait ? »

J'ouvris la bouche pour répondre mais les mots me manquèrent et horrifié, je sentis un afflux de sang dans mon pénis. Je laissai tomber mes mains devant mon entrejambe, espérant que Julian ne repérerait pas mon excitation aussi vite que celle des curés qui l'avaient corrigé à Blackrock.

« Non.

— C'est affreux, assura-t-il en faisant une grimace écœurée. Tu n'as pas du tout le goût de la fille, juste celui de cette nicotine ignoble. » Il me regarda, l'air un peu amusé. « Tu as déjà embrassé une fille, dis-moi ?

— Bien sûr, dis-je en riant avec l'insouciance de celui à qui on demande s'il a déjà vu la mer ou voyagé en avion. Des dizaines.

— Des dizaines ? fit-il le sourcil froncé. Eh ben... ça fait beaucoup. Pour le moment, je n'en ai embrassé que trois. Mais l'une d'elles m'a laissé mettre ma main dans son soutien-gorge. Des dizaines, tu dis ! Vraiment ?

— Peut-être pas des dizaines, lâchai-je en détournant le regard.

— En fait, tu n'as embrassé personne, c'est ça ?

— Si.

— Non. Mais ce n'est pas grave. Nous n'avons que quatorze ans, après tout. Le monde n'attend que nous. J'ai l'intention de vivre une longue vie en bonne santé et de baiser autant de filles que possible. Je voudrais mourir dans mon lit, à l'âge de cent cinq ans, avec une fille de vingt-deux ans à califourchon sur moi. Qui peut-on embrasser ici ? Il n'y a que des garçons. Je préférerais encore rouler une pelle à ma grand-mère et elle est morte depuis neuf ans. Mais bon... tu veux bien m'aider à sortir mes livres ? Ils sont dans le carton là-bas. Je peux les mélanger aux tiens ou tu préfères que je les mette sur une étagère à part ?

— Rangeons-les ensemble.

— D'accord. » Il recula d'un pas, me regarda à nouveau de haut en bas et je me demandai si un autre bouton de ma chemise s'était défait. « Tu sais quoi, je crois que je me rappelle de toi, maintenant. Est-ce que tu n'avais pas voulu voir ma queue ?

— Non ! m'exclamai-je, effaré par cette accusation qui était totalement fausse puisque c'était lui qui avait demandé à voir la mienne. Non, pas du tout.

— Tu es sûr ?

— Certain. Pourquoi voudrais-je voir ta queue ? J'en ai une à moi, après tout. Que je peux voir quand je veux.

— Eh bien, un garçon me l'a demandé, à cette époque-là, j'en suis sûr. Je suis sûr que c'était toi. Je me rappelle la chambre et maintenant, c'est celle d'Alice.

— Tu te trompes complètement, insistai-je. Je ne m'intéresse absolument pas à ta queue et je ne m'y suis jamais intéressé.

— Si tu le dis. Elle est très belle, soit dit en passant. Je suis impatient de commencer à l'utiliser de la manière dont Dieu l'a souhaité, et toi ? Tu es tout rouge, Cyril, ajouta-t-il. Tu n'as pas peur des filles, si ?

— Non. Pas du tout. En l'occurrence, elles devraient avoir peur de moi. Parce que je veux... enfin, tu vois... coucher et faire plein de trucs.

— Tant mieux. Je suppose que nous allons devoir être amis vu qu'on partage la même chambre. On devrait partir en chasse ensemble. Tu n'es pas vilain, comme garçon. Quelques filles se laisseraient certainement convaincre de le faire avec toi. Et bien sûr, elles sont toutes dingues de moi. »

Le TD de la circonscription Dublin Centre

Dingues de lui, les professeurs lui décernèrent la médaille d'or de la progression spectaculaire lors de la cérémonie de remise de prix qui eut lieu à Pâques. La nouvelle fut accueillie avec moqueries par les élèves qui ne tenaient pas Julian en aussi haute estime que moi. Comme il n'était même pas à Belvedere le semestre précédent, ils ne comprenaient pas comment il avait réussi à progresser, et la rumeur se mit à circuler que Max avait accordé un financement à l'école à la condition que le CV de son fils soit enrichi de distinctions à toutes les lignes. J'étais aux anges, car cela signifiait qu'il ferait partie du groupe des six élèves auquel j'appartenais – les médailles d'or en anglais, en irlandais, mathématiques, histoire et art – qui irait au Dáil Éireann assister à une séance du parlement irlandais.

J'avais remporté le prix en anglais pour un de mes devoirs intitulé « Sept manières de m'améliorer », dans lequel je relevais un certain nombre de qualités car je savais qu'elles impressionneraient les curés. En réalité je n'avais aucune intention de tenter de les acquérir au cours de mon existence (sauf la dernière, dont l'ajout n'était pas du tout un problème pour moi). Dans l'ordre, il s'agissait de :

1. Étudier la vie de saint François-Xavier et identifier les aspects de son comportement de chrétien que je pourrais imiter.

2. Repérer les garçons de ma classe qui ont du mal dans des matières où j'excelle et leur proposer de les aider.

3. Apprendre à jouer d'un instrument de musique, de préférence le piano, et sûrement pas la guitare.

4. Lire les romans de Walter Macken.

5. Entamer une neuvaine consacrée au repos de l'âme de feu le pape Pie XII.

6. Trouver un protestant et lui faire comprendre ses errements.

7. Bannir toute pensée impure de mon esprit, en particulier, celles ayant pour objet les parties intimes des personnes du sexe opposé.

Ce n'était pas tant la médaille d'or qui me faisait envie que l'excursion, dont la destination changeait chaque année et qui avait emmené les lauréats dans des endroits aussi exaltants que le zoo de Dublin, Howth Heath et Dun Laoghaire. Mais cette année, les choses avaient pris une dimension plus enthousiasmante avec l'annonce d'une sortie dans le centre-ville, un endroit qui, malgré sa proximité, était pour nous inaccessible à toute heure sans exception, selon le règlement intérieur. En tant que pensionnaires, nous pouvions quitter Belvedere les week-ends si nous étions sous la surveillance d'un parent, d'un tuteur ou d'un curé, alors que nous n'avions envie de la compagnie d'aucun des trois. Cependant, il était formellement interdit de passer du temps dans O'Connell Street ou Henry Street, qui, nous avait-on dit, étaient des lieux de vices et de débauche, ou Grafton Street et ses environs, le quartier des écrivains, artistes et autres pervers.

« Je connais assez bien le centre-ville, m'informa Julian pendant le court trajet en bus de Parnell Square à Kildare Street. Mon père nous emmène, Alice et moi, déjeuner là-bas de temps en temps, mais il refuse toujours de m'accompagner là où j'ai vraiment envie d'aller.

— Quels endroits ?

— Harcourt Street, fit-il d'un air entendu. C'est là que traînent toutes les filles. Et Leeson Street, pour les boîtes de nuit. Mais elles ouvrent tard. J'ai entendu dire que les femmes là-bas sont prêtes à le faire avec n'importe qui si on leur offre un snowball. »

Je regardai par la fenêtre les affiches du film *Ben-Hur* accrochées dans la devanture du Savoy Cinema. J'avais beau être amoureux de Julian, je trouvais frustrante sa tendance à parler constamment des filles. C'était son obsession, comme la plupart des garçons de quatorze ans, je suppose, mais il semblait excessivement préoccupé par le sexe et ne se privait pas de me raconter toutes les choses qu'il ferait à n'importe quelle fille qui s'abandonnerait à lui. Des fantasmes qui m'excitaient et me désolaient à la fois car j'avais la certitude qu'il ne voudrait jamais faire aucune de ces choses avec moi.

Passais-je beaucoup de temps à cette époque à scruter mes sentiments pour Julian ? Probablement pas. En tout cas, j'évitais délibérément de les analyser. Nous étions en 1959, après tout. Je ne savais presque rien de l'homosexualité, en dehors du fait que succomber à ce genre de désir était un acte criminel en Irlande qui donnait lieu à une peine de prison. À moins que j'entre dans les ordres, dans ce cas, il s'agissait d'un avantage en nature de la profession. J'en pinçais pour lui, je reconnaissais au moins cela, mais je ne pensais pas que mes sentiments feraient le moindre mal à quiconque. Je décidai qu'avec le temps, ils passeraient, et que mon attention finirait par se porter sur les filles. Mon développement était tout simplement lent ; l'idée que je puisse être atteint par ce qui était alors considéré comme une maladie mentale m'aurait horrifié.

« Le siège du gouvernement », indiqua le père Squires, en se frottant les mains de plaisir tandis que nous descendions du bus sur Kildare Street. Nous passâmes devant une paire de Gardaí plantés à côté du portail, qui, sans un mot, nous firent signe d'entrer lorsqu'ils virent le col du vêtement de notre directeur. « Pensez, mes garçons, à tous les grands hommes qui ont franchi ces portes. Éamon de Valera, Seán Lemass, Seán T. O'Kelly. La comtesse Markievicz qui, au sens strict, n'était pas du tout un homme mais avait le cœur et les tripes d'un homme. Nous ne dirons rien de Michael Collins et des Blueshirts. Si vous voyez l'un de ces renégats à l'intérieur, détournez les yeux comme vous le feriez face à une méduse. Ils sont le genre de bons à rien anglophiles à qui ton papa accorderait volontiers beaucoup de temps, n'est-ce pas, Julian Woodbead ? »

Toutes les têtes se tournèrent vers Julian, qui haussa les épaules. Bien entendu, les Jésuites étaient idéologiquement opposés à la vénération de Max Woodbead pour l'Empire britannique et ils auraient considéré son histoire d'amour avec la reine Elizabeth II comme une hérésie, bien que cela ne les empêchât pas d'encaisser son argent.

« Probablement, consentit Julian, pour qui s'offusquer de quelque chose venant d'un curé était indigne de lui. Nous avons eu James Dillon à la maison quelques fois pour dîner, si c'est ce que vous voulez dire. Un gars plutôt sympa. Même s'il pourrait faire quelques efforts sur l'hygiène corporelle. »

Le père Squires secoua la tête avec dédain et nous précéda vers la porte où nous trouvâmes un huissier qui lui fit des courbettes, avant de nous présenter le rez-de-chaussée du bâtiment puis de nous conduire par un escalier étroit vers la tribune des visiteurs. Nous nous assîmes sous les arcades. La salle en fer à cheval où dominait le vert, symbole de l'indépendance pour laquelle le peuple irlandais s'était battu pendant des années, se déployait devant nous. Le Taoiseach en personne, l'immense Éamon de Valera, dont l'existence se limitait pour nous aux articles de journaux et cours d'histoire, discourait sur un sujet en relation avec l'imposition et l'agriculture. Tous les garçons du groupe sentaient qu'ils étaient en présence d'une incarnation de la grandeur. Combien de pages avions-nous lues sur son action à Boland's Mill pendant l'Insurrection de Pâques en 1916 ou sur la manière dont il avait levé des millions de dollars américains pour contribuer à financer l'établissement d'une République d'Irlande trois ans plus tard ? Il avait l'aura d'une légende et il était là, lisant une liasse de papiers d'une voix morne comme si aucun de ces grands événements ne l'avait concerné de près ou de loin.

« Taisez-vous, les garçons, ordonna le père Squires, les yeux humides tant il le vénérait. Écoutez parler le prestigieux orateur. »

J'obéis mais rapidement, je commençai à m'ennuyer. Il était peut-être un grand homme, mais il ne semblait pas se décider à terminer sa démonstration et se rasseoir. Me penchant par-dessus la balustrade, je jetai un coup d'œil à l'hémicycle à moitié vide et comptai combien de Teachtaí Dála étaient endormis. Ils étaient dix-sept. Je cherchai des femmes TD mais n'en trouvai aucune. Matthew Willoughby, qui avait reçu la médaille en histoire, avait apporté un cahier et il transcrivait le moindre mot. Le temps passa. Le père Squires ne montra aucune velléité de partir et mes yeux commencèrent à papillonner. Je n'émergeai de ma torpeur que lorsque Julian me tapota sur le bras et désigna la porte derrière nous d'un mouvement du menton.

« Quoi ? fis-je en étouffant un bâillement.

— Sortons, allons nous promener.

— On va avoir des ennuis.

— Et alors ? Quelle importance ? »

Je jetai un coup d'œil du côté du père Squires. Il était assis au premier rang, et bavait presque de zèle républicain. Les chances qu'il remarque notre disparition étaient nulles.

« Allons-y. »

Nous nous levâmes et sortîmes par l'endroit où nous étions arrivés. Ignorant les huissiers, nous descendîmes l'escalier où un Garda assis sur une chaise d'ornement – la réplique exacte de celle qui se trouvait autrefois au rez-de-chaussée de la maison de Dartmouth Square – était en train de lire un journal.

« Et vous croyez aller où comme ça, jeunes gens ? demanda-t-il, avec la mine de quelqu'un se fichant de la réponse mais se sentant obligé de poser la question.

— Aux toilettes, déclara Julian qui s'empressa d'attraper son entrejambe d'une main et d'esquisser une petite danse tandis que l'homme levait les yeux au ciel.

— Suivez ce couloir », dit-il en nous montrant le chemin.

Nous passâmes devant lui puis devant les toilettes, contemplant les portraits de dignitaires inconnus qui nous regardaient l'air courroucé depuis leur cadre haut perché, comme s'ils savaient que nous mijotions un méfait, et savourions le plaisir d'être jeunes, vivants et libérés de la surveillance des adultes. Je n'avais pas la moindre idée de l'endroit où nous allions, Julian non plus, mais la sensation d'être seuls et en route pour une grande aventure était grisante.

« Est-ce que tu as de l'argent sur toi, Cyril ?

— Un peu, dis-je. Pas beaucoup. Pourquoi ?

— Il y a un salon de thé là-bas. On pourrait aller boire quelque chose.

— Très bien. » Nous entrâmes, la tête haute, comme si nous avions tous les droits d'être là. La pièce était grande, environ dix mètres de large et quatre fois plus longue. Une femme était assise derrière un comptoir, une caisse enregistreuse à côté d'elle ; elle regardait les gens passer tout en rangeant les reçus. À ma grande surprise, une paire de cabines téléphoniques jaunes, que je n'avais jamais vues auparavant ailleurs qu'à des coins de rue, trônait de part et d'autre de son bureau. L'une était occupée par un TD dont j'avais déjà vu la photographie dans les journaux mais l'autre était vide. Les tables étaient disposées en trois longues rangées et bien qu'il y eût beaucoup de places libres les hommes étaient agglutinés comme des papillons de nuit autour des quelques tables où certains personnages vénérables dispensaient leurs lumières. Je reconnus un groupe de TD juniors de Fianna Fáil assis par terre à côté de deux ministres, attendant que se libère une place à la meilleure table et s'appliquant à se désintéresser ouvertement de la complète indignité de leur position.

Naturellement, Julian et moi évitâmes les espaces occupés et avançâmes jusqu'à une table libre à côté d'une fenêtre où nous nous assîmes avec toute l'assurance d'une paire de jeunes dauphins. Une serveuse, qui n'était pas beaucoup plus âgée que nous, remarqua notre présence et s'avança. Elle portait un uniforme noir et blanc ajusté dont les deux premiers boutons du chemisier étaient défaits. Julian la dévora avec de grands yeux avides, les pupilles de plus en plus dilatées. Elle était charmante, c'était indubitable, avec ses cheveux blonds mi-longs, sa peau claire et sans défaut.

« Je vais nettoyer, ce sera mieux », proposa-t-elle avant de se pencher et de passer un torchon humide sur la table tout en nous observant à la dérobée. Son regard s'attardait sur Julian, qui était tellement plus séduisant que moi, et j'enviai l'aisance avec laquelle elle le dévisageait et appréciait sa beauté. Lorsqu'elle se détourna pour ramasser des serviettes laissées par les clients précédents, il se redressa, le cou tendu en avant. À l'évidence, il faisait tout son possible pour plonger le regard dans son décolleté afin de saisir le moindre centimètre carré de sein visible, de le capturer comme un instantané photographique, pour le développer chaque fois qu'il en ressentirait l'envie. « Que puis-je vous offrir ? demanda-t-elle enfin en se redressant.

— Deux pintes de Guinness, commanda Julian, avec une totale décontraction. Et vous reste-t-il de ce gâteau aux noix que vous aviez mardi dernier ? »

Elle le regarda avec insistance, son visage exprimait à la fois l'amusement et l'attirance. Il n'avait que quatorze ans mais se comportait d'une manière si adulte et assurée que je voyais bien qu'elle ne voulait pas l'envoyer paître.

« Nous n'avons plus de gâteau aux noix. Nous avons été dévalisés tout à l'heure. Mais il nous reste du gâteau aux amandes, si vous aimez.

— Grands Dieux, non, fit Julian en secouant la tête. Les amandes me donnent des gaz affreux. J'ai un groupe d'électeurs qui vient me voir cet après-midi et il ne faudrait pas que je passe mon temps à leur roter à la figure. Ils ne revoteraient jamais pour moi et je perdrais mon boulot. Il faudrait que je retourne enseigner. Comment tu t'appelles, chérie ? » Je baissai les yeux, comptai mes doigts un par un dans l'espoir qu'elle apporte une théière et nous laisse tranquilles. « Je ne vous ai jamais vue avant, je crois ?

— Je m'appelle Bridget. Je suis nouvelle.

— Nouvelle depuis quand ?

— C'est mon quatrième jour.

— La serveuse vierge », lança Julian avec un large sourire. Je lui lançai un coup d'œil, scandalisé, mais Bridget semblait trouver un certain plaisir à ce badinage et était prête à lui répondre dans les mêmes termes.

« C'est vous qui le dites. On raconte qu'Elizabeth Ire était une Reine Vierge mais elle couchait avec tous les hommes qui passaient. J'ai vu un film sur elle, avec Bette Davis.

— Je suis plutôt du genre Rita Hayworth. Avez-vous vu *Gilda* ? Allez-vous souvent au cinéma ?

— Pour ce que j'en dis, répliqua-t-elle, en ignorant sa question. L'habit ne fait pas le moine. Qui êtes-vous ? Avez-vous un nom ?

— Julian. Julian Woodbead. TD de Dublin Centre. Quand vous aurez passé quelques semaines ici, vous connaîtrez nos noms à tous. Comme les autres filles. »

Elle le regarda fixement. Elle devait débattre intérieurement, hésitant entre l'impossibilité totale qu'un garçon de cet âge soit un représentant élu et l'absurdité de la situation s'il avait inventé cette histoire de toutes pièces. Dans le bon éclairage, on aurait pu le croire plus âgé – pas suffisamment pour passer pour un TD aux yeux d'un adulte, mais assez pour impressionner une serveuse nouvellement embauchée.

« C'est vrai ? fit-elle d'une voix pleine de doutes.

— Ça l'est pour l'instant. Mais il y aura une élection d'ici un an ou deux et mes jours sont peut-être comptés. Les Blueshirts me donnent sacrément du fil à retordre sur la question des prestations sociales. Vous n'êtes pas une Blueshirt, Bridget, rassurez-moi ?

— Certainement pas, trancha-t-elle. Quand même, comment pouvez-vous supposer un truc pareil ? Ma famille a toujours soutenu Dev[1]. Mon grand-père était à la Poste centrale au moment des Pâques sanglantes, et deux de mes oncles ont combattu pendant la Guerre d'indépendance.

— Il devait y avoir du monde à la Poste centrale ce jour-là, dis-je en levant les yeux et en ouvrant la bouche pour la première fois. Tous les hommes, femmes et enfants en Irlande prétendent que leur père ou grand-père était posté à une fenêtre. Il devait être quasi impossible d'acheter un timbre.

— Qui c'est, lui ? demanda Bridget à Julian, me regardant comme si j'étais un truc que le chat avait ramené entre ses dents par une froide nuit d'hiver.

— Le fils aîné de ma sœur. Ne faites pas attention à lui, il ne sait pas de quoi il parle. En ce moment ses hormones débordent de partout. Alors chérie, ces pintes de Guinness, y a-t-il une chance qu'on les ait avant que je meure de soif ? »

Elle jeta un coup d'œil derrière. « Je ne sais pas ce que Mrs Goggin dirait.

— Et qui est Mrs Goggin ?

— La directrice. Ma patronne. Elle m'a embauchée à l'essai pour six semaines, et on verra après ça.

— Elle n'est pas facile, apparemment.

— Non, elle est très gentille, protesta Bridget en secouant la tête. Elle m'a donné une chance ici alors que personne ne voulait de moi.

— Eh bien, si elle est si gentille, elle ne devrait pas voir d'objection à ce que vous preniez la commande d'un TD élu de Dublin Sud, si ?

— Je croyais que votre circonscription était Dublin Centre ?

— Vous vous trompez. C'est Dublin Sud.

— Vous êtes assez hilarant, mais je ne crois pas un mot de ce que vous racontez.

---

1. Surnom de Éamon de Valera, le père de la nation libre d'Irlande, élu président d'Irlande en 1959. (*N.d.T.*)

— Ah Bridget, lâcha Julian sur un ton chagriné. Ne dites pas ça. Si vous pensez que je suis hilarant en ce moment, je vous garantis que je le suis encore plus lorsque j'ai bu un verre. Deux pintes de Guinness, nous ne voulons rien d'autre. Allons, nous avons encore plus soif que Lawrence d'Arabie. »

Elle poussa un profond soupir, comme si elle ne voulait pas se donner la peine de discuter davantage. Elle revint, à mon grand étonnement, avec deux belles pintes de Guinness foncée dont la mousse jaune coulait par-dessus bord, laissant une traînée baveuse sur le verre.

« À votre santé, monsieur le TD de je ne sais quelle circonscription.

— Merci », fit Julian. Il leva sa pinte, prit une longue gorgée et je le vis esquisser une légère grimace lorsqu'il essaya d'avaler. Ses yeux se fermèrent brièvement tandis qu'il luttait contre l'envie pressante de tout recracher. « Dieu, que c'est bon, dit-il avec autant de crédibilité qu'un Parisien complimentant le cuistot d'un bistrot londonien. J'en avais besoin. »

Je pris une gorgée et appréciai assez le goût. La bière n'était pas trop fraîche et avait un goût amer, mais à mon grand étonnement, elle ne me donna pas envie de vomir. Je la reniflai avant de prendre une nouvelle gorgée, et inspirai par le nez. Assez bon, pensai-je. Je pourrais m'habituer.

« Tu crois que j'ai une chance, Cyril ?

— Une chance de quoi ?

— De me faire Bridget.

— Elle est vieille.

— Ne sois pas ridicule, elle doit avoir dix-sept ans. Trois de plus que moi. C'est un âge génial pour une fille. »

Je secouai la tête, assez irrité par lui. « Qu'est-ce que tu connais aux filles ? demandai-je. Pour parler, ça, tu es fort.

— Si on dit aux filles ce qu'elles ont envie d'entendre, on peut obtenir d'elles ce qu'on veut.

— Quoi, par exemple ?

— Eh bien, la plupart ne te laisseront pas aller jusqu'au bout, mais elles accepteront de te souffler dans le mirliton si tu demandes gentiment. »

Je gardai le silence pendant un moment et réfléchis. Je ne voulais pas révéler mon ignorance mais l'envie de savoir était trop forte. « C'est quoi ?

— Allez, Cyril, tu n'es pas innocent à ce point.

— Je plaisante, fis-je.
— Non. Tu ne sais pas.
— Si.
— Eh bien, vas-y alors. C'est quoi ?
— C'est quand une fille t'embrasse. Et ensuite, elle te souffle dans la bouche. »

Il me lança un regard ahuri avant d'éclater de rire. « Je ne vois pas pourquoi une personne sensée ferait une chose pareille. Sauf si tu venais de te noyer et qu'elle essayait de te réanimer. Cyril, c'est quand elles mettent ta queue dans leur bouche et la sucent comme il faut. »

Mes yeux s'écarquillèrent et j'eus à nouveau cette sensation dans mon entrejambe, qui m'envahit plus rapidement que d'habitude. Tout mon corps se mit à palpiter à l'idée que quelqu'un me fasse ça. Ou que je le fasse à quelqu'un.

« Ce n'est pas vrai, marmonnai-je, rougissant un peu, car si excitant que cela paraisse, je trouvai difficile d'imaginer que quelqu'un agisse effectivement d'une manière aussi bizarre.

— Bien sûr que c'est vrai. Tu es tellement naïf. On va devoir arranger ça, un jour. Il te faut une femme, absolument. »

Je détournai les yeux et mes pensées se portèrent sur une image de Julian dans notre chambre. La manière désinvolte dont il se débarrassait de ses vêtements le soir, l'absence totale d'inhibition lorsqu'il se dévêtait et mettait son pyjama avec une lenteur, une nonchalance provocantes pendant que je faisais semblant de lire, caché derrière mon volume, cherchant à capter une partie de son corps dans ma mémoire. Une vision de lui s'approchant de mon lit pour me souffler dans le mirliton s'imposa à moi, et je dus me retenir de ne pas gémir de désir.

« Excusez-moi », nous interpella une voix depuis le milieu du salon de thé. Je me tournai et vis une femme d'environ trente ans marcher à grands pas vers nous. Ses cheveux étaient attachés en chignon haut et elle portait un uniforme différent de celui des serveuses, un tailleur strict. Je jetai un coup d'œil au badge accroché au-dessus de son sein droit et lus : *Catherine Goggin, directrice*. « Est-ce que ce sont bien des pintes de Guinness que vous buvez là ?

— Exact », déclara Julian qui lui accorda à peine un regard. Son intérêt pour les filles n'allait pas aussi loin sur l'échelle des âges. Elle aurait pu être son arrière-grand-mère, à en juger par sa façon de l'ignorer.

« Quel âge avez-vous ?

— Désolé, répliqua Julian en se levant et prenant sa veste sur le dossier de sa chaise. Pas le temps de bavarder. On m'attend à une réunion du parti parlementaire. On y va, Cyril ? »

Je me mis debout moi aussi, mais la femme posa une main ferme sur notre épaule et nous força à nous rasseoir.

« Qui vous a servi ces bières ? Vous n'êtes que des enfants.

— Je vous informe que je suis le TD de Wicklow, dit Julian qui avait visiblement décidé de descendre le long de la côte Est du pays.

— Et moi, je suis Eleanor Roosevelt, rétorqua la femme.

— Alors pourquoi y a-t-il Catherine Goggin écrit sur votre insigne ?

— Vous faites partie du groupe scolaire qui est arrivé ce matin, n'est-ce pas ? demanda-t-elle, ignorant sa question. Où se trouve votre enseignant ? Vous ne devriez pas vous promener dans les couloirs de Dáil Éireann tout seuls, sans parler de boire de l'alcool. »

Avant que nous ayons le temps de répondre, je vis une Bridget accourir vers notre table, les joues rouges, et derrière elle, le visage courroucé du père Squires, puis nos quatre camarades médaillés.

« Je vous demande pardon, Mrs Goggin, s'empressa de s'excuser Bridget. Il a dit qu'il était un TD.

— Et comment avez-vous pu croire une chose pareille ? Regardez-les un peu, ce ne sont que des enfants ! Vous n'avez donc pas plus de jugeote qu'un chiffon à poussière ? Je pars en congé à Amsterdam la semaine prochaine, Bridget ; dois-je une fois là-bas m'inquiéter à l'idée que vous puissiez servir de l'alcool à des mineurs ?

— Debout, vous deux, ordonna le père Squires, se frayant un passage entre les deux femmes. Debout, vous me faites honte. Nous aurons une petite conversation sur cet épisode quand nous serons de retour à Belvedere, je vous le garantis. »

Nous nous levâmes, un peu gênés par la manière dont les choses avaient tourné. La directrice s'adressa au curé. « Ne leur faites pas de reproches. Ils ne font pas plus de bêtises que n'importe quels autres enfants. C'est vous qui êtes censé les surveiller. Quand je pense que vous les laissez circuler librement dans Leinster House, ajouta-t-elle avec dédain, là où sont conduites les affaires de la nation. Je crois que leurs parents ne seraient pas tellement contents de savoir qu'ils étaient ici en train de siroter de la Guinness alors qu'ils auraient dû être en train d'apprendre des choses. Qu'en dites-vous, mon père ? »

Le père Squires la regarda, ahuri, comme nous tous. Il était probable que personne ne se soit jamais adressé à lui en ces termes depuis le jour où il avait mis son col romain, et être pris à partie par une femme était la pire des insultes. J'entendis Julian étouffer un rire à côté de moi et je sus qu'il était impressionné par son audace. Je l'étais, moi aussi.

« Je vous prie de manier votre langue avec courtoisie, jeune fille, intima le père Squires en lui enfonçant un doigt dans l'épaule gauche. Vous parlez à un homme d'Église, vous savez, pas à l'un de vos petits amis du pub.

— Mes petits amis, si j'en avais, seraient assez raisonnables pour empêcher des garçons mineurs d'errer dans les couloirs sans surveillance, déclara-t-elle, refusant de se laisser intimider. Et je n'admets pas qu'un prêtre mette la main sur moi, m'entendez-vous ? Cette époque est révolue. Alors, prenez garde, ne me touchez pas. Vous êtes dans mon salon de thé, mon père, j'en suis la directrice. Vous allez emmener ces deux jeunes gens et nous laisser reprendre notre travail. »

Le père Squires donnait l'impression d'être sur le point de faire une série de crises cardiaques, une dépression et une attaque en même temps. Il tourna les talons et s'en alla à grands pas, au comble de l'indignation. Il pouvait à peine parler, le pauvre homme, et je crois qu'il ne retrouva la parole qu'une fois rentré dans l'enceinte de Belvedere College, où bien entendu, il explosa face à Julian et moi. Néanmoins, lorsque je me levai de ma chaise dans le salon de thé, je lançai un regard à Catherine Goggin et je ne pus m'empêcher de lui sourire. Je n'avais jamais vu personne remettre un curé à sa place comme elle venait de le faire et je trouvais cette scène plus réjouissante qu'un film au cinéma.

« Peu m'importe la punition, lui glissai-je, cela valait la peine d'assister à ça. »

Elle me contempla un moment avant d'éclater de rire.

« Allez, file, petit démon, dit-elle en m'ébouriffant les cheveux au passage.

— Tu as un ticket, me chuchota Julian à l'oreille en sortant du salon de thé. Et il n'y a rien de mieux qu'un vieux chien pour apprendre des tours à un jeune. »

L'oreille droite de Max

Au début de l'automne 1959, Max Woodbead écrivit un article dans l'*Irish Times* critiquant Éamon de Valera – un homme qu'il méprisait – et son gouvernement pour avoir assoupli leur politique sur l'incarcération sans procès des membres présumés de l'IRA. *Vous avez raison, ne les condamnez plus à la prison*, écrivit-il, son texte imprimé à côté d'une photographie de lui particulièrement détestable assis dans le jardin qui avait autrefois été le mien, portant un costume trois-pièces, une belle rose blanche à la boutonnière et contemplant une assiette de sandwichs au concombre posée devant lui, *mais plutôt que de laisser un ramassis de patriotes égarés et de voyous incultes envahir les rues pour les ravager avec leurs armes et leurs bombes, il pourrait être plus avantageux de les aligner contre un mur et de les abattre, tout comme nos responsables de jadis l'ont fait avec les leaders de l'Insurrection de Pâques lorsqu'ils eurent le courage de défier l'autorité divine de Sa Majesté impériale, le roi George V.* Son article eut un certain retentissement dans la presse et tandis que les réactions scandalisées se multipliaient, il fut invité sur Radio Éireann pour détailler sa position. Ferraillant avec un journaliste ardent défenseur de la république, il prétendit que le jour où l'Irlande s'était séparée de l'Angleterre avait été un jour bien sombre pour le pays. Les plus grands esprits de Dáil Éireann ne seraient jamais aussi brillants que les intellos les moins affûtés de Westminster. Ceux qui prenaient part à la Campagne des frontières, il les condamnait les qualifiant de couards et de meurtriers. Et lors de l'un de ses glorieux moments d'autosatisfaction (qu'il avait certainement répété à l'avance pour y mettre un maximum de provocation), il suggéra qu'un *Blitzkrieg* féroce à la manière de la Luftwaffe sur la frontière le long des comtés d'Armagh, de Tyrone et Fermanagh mettrait fin une fois pour toutes aux activités terroristes des Irlandais. Quand on lui demanda d'où lui venaient des opinions pro-anglaises si ferventes alors qu'il était né à Rathmines, il faillit éclater en faisant remarquer que sa famille avait été pendant des siècles une des plus connues d'Oxford. Il paraissait sincèrement fier de mentionner que deux de ses ancêtres avaient été décapités par Henry VIII pour s'être opposés à son mariage à Anne Boleyn et qu'un autre avait été brûlé sur le bûcher par la reine Marie en personne – pour avoir détruit des marques d'idolâtrie dans la cathédrale d'Oxford.

« Je suis le premier de ma famille à être né en Irlande, seulement parce que mon père a installé ici son cabinet d'avocat après la Grande Guerre. Et comme l'a dit le duc de Wellington, dont je pense qu'on s'accorderait tous à reconnaître qu'il était un homme formidable : *Naître dans une écurie ne fait pas de toi un cheval.* »

« Peut-être pas un cheval, mais un âne, assurément, déclara le père Squires le lendemain en classe, interpellant Julian sur les opinions traîtresses de son père. Ce qui fait de toi un bardot ou une mule.

— On m'a déjà donné des noms bien pires, assura Julian sans avoir l'air le moins du monde offensé. En même temps, ce n'est pas la peine d'essayer de faire des parallèles entre les opinions politiques de mon père et les miennes. Il en a beaucoup et je n'en ai aucune.

— C'est parce que ta tête est vide.

— Oh, je ne sais pas, marmonna-t-il à mi-voix. Il y a bien quelques pensées qui traînent à droite et à gauche.

— Est-ce qu'en bon et fier Irlandais, tu le condamnerais au moins pour ce qu'il a dit ?

— Non, répondit Julian. Je ne sais même pas pourquoi vous vous emballez comme ça. Je ne lis jamais le journal et je n'ai pas de radio, alors je n'ai aucune idée de ce qu'il a dit pour provoquer tout ce tapage. Était-ce en rapport avec le fait que les femmes avaient le droit de se baigner à Forty Foot ? Il se met en rage chaque fois que ce sujet est abordé.

— Les femmes… » Le père Squires le regarda incrédule, et je me demandai quand allait apparaître son bâton pour faire de mon ami de la chair à pâté. « Ses propos n'ont rien à voir avec le droit accordé aux femmes de se baigner à Forty Foot ! rugit-il. Même si une telle chose ne sera permise que le jour où les poules auront des dents... des gourgandines indécentes qui se plaisent à se promener à moitié nues.

— Ça ne me gêne pas, moi, lâcha Julian avec un petit sourire.

— N'as-tu donc pas écouté un seul mot de ce que j'ai dit ? Ton père est un traître à son propre peuple ! Ne ressens-tu aucune honte ?

— Non. Aucune. On trouve bien dans la Bible quelque chose qui explique que les fils ne doivent pas payer de leur mort les péchés de leurs parents, non ?

— Ne me jette pas des citations de la Bible à la figure, sale petit anglophile, fulmina le père Squires, tandis qu'il se dirigeait comme une furie vers notre table, se tenant si près que je sentis la sueur qui le suivait partout comme un secret honteux. Et ce qu'elle dit, c'est que les fils *comme* les pères seront punis pour leurs *propres* péchés.

— Ça me paraît un peu dur. Et je n'ai pas cité, j'ai fait une paraphrase. Visiblement, je me suis complètement trompé, en plus. »

Ce genre d'échanges semblait agacer la plupart de nos camarades, et entamer sérieusement la cote de popularité de Julian, mais la manière dont il défiait le père Squires m'enchantait. Il était arrogant, bien sûr, et ne témoignait aucun respect pour l'autorité, mais il jetait ses affirmations avec une telle insouciance que je trouvais impossible de ne pas tomber sous son charme.

Cependant, Max condamnait si bruyamment les agissements de l'IRA que personne n'aurait dû être surpris lorsque, quelques semaines plus tard, tandis qu'il quittait Dartmouth Square pour se rendre aux Four Courts, on attenta à sa vie. Un homme armé, embusqué dans le jardin – Maude n'aurait pas été contente du tout –, tira deux balles dans sa direction. L'une se logea dans le bois de la porte d'entrée et l'autre lui frôla le côté droit de la tête, lui arrachant l'oreille et passant dangereusement près de ce qu'on considérerait, j'imagine, comme son cerveau. Max rentra dans la maison en hurlant, la moitié du visage en sang, et se barricada dans son bureau jusqu'à l'arrivée des Gardaí et de l'ambulance. À l'hôpital, personne n'avait de compassion pour lui et encore moins de motivation pour rechercher et identifier son assassin présumé. Lorsqu'il sortit, à moitié sourd et avec une cicatrice rouge vif à l'endroit où se trouvait auparavant son oreille droite, il embaucha un garde du corps, un homme costaud qui ressemblait à Charles Laughton en plus musclé et qui s'appelait Ruairi O'Shaughnessy – un nom aux consonances gaéliques surprenantes, pour un individu à qui Max confiait sa vie. Partout où allait le père de Julian, O'Shaughnessy allait aussi, et dans le quartier de Inn's Quay, on s'habitua à ne jamais voir l'un sans l'autre. Mais l'IRA, qui n'avait pas réussi à le tuer, avait décidé, sans que nous puissions l'imaginer, de tenter pour le punir quelque chose d'un peu plus créatif la fois suivante. Un projet bien plus audacieux se fomentait, dont la cible n'était pas Max.

Borstal Boy

Comme nous avions fort apprécié notre brève escapade loin du carcan de Belvedere College pendant la très courte carrière politique de Julian, nous décidâmes de tenter plus souvent l'aventure à l'extérieur. Rapidement, nous commençâmes à nous rendre dans les cinémas du centre-ville pour les séances de l'après-midi ou à nous promener dans les jardins de Trinity College, contemplant, bouche bée, les protestants – qui semblaient s'être fait arracher leurs cornes par un tondeur bienveillant le jour de leur admission. Nous étions attirés par les boutiques de disques et de vêtements sur Henry Street, bien que nous n'ayons que très peu d'argent. Et lorsque Julian vola un disque de Frank Sinatra, *Songs For Swingin' Lovers !* sur un marché, nous rentrâmes jusqu'à l'école en courant sans nous arrêter, ivres de l'exaltation que nous donnait notre jeunesse.

Quelques semaines après notre excursion au Dáil, nous nous promenions sur O'Connell Street un après-midi après avoir fui Parnell Square à la suite d'un cours de géographie particulièrement rasoir, et je sentis un élan de joie que je n'avais jamais éprouvé auparavant. Le soleil brillait, Julian portait une chemisette qui mettait en valeur ses biceps et mes poils pubiens avaient enfin commencé à pousser. Notre amitié n'avait jamais été aussi belle et nous avions des heures devant nous pour parler, échanger des confidences, en excluant de notre petit univers toute personne, toute chose qui ne nous intéressait pas. Pour une fois, le monde semblait être un lieu regorgeant de possibilités.

« Qu'est-ce qu'on fait aujourd'hui ? demandai-je en marquant une pause à côté de la colonne Nelson, profitant de l'ombre du piédestal pour abriter mes yeux du soleil.

— Euh… attends, bredouilla Julian en s'arrêtant brusquement devant un escalier qui descendait vers une pissotière en sous-sol. Deux minutes. Besoin pressant. »

Je patientai, cognant machinalement mes talons contre la base de la statue en contemplant les alentours. À ma droite, la Poste centrale, où les ennemis jurés de Max Woodbead, les chefs de l'Insurrection de 1916, avaient exhorté les Irlandais et les Irlandaises, au nom de Dieu et des générations passées, à répondre à l'appel sous les drapeaux et à lutter pour leur liberté.

« T'es bien mignon, toi », gronda une voix dans mon dos. Je me retournai et je vis Julian, un grand sourire aux lèvres. Il éclata de rire en voyant l'expression sur mon visage. « J'étais à la pissotière, et un bonhomme s'avance vers moi pendant que je suis en train de pisser et me dit ça.

— Oh !

— J'avais oublié que c'était là que traînent les pédales, fit-il en frissonnant. Planqués dans les pissotières souterraines, à attendre que des jeunes garçons innocents comme moi passent par là.

— Tu n'es pas exactement un jeune garçon innocent, répondis-je en lançant un coup d'œil vers le fameux escalier, me demandant quelle créature pourrait bien venir par là et nous entraîner, Julian ou moi, dans cet enfer obscur.

— Non, mais c'est ce qu'ils cherchent. Devine ce que j'ai fait.

— Quoi ?

— Je me suis retourné et j'ai pissé partout sur son pantalon. Il a bien vu ma queue mais ça valait la peine. Il va devoir attendre des heures que son pantalon sèche avant de pouvoir remonter. T'aurais dû entendre de quels noms il m'a traité ! Imagine, Cyril ! Une sale pédale qui me traite de tous les noms !

— Tu aurais dû le taper.

— Pas besoin, affirma-t-il en fronçant les sourcils. La violence n'a jamais rien résolu. »

Je n'ajoutai rien. Chaque fois que j'essayais d'être d'accord avec lui sur des sujets de cette nature, il faisait toujours machine arrière, et je me demandais, décontenancé, comment j'avais pu me tromper à ce point.

Et nous repartîmes, pressés de mettre autant de distance que possible entre les toilettes publiques et nous. C'était affreux, pensai-je furtivement, de devoir aller dans des endroits pareils pour trouver quelque chose qui ressemblât vaguement à de l'affection. « Qu'est-ce qu'on fait aujourd'hui ?

— Réfléchissons, répliqua-t-il gaiement. Des suggestions ?

— On pourrait aller voir les canards à St Stephen's Green, suggérai-je. On achète du pain, et on va le leur donner. »

Julian rit et secoua la tête. « On ne va pas faire ça.

— Et si on descendait vers le Ha'penny Bridge ? Apparemment, si on saute dessus, il se met à trembler. On pourrait faire peur aux vieilles dames quand elles traversent.

— Non. Pas ça non plus.

— Bon, ben quoi ? Propose quelque chose, toi.

— Est-ce que tu as entendu parler du Palace Bar ? » Je compris immédiatement qu'il avait déjà planifié tout notre après-midi et que je n'aurais d'autre choix que de suivre le mouvement.

« Non.

— C'est juste à côté de Westmoreland Street. Tous les étudiants de Trinity College vont là. Et aussi les vieux, parce qu'ils servent la meilleure *stout* de la ville. Allons là-bas.

— Un pub ? questionnai-je, soupçonneux.

— Oui, Cyril, un pub, acquiesça-t-il avec un sourire en écartant les cheveux de son front. On veut une aventure, n'est-ce pas ? Et on ne sait jamais qui on peut rencontrer. Combien d'argent tu as sur toi ? »

Je fouillai mes poches et sortis mes pièces. Même si je ne le voyais presque jamais, Charles était assez généreux avec mon argent de poche – cinquante pence arrivaient sans faute sur mon compte à l'école tous les lundis matin. Évidemment, un vrai Avery aurait probablement eu une livre.

« Pas mal, dit Julian en faisant le calcul dans sa tête. J'ai à peu près la même somme. On a de quoi passer une bonne après-midi si on fait attention.

— On refusera de nous servir.

— Mais non. On a l'air assez âgés. Enfin moi, oui. Et on a de l'argent, c'est la seule chose qui importe, dans ce genre d'endroit. Tout se passera bien.

— Est-ce qu'on peut aller voir les canards d'abord ?

— Non, Cyril, protesta-t-il, hésitant entre la frustration et l'amusement. *Fuck the ducks*. Nous allons au pub. »

Je ne dis rien – il était rare qu'on emploie ce mot lui ou moi, et quand c'était le cas, il impliquait un acte d'autorité absolue. Pas question de contredire.

Juste avant que nous entrions dans le pub, Julian s'arrêta devant une pharmacie et fouilla dans ses poches. Il en sortit un morceau de papier. « Donne-moi deux minutes. J'ai besoin de quelque chose.

— Quoi ? demandai-je.

— J'ai une ordonnance.

— Une ordonnance pour quoi ? Tu es malade ?

— Non, tout va bien. J'ai dû aller voir un médecin l'autre jour, c'est tout. Rien de grave. »

Je fronçai le sourcil et le regardai entrer, et quelques instants plus tard, j'entrai à mon tour.

« Je t'ai dit de m'attendre dehors.

— Non, absolument pas. Qu'est-ce qui ne va pas ? »

Il leva les yeux au ciel. « Rien. Juste une rougeur.

— Quel genre de rougeur ? Où ça ?

— C'est pas tes affaires. »

Le pharmacien sortit de l'arrière-boutique et lui tendit quelque chose sur le comptoir. « Appliquez généreusement sur la zone touchée deux fois par jour, dit-il en prenant l'argent de Julian.

— Ça va piquer ?

— Moins que si vous n'en mettez pas.

— Merci », répondit Julian qui rangea le paquet dans sa poche, tourna les talons et partit, ne me laissant pas d'autre choix que de le suivre.

« Julian, attaquai-je une fois que nous fûmes dans la rue. Qu'est-ce que...

— Cyril, ce ne sont pas tes affaires, d'accord ? Fiche-moi la paix. Viens, le pub est là. »

Je me tus, ne voulant pas provoquer sa colère, mais j'étais blessé et déçu qu'il ne me mette pas dans la confidence. Il y avait deux portes à l'entrée, se présentant sur la rue comme deux côtés d'un triangle. Julian choisit la gauche et tint la porte juste assez longtemps pour que je me glisse derrière lui. Le long d'un étroit couloir s'étendait un interminable bar coloré où une demi-douzaine d'hommes, perchés sur des tabourets, étaient en train de fumer, le regard rivé sur leurs pintes de Guinness comme s'ils allaient découvrir dans le liquide noir le sens de la vie. Au-delà du bar, se trouvaient deux ou trois tables vides et encore après, une petite arrière-salle. Le barman, un personnage ombrageux avec des cheveux orange citrouille et des sourcils assortis, balança un torchon sur son épaule et nous lança un regard torve quand nous nous installâmes à la table la plus proche.

« L'arrière-salle, c'est pour les femmes et les enfants, me chuchota Julian. Ou pour les hommes qui viennent en cachette de leur femme. Nous allons rester ici. J'ai une soif épouvantable ! » rugit-il brusquement. Je sursautai et toutes les têtes se tournèrent vers nous. « Mais après une longue journée de travail sur les docks, rien de mieux qu'une bonne pinte. Pareil pour toi, hein, Cyril ? Patron, voulez-vous bien apporter deux pintes de brune par ici ? cria-t-il en souriant au rouquin derrière le bar.

— Allez vous faire voir. Quel âge avez-vous, pour commencer ? Vous êtes des gamins.

— J'ai dix-neuf ans, insista Julian. Et mon ami, dix-huit. » Il sortit tout son argent de sa poche et me fit signe de l'imiter pour que l'homme puisse constater que nous pouvions payer. « Pourquoi vous nous posez la question ?

— Pour faire la conversation. Vous vous rendez compte que je risque de vous faire payer un peu plus cher que d'habitude ? J'appelle ça la taxe jeunesse.

— C'est vous qui décidez.

— Allez vous faire foutre », lâcha le barman, mais son ton révélait plus de l'amusement que de la contrariété. Quelques minutes plus tard, il nous apporta les bocks, les posa devant nous et retourna à son poste.

« Quelle heure est-il ? demanda Julian ; je lui indiquai d'un mouvement de tête la pendule accrochée au mur.

— Presque 18 heures.

— Formidable. De quoi j'ai l'air ?

— D'un dieu grec envoyé sur terre depuis le mont Olympe par Zeus l'immortel pour nous narguer, nous autres êtres inférieurs, avec ta beauté stupéfiante, déclarai-je, ce qui, une fois traduit, prit la forme de : Cool, pourquoi ?

— Pour rien. Comme ça. Tu es un type bien, Cyril », ajouta-t-il, avant de tendre le bras et de poser sa main sur la mienne quelques instants. Un courant électrique me parcourut le corps, aussi grisant que s'il s'était penché pour coller ses lèvres sur les miennes, songeai-je. Il me regarda droit dans les yeux et soutint mon regard brièvement avant de froncer un peu les sourcils. Peut-être perçut-il une émotion que même lui n'était pas encore assez mûr pour comprendre.

« Toi aussi, Julian », commençai-je, et dans le feu de l'action, j'aurais sans doute pu aller jusqu'à me lancer dans des louanges plus enthousiastes et me dévoiler complètement. Mais avant que j'aie le temps de poursuivre, la porte du pub s'ouvrit et je vis entrer deux filles, dont l'une, à ma grande surprise, me semblait familière. Elles parcoururent la salle d'un regard fébrile, car elles étaient les seules femmes. Lorsqu'elles nous aperçurent, la première des deux sourit et s'avança vers nous.

« Bridget, l'accueillit Julian en se tournant, non sans retirer précipitamment sa main de la mienne et sourire largement. Je savais que tu viendrais.

— Tu ne savais rien du tout, répondit-elle avec un clin d'œil. Je parie que tu as récité quelques neuvaines pour que tes désirs deviennent réalité. »

Je compris tout à coup : bien sûr, c'était la serveuse du salon de thé du Dáil, parée de ses plus beaux atours – une robe rouge moulante qui attirait l'attention sur sa poitrine ; son visage était un masque de clown tant il était maquillé. À côté d'elle se trouvait une autre fille, plus jeune, plus petite, sans maquillage, l'incarnation même de l'adolescente coincée, avec des cheveux d'un brun indéfinissable, des lunettes en cul de bouteille et une expression qui laissait penser qu'elle avait récemment mangé quelque chose qui ne lui avait pas réussi. La Cyril de Bridget, pour ainsi dire. Mon cœur se serra lorsque je compris que c'était exactement la raison pour laquelle elle était là. Je me tournai pour lancer un regard appuyé à Julian, qui au moins se sentit suffisamment honteux pour s'y soustraire.

« Que voulez-vous boire, mesdames ? demanda-t-il en se frottant les mains tandis qu'elles s'asseyaient.

— Ces sièges sont-ils propres ? fit la deuxième fille, en sortant un mouchoir de sa manche pour essuyer la toile.

— Les culs de certains des plus grands hommes et femmes du Dublin se sont assis là. Asseyez-vous donc, ma jolie, et si vous attrapez une maladie quelconque, je m'engage à payer la note du vétérinaire.

— Charmant, répondit-elle. Vous êtes un vrai gentleman.

— Nous prendrons deux snowballs, intervint Bridget. Voici ma copine Mary-Margaret.

— Tu te souviens de Cyril, n'est-ce pas ?

— Comment pourrais-je l'oublier ? Cyril l'Écureuil.

— Cyril l'Écureuil ! répéta Julian, éclatant de rire à cette plaisanterie hilarante.

— Vous avez quelque chose d'angélique, personne ne vous l'a jamais dit ? demanda-t-elle penchée en avant pour détailler mon visage. On croirait qu'il n'a jamais reçu de baiser, ajouta-t-elle à l'intention de Julian, et je me sentis comme un spécimen placé sous un microscope pour que deux médecins l'examinent de près.

— Je prendrai juste un jus d'orange, signala Mary-Margaret, en parlant un peu plus fort.

— Deux snowballs, répéta Bridget.

— Deux snowballs ! cria Julian au barman, en montrant nos verres qui se vidaient dangereusement. Et deux autres pintes !

— C'est pas bon pour moi du tout, objecta Mary-Margaret. Et il faut que je sois debout pour la messe de 6 heures demain matin. C'est le père Dwyer demain, et il dit toujours une belle messe.

— Mais tu n'as pas encore bu une goutte d'alcool, rétorqua Bridget. Ce n'est pas avec un snowball que tu vas basculer dans l'alcoolisme.

— Un seul, alors, insista-t-elle. Je n'en prendrai pas plus d'un. Je ne bois pas, Bridget, comme tu le sais.

— Enchanté, Mary-Margaret, fit Julian en lui adressant un clin d'œil et en me désignant d'un mouvement de tête. Voici mon copain Cyril.

— Vous l'avez déjà dit. Vous croyez que j'ai la mémoire d'un poisson rouge ?

— Qu'en pensez-vous ?

— Qu'est-ce que je pense de quoi ?

— De Cyril. De Cyril l'Écureuil.

— Qu'est-ce que je suis censée penser de lui ? demanda-t-elle, me regardant de haut en bas comme si j'étais la créature du lagon noir et qu'elle avait eu la mauvaise fortune de se trouver près du bord alors que je venais de sortir de l'eau.

— Tout à l'heure, dans des toilettes publiques, une pédale a demandé s'il pouvait souffler dans son mirliton. »

Cette déclaration provoqua chez moi indignation et épouvante, chez Mary-Margaret, une grande incrédulité, et chez Bridget, l'émerveillement.

« Ça n'est jamais arrivé, fis-je et mes cordes vocales choisirent ce moment inopportun pour flancher un peu. Il a tout inventé.

— Cette conversation n'est absolument pas de mon standing », affirma Mary-Margaret en s'adressant à Bridget. Les snowballs arrivèrent à ce moment-là et elle renifla le sien avant de l'avaler presque d'une traite sans manifester de réaction particulière. « Ces garçons vont-ils se montrer vulgaires ? Parce que je n'aime pas du tout les garçons vulgaires, comme tu le sais. Et s'ils doivent continuer à l'être, je vais prendre un autre verre.

— Deux autres snowballs ! » s'écria Julian.

Dans le silence qui suivit, Mary-Margaret se tourna pour me regarder et elle parut encore moins impressionnée que précédemment – alors que je n'aurais jamais cru la chose possible.

« Cecil, c'est ça ? demanda-t-elle.

— Cyril.

— Cyril comment ?

— Cyril Avery.

— J'ai entendu pire, comme nom, dit-elle en reniflant, le nez plissé.

— Merci.

— Je suis venue seulement parce que Bridget me l'a demandé. Je ne savais pas qu'il s'agissait de compléter un groupe de quatre.

— Moi non plus.

— Ce n'est pas du tout en accord avec mon standing, répéta-t-elle.

— Comment c'était, au salon de thé, aujourd'hui ? demanda Julian. Est-ce que le président Eisenhower est passé dire bonjour ?

— Mr Eisenhower est le président des États-Unis, signala Mary-Margaret, en lui lançant un regard méprisant. Notre président est O'Kelly. Il est impossible que vous soyez ignorant à ce point, quand même.

— Je plaisantais, Mary-Margaret, répliqua Julian en roulant des yeux. Savez-vous ce qu'est une plaisanterie ?

— Je n'aime pas les plaisanteries.

— Moi, je n'ai jamais entendu parler du président Eisaflower, lança Bridget en haussant les épaules.

— Eisenhower, rectifiai-je.

— Eisaflower, répéta-t-elle.

— C'est ça, dis-je.

— Est-ce que vous travaillez au salon de thé vous aussi, Mary-Margaret ? demanda Julian.

— Certainement pas, répondit-elle, insultée visiblement qu'on ait pu le penser une seconde, malgré la présence de son amie assise à côté d'elle. Je suis hôtesse de caisse au bureau des devises étrangères à la Bank of Ireland, agence de College Green.

— Je ne vous crois pas, s'enhardit Julian.

— C'est vrai !

— Non. Vous l'avez inventé.

— Pourquoi ferais-je une chose pareille ? s'offusqua-t-elle.

— D'accord, eh bien, dites quelque chose en norvégien. »

Mary-Margaret le regarda fixement comme si elle ne comprenait pas bien où il voulait en venir, avant de se tourner vers Bridget, qui se pencha en avant et donna une petite tape espiègle sur le bras de Julian, sans retirer sa main ensuite. J'eus envie de ramasser un couteau sur la table voisine et de la lui couper.

« Ne fais pas attention à lui, la rassura Bridget d'un ton très gai. Il est seulement beau parleur.

— Et bon tireur, ajouta Julian avec un clin d'œil.

— C'est vite dit.

— Oh là là, bougonnai-je.

— Les Norvégiens ont la couronne norvégienne, annonça Mary-Margaret, en faisant la grimace, puis elle détourna les yeux. Je ne l'aime pas beaucoup, à dire vrai. Quand on les compte, elles laissent une tache d'encre sur les mains. Pas du tout mon standing. Je préfère les monnaies internationales qui ne laissent pas de traces. Les billets australiens sont très propres. Comme ceux de leurs voisins les plus proches, les Néo-Zélandais.

— Grands Dieux, vous êtes une créature fascinante », s'exclama Julian. À ce moment-là, nous avions terminé la deuxième tournée, et une nouvelle venait de nous être servie sur ordre de Julian.

« C'est une erreur que l'on commet fréquemment, avançai-je. La Nouvelle-Zélande n'est pas le voisin le plus proche de l'Australie, pas du tout.

— Bien sûr que si, me toisa Mary-Margaret. Ne soyez pas ridicule.

— Je ne suis pas ridicule. La Papouasie-Nouvelle-Guinée est plus proche. Nous l'avons étudié en cours de géographie.

— Ce pays n'existe pas.

— Eh bien, fis-je, sans trop savoir comment j'allais en apporter la preuve, si, il existe.

— Arrête de faire du gringue à cette pauvre fille, Cyril, intervint Julian. Elle va se jeter sur toi comme un ours sur un pot de miel si tu continues à lui dire ce genre d'obscénités.

— Je travaille au bureau des devises étrangères à la Bank of Ireland, agence de College Green, répéta-t-elle, au cas où nous aurions oublié. Je crois que j'en sais un peu plus sur la géographie du monde que vous.

— Faux, si vous n'avez jamais entendu parler de la Papouasie-Nouvelle-Guinée, marmonnai-je en enfouissant mon visage dans ma bière.

— J'ai acheté une nouvelle paire de bas, déclara Bridget de but en blanc. Je les ai mis pour la première fois ce soir. Qu'en pensez-vous ? » Et elle pivota sur son tabouret pour étendre ses jambes devant nous. Je n'avais guère de points de comparaison mais elles étaient impressionnantes, si on aimait ce genre de choses. Du sommet de sa tête à la pointe de ses pieds, Bridget était une beauté, difficile de le nier. Il suffisait de regarder Julian pour voir à quel point il était charmé. Je ne reconnus que trop bien l'expression sur son visage, puisque la plupart du temps, c'était la mienne.

« Ils sont absolument sublimes, approuva Julian, lui faisant un clin d'œil. Mais je parie que je pourrais te convaincre de les enlever.

— Quel toupet, fit-elle en lui donnant à nouveau une petite tape sur le bras et en riant, avant de reporter son attention sur moi. Comment ça va, Cyril ? demanda-t-elle. Quelles sont les nouvelles ?

— Pas grand-chose, répondis-je. J'ai eu le tableau d'honneur grâce à ma composition sur le pape Benoît XV et ses efforts pour parvenir à un accord de paix pendant la Première Guerre mondiale.

— Et vous ne le dites que maintenant ? s'étonna Mary-Margaret.

— Vous ne l'avez pas demandé.

— Grands Dieux, ils font la paire, ces deux-là, s'amusa Julian en suivant les échanges entre nous.

— C'est moi ou cet endroit sent mauvais ? reprit Mary-Margaret, en faisant la grimace.

— C'est peut-être vous, dit Julian. Avez-vous pris un bain cette semaine ?

— Je voulais dire, est-ce seulement moi qui trouve que ça sent mauvais ? demanda-t-elle d'une voix rageuse.

— Ça sent un peu la pisse, confirma Bridget.

— Bridget ! s'écria Mary-Margaret, scandalisée.

— C'est parce qu'on est assis à côté de l'escalier, expliqua Julian. Et les toilettes des hommes sont en bas. Tout ce que vous avez à faire, Mary-Magdalen, c'est tourner la tête et vous pourrez voir tous les vieux avec leur braquemart sorti.

— C'est Mary-Margaret, pas Mary-Magdalen.

— Désolé.

— Et je préférerais que vous ne parliez pas de braquemart, si vous le voulez bien.

— Il n'y a pourtant rien de mal. Aucun de nous ne serait ici s'ils n'existaient pas. Je serais perdu sans mon braquemart. C'est mon meilleur ami, après Cyril ici présent. Mais je vous laisserai deviner avec lequel je m'amuse le plus. »

Je souris, la boisson commençait à me monter un peu à la tête. C'était un sacré compliment d'être classé au-dessus de son pénis.

« Bridget, la tança Mary-Margaret en se tournant vers son amie. Je n'aime pas ces conversations salaces. Ce n'est pas du tout mon standing.

— Les garçons sont obsédés par leur engin, dit Bridget en hochant la tête. Ils ne parlent que de ça.

— Faux, intervint Julian. La semaine dernière encore, j'ai eu une conversation avec un gars de mon cours de maths sur les équations du second degré. En même temps, maintenant que j'y repense, nous étions en train de pisser côte à côte et je dois avouer que j'ai rapidement regardé son braquemart pour comparer sa taille au mien.

— C'était qui ? demandai-je, sentant mon entrejambe me chatouiller rien que d'y penser.

— Peter Trefontaine.

— Et il était comment ?

— Petit. Et incurvé vers la gauche d'une drôle de façon.

— Pourriez-vous arrêter, s'il vous plaît ? supplia Mary-Margaret. Il faut que je me lève tôt pour aller à la messe demain matin.

— Avec le père Dwyer, oui, vous l'avez dit. Je parie que son braquemart est minuscule.

— Bridget, je vais m'en aller si ce garçon continue à...

— Arrête, Julian, somma Bridget. Mary-Margaret est gênée à cause de toi.

— Je ne suis pas gênée, insista-t-elle, le visage cramoisi. Je suis révulsée, c'est différent.

— Ne parlons plus de braquemarts, soupira Julian en buvant une longue rasade de bière. Mais ça vous intéressera peut-être d'apprendre qu'il y a de nombreuses années, quand Cyril et moi n'étions que des enfants, il a demandé s'il pouvait voir le mien.

— Ce n'est pas vrai ! m'écriai-je horrifié. C'est lui qui m'a demandé !

— Il n'y a pas de honte à avoir, Cyril. C'était des frasques de gamins, c'est tout. C'est pas comme si t'étais une pédale.

— Je n'ai pas demandé à voir son braquemart, répétai-je et Bridget cracha un peu de son snowball sur la table en éclatant de rire.

— Si c'est ça, le genre de conversation que nous allons avoir..., pesta Mary-Margaret.

— Je n'ai rien demandé, m'obstinai-je.

— En toute honnêteté, mon braquemart est très beau. Cyril vous le dira.

— Comment le saurais-je ? demandai-je en piquant un fard.

— Parce que nous partageons la même chambre, répondit-il. Ose prétendre que tu n'as jamais regardé. J'ai maté le tien. Il n'est pas mal du tout. Même s'il n'est pas aussi grand que le mien. Mais il est plus gros que celui de Peter Trefontaine même quand tu n'as pas la trique, ce qui, avouons-le, n'est pas très souvent. Tu serais le premier à le reconnaître, n'est-ce pas, Cyril ?

— Doux Jésus », fit Mary-Margaret. On avait l'impression qu'elle allait tomber dans les pommes d'un instant à l'autre. « Bridget, je veux m'en aller.

— À vrai dire, Mary-Margaret, vous êtes la seule autour de cette table qui n'a pas vu mon braquemart, continua Julian. Ce qui fait de vous l'intruse, j'imagine. »

Le silence s'installa tandis que nous prenions conscience des implications de ses dernières paroles. Je sentis mon ventre se serrer en comprenant qu'en plus de toutes nos escapades hors de Belvedere College, il arrivait à Julian de partir seul, ou – ce qui était encore bien pire – en compagnie de quelqu'un qui avait les mêmes envies sexuelles et avec qui il pouvait chasser les filles. L'idée qu'il avait une vie en dehors de notre amitié me faisait terriblement souffrir. Et comprendre progressivement que Bridget avait vu son braquemart – qu'elle l'ait seulement touché, ou regardé ou sucé ou qu'elle ait été jusqu'au bout avec Julian – était presque insupportable. Pour la première fois depuis très longtemps, je me sentis aussi vulnérable qu'un enfant.

« Tu n'as vraiment pas la langue dans ta poche, souffla Bridget, mi-gênée, mi-excitée par ses paroles.

— Eh bien, la tienne est très bien là où elle est », répondit-il. Il se pencha en souriant, et avant que nous ayons le temps de le réaliser, ils s'embrassaient. Je jetai un coup d'œil à mon verre, le saisis d'une main un peu tremblante et le portai à mes lèvres pour le finir d'un trait. Puis je regardai autour de moi comme si rien ne se passait.

« Le plafond est joliment ouvragé, n'est-ce pas ? fis-je en levant les yeux de manière à ne pas devoir observer les deux autres en train de se bécoter.

— Ma mère appartient à la Legion of Mary, déclara Mary-Margaret. Je ne sais pas ce qu'elle dirait devant une telle exhibition.

— Détendez-vous », lui conseilla Julian en s'écartant de sa compagne avant de reprendre ses aises, une expression comblée sur le visage. Une expression qui signifiait : *Je suis jeune, je suis beau, j'aime les filles et elles m'aiment ; dès que mes études secondaires seront terminées, je m'en donnerai à cœur joie.*

« Aimez-vous le salon de thé, Bridget ? demandai-je, cherchant désespérément à changer de sujet.

— Quoi ? » fit-elle, d'un air abasourdi. Elle paraissait troublée par le baiser passionné de Julian et son expression suggérait qu'elle voulait ardemment nous voir partir, Mary-Margaret et moi, afin que Julian et elle puissent aller où ils étaient déjà allés faire ce qu'ils avaient fait. « Quel salon de thé ?

— Celui où vous travaillez. De quel autre salon de thé pourrais-je bien parler ? Celui du Dáil Éireann.

— Ah oui. C'est sûr, on rit à gorge déployée toute la journée, Cyril. Non, je vous taquine. Les TD sont sournois et pour la plupart, ils ne résistent pas à l'envie de nous mettre la main aux fesses, mais ils laissent de bons pourboires. S'ils ne le font pas, Mrs Goggin les mettra à une table pourrie le lendemain et ils n'arriveront jamais à se faire bien voir d'un ministre.

— C'est la dame qui nous a chopés au Dáil l'autre jour ? demanda Julian.

— Oui.

— Eh bien, elle n'avait pas l'air commode.

— Oh non, protesta Bridget en secouant la tête. Mrs Goggin est vraiment quelqu'un de bien. Elle exige beaucoup de son personnel mais elle travaille plus dur que n'importe laquelle d'entre nous. Et elle ne demande jamais à quelqu'un de faire quelque chose qu'elle ne ferait pas elle-même. Elle ne prend pas de grands airs, contrairement à certaines personnes dans ce bâtiment. Non, je ne laisserai pas dire quoi que ce soit contre elle.

— Très bien, acquiesça Julian ainsi réprimandé. À Mrs Goggin, ajouta-t-il en levant son verre.

— À Mrs Goggin, répéta Bridget en levant le sien à son tour, et nous n'eûmes pas d'autre choix, Mary-Margaret et moi, que de suivre le mouvement.

— Avez-vous une Mrs Goggin à la Bank of Ireland ? questionna Julian.

— Non, nous avons un Mr Fellowes.

— Et vous l'aimez bien ?

— Je n'ai pas à avoir d'opinion sur mes supérieurs.

— Est-elle toujours aussi gaie ? demanda Julian en se tournant vers Bridget.

— L'odeur d'urine est de plus en plus forte, déplora Mary-Margaret. On pourrait s'asseoir ailleurs, qu'en pensez-vous ? »

Nous jetâmes un coup d'œil autour de nous mais le Palace s'était rempli en cette fin de journée, et nous avions le privilège d'être assis.

« Il n'y a pas de place ailleurs, affirma Julian en bâillant avant d'entamer sa nouvelle pinte. Grand Dieu, nous avons déjà de la chance d'avoir gardé cette table si longtemps. Les habitués auraient le droit de nous faire dégager.

— Pourriez-vous cesser ? s'empourpra Mary-Margaret.

— Cesser de faire quoi ?

— D'utiliser le nom de notre Seigneur sans raison.

— Mais tout à fait. Pourquoi ? Serait-il passé vous voir, après son déjeuner, à votre bureau des devises étrangères à la Bank of Ireland, agence de College Green, pour vous dire qu'il n'aime pas ça ?

— Vous n'avez donc pas lu *Les Dix Commandements* ?

— Non, mais j'ai vu le film.

— Bridget, ça dépasse les bornes. Allons-nous passer toute la soirée ici à écouter ces sornettes ?

— Quoi qu'il en soit, indiquai-je, sentant que la pièce commençait à tourner, la capitale de la Papouasie-Nouvelle-Guinée est Port Moresby.

— Quoi ? fit Mary-Margaret en me regardant comme si j'étais un imbécile, avant de s'adresser à Julian. Ce garçon a un grain ou quoi ?

— À votre avis, Yul Brynner est chauve ou il se rase le crâne pour tourner ses films ?

— Bridget !

— Il plaisante, c'est tout, Mary-Margaret. Ne te formalise pas.

— Je n'aime pas les plaisanteries sur Yul Brynner. Alors qu'il a été tellement remarquable dans le rôle de Ramsès. Je préférerais qu'on lui témoigne un peu plus de respect, si ça ne vous fait rien.

— Serait-il un de vos amis ? s'enquit Julian. Vous avez des tas d'amis haut placés, le Seigneur, Yul Brynner, Mr Fellowes.

— Le Seigneur donne et le Seigneur reprend, déclara Mary-Margaret – ce qui ne me semblait pas avoir le moindre rapport avec notre conversation.

— Mais je suis le Seigneur, lança Julian.

— Quoi ? demanda Mary-Margaret, troublée.

— J'ai dit Je suis le Seigneur. J'ai été envoyé ici par mon père, qui est aussi le Seigneur, pour mettre les gens sur le bon chemin. Ce que nous voulons, papa et moi, c'est que toutes les créatures enlèvent leurs vêtements et se jettent les unes sur les autres comme des chiens déchaînés. Adam et Ève étaient nus, comme vous le savez si vous avez lu le *Livre du Commencement de tout*, chapitre un, verset un. "Il était un homme et il était une femme et tous deux étaient nus comme des vers et la femme se couche et l'homme fait toutes sortes de trucs fous avec la femme, qui avait des gros nichons et ne demandait que ça."

— Ça ne se trouve pas dans la Bible, insista Mary-Margaret, se penchant sur la table, les poings serrés comme si elle allait lui arracher la tête.

— Peut-être pas le passage sur les gros nichons mais tout le reste est cent pour cent juste, je crois.

— L'Écureuil, dit-elle en se tournant vers moi. Êtes-vous vraiment ami avec cette personne ? Vous entraîne-t-il hors du droit chemin ?

— C'est Cyril, mon nom, aboyai-je.

— Désolée, mais on parle de quoi, là ? demanda Bridget, sur qui les snowballs commençaient à produire leur effet. J'étais partie sur une autre planète. Je pensais à Cary Grant. Vous êtes bien d'accord, Cary Grant est le plus bel homme du monde.

— Si l'on excepte les hommes présents autour de cette table, rectifia Julian. Seul un aveugle pourrait nier les charmes de Cyril l'Écureuil. Mais puisque nous sommes sur le sujet des hommes terriblement séduisants, avez-vous vu qui se trouve là-bas, au bar ? »

Nous tournâmes tous la tête et je parcourus du regard les six ou sept statues installées sur leurs tabourets, qui contemplaient leur reflet dans le miroir au fond du bar.

« Qui est-ce ? questionna Bridget qui se pencha en avant et saisit la main de Julian. Qui est-ce ? J'ai entendu dire que Bing Crosby était là pour un championnat de golf. C'est lui ?

— Regardez vers le bout, indiqua Julian en désignant un homme corpulent au visage flasque et aux cheveux noirs assis sur le dernier tabouret avant la séparation en vitrail. Vous ne l'avez pas reconnu ?

— On dirait le père Dwyer, s'inquiéta Mary-Margaret, mais on ne verrait jamais un homme comme lui dans un endroit pareil.

— Il me rappelle un peu mon oncle Diarmuid, dit Bridget. Mais il est mort il y a deux ans, alors, ça ne peut pas être lui non plus.

— C'est Brendan Behan, claironna Julian, apparemment étonné que nous ne le reconnaissions pas.

— Qui ? fit Bridget.

— Brendan Behan, répéta-t-il.

— L'écrivain ? » Je n'avais pas parlé depuis longtemps et Julian se tourna vers moi avec une expression qui laissait supposer qu'il avait oublié ma présence.

« Bien sûr, l'écrivain. Qui d'autre ? Brendan Behan le livreur de journaux ?

— Est-ce lui qui a écrit le livre *Borstal Boy* ? demanda Mary-Margaret.

— Et *The Quare Fellow*, précisa Julian. Une grande figure de notre ville.

— N'est-il pas un grand ivrogne ?

— Dit la fille qui en est à son quatrième snowball.

— Le père Dwyer trouve cette pièce affreuse. Et le livre qu'il a écrit sur la prison, papa a refusé qu'on l'ait à la maison.

— Mr Behan ! Mr Behan ! » cria Julian, en agitant les bras. L'homme se retourna et nous regarda, son air dédaigneux céda la place à un sourire content, peut-être à cause de notre jeunesse.

« Est-ce que je vous connais ?

— Non, mais nous vous connaissons, répondit Julian. Mon ami et moi sommes de Belvedere et nous tenons l'écrit en haute estime, même si ce n'est pas le cas des Jésuites. Voulez-vous vous joindre à nous ? Ce serait un honneur pour nous de vous offrir une pinte. Cyril, offre une pinte à Mr Behan.

— Vendu », lâcha Behan en descendant de son tabouret. Il rapprocha un plus petit siège d'une table voisine et s'installa entre Mary-Margaret et moi, laissant Julian et Bridget l'un à côté de l'autre. À la seconde où il s'assit, il se tourna vers Mary-Margaret et la regarda dans les yeux, puis son regard descendit lentement pour s'arrêter sur ses seins.

« Assez jolis », approuva-t-il en s'adressant à nous tous tandis qu'une nouvelle tournée arrivait. Julian prit l'argent que je lui tendais et le donna au barman. « Petits, mais pas excessivement. Juste assez pour tenir dans la paume d'une main d'homme. J'ai toujours pensé qu'il y avait une corrélation directe entre la taille de la main d'un homme, la circonférence des nichons de sa femme et leur bonheur conjugal.

— Par tous les saints ! » s'exclama Mary-Margaret. On aurait cru qu'elle allait s'évanouir.

« J'ai lu votre livre, Mr Behan, dit Julian avant qu'elle le fasse taire.

— Je vous en prie, commença Behan en levant une main et en souriant béatement. Pas de manières entre nous, je vous en prie. Appelez-moi Mr Behan.

— Mr Behan, donc, reprit Julian en riant un peu.

— Et pourquoi l'avez-vous lu ? N'aviez-vous rien de mieux à faire de votre temps ? Quel âge avez-vous, d'abord ?

— Quinze ans.

— Quinze ans ? fit Bridget qui feignit l'extrême surprise. Tu m'as dit que tu avais dix-neuf ans.

— J'ai dix-neuf ans, répéta Julian avec entrain.

— Quand j'avais quinze ans, énonça Behan, j'étais trop occupé à me tripoter pour m'intéresser à la lecture. Tant mieux pour vous, jeune homme.

— Tout ceci n'est vraiment pas de mon standing », dit Mary-Margaret qui sirotait consciencieusement son cinquième snowball. Elle était si effarée par le tour que prenait la conversation qu'elle n'avait guère eu d'autre choix que d'en commander un autre.

« Mon père a essayé de le faire interdire, poursuivit Julian. Il déteste tout ce qui a un rapport avec le républicanisme, alors je me suis senti obligé d'aller voir pourquoi on en faisait toute une histoire.

— Qui est votre père ?

— Max Woodbead.

— L'avocat ?

— Exactement.

— Qui s'est fait arracher l'oreille par une balle tirée par l'IRA ?

— Oui, confirma Julian.

— *Jayzuz* », commenta Behan, hochant la tête avec un grand rire. Il leva la pinte que Mary-Margaret avait commandée et avala un bon quart de son contenu sans ciller. « Tu dois pas manquer d'oseille. On va te garder toute la soirée.

— Est-ce que je peux vous poser une question, Mr Behan ? » interrompit Bridget, qui se pencha en avant. Elle semblait prête à lui demander où il trouvait ses idées et s'il écrivait à la main ou à la machine.

« Si c'est est-ce que je veux vous épouser, la réponse est non, mais si c'est est-ce que je peux vous emmener dans la contre-allée pour un petit coup vite fait, la réponse est oui », lança Behan. Il y eut un long silence puis il éclata de rire et but une nouvelle gorgée de sa Guinness. « Je vous fais marcher, ma jolie. Mais jetons un coup d'œil à vos jambes. Étendez-les un peu par ici. Allez, jusqu'au bout. *Jayzuz*, elles sont pas mal du tout. Et vous en avez deux, ce qui est toujours plus commode. Et elles montent assez haut.

— Elles se rejoignent tout en haut, aussi », enchaîna Bridget. Nous eûmes tous un mouvement de recul, à la fois admiratifs et incrédules. Julian donnait l'impression qu'il allait décoller de son siège tant il était excité par l'idée.

« C'est ton petit ami, lui ? demanda Behan en désignant Julian d'un mouvement de la tête.

— Je ne sais pas, hésita Bridget, qui lança un long regard en biais du côté de Julian. Je n'ai pas encore décidé.

— Je lui cire les pompes. Je sors le grand jeu signé Woodbead.

— Si tu ne fais pas attention, elle va voir le grand jeu signé Behan. Et toi, jeune homme ? fit-il en se tournant vers moi. On dirait que tu préférerais être n'importe où ailleurs.

— Pas du tout, rétorquai-je, ne voulant pas laisser tomber Julian. Je m'amuse beaucoup.

— Faux.

— Si.

— Si comment ?

— Si Mr Behan..., dis-je sans être certain de comprendre ce qu'il attendait.

— Je lis clairement en toi, déclara-t-il en se penchant et en me regardant droit dans les yeux. Tu es comme un mur de verre. Je vois jusqu'au plus profond de ton âme, qui est une sombre grotte remplie de pensées indécentes et de fantasmes immoraux. Bravo. »

Un long silence s'ensuivit, pendant lequel tout le monde, à l'exception de Behan, se sentit mal à l'aise.

« Bridget, finit par dire Mary-Margaret, d'une voix pâteuse. Je crois qu'il est temps que je rentre. Je ne veux pas rester une minute de plus.

— Prends un autre snowball, insista Bridget, qui commençait à être aussi ivre que nous ; elle agita un doigt au-dessus de la table sans même lever les yeux et à ma grande surprise, en deux minutes, une nouvelle tournée arriva.

— Est-ce que tout ce que vous avez raconté dans votre livre est vrai ? demanda Julian. Dans *Borstal Boy*.

— Grands Dieux, j'espère que non, s'exclama-t-il en levant sa pinte. Un livre serait terriblement ennuyeux si tout ce qu'il racontait était vrai, ne croyez-vous pas ? Surtout une autobiographie. Je ne me souviens pas de la moitié, alors je présume que j'ai dû calomnier quelques personnes en chemin. Était-ce la raison pour laquelle votre père voulait qu'il soit interdit ?

— Il désapprouve votre passé.

— Avez-vous un passé scandaleux, Mr Behan ? demanda Bridget.

— Certainement. Quelle partie n'aime-t-il pas ?

— Quand vous avez essayé de faire exploser les docks de Liverpool, expliqua Julian. La raison pour laquelle vous avez atterri à Borstal.

— Votre papa n'est pas un sympathisant, si je comprends bien ?

— Il veut que les Britanniques reviennent et reprennent le contrôle. Il est né et a grandi à Dublin, mais il en a honte.

— Eh bien, il faut de tout pour faire un monde, j'imagine. Et vous, jeune homme ? questionna-t-il en se tournant vers moi.

— Ça m'est égal. Je ne m'intéresse pas à la politique.

— Dis-lui qui est ta mère, me coinça Julian en me donnant un coup de coude.

— Je ne sais pas qui est ma mère.

— Comment peut-on ne pas savoir qui est sa mère ? interrogea Behan.

— Il a été adopté, précisa Julian.

— Et vous ne savez pas qui est votre mère ?

— Non, répétai-je.

— Dis-lui qui est ta mère adoptive », insista Julian. Je baissai les yeux vers la table et me concentrai sur une tache que j'essayai de faire disparaître en la frottant avec mon pouce.

« Maude Avery, chuchotai-je.

— Maude Avery ? répéta Behan, en posant son verre et en me regardant avec un mélange d'incrédulité et d'humour. La Maude Avery qui a écrit *Comme l'alouette* ?

— Celle-là même.

— Un des meilleurs écrivains que l'Irlande ait jamais produits, assura-t-il et il ponctua sa phrase en tapant plusieurs fois la table du plat de la main. Vous savez, je crois que je me souviens de vous. Vous étiez à l'enterrement. J'y étais moi aussi.

— Forcément que j'étais présent. C'était ma mère adoptive.

— Elle trouvera la paix auprès du Seigneur, déclara Mary-Margaret sur un ton sentencieux qui me fit pivoter pour la regarder avec le plus grand mépris.

— Je vous vois encore, assis au premier rang dans un petit costume sombre. Juste à côté de votre père.

— De son père adoptif, ajouta Julian.

— La ferme, Julian, lâchai-je, dans un rare moment de déplaisir vis-à-vis de lui.

— Vous avez fait une lecture.

— C'est exact.

— Et chanté un chant.

— Non, ce n'était pas moi.

— C'était un chant magnifique. Toute l'assistance était en larmes.

— Je le répète, ce n'était pas moi. Je ne sais pas chanter.

— Yeats a dit que c'était comme écouter un chœur d'anges. O'Casey a avoué que c'était la première fois de sa vie qu'il pleurait.

— Je n'ai pas chanté, répétai-je.

— Avez-vous conscience de l'estime dans laquelle nous tenions tous votre mère ?

— Je ne la connaissais pas très bien, marmonnai-je, en regrettant que Julian ait abordé ce sujet.

— Comment pouviez-vous ne pas bien la connaître ? Si elle était votre mère ?

— Ma mère adoptive, insistai-je pour la nième fois.

— Quand vous a-t-elle adopté ?

— J'avais trois jours.
— Trois ans ?
— Trois jours.
— Trois jours ? Elle était forcément votre vraie mère, en pratique.
— Nous n'étions pas proches.
— Avez-vous lu ses livres ?
— Non.
— Aucun ?
— Aucun.
— Je lui ai pourtant conseillé de le faire, intervint Julian, qui se sentait peut-être un peu exclu de la conversation.
— Pas même *Comme l'alouette* ?
— Pourquoi est-ce que les gens n'arrêtent pas de me dire de le lire ? Non, pas même *Comme l'alouette*.
— Bon, fit Behan. Vous devriez, si vous vous intéressez un tout petit peu à la littérature irlandaise.
— C'est le cas.
— Grands Dieux, s'exclama-t-il en promenant son regard entre Julian et moi. Votre père est Max Woodbead, votre mère est Maude Avery. Et vous, les filles ? Qui sont vos parents ? Le pape ? Alma Cogan ? Doris Day ?
— Je descends, dis-je en lançant un coup d'œil à la tablée. Faut que j'aille pisser.
— On n'a pas besoin d'être au courant, rétorqua Mary-Margaret.
— Je t'emmerde, ripostai-je, avant d'être pris d'un fou rire.
— Vous savez quoi, proposa Behan en lui souriant d'un air affectueux, si vous voulez vous détendre un peu, peut-être que vous devriez descendre avec lui. Je parie qu'il trouverait un moyen de vous soulager. Va bien falloir que vous la perdiez un jour, jeune fille, et lui aussi. Quant à ces deux-là, poursuivit-il en se tournant vers Julian et Bridget, ils sont déjà bien avancés, je dirais. Pour un peu, il l'entraînerait sous la table et la baiserait sur place. »

Sans pouvoir entendre sa réponse, je poussai les sièges et dégringolai l'escalier, projetant de longs et furieux jets d'urine contre le mur du fond en regrettant qu'on soit venus au Palace Bar. Combien de temps Behan allait-il rester à notre table ? Et pourquoi Julian ne m'avait-il pas dit qu'il avait organisé une rencontre à quatre ? Craignait-il que, le sachant, je ne veuille pas le suivre ? Pourtant je serais venu. C'était plus facile de rester en face de lui à le regarder se livrer à toutes sortes de gesticulations, que d'être seul dans la chambre de Belvedere College à tout imaginer.

Lorsque je remontai du sous-sol, Behan était retourné au bar et Bridget frottait le bras de Mary-Margaret qui se tamponnait les yeux avec un mouchoir.

« C'était une question tellement vulgaire. Quel genre de femme ferait une chose pareille ?

— Ne te mets pas dans cet état-là, la consola Bridget. C'est un truc américain, c'est tout. Il en a probablement entendu parler là-bas.

— Cyril, c'est ta tournée, je crois, lança Julian en faisant un mouvement de la tête en direction des filles.

— Nous n'allons pas passer toute la soirée, ici, quand même ? demanda Bridget.

— Je ne reste pas une minute de plus, trancha Mary-Margaret. Oh, qu'un homme pareil me dise des choses comme ça ! Mes parties intimes sont mes affaires et celles de personne d'autre. » Elle se retourna brusquement et manifestant un peu de vivacité pour la première fois depuis qu'elle était arrivée, elle rugit en direction du bar. « Ils devraient vous renvoyer à Borstal et vous laisser pourrir là-bas, espèce de cochon ! »

Les épaules de Behan tressaillaient tant il riait et il leva son verre en guise de salut tandis que les autres hommes s'esclaffaient et criaient *Te voilà prévenu, Brendan*, et *Bien dit, la petite salope.* Mary-Margaret avait la mine de quelqu'un qui allait fondre en larmes d'une seconde à l'autre, ou se déchaîner et saccager le Palace Bar jusqu'à la dernière brique.

« Dublin est une grande ville, tenta Julian qui tenait à sauver la soirée. Nous pourrions aller nous asseoir sur la pelouse à Trinity College et regarder les tapettes jouer au cricket.

— Bonne idée, approuva Bridget. La soirée est agréable. Et ils sont toujours tellement beaux, dans leurs jolis vêtements blancs.

— Si tu commences à avoir froid sur l'herbe, tu peux compter sur moi pour te tenir chaud », fit-il et elle gloussa à nouveau. Puis nous nous levâmes.

Nous terminâmes nos verres et nous dirigeâmes vers la porte ; j'essayai de me rapprocher de Julian pour lui demander discrètement si nous ne pourrions pas aller quelque part juste nous deux, mais en avançant j'effleurai par erreur le bras de Mary-Margaret.

« Je vous en prie, me rabroua-t-elle sèchement. Ça ne coûte pas plus cher d'avoir des manières.

— Désolé », m'excusai-je, essayant surtout de ne pas la regarder, de peur qu'elle ne me transforme en pierre.

Nous nous retrouvâmes dans la rue, Mary-Margaret et moi manifestement accablés alors que Julian et Bridget se cramponnaient l'un à l'autre comme des sangsues.

« Qu'est-ce que tu as dit, Cyril ? demanda Julian, en me regardant, alors que Bridget enfouissait son visage dans son cou, et d'une manière assez inexplicable pour moi, elle semblait le mordre comme une sorte de vampire enivré.

— Rien.

— Oh, je croyais t'avoir entendu dire que tu allais raccompagner Mary-Margaret à son arrêt de bus, puis prendre toi aussi le bus pour rentrer à l'école et qu'on se retrouverait demain.

— Non, protestai-je, secouant la tête, complètement abasourdi. Je n'ai même pas ouvert la bouche.

— Je crois que tu essaies de me faire succomber à la tentation », susurra Bridget, en lui lançant un clin d'œil et elle se colla encore plus contre lui. Je détournai le regard et aperçus une voiture qui déboucha à grande vitesse au coin de Dame Street, tourna vers nous et remonta Westmoreland Street. Elle s'arrêta à côté de nous dans un hurlement de freins et les deux portières arrière s'ouvrirent brusquement.

« Mais qu'est-ce que... ? » fit Julian au moment où deux hommes cagoulés bondissaient et l'attrapaient sans ménagement. Un troisième homme avait déjà ouvert le coffre. Avant que quiconque ait eu le temps de protester, ils le jetèrent à l'intérieur, fermèrent et remontèrent dans la voiture puis repartirent en trombe. L'événement avait eu lieu en moins d'une demi-minute et tandis que la voiture disparaissait au bout d'O'Connell Street, je restai planté là et la regardai partir, sans trop comprendre le truc fou qui venait de se passer sous mes yeux. C'est par simple réflexe que j'attrapai Mary-Margaret qui se pencha et se mit à vomir sur le trottoir sa demi-douzaine de snowballs. Elle m'entraîna dans sa chute et je tombai sur elle dans une position tellement suspecte qu'une vieille dame me tapa avec son parapluie, disant que nous n'étions pas des animaux et que si nous ne cessions pas immédiatement, elle allait appeler les Gardaí et nous faire arrêter tous les deux pour attentat à la pudeur.

Rançon

La demande de rançon comportait un grand nombre de fautes d'orthographe et de ponctuation, ce qui laissait supposer un certain degré d'analphabétisme chez les kidnappeurs de Julian. Il fallait cependant reconnaître que la formulation était excessivement polie.

> *Bonjour. Nous avons le garcon. Et nous savon que son père, il est riche, et un traitre à la cose d'une Irlande unie, alors nous voulons 100 000 livres ou sinon on lui mettra une balle dans la tête.*
> *Des instructions suivrons.*
> *Merci. Cordialement.*

En quelques heures, l'enlèvement faisait la une de tous les bulletins d'information du pays, et une photographie affreuse de Julian, l'air angélique dans son uniforme de l'école, circulait dans la presse. Suivant les consignes du chef de la police, on ne révéla guère plus que l'identité du jeune homme de quinze ans, le fait qu'il était le fils d'un des plus grands avocats d'Irlande, et la confirmation qu'il avait été enlevé en plein jour, dans le centre-ville. Lors d'une conférence de presse organisée à la hâte, le chef de la police évita toutes les questions portant sur l'IRA ou la Campagne des frontières et se contenta d'affirmer qu'aucun membre des forces de l'ordre ne serait en repos tant que le jeune homme ne serait pas retrouvé, même s'il était déjà tard et que les recherches actives ne commenceraient que le lendemain matin à 9 heures.

Bridget, Mary-Margaret et moi fûmes conduits au commissariat de Pearse Street et lorsque je demandai pourquoi les filles restaient assises dans le couloir tandis qu'on m'emmenait dans une pièce à part, on me répondit que c'était pour s'assurer que je ne molesterais ni l'une ni l'autre dans les locaux de la police. Je ne sais pas trop ce qui, dans mon apparence, leur laissa supposer que j'étais un violeur pubère, mais pour une raison étrange, je pris la remarque pour un compliment. Ils me donnèrent une tasse de thé chaud très sucré et un demi-paquet de Marietta. Lorsque mes frissons s'espacèrent, je me rendis compte que je tremblais sans arrêt depuis que la voiture avait disparu dans Westmoreland Street avec Julian dans son coffre. On me laissa seul presque une heure et quand la porte s'ouvrit enfin, c'est mon père adoptif qui, à mon grand étonnement, en franchit le seuil.

« Charles. » Je me levai pour lui tendre la main, la forme de salut qu'il préférait. J'avais essayé une fois de le serrer dans mes bras, à l'enterrement de Maude, et il avait eu un mouvement de recul comme si j'avais la lèpre. Plusieurs mois étaient passés depuis notre dernière rencontre. Son teint me parut plus foncé, comme s'il revenait de vacances à l'étranger. Et ses cheveux, qui avaient commencé à prendre une respectable couleur grise, avaient changé du tout au tout – ils étaient à nouveau noirs. « Qu'est-ce que vous faites ici ?

— Je ne sais pas très bien, avoua-t-il en regardant autour de lui avec la curiosité de quelqu'un qui ne s'était jamais trouvé dans un commissariat, alors qu'il avait passé deux ans enfermé au Joy à ressasser ses indélicatesses à l'égard du fisc. J'étais à la banque quand les Gardaí sont arrivés et je dois avouer que lorsqu'ils sont entrés dans mon bureau, j'ai eu un peu peur. J'ai cru que j'avais à nouveau des ennuis. Mais non, c'était juste pour me dire que tu étais détenu ici et qu'ils avaient besoin qu'un parent ou un tuteur soit présent pendant l'interrogatoire. J'imagine que je suis ce qu'il y a de plus proche de l'un et de l'autre. Alors, comment ça va, Cyril ?

— Pas très bien. Mon meilleur ami s'est fait kidnapper par l'IRA et a été emmené je ne sais où. On ignore s'il est vivant ou mort.

— C'est affreux, répondit-il en secouant la tête. Et est-ce que tu as entendu que Seán Lemass est le nouveau Taoiseach ? Qu'est-ce que tu penses de lui ? Je n'aime pas toute cette huile qu'il se met sur les cheveux. Ça lui donne l'air méchant. » Il se retourna quand la porte s'ouvrit et un Garda d'un certain âge entra, portant un dossier et une tasse de thé. Il se présenta : Sergent Cunnane.

« Vous êtes le père de ce garçon ? demanda-t-il à Charles tandis que nous nous asseyions.

— Son père adoptif. Cyril n'est pas un vrai Avery, comme vous pouvez le constater rien qu'en le regardant. Ma femme et moi l'avons pris sous notre toit alors qu'il n'était qu'un bébé, dans un acte de charité chrétienne.

— Est-ce que votre épouse s'apprête à nous rejoindre, elle aussi ?

— J'en serais tout à fait choqué. Maude est morte il y a quelques années. Un cancer. Elle l'a vaincu quand il était dans son conduit auditif mais une fois propagé dans sa gorge et sa langue, c'était fini. Rideau.

— Je suis vraiment désolé. » Mais Charles accueillit cette marque de sympathie par un mouvement désinvolte de la main.

« Ne le soyez pas. Le temps a pansé les plaies. Et ce n'est pas comme si je n'avais pas d'autres options. Maintenant, dites-moi, sergent, que se passe-t-il ici exactement ? En venant, j'ai entendu des bribes à la radio, mais j'ignore l'essentiel.

— Il semblerait que votre fils…

— Fils adoptif.

— Il semblerait que Cyril ici présent et son ami Julian aient quitté l'enceinte de Belvedere College dans l'après-midi en enfreignant le règlement pour se rendre à un rendez-vous avec deux filles plus âgées au Palace Bar, sur Westmoreland Street.

— S'agit-il des deux filles que j'ai vues assises dans le couloir ? L'une d'elles pleure comme une fontaine et l'autre a l'air d'en avoir plein le cul.

— Oui, ce sont elles, acquiesça le sergent Cunnane tandis que gêné, je détournais les yeux.

— Laquelle était la tienne, Cyril ? me demanda Charles. La fontaine ou le cul ? »

Je me mordis la lèvre, sans savoir quoi répondre. Au sens strict, aucune d'elles n'était la mienne, mais si nous devions être appariés d'une manière quelconque, il ne pouvait y avoir qu'une seule réponse.

« La fontaine. »

Il émit un *tsss* désapprobateur et son visage exprima toute sa déception. « Vous savez, concéda-t-il en se tournant vers le sergent, si j'avais dû parier, j'aurais deviné qu'il dirait fontaine, mais j'espérais sincèrement pour lui que ce serait cul. Parfois je me demande quelle erreur j'ai commise. Il ne me semble pourtant pas lui avoir appris à respecter les femmes.

— Mr Avery, reprit le sergent, qui réussissait malgré tout à garder son calme. Nous devons poser quelques questions à votre fils... à votre... à Cyril. Pourriez-vous juste garder le silence pendant cet entretien ?

— Bien sûr, bien sûr. Une affaire affreuse, certainement. Qui est ce Julian, d'abord ? Celui qui s'est fait enlever ?

— Mon compagnon de chambre. Julian Woodbead. »

Il bondit sur sa chaise comme une balle de fusil. « Pas le fils de Max Woodbead ?

— Lui-même, affirma le sergent.

— Ah ! s'exclama-t-il en se mettant tout à coup à applaudir frénétiquement. Comme c'est amusant ! Cet homme, Max Woodbead, était mon avocat il y a quelques années. Il n'était pas aussi connu qu'aujourd'hui, bien sûr, il s'est fait un nom grâce à moi. À l'époque, nous étions les meilleurs amis du monde, mais je le reconnais volontiers, j'ai pris quelques mauvaises décisions sur le plan marital, et disons que j'ai mis mon vieux tuyau d'arrosage sur la pelouse de quelqu'un d'autre. Celle de Max, pour être précis, et quand il a découvert la chose, il m'a bien baisé. » Charles tapa si fort du poing sur la table qu'il nous fit sursauter, et le thé déborda par-dessus la tasse du sergent. « Et vous savez quoi ? Je ne lui en ai jamais tenu rigueur. Il était dans son droit. Mais ensuite, lorsque j'étais en prison, il a racheté ma maison pour une bouchée de pain et a jeté ma femme et mon fils adoptif à la rue, alors que Maude n'était pas en bonne santé. Je ne lui pardonnerai jamais d'avoir fait une chose aussi affreuse. Ceci étant dit, c'est épouvantable de perdre un fils. Un parent ne devrait jamais avoir à enterrer un enfant. J'ai eu une fille autrefois mais elle n'a vécu que quelques jours et...

— Mr Avery, je vous en prie, insista le sergent tout en se frottant les tempes comme s'il sentait venir une migraine. Personne n'a perdu personne, pour l'instant.

— Eh bien, égarer un fils, si vous préférez. Il y a une phrase qui me revient. Oscar Wilde, je crois. Vous la connaissez ?

— Si vous pouviez vous taire pendant que je parle à Cyril. »

Charles eut l'air perplexe, comme s'il ne parvenait pas à comprendre où se situait le problème. « Mais certainement, il est assis juste là, précisa-t-il en me désignant d'un geste. Demandez-lui tout ce que vous voulez, je ne vous en empêche pas.

— Merci, dit le sergent Cunnane. Cyril, tu n'as pas d'ennuis. Mais j'ai besoin de savoir la vérité, d'accord ?

— Oui monsieur, répliquai-je, soucieux de plaire. Mais est-ce que je peux vous demander, pensez-vous que Julian est mort ?

— Non, pas du tout. Il ne s'est pas écoulé beaucoup de temps et nous ne sommes pas encore en possession des détails précisant l'endroit où les kidnappeurs veulent que l'argent soit envoyé. Ils vont le garder un peu. Il est leur garantie, tu vois. Ils n'ont aucune raison de lui faire du mal. »

Je poussai un soupir de soulagement. L'hypothèse que Julian puisse être assassiné me terrorisait au plus haut point. Je ne savais pas si je pourrais survivre à un tel événement.

« Cyril, explique-moi, pourquoi êtes-vous allés en ville cet après-midi ?

— C'était l'idée de Julian. Je croyais que nous allions regarder un peu les vitrines ou peut-être voir un film, mais en réalité, il avait prévu de retrouver Bridget et voulait que je vienne avec lui parce qu'elle amenait une autre fille pour que nous soyons quatre. J'aurais préféré aller à Stephen's Green donner à manger aux canards.

— Oh, c'est pas vrai », fit Charles en levant les yeux au ciel.

Le sergent l'ignora et prit des notes. « Et comment connaissait-il Miss Simpson ?

— Qui est Miss Simpson ?

— Bridget.

— Oh.

— Où s'étaient-ils rencontrés ?

— Au salon de thé à Leinster House. Nous sommes allés là-bas en sortie scolaire il y a deux ou trois semaines.

— Et ils ont sympathisé, c'est ça ? »

Je haussai les épaules. Je ne savais pas trop quelle réponse donner.

« Est-ce que cette Bridget est déjà venue à votre école ? questionna-t-il. A-t-elle passé du temps avec Julian dans votre chambre ?

— Non, répondis-je en rougissant. Je ne savais même pas que Julian était resté en contact avec elle. Ils ont dû s'écrire des lettres, mais il ne m'en a jamais parlé.

— Nous tirerons tout cela au clair, indiqua le sergent Cunnane. En ce moment même nous avons un agent là-bas qui fouille les lieux. Il devrait revenir d'une minute à l'autre. »

J'écarquillai les yeux, pris de panique et sentis mon estomac se serrer. « Qui fouille quoi ?

— Votre chambre. Au cas où quelque chose puisse nous aider à retrouver Julian.

— Est-ce que vous fouillerez seulement son côté de la chambre ?

— Non, rétorqua-t-il en fronçant les sourcils. Nous ne pouvons pas savoir quel côté est le sien. De plus, les affaires peuvent se mélanger. Désolé, Cyril, mais nous allons fouiller tes affaires aussi. Tu n'as rien à cacher, n'est-ce pas ? »

Je jetai un regard autour de moi, cherchant une corbeille à papier – je risquais fort de me mettre à vomir.

« Est-ce que ça va ? Tu es un peu pâle, tout à coup.

— Ça va bien, murmurai-je, la voix un peu étranglée. Je suis juste inquiet pour lui, c'est tout. C'est mon meilleur ami.

— Sérieusement, Cyril, intervint Charles l'air un peu dégoûté. Est-ce que tu peux arrêter de parler comme ça ? On dirait vraiment une tapette.

— As-tu vu Julian communiquer avec des étrangers ? demanda le sergent, ignorant la dernière intervention de mon père adoptif.

— Non.

— Jamais d'hommes bizarres dans l'enceinte de l'école ?

— Rien que les curés.

— Tu ne dois pas me mentir, Cyril, gronda-t-il, me menaçant du doigt. Parce que je le saurai, si tu me caches la vérité.

— Si c'est vrai, alors vous devez savoir que je ne mens pas. Je n'ai vu personne.

— D'accord. Nous avons des raisons de croire que les hommes qui se sont emparés de Julian préparaient leur coup depuis un certain temps. Son père a reçu des menaces de mort de l'IRA après l'article qu'il a écrit dans le *Sunday Press* il y a deux mois, affirmant que le meilleur morceau de musique de tous les temps était "God Save the Queen".

— Je dois avouer quelque chose, annonça Charles en se penchant en avant, le visage empreint de gravité.

— De quoi s'agit-il, Mr Avery ? s'enquit le sergent Cunnane, et il se tourna vers lui, l'air soupçonneux.

— Je n'en ai jamais parlé à personne avant. Et dans cette pièce, qui est un genre de confessionnal, je suppose, j'ai l'impression que je peux le dire, en particulier parce que je suis entouré d'amis. Voilà. Je trouve que la reine est une femme très attirante. Elle a trente-trois ans aujourd'hui, je crois, cinq ans de plus que ce que je recherche habituellement, mais je ferais une exception, dans son cas. Il y a quelque chose d'assez sémillant chez elle, ne trouvez-vous pas ? Il lui faudrait probablement un peu d'échauffement, mais une fois qu'on aura desserré le corset...

— Mr Avery, l'interrompit le sergent. L'affaire qui nous occupe est sérieuse. Puis-je vous demander de vous taire, s'il vous plaît ?

— Oh je vous en prie, dit Charles qui s'adossa et croisa les bras. Cyril, réponds à ce monsieur avant qu'il ne nous enferme tous les deux.

— Mais il ne m'a pas posé de question, me récriai-je.

— Peu importe. Réponds-lui. »

Je me tournai vers le sergent, fort décontenancé.

« Cyril, est-ce que quelqu'un t'a jamais approché pour te demander où Julian et toi pourriez vous trouver à une heure donnée ?

— Non, sergent.

— Et qui aurait pu savoir que vous alliez au Palace Bar aujourd'hui ?

— Je ne le savais pas moi-même avant que nous y arrivions.

— Mais Julian le savait ?

— Oui, il avait organisé la sortie.

— Peut-être qu'il a donné cette information à l'IRA, suggéra Charles.

— Pourquoi ferait-il une chose pareille ? demanda le sergent Cunnane, en le regardant comme s'il était un parfait crétin.

— Vous avez raison. Ça n'a pas de sens. Poursuivez.

— Et Miss Simpson, Bridget, continua le sergent. Elle devait être au courant elle aussi ?

— Je suppose que oui.

— Et son amie, Miss Muffet ?

— Miss Muffet ? répétai-je en le regardant, ébahi. Le nom de famille de Mary-Margaret est Muffet ?

— Oui. »

J'essayai de ne pas éclater de rire. Ce nom devait nuire à son standing. « J'ignore ce qu'elle savait. »

On entendit frapper à la porte, un jeune Garda passa la tête et le sergent se leva en s'excusant, avant de nous laisser seuls, Charles et moi.

« Alors, entreprit-il enfin, après un silence. Comment vas-tu ?

— Bien.

— Et l'école, ça va ?

— Oui.

— Le bureau, c'est l'enfer. J'y suis toute la journée et une moitié de la nuit. Je t'ai dit que j'allais me remarier ?

— Non, fis-je, surpris. Quand ?

— La semaine prochaine. À une très gentille fille qui s'appelle Angela Manningtree. Une poitrine comme ça et des jambes jusqu'au cul. Vingt-six ans, fonctionnaire au ministère de l'Éducation, en tout cas jusqu'au mariage. Et assez intelligente, en plus, ce que j'apprécie chez une femme. Il faut que tu la rencontres un de ces jours.

— Est-ce que je suis invité au mariage ?

— Oh non, lâcha-t-il en secouant la tête. Ce sera en petit comité, juste les amis et la famille. Mais je te la présenterai sans faute quand tu auras des vacances. Je ne sais pas trop ce qu'Angela sera pour toi. Ni ta belle-mère ni ta belle-mère adoptive. C'est un mystère. Je vais peut-être consulter un juriste pour connaître le terme exact. Max est le meilleur avocat que je connaisse mais j'imagine qu'en ce moment, il a d'autres chats à fouetter. Tu t'es coupé au-dessus de l'œil, au fait. En avais-tu conscience ?

— Oui.

— Est-ce qu'un des kidnappeurs t'a agressé quand tu te battais vaillamment pour sortir ton ami de leurs griffes ?

— Non. Une vieille dame m'a frappé avec son parapluie.

— Forcément. »

La porte s'ouvrit à nouveau et le sergent Cunnane revint, feuilletant des papiers qu'il tenait entre ses mains.

« Cyril, est-ce que Julian avait une dulcinée en dehors de cette Bridget ?

— Une quoi ?

— Une petite amie.

— Non. Enfin, pas à ma connaissance.

— Nous avons découvert un certain nombre de lettres dans votre chambre, adressées à Julian. Elles sont assez... suggestives, disons. Érotiques, tu vois ? Cochonnes. Sur ce que cette fille ressent pour lui et les choses qu'elle veut lui faire. Mais elles ne sont pas signées. »

Je regardai fixement la table et m'efforçai de penser à quelque chose qui m'empêcherait de piquer un fard. « Je ne sais rien de ces lettres.

— En tout cas... Si Mrs Cunnane avait la moitié de l'imagination de cette jeune fille, je prendrais une retraite anticipée. »

Charles et lui éclatèrent de rire et je gardai les yeux rivés sur mes chaussures, priant pour que l'entretien touche bientôt à sa fin.

« Enfin, tout ceci paraît bien inoffensif. Et n'a probablement rien à voir avec l'enlèvement. Néanmoins, nous devons suivre toutes les pistes. » Il tourna les pages et reprit sa lecture, ses lèvres bougeaient tandis que son regard parcourait les feuilles et il finit par froncer les sourcils.

« Qu'est-ce que ça signifie, à votre avis ? » demanda-t-il, montrant la lettre à Charles et indiquant une phrase. Mon père adoptif lui chuchota quelque chose à l'oreille. « Grands Dieux, s'exclama le sergent en secouant la tête, incrédule. Je n'avais jamais entendu parler d'une chose pareille. Quel genre de femme ferait ça ?

— Les meilleures, répliqua Charles.

— Mrs Cunnane ne le ferait certainement pas. Mais elle vient de Roscommon. Enfin, cette fille, quelle qu'elle soit, veut le faire à Julian Woodbead.

— Ah, la jeunesse..., soupira Charles.

— Est-ce que je peux m'en aller maintenant ? demandai-je.

— Oui, répondit le sergent Cunnane en ramassant ses papiers. Je reprendrai contact avec toi si j'ai d'autres questions. Et ne t'inquiète pas, jeune Cyril, nous faisons tout ce qui est en notre pouvoir pour retrouver ton ami. »

Je sortis de la pièce et cherchai des yeux Bridget et Mary-Margaret mais elles n'étaient nulle part, alors j'attendis Charles, qui parut étonné de me voir encore là. Nous sortîmes ensemble dans Pearse Street.

« Bon, au revoir, dit-il en me serrant la main. À la prochaine !

— Je vous souhaite un bon mariage !

— C'est très gentil de ta part ! Et j'espère qu'ils retrouveront ton ami. Je plains Max, vraiment. Si j'avais un fils et que l'IRA l'avait kidnappé, je serais terriblement contrarié. »

Là-dessus, je tournai à droite, traversai la rue, et franchis O'Connell Street Bridge pour retourner à Belvedere College où d'autres punitions m'attendaient, j'en étais certain.

Petits péchés ordinaires

Après avoir transmis des instructions sur le lieu où les 100 000 livres devaient être déposées, les kidnappeurs, ne voyant rien venir, exprimèrent leur déception par l'envoi du petit orteil gauche de Julian à Dartmouth Square, le mardi suivant. Dans un geste inutilement cruel, ils adressèrent le paquet à sa jeune sœur Alice, qui, lorsqu'elle ouvrit l'emballage trempé de sang, dut s'enfuir en courant en poussant les mêmes cris hystériques que le jour de cet incident inattendu, sept années auparavant.

Nous voulon notre argent, sinon la prochaine fois, ce sera pire.
Cordialement.

En réponse, Max publia un communiqué selon lequel il ne pouvait pas réunir la somme demandée en si peu de temps – affirmation qui fut catégoriquement contredite par le *Dublin Evening Mail*. Selon le journal, il possédait des liquidités à hauteur de plus d'un demi-million de livres disponibles en moins de vingt-quatre heures. Elizabeth Woodbead, la mère de Julian et l'ancienne maîtresse de mon père adoptif, apparut à la télévision le visage ruisselant de larmes pour supplier qu'on relâche son fils. Elle portait autour du cou un gros médaillon qui, d'après certains garçons de ma classe, devait contenir l'orteil coupé de Julian. Cette hypothèse me parut trop dégoûtante pour être vraie.

Trois jours plus tard, un second paquet fut livré, déposé pendant la nuit devant la porte des Woodbead ; cette fois ils attendirent l'arrivée de la police pour l'ouvrir. À l'intérieur, se trouvait le pouce droit de Julian. Max persistait dans sa décision de ne pas payer, et à Belvedere College, un groupe d'élèves se rassemblait régulièrement dans ma chambre, devenue le lieu officiel où se retrouvaient ceux qui s'intéressaient à l'affaire, afin de débattre des raisons pour lesquelles il se montrait si dur.

« À l'évidence, il est radin, déclara James Hogan, un garçon étonnamment grand qui en pinçait pour l'actrice Joanne Woodward, avec qui il entretenait une relation épistolaire sans retour depuis plus d'un an. C'est incroyable, de ne pas s'émouvoir que son fils soit mutilé !

— Ce n'est pas vraiment de la mutilation », répondit Jasper Timson, un pianiste et accordéoniste assidu qui occupait la chambre à côté de la nôtre et qui m'agaçait terriblement parce qu'il trouvait toujours des prétextes pour parler à Julian seul à seul. Un jour, j'étais arrivé dans notre chambre et je les avais découverts assis côte à côte sur le lit de Julian avec une bouteille de vodka entre eux, complètement hilares. J'étais tellement jaloux que j'avais failli déclencher une bagarre. « Et je crois que Julian peut survivre avec neuf orteils et neuf doigts.

— Qu'il puisse survivre ou non n'est pas la question, Jasper, m'énervai-je, prêt à l'agresser s'il continuait à parler d'une manière si légère. Cela a dû être terrifiant pour lui. Sans parler de la douleur.

— Julian est un dur.

— Tu le connais à peine.

— Je le connais assez bien, en réalité.

— Non, ce n'est pas vrai. Tu n'habites pas avec lui.

— Je sais qu'il est le genre de gars qui mettrait la langue s'il faisait du bouche-à-bouche à quelqu'un.

— Retire ce que tu viens de dire, Timson !

— Oh la ferme, Cyril ! Tu n'es pas sa femme, merde, alors arrête de faire comme si.

— Avez-vous remarqué que les parties du corps qu'ils coupent sont de plus en plus grandes ? s'inquiéta James. Je me demande si sa queue est plus grosse que son pouce.

— Elle est beaucoup plus grosse », répondis-je sans réfléchir. Ils me regardèrent tous, sans trop savoir comment réagir à cette confidence plutôt intime. « Ben... on partage la même chambre, expliquai-je en rougissant un peu. Et de toute manière, une queue est toujours plus grosse qu'un pouce.

— Pas chez Peter, railla Jasper, en parlant de son compagnon de chambre, Peter Trefontaine, dont le pénis avait la forme bizarrement courbée que Julian avait décrite lors de cet après-midi fatidique. Elle est minuscule. Et malgré tout, il se balade tout le temps à poil comme s'il avait de quoi être fier. »

La troisième livraison arriva exactement une semaine après l'enlèvement et témoignait d'une plus grande cruauté encore. Elle contenait l'oreille droite de Julian.

Maintenant, il est exactement comme son papa

Voilà ce qu'on pouvait lire au dos d'une carte postale de John Hinde, la photographie de deux enfants roux debout de part et d'autre d'un âne portant une lourde charge dans les tourbières du Connemara.

C'est notre dernié avertissement.
Si nous ne recevon pas notre argent, la prochaine fois, ce serat sa tête.
Alors obéissez, maintenant, et passez un bon week-end.

Une deuxième conférence de presse fut organisée, cette fois au Shelbourne Hotel, et le peu de compassion que la presse avait ressentie pour Max avait totalement disparu, maintenant que Julian avait été amputé de trois parties de son corps. Selon l'opinion générale cet homme accordait plus de valeur à l'argent qu'à son propre fils et la nation était si furieuse qu'un compte avait été ouvert à la Bank of Ireland où les gens pouvaient faire des dons pour contribuer au financement de la rançon. Apparemment, presque la moitié de la somme exigée avait déjà été versée. J'espérais juste que Charles n'avait pas été nommé responsable de ce compte.

« On m'a beaucoup critiqué dernièrement sur ma façon de gérer cette affaire, déclara Max, assis très droit, portant, pour provoquer, une cravate ornée de l'Union Jack. Mais ils peuvent toujours courir pour que je donne un penny de mon argent durement gagné à un groupe de Républicains vicieux qui croient que l'enlèvement et la torture d'un adolescent peuvent servir leur cause. Si je cédais à leur demande, la somme servirait à acheter des armes et des bombes qu'ils utiliseraient contre les forces britanniques qui, avec raison, occupent le territoire au nord de la frontière et devraient retrouver leur place au sud. Vous pouvez découper mon fils en petits morceaux, ajouta-t-il, assez imprudemment, et me le renvoyer dans une centaine d'enveloppes à bulles, je ne céderai pas à vos exigences. » Il y eut une longue pause pendant laquelle il agita quelques papiers posés devant lui – à l'évidence il s'était éloigné de son texte. « Évidemment, je ne veux pas que vous agissiez ainsi. C'était une métaphore. »

Pendant cette conférence de presse, la plus grande chasse à l'homme de l'histoire du pays était menée par le sergent Cunnane, et Julian était pratiquement devenu, en l'espace d'une semaine, la personne la plus célèbre d'Irlande. Dans tous les comtés, des Gardaí suivaient des pistes, inspectaient des fermes et des granges abandonnées à la recherche du moindre indice. Sans succès.

L'école se poursuivait normalement et les curés insistaient pour que nous priions pour notre camarade avant chaque cours, ce qui signifiait huit prières par jour, sans compter les bénédictions habituelles du matin et du soir. Mais on aurait dit que Dieu n'écoutait pas ou qu'il avait pris le parti de l'IRA. Bridget donna une interview dans l'*Evening Press* dans laquelle elle déclara que Julian et elle étaient « on ne peut plus intimes » et qu'elle n'avait jamais eu un petit ami qui soit aussi poli et respectueux. « Pas une fois il n'a essayé de profiter de moi », affirma-t-elle entre deux sanglots, et je m'attendais presque à voir son nez s'allonger, tant ses mensonges étaient éhontés. « Je ne crois pas que des pensées impures lui aient jamais traversé l'esprit. »

Les nuits où je me retrouvais seul dans notre chambre, couché sur le lit de Julian, une main calée derrière la tête, l'autre posée sur le devant de mon bas de pyjama, les yeux rivés au plafond, je commençai à accepter l'idée de ce que j'étais. Depuis aussi longtemps que je me souvienne, je savais que j'étais différent des autres garçons. Quelque chose en moi souhaitait ardemment l'amitié et l'approbation de mes pairs d'une manière que ne désiraient jamais les autres. D'après les curés, c'était une maladie qui faisait commettre le plus grave des péchés, et ils répétaient que tout garçon assez mauvais pour avoir des pensées lubriques dont l'objet était un autre garçon irait droit en enfer pour y passer l'éternité à brûler dans des flammes avec, assis à côté de lui, le Diable hilare prêt à l'embrocher sur son trident. Je m'étais endormi tant de fois dans cette pièce, la tête pleine de fantasmes délirants sur Julian, alors qu'il était allongé là, à trois mètres de moi. Mais là, mes fantasmes n'étaient pas sexuels, ils étaient macabres.

Je pensais à ce que ses kidnappeurs allaient peut-être lui faire, quelle partie du corps ils trancheraient ensuite, à quel point cela avait dû être affreux chaque fois qu'il voyait approcher une scie ou une cisaille. Julian avait toujours été à mes yeux un garçon vaillant, insouciant, qui ne laissait jamais le monde peser sur lui. Mais quel adolescent de quinze ans pouvait surmonter une épreuve pareille sans en être profondément changé ?

Après moult introspections, je décidai d'aller me confesser. Peut-être, si je priais pour sa libération et que je confessais mes péchés, alors Dieu jugerait bon d'avoir pitié de mon ami. Je n'allai pas à l'église à Belvedere, où les curés m'auraient reconnu et auraient probablement brisé le secret de la confession pour me mettre à la porte. J'attendis le week-end et partis en ville seul, pour me diriger vers Pearse Street et l'immense église qui se trouvait à côté de la gare.

Je n'y étais jamais allé et je fus un peu impressionné par la grandeur des lieux. L'autel était préparé pour les messes du lendemain et des rangées de bougies étaient allumées sur des chandeliers en cuivre. Une bougie coûtait un penny. Je jetai deux pièces dans le tronc puis j'en choisis une et la plaçai au milieu de la première rangée. Je contemplai la flamme, qui tressaillit quelques instants avant de se stabiliser. Agenouillé sur le sol, je dis une prière, ce que je n'avais jamais fait avec autant de solennité. Je vous en prie, ne laissez pas mourir Julian, demandai-je à Dieu. Et s'il vous plaît, empêchez-moi d'être un homosexuel. C'est seulement quand je me fus relevé et éloigné que je compris que j'avais fait deux prières, alors j'y retournai et allumai une deuxième bougie, qui me coûta un autre penny.

Une petite vingtaine de personnes, toutes âgées, étaient dispersées sur les bancs, le regard dans le vague. Je passai à côté d'elles à la recherche d'un confessionnal dont la lumière était allumée. Lorsque j'en trouvai un, j'entrai, refermai la porte derrière moi et attendis dans le noir que la grille s'ouvre.

« Bénissez-moi, mon père, car j'ai péché », murmurai-je. Une bouffée d'odeur corporelle m'assaillit si intensément que j'eus un mouvement de recul et me cognai la tête contre la paroi. « Trois semaines se sont écoulées depuis ma dernière confession.

— Quel âge as-tu, mon fils ? demanda la voix, qui paraissait assez vieille.

— Quatorze ans. Quinze le mois prochain.

— Les garçons de quatorze ans doivent se confesser plus d'une fois toutes les trois semaines. Je vous connais, vous, les garçons. Toujours en train de préparer un mauvais coup. Me promets-tu que tu iras plus souvent, à l'avenir ?

— Je le promets, mon père.

— Tu es un bon garçon. Alors, quels péchés as-tu à confesser au Seigneur ? »

Je déglutis avec peine. Je me confessais à peu près régulièrement depuis ma première communion, sept ans plus tôt, mais pas une fois je n'avais dit la vérité. Comme tout le monde, je me contentais d'inventer de petits péchés ordinaires et je les débitais sans trop réfléchir avant d'accepter ma pénitence, dix *Ave* et un *Notre Père*. Mais aujourd'hui, je m'étais juré que je serais honnête. Je confesserais tout et si Dieu était de mon côté, si Dieu existait vraiment et pardonnait aux pécheurs manifestant une contrition sincère, alors il prendrait acte de ma culpabilité et libérerait Julian sans qu'il lui soit fait plus de mal.

« Mon père, ce dernier mois, j'ai volé des bonbons dans un magasin de mon quartier six fois.

— Dieu tout-puissant, fit le prêtre, horrifié. Pourquoi as-tu fait cela ?

— Parce que j'aime les bonbons. Et je ne peux pas me les offrir.

— Eh bien, c'est assez logique, je suppose. Et comment as-tu fait ?

— Derrière le comptoir, il y a une vieille dame. Elle reste tout le temps assise à lire le journal. C'est facile de prendre des choses sans qu'elle s'en aperçoive.

— C'est un péché terrible. Tu sais que ce magasin est probablement le gagne-pain de cette bonne dame ?

— Oui, mon père.

— Me promets-tu de ne jamais recommencer ?

— Je le promets, mon père.

— Très bien. Tu es un bon garçon. Autre chose ?

— Oui, mon père. Il y a un curé dans notre école que je n'aime pas beaucoup et dans ma tête, je l'appelle la Bite.

— La quoi ?

— La Bite.

— Dieu tout-puissant, qu'est-ce que ça signifie ?

— Vous ne savez pas, mon père ? demandai-je.

— Si je le savais, est-ce que je te poserais la question ? »

Je déglutis avec peine. « C'est un autre mot pour un... vous voyez, la queue.

— La queue ? Que veux-tu dire ? Quelle queue ?

— La queue, mon père.

— Je ne comprends pas. »

Je me penchai et je chuchotai à travers la grille. « Le pénis, mon père.

— Dieu tout-puissant. T'ai-je bien entendu ?

— Si vous pensez que j'ai dit pénis, alors oui, vous avez bien entendu, mon père.

— C'est bien ce que j'ai cru entendre. Pourquoi donc appellerais-tu un curé de ton école un pénis. Comment pourrait-il être un pénis ? Un homme ne peut pas être un pénis, il ne peut être qu'un homme. Cela n'a aucun sens.

— Je suis désolé, mon père. C'est pour cela que je me confesse.

— Eh bien, en tout cas, arrête. Appelle-le par son vrai nom et témoigne un peu de respect à cet homme. Je suis sûr qu'il traite bien tous les garçons de ton école.

— Ce n'est pas le cas, mon père. Il est méchant et il nous bat très souvent. L'année dernière il a envoyé un garçon à l'hôpital parce qu'il avait éternué trop fort en classe.

— Peu importe. Tu vas l'appeler par son vrai nom sinon il n'y aura pas de pardon pour toi, me comprends-tu ?

— Oui, mon père.

— Bon. J'ai presque peur de poser la question, mais y a-t-il autre chose ?

— Oui, mon père.

— Vas-y. Je vais me cramponner à mon siège.

— C'est un peu délicat, mon père.

— C'est la raison pour laquelle le confessionnal existe. Ne t'inquiète pas, tu ne parles pas à moi, tu parles à Dieu. Il voit tout, il entend tout. Tu ne peux pas avoir de secret pour lui.

— Il faut que je le dise, alors ? demandai-je. Ne le sait-il pas, de toute façon ?

— Il le sait. Mais il veut que tu le dises à haute voix. Pour que ce soit bien clair. »

Je pris une grande inspiration. J'avais eu besoin de beaucoup de temps pour que la chose mûrisse mais j'étais prêt. « Je crois que je suis un peu bizarre, mon père. Les autres garçons de ma classe parlent tout le temps de filles mais moi, je ne pense jamais aux filles, je ne pense qu'aux garçons, et je veux leur faire toutes sortes de choses cochonnes comme leur enlever leurs vêtements et les embrasser sur tout le corps et jouer avec leur queue et il y a ce garçon qui est mon meilleur ami, il dort dans le lit à côté du mien et il m'obsède et parfois quand il dort, je descends mon pyjama et je me paluche et j'en mets partout et même après, quand je crois pouvoir m'endormir, je songe à d'autres garçons et à toutes les choses que j'ai envie de leur faire et vous savez ce qu'est une pipe, mon père, parce que j'ai commencé à écrire des histoires sur les garçons que j'aime bien et en particulier sur mon ami Julian et j'ai commencé à utiliser des mots comme ça et… »

Tout à coup, j'entendis un fracas terrible de l'autre côté et je levai les yeux, surpris. La silhouette du prêtre avait disparu et à sa place, un rai de lumière entrait dans le confessionnal.

« Dieu, c'est vous ? demandai-je, la tête penchée en arrière. C'est moi, Cyril. »

J'entendis des cris à l'extérieur et ouvris la porte pour jeter un coup d'œil. Le curé était tombé de son siège et était allongé sur le sol, les mains serrées sur la poitrine. Il devait avoir au moins quatre-vingts ans et les paroissiens étaient penchés sur lui. Ils appelaient à l'aide et son visage devenait de plus en plus bleu. À côté de sa tête, un des carreaux s'était cassé en deux.

Je le regardai, bouche bée, les yeux écarquillés, et il leva lentement un doigt noueux pour le pointer sur moi. Ses lèvres s'entrouvrirent et je vis ses dents toutes jaunes – la bave commença à couler sur son menton.

« Suis-je pardonné, mon père ? questionnai-je en me penchant sur lui, essayant d'ignorer la puanteur de son haleine. Mes péchés sont-ils pardonnés ? »

Ses yeux partirent en arrière, son corps fut secoué par une ultime convulsion, il laissa échapper un râle et ce fut tout. Il était mort.

« Dieu nous bénisse, le père est mort, annonça un vieil homme, accroupi par terre et qui soutenait la tête du curé.

— Vous croyez qu'il m'a pardonné ? Avant de claquer ?

— Oui, j'en suis sûr, répondit l'homme en prenant ma main et lâchant la tête du prêtre qui tomba lourdement sur le sol en marbre – le bruit creux résonna dans tout l'édifice. Il serait heureux de savoir que son dernier acte sur cette terre a été d'accorder le pardon de Dieu.

— Merci », fis-je, rasséréné par ses paroles. Je quittai l'église au moment où les ambulanciers arrivaient. C'était une journée étonnamment ensoleillée et à dire vrai, je me sentais absous, même si j'avais la certitude que les sensations cachées au plus profond de moi ne disparaîtraient jamais.

Le matin suivant, j'appris que Julian avait été retrouvé. Un groupe d'agents spéciaux avait suivi des pistes jusqu'à une ferme à Cavan. Il était enfermé dans une salle de bains, ses trois geôliers dormant à l'extérieur. L'un fut tué pendant l'assaut, les deux autres furent arrêtés. Malgré la disparition d'un orteil, d'un doigt et d'une oreille, le reste de son corps était encore intact et il avait été emmené à l'hôpital pour être soigné.

Si j'avais été un croyant plus convaincu, j'aurais peut-être cru que Dieu avait accédé à mes prières. Mais avant de m'endormir, ce soir-là, j'avais déjà commis quelques péchés supplémentaires, alors je préférais attribuer sa libération aux talents de An Garda Síochána qui avait mené l'enquête. Cette explication me parut plus appropriée.

1966

Dans la ménagerie des reptiles

Comme des oreillers moelleux

Bien que l'immuable routine me parût parfois tristement répétitive, je trouvais sa régularité étrangement réconfortante. Chaque matin mon réveil sonnait à 6 heures précises et je m'octroyais une courte et légère séance d'onanisme avant de me lever à 6 h 15. En passant le premier à la salle de bains, je ne courais aucun risque de devoir me laver à l'eau froide, et lorsque j'en sortais, torse nu, avec une serviette autour des reins, je croisais Albert Thatcher, le jeune comptable qui occupait la chambre voisine de la mienne, en slip et encore ensommeillé, ce qui n'était pas totalement désagréable pour commencer la journée. Albert et moi avions pris pension chez une vieille veuve, Mrs Hogan, sur Chatham Street, plus d'un an auparavant, à seulement quelques semaines d'intervalle, et dans l'ensemble, nous nous entendions assez bien. Le bâtiment était assez bizarre. Une trentaine d'années avant, un appartement destiné à la location avait été acheté par feu le mari de Mrs Hogan, et après sa mort, une cloison avait été supprimée pour créer deux chambres à l'étage. Mrs Hogan et son fils Henry vivaient dans la maison voisine – elle était complètement muette, lui totalement aveugle – et pourtant, à eux deux, ils surveillaient nos entrées et sorties avec l'efficacité d'une agence de renseignements gouvernementale. Comme des siamois, ils n'allaient nulle part l'un sans l'autre. Le bras de Henry était en permanence passé autour de celui de sa mère qui l'emmenait à la messe tous les matins et le promenait tous les soirs dans la rue.

Les rares fois où ils s'aventuraient à l'étage, éventuellement pour venir chercher un loyer en retard ou rapporter des chemises que Mrs Hogan repassait pour deux pence les cinq, nous entendions leurs quatre pieds monter lentement l'escalier, la muette guidant l'aveugle, et Henry, qui semblait n'avoir pas le moindre intérêt pour quoi que ce soit, posait les questions auxquelles sa mère, une fouineuse invétérée, voulait des réponses.

« Mammy dit qu'il y a eu des bruits bizarres venant de l'étage mardi dernier, commença-t-il un jour lors d'un de ces échanges typiques pendant lesquels Mrs Hogan hochait vigoureusement la tête, se tordant le cou pour voir si nous avions des plants de marijuana en train de pousser dans le salon ou des prostituées endormies dans l'un ou l'autre lit. Mammy n'aime pas les bruits bizarres. Ils la perturbent terriblement.

— Impossible que ce soit nous, répondis-je. Mardi il y a une semaine, je suis allé au cinéma voir Steve McQueen dans *La Canonnière du Yang-Tse* et Albert était parti danser au Astor Ballroom à Dundrum.

— Mammy dit que les bruits l'ont empêchée de dormir, insista Henry, qui roulait ses yeux en tous sens comme s'il essayait de s'accrocher à quelque chose qui puisse lui rendre une perception visuelle du monde. Mammy n'aime pas qu'on l'empêche de dormir. Elle a besoin de sommeil.

— Est-ce que vous aussi, ça vous a empêché de dormir, Henry ? » demanda Albert du canapé où il était allongé en train de lire *Vol au-dessus d'un nid de coucou*. Sous l'effet de la surprise, le malheureux sursauta avant de tourner la tête dans la direction d'où venait la voix. Il n'avait sans doute pas perçu la présence d'une autre personne dans la pièce.

« Quand Mammy est réveillée, je suis réveillé, rétorqua-t-il, offensé, comme si nous l'avions accusé d'être un mauvais fils. Ses hémorroïdes lui font souffrir le martyre. Quand elles se manifestent, ni elle ni moi ne parvenons à fermer l'œil. »

Les bruits en question n'étaient très probablement pas de mon fait mais imputables à Albert, qui était un grand séducteur. Il se passait rarement une semaine sans qu'il ramène une fille à la maison pour ce qu'il appelait une partie de « trêve de blabla, on y va », véritable torture pour moi parce que sa tête de lit se trouvait contre le mur de ma chambre. Chaque fois qu'il chevauchait une fille, les coups interminables m'empêchaient de dormir, tout comme les hémorroïdes de Mrs Hogan lui interdisaient le sommeil. Et, de surcroît, j'avais un peu le béguin pour Albert, ce qui ne me facilitait pas la vie. Mais ce n'était rien de plus qu'une conséquence de notre proximité, car il n'était pas particulièrement beau.

Je quittais l'appartement tous les matins à 7 h 30 pour me rendre au ministère de l'Éducation sur Marlborough Street, m'arrêtant seulement pour prendre une tasse de thé et un scone aux fruits ; j'étais généralement à mon bureau au premier étage à 8 h 15. Je travaillais là depuis presque trois ans – juste après avoir quitté Belvedere College avec des résultats d'une honorable médiocrité –, grâce, en partie, aux bons offices de la troisième épouse de mon père adoptif, Angela, dont il était actuellement séparé (nous avions décidé que c'était ainsi que je devais faire référence à elle dans la conversation). Elle avait été appréciée au ministère jusqu'à son union avec Charles qui avait signifié, comme l'exigeait la loi, son départ forcé à la retraite.

La relation s'était mal terminée entre eux moins d'un an après leur mariage. Dans un élan de générosité tout à fait inhabituel, Charles m'avait invité à les accompagner dans le sud de la France. Je n'avais rencontré Angela qu'une seule fois avant ce voyage, mais à la minute où nous arrivâmes à Nice, nous nous entendîmes à merveille. Tellement bien, qu'en me réveillant un matin je la trouvai en train de monter dans mon lit, nue comme au jour de sa naissance, et vu que j'étais nu moi aussi, la scène tourna à la farce vaudevillesque. Je poussai un cri de surprise, et en entendant la porte s'ouvrir, je me précipitai dans l'armoire pour me cacher, jusqu'à ce que Charles l'ouvre brusquement et me trouve tapi à l'intérieur.

« Le plus drôle, Cyril, siffla-t-il de sa voix la plus méprisante alors que je restais recroquevillé dans un coin, mes mains sur mon entrejambe, c'est que j'aurais eu beaucoup plus de respect pour toi si en entrant je t'avais trouvé en train de la faire grimper aux rideaux. Mais non, ce ne sera jamais toi. Toi, tu cours te cacher. Un vrai Avery ne ferait jamais ça. »

Je ne répondis pas, ce qui sembla le décevoir encore davantage, et il retourna sa colère contre Angela, toujours dans le lit, le drap retombé sur sa taille, les seins à l'air. Elle paraissait trouver la scène terriblement barbante et dessinait des ronds autour de son téton gauche d'un air détaché tout en sifflant une version approximative de « You've Got To Hide Your Love Away ». S'ensuivit une dispute, trop ennuyeuse pour que je la raconte ici. Résultat : à leur retour à Dublin, ils partirent chacun de leur côté et une demande fut déposée aux tribunaux de Londres afin que leur divorce soit prononcé rapidement. (Charles avait eu la lucidité de se marier en Angleterre dans la perspective d'une telle éventualité. Ses antécédents dans le domaine n'étaient pas exemplaires, après tout.) Dans l'intervalle, alors que je menais une vie assez oisive, sans faire quoi que ce soit de mon temps, Angela chercha à se faire pardonner et me recommanda auprès de ses anciens employeurs. Je reçus un appel téléphonique m'invitant à un entretien, une proposition qui m'étonna car elle avait omis de m'en parler, et sans avoir imaginé une seconde que j'aimerais être fonctionnaire, je me réveillai un matin en étant très exactement cela.

Le travail en lui-même était incroyablement rasoir et mes collègues, un peu agaçants – ils se nourrissaient de commérages personnels et politiques à longueur de journée. Le bureau où je passais tout mon temps était grand, haut de plafond, une vieille cheminée trônait au milieu d'un des murs et un portrait du ministre y était accroché. Une table était placée à chacun des quatre coins, leurs occupants tournés vers le centre de la pièce, où avait été disposée une grande table *a priori* destinée aux réunions, mais en réalité rarement utilisée.

Notre supposée chef était Miss Joyce, qui travaillait dans le service depuis sa fondation quarante-cinq ans auparavant, en 1921. Elle avait soixante-trois ans, et comme ma défunte mère adoptive Maude, c'était une fumeuse invétérée – sa préférence allait aux Chesterfield Regulars (rouge) qu'elle faisait venir des États-Unis par boîtes de cent et rangeait dans un coffret en bois joliment sculpté posé devant elle. Bien que notre bureau ne fît pas grande place aux objets personnels, elle avait épinglé deux affiches au mur derrière elle pour promouvoir son addiction. Sur la première, Rita Hayworth, vêtue d'un chemisier blanc et d'un blazer à rayures, avec sa volumineuse chevelure rousse tombant en boucles sur ses épaules, annonçait « TOUS MES AMIS SAVENT QUE MA MARQUE, C'EST CHESTERFIELD », une cigarette dans la main gauche et le regard perdu dans le lointain – un lointain où Frank Sinatra ou Dean Martin devaient se palucher dans l'attente de prochaines aventures érotiques. La seconde, dont les coins rebiquaient un peu, avait visiblement une tache de rouge à lèvres sur le visage, celui de Ronald Reagan assis derrière un bureau recouvert de boîtes de cigarettes ; il avait une Chesterfield coincée avec une élégance désinvolte entre les lèvres. « J'ENVOIE DES CHESTERFIELD À TOUS MES AMIS. C'EST LE PLUS BEAU CADEAU DE NOËL QU'ON PUISSE FAIRE À UN FUMEUR – LA DOUCEUR DES CHESTERFIELD SANS ARRIÈRE-GOÛT DÉPLAISANT », lisait-on, et effectivement, « the Gipper[1] » était occupé à emballer les boîtes dans du papier cadeau pour des gens comme Barry Goldwater et Richard Nixon, qui devaient être absolument ravis de les recevoir.

Miss Joyce était installée à ma droite, dans la partie de la pièce la mieux éclairée. À ma gauche travaillait Miss Ambrosia, une jeune femme d'environ vingt-cinq ans incroyablement bête et très tête en l'air qui aimait me choquer en jouant ouvertement sur la séduction et en racontant ses exploits sexuels. Elle avait généralement cinq hommes sur le feu, aux profils variés allant du barman au gérant de dancing, du cavalier de concours hippique au prétendant au trône de Russie, et sans la moindre honte, elle les faisait tourner comme une jongleuse dans un cirque nymphomane. Une fois par mois, sans exception, survenait un jour où on la trouvait en larmes à son bureau, pleurant parce qu'elle s'était « corrompue » et qu'aucun homme ne voudrait plus jamais d'elle. Mais, quand arrivait l'heure du thé, elle se redressait soudain, filait aux toilettes et revenait le visage soulagé pour nous dire que tante Jemima était venue lui rendre visite quelques jours et qu'elle n'avait jamais été aussi contente de la voir. Cette annonce me déconcertait, et une fois je lui demandai où vivait tante Jemima, qui semblait venir à Dublin tous les mois pour quelques jours. Mes collègues éclatèrent de rire et Miss Joyce décréta qu'elle aussi avait autrefois une tante Jemima, mais que sa dernière visite remontait à la Seconde Guerre mondiale, et elle ne lui manquait pas du tout.

Le dernier membre de notre groupe, Mr Denby-Denby, était assis en face de moi. Très souvent, lorsque je levais les yeux,

1. The Gipper, surnom de Ronald Reagan datant de son rôle dans le film *Knute Rockne, All American* (1940) où il jouait le rôle de George « The Gipper » Gipp. (*N.d.T.*)

je surprenais son regard aussi intense que celui d'un tueur en série cherchant à décider quelle méthode serait la meilleure pour éviscérer sa victime. C'était un type assez extravagant d'une bonne cinquantaine d'années qui portait des gilets colorés et des nœuds papillons assortis. Dans sa manière d'être et de parler, il était parfaitement conforme au stéréotype de l'homosexuel, même s'il n'aurait jamais admis en être un. Ses cheveux, soigneusement crêpés, étaient d'une curieuse nuance jaune verdâtre, voire presque vert chartreuse, et ses sourcils, d'un jaune plutôt maïs. De temps en temps, avec la même régularité que les visites de la tante Jemima de Miss Ambrosia, il arrivait au bureau avec les cheveux plus colorés que jamais, presque fluorescents. Nous les regardions fixement, essayant de ne pas rire, et il soutenait notre regard d'un air hautain, nous mettant au défi d'ouvrir la bouche. Je faillis tomber de ma chaise un après-midi lorsqu'il mentionna l'existence d'une Mrs Denby-Denby à Blackrock et d'une ribambelle de petits Denby-Denby – ils étaient neuf ! Neuf ! – que sa femme et lui avaient produits avec une régularité de métronome entre le milieu des années 1930 et la fin des années 1940. L'imaginer en plein coït avec une femme m'avait pris fort au dépourvu, mais qu'il l'ait fait en neuf occasions au moins – neuf ! – était plus que ce que mon esprit pouvait concevoir. Mon propre avenir me parut même moins désespéré.

« Le voici, annonça Mr Denby-Denby, tout à coup droit sur sa chaise au moment où je passai la porte, par un matin de printemps radieux, arborant une nouvelle veste que j'avais achetée en prévision du beau temps. Vingt et un ans, et jamais il n'a échangé un baiser. Vous savez qui vous me rappelez, Mr Avery ? Le saint Sébastien de Botticelli. L'avez-vous vu ? Forcément, vous l'avez vu. Et vous, Miss Joyce ? Il est exposé à Berlin. Rien d'autre que ses sous-vêtements et le corps hérissé d'une demi-douzaine de flèches. Absolument divin. Il existe une version de moindre importance du Sodoma mais nous n'en dirons pas un mot. »

Je lui lançai un regard courroucé, le premier de la journée, et m'assis à mon bureau, dépliai l'*Irish Times* et feuilletai les pages à la recherche de quelque chose qui pourrait avoir un rapport avec notre travail. Depuis le jour où j'étais arrivé dans le service, j'en avais voulu à Mr Denby-Denby, car bien qu'il fût encore plus enfermé dans son secret que moi, sa volonté de ne pas cacher sa véritable orientation sexuelle me gênait et me troublait tout à la fois.

« Regardez ces lèvres, Miss Joyce, poursuivit-il en posant une main contre son cœur et en l'agitant au-dessus de son gilet couleur fuchsia comme s'il était sur le point de défaillir. Comme des oreillers moelleux. Du genre que vous rêveriez d'acheter chez Switzer's, Miss Ambrosia, si vous parveniez à économiser assez d'argent.

— Pourquoi aurais-je besoin d'acheter des oreillers, Mr Denby-Denby ? demanda Miss Ambrosia. Le plus souvent, ma tête repose sur celui de quelqu'un d'autre.

— Oh ma chère ! » s'écria Mr Denby-Denby et je levai les yeux au ciel. Dans le bureau voisin se trouvaient trois gentlemen paisibles, Mr Westlicott Sr, son fils Mr Westlicott et son petit-fils Mr Westlicott Jr, qui se parlaient sur le même ton formel que nous, s'appelant toujours « Mr Westlicott ». J'espérais presque que l'un d'eux prenne sa retraite ou soit renversé par un autobus pour que je puisse être muté dans leur service. Et peut-être l'un ou l'autre m'adopterait-il et je pourrais à mon tour devenir un Mr Westlicott. La seconde adoption serait certainement plus réussie que la première.

« Moins de cancans et plus de travail, s'il vous plaît », ordonna Miss Joyce en allumant une Chesterfield (rouge) mais personne ne prêta attention à elle.

« Alors, racontez-nous, Mr Avery, suggéra Mr Denby-Denby en se penchant en avant, les coudes calés sur la table et la tête posée sur ses mains. À quelles bêtises vous êtes-vous livré le week-end dernier ? Où va un joli jeune chiot aujourd'hui quand il tire sur sa laisse ?

— À un match de rugby avec mon ami Julian, répondis-je en m'appliquant de mon mieux à affirmer une masculinité sauvage. Et dimanche je suis resté chez moi et j'ai lu *Portrait de l'artiste en jeune homme*.

— Oh, moi, je ne lis pas de livres, fit Mr Denby-Denby avec un geste désinvolte de la main, comme si j'avais exprimé un intérêt excentrique pour le symbolisme moyen-oriental ou les origines de la trigonométrie.

— Je lis Edna O'Brien, murmura Miss Ambrosia, baissant la voix de peur qu'un des Mr Westlicott l'entende de la pièce voisine et la dénonce pour vulgarité. Qu'est-ce qu'elle est cochonne.

— Il vaut mieux que le ministre ne vous entende pas dire une chose pareille », la prévint Miss Joyce en soufflant avec ses lèvres un O parfait. Il était impossible de ne pas le suivre des yeux ; il monta vers le lustre et se dissipa lentement avant de revenir sournoisement polluer nos poumons. « Vous savez ce qu'il pense des femmes qui écrivent. Il refuse qu'elles fassent partie du programme.

— Il n'aime pas non plus les femmes qui lisent, ajouta Miss Ambrosia. Il m'a dit que la lecture leur donnait des idées.

— C'est vrai, approuva Miss Joyce en hochant vigoureusement la tête. Je suis totalement d'accord avec le ministre sur ce point. Ma vie aurait été bien plus facile si j'avais eu le droit de rester analphabète mais papa a insisté pour que j'apprenne à lire. C'était un homme très moderne, papa.

— J'ai une véritable adoration pour Edna O'Brien, déclara Mr Denby-Denby, tellement excité qu'il agitait ses mains en tous sens. Si je n'étais pas un homme heureux en ménage, je pourrais me perdre dans le corps de cette femme pendant des siècles. J'affirme devant Dieu et tout ce qui est bon et sacré que nos provinces n'ont jamais porté femme de plus grande beauté.

— Elle a quitté son mari, vous savez, grimaça Miss Joyce. Quel genre de personne fait une chose pareille ?

— Il n'a eu que ce qu'il méritait, trancha Miss Ambrosia. Je vais un jour quitter un mari, moi aussi. J'ai toujours eu la conviction que mon deuxième mariage serait plus réussi que le premier.

— Eh bien, je trouve cela choquant, dit Miss Joyce. Et en plus elle a deux enfants dont elle doit s'occuper.

— Chaque fois que je regarde Edna O'Brien, poursuivit Mr Denby-Denby, j'ai l'impression qu'elle veut prendre tous les hommes qu'elle croise, les coucher sur ses genoux pour leur mettre une bonne fessée et leur apprendre le respect. Oh, si seulement j'avais le postérieur dénudé à la merci de cette main d'albâtre ! »

Miss Ambrosia cracha un peu de thé et même Miss Joyce s'autorisa une moue ressemblant à un sourire.

« Enfin, bref, lâcha-t-il avec un hochement de tête pour évacuer ces idées. Vous vous apprêtiez à nous parler de votre week-end, Mr Avery. Je vous en prie, vous ne l'avez quand même pas passé tout entier entre le rugby et James Joyce.

— Je pourrais inventer quelque chose si vous voulez. » Je posai mon journal en levant la tête vers lui.

« Allez-y. J'adorerais savoir quels fantasmes sordides prennent vie dans votre esprit. Je parie qu'ils feraient rougir une gitane. »

Il ne croyait pas si bien dire. Si je lui avais effectivement raconté tous les délires qui m'empêchaient de dormir, les deux femmes se seraient sans doute évanouies et il se serait jeté sur moi, déchaîné par le désir. Après tout, j'avais tué un prêtre, la dernière fois que j'avais évoqué les choses que je voulais faire, et je n'avais aucune envie de me retrouver encore avec du sang sur les mains.

« Quand j'avais vingt et un ans, reprit le fat ridicule, je sortais tous les soirs. Aucune fille à Dublin n'était à l'abri lorsque j'arpentais la ville.

— Vraiment ? fit Miss Ambrosia, en s'adressant à lui, avec sur le visage une expression qui ressemblait fort à la mienne.

— Oh, je sais ce que vous pensez, rétorqua Mr Denby-Denby. Vous me regardez aujourd'hui et vous vous demandez : comment cet homme un peu enrobé, à l'automne de sa vie, mais doté d'une magnifique chevelure blonde, a-t-il pu attirer des filles de mon âge ? Mais je vous promets, si vous aviez pu me voir quand j'étais jeune. J'étais un grand séducteur. Elles étaient nombreuses à se mettre sur les rangs. Enfermez vos filles, murmuraient les gens de Dublin lorsqu'ils voyaient arriver Desmond Denby-Denby. Mais ce temps-là est révolu, certes. Pour chaque papillon vieillissant, il y a une jeune chenille. Vous êtes cette jeune chenille, Mr Avery. Et vous devez savourer votre période larvaire, car elle touchera bien trop tôt à sa fin.

— À quelle heure le ministre doit-il être au Dáil aujourd'hui ? » demandai-je à Miss Joyce, dans l'espoir de mettre fin à cette conversation. Elle ouvrit son agenda et parcourut du doigt la page de gauche tout en tapotant sa cigarette au-dessus de son cendrier orné du portrait de la princesse Grace de Monaco.

— 11 heures, déclara-t-elle. Mais j'ai confié à Miss Ambrosia le soin de l'accompagner ce matin.

— Je ne peux pas, annonça Miss Ambrosia en secouant la tête.

— Et pourquoi donc ? demanda Miss Joyce.

— Tante Jemima.

— Ah, fit Miss Joyce, et Mr Denby-Denby leva les yeux au ciel.

— Je m'en charge. Il fait beau. Je serai content de sortir du bureau. »

Elle haussa les épaules. « Si vous le dites. Je pourrais y aller mais en fait, je n'ai pas envie.

— Parfait », conclus-je avec un sourire. Lorsqu'on accompagnait le ministre au Dáil, on se rendait à Leinster House dans la voiture officielle, et là-bas, je pouvais le laisser seul en compagnie de ses petits amis. Une fois qu'il était entré en session pour sa sieste de l'après-midi, je filais au cinéma, et poursuivais par une pinte ou deux avec Julian au Palace Bar ou au Kehoe's. La journée rêvée.

« Je crois que je devrais vous avouer quelque chose, annonça Miss Ambrosia après quelques minutes de silence (ce qui était rare) au cours desquelles un peu de travail avait peut-être été effectué. Je réfléchis sérieusement à avoir une relation avec un juif. »

Je buvais une gorgée de thé et je faillis tout recracher sur mon bureau. Miss Joyce leva les yeux au ciel, secoua la tête et murmura : « Que les saints nous protègent » tandis que Mr Denby-Denby applaudissait : « Quelle bonne nouvelle, Miss Ambrosia, il n'y a rien de plus délicieux qu'un petit garçon juif. Comment s'appelle-t-il ? Anshel ? Daniel ? Eli ?

— Peadar, répondit Miss Ambrosia. Peadar O'Múrchú.

— Par toutes les larmes de Jésus, répliqua Mr Denby-Denby. C'est à peu près aussi juif qu'Adolf Hitler.

— Oh, quelle honte ! s'écria Miss Joyce qui frappa du plat de la main sur son bureau. Quelle honte, Mr Denby-Denby.

— Eh bien, c'est vrai, non ? fit-il sans avoir l'air coupable le moins du monde, avant de se tourner vers Miss Ambrosia. Parlez-nous de lui, très chère. Que fait-il, où habite-t-il, à quoi ressemble-t-il, lui et sa famille ?

— Il est comptable.

— Forcément, constata Mr Denby-Denby, balayant cette information du revers de la main. J'aurais pu le deviner. Ils sont tous comptables. Ou bijoutiers. Ou prêteurs sur gages.

— Il vit avec sa mère du côté de Dorset Street. Il est de taille moyenne, mais il a une magnifique tignasse de cheveux noirs bouclés et il embrasse comme un dieu.

— Ça a l'air divin. Je crois que vous devriez vous lancer, Miss Ambrosia. Faites des photos, vous nous les montrerez. À votre avis, est-il bien monté, à l'étage inférieur ? Circoncis, bien entendu, mais ce n'est pas sa faute. Ce sont les parents qui mutilent leur garçon avant même qu'il puisse avoir un avis sur la question.

— Oh ça suffit, ça dépasse les bornes, gronda Miss Joyce en élevant la voix. Il faut absolument que les conversations dans ce bureau soient plus convenables, c'est indispensable. Si le ministre entrait et nous entendait…

— Il constaterait que nous sommes juste inquiets pour Miss Ambrosia et que nous cherchons à l'orienter dans la bonne direction. Qu'en pensez-vous, Mr Avery ? Miss Ambrosia doit-elle avoir des relations charnelles avec son juif aux boucles noires ? Une grosse queue fait toute la différence, vous ne trouvez pas ?

— Je n'en ai vraiment rien à faire, signalai-je en me dirigeant vers la porte pour que personne ne puisse voir à quel point j'avais rougi. Maintenant, si vous voulez bien m'excuser, je reviens dans un instant.

— Et où allez-vous comme ça ? demanda Miss Joyce. Vous êtes arrivé il y a dix minutes.

— Besoin pressant. » Et je disparus dans le couloir avant de m'engouffrer dans les toilettes, qui heureusement étaient désertes. J'entrai et descendis mon pantalon pour m'examiner avec soin. L'irritation avait presque totalement disparu, Dieu soit loué. La rougeur s'était dissipée et je n'éprouvais plus de démangeaison. La crème que le médecin m'avait donnée avait été d'une efficacité remarquable. (Méfiez-vous des filles pas très nettes, m'avait-il suggéré en enfouissant son visage dans mon entrejambe avant de soulever, à l'aide d'un crayon, mon pénis flasque qui pendouillait, couvert de honte. Dublin fourmille de filles pas nettes. Trouvez-vous une jolie épouse catholique bien propre si vous ne pouvez contrôler vos appétits.) Je tirai la chasse d'eau et sortis pour me laver les mains. Je tombai alors sur Mr Denby-Denby planté devant l'un des lavabos, les bras croisés, me gratifiant d'un de ses sourires qui suggérait qu'il était capable de lire dans les profondeurs de mon âme – que moi-même, je n'aimais pas sonder trop souvent. Je lui lançai un coup d'œil en silence, et ouvris l'un des robinets avec un geste tellement brusque que nous fûmes tous deux éclaboussés.

« C'est bien vous que j'ai vu en train de vous promener, samedi soir ? attaqua-t-il sans préambule.

— Je vous demande pardon ?

— Samedi soir, répéta-t-il. Je me baladais au bord du Grand Canal et par hasard, je suis passé devant un petit établissement sur lequel j'ai entendu des rumeurs, ces dernières années. Des rumeurs selon lesquelles il serait fréquenté par des messieurs ayant certaines dispositions perverses.

— Je ne comprends pas ce que vous entendez par là, balbutiai-je sans lever les yeux vers le miroir.

— La sœur aînée de Mrs Denby-Denby vit sur Baggot Street, voyez-vous. Et j'étais parti lui déposer sa retraite. La pauvre ne peut plus sortir. Arthrose, ajouta-t-il en articulant exagérément le mot sans raison évidente. Cela reste entre nous, bien sûr.

— Je ne sais pas ce que vous croyez avoir vu mais ce n'était certainement pas moi. J'étais avec mon ami Julian samedi soir. Je vous l'ai déjà dit.

— Non, vous avez dit que vous étiez allé à un match de rugby avec lui l'après-midi, mais que vous aviez passé la soirée chez vous à lire. Je ne connais pratiquement rien aux événements sportifs, mais je sais qu'ils n'ont pas lieu sous le couvert de la nuit. Ce sont d'autres choses qui se passent à ce moment-là.

— Pardon, oui, fis-je, de plus en plus troublé. En effet, j'étais à la maison en train de lire *Finnegans Wake*.

— Tout à l'heure, c'était *Portrait de l'artiste en jeune homme*. Si vous voulez inventer un roman, Cyril, n'allez pas en chercher un que personne, même avec une once de bon sens, ne se donnerait la peine de lire. Non, il était presque minuit et…

— Vous apportiez sa retraite à votre belle-sœur à minuit ?

— Elle se couche très tard. Elle souffre d'insomnie.

— Eh bien, vous devez me confondre avec quelqu'un d'autre. » J'essayai de le contourner, prêt à sortir, mais il se décala à gauche, puis à droite, comme Fred Astaire, pour m'empêcher de passer. « Que voulez-vous de moi, Mr Denby-Denby ? Julian et moi sommes allés au match l'après-midi, ensuite nous avons bu quelques verres. Après, je suis rentré chez moi et j'ai lu pendant une heure ou deux. » J'hésitai et me demandai si je parviendrais à prononcer la phrase suivante. Je ne l'avais jamais énoncée à haute voix auparavant. « Et ensuite, si vous voulez savoir, je suis sorti dîner avec ma petite amie.

— Votre quoi ? questionna-t-il, un sourcil levé dans une expression amusée. Votre petite amie ? C'est la première fois que nous en entendons parler.

— Je n'aime pas déballer ma vie privée.

— Alors, comment s'appelle-t-elle, cette petite amie ?

— Mary-Margaret Muffet.

— Serait-elle bonne sœur ?

— Pourquoi sortirais-je avec une bonne sœur ?

— Je plaisante, lâcha-t-il et il tendit ses paumes vers moi – des effluves de lavande parvinrent à mes narines. Et que fait Little Miss Muffet dans la vie, si vous me permettez de poser la question ? Quand elle n'est pas assise sur son tabouret[1] ? Ou sur le vôtre ?

— Elle est hôtesse au bureau des devises étrangères à la Bank of Ireland, agence de College Green.

— Oh, comme c'est romanesque. Mrs Denby-Denby travaillait chez Arnott's quand je l'ai rencontrée. Je croyais que c'était ce qu'on faisait de mieux dans le genre, mais apparemment vous trouvez la banque plus valorisante que le commerce. Vous êtes comme ces vieilles filles tout droit sorties d'un roman de Mrs Gaskell. Mais cela ne vous rendra pas les choses plus faciles, vous savez.

— Cela ne rendra pas quoi plus facile ?

— La vie, fit-il en haussant les épaules. Votre vie.

— Pourriez-vous me laisser passer, maintenant ? demandai-je en le regardant droit dans les yeux.

— Je me soucie juste de votre bien-être, que vous le croyiez ou non, affirma-t-il en s'écartant du passage ; il m'emboîta le pas et nous sortîmes. Je sais que c'est vous que j'ai vu, Cyril. Vous avez une démarche caractéristique. Soyez très prudent, c'est tout. Les Gardaí font souvent des descentes dans cet établissement lorsqu'ils ont envie de s'offrir un peu de persécution facile, et si vous deviez vous retrouver en situation

1. Référence à la comptine : *Little Miss Muffet* (La petite demoiselle Muffet / assise sur un tabouret / Mangeait son caillé et son petit-lait. / Vint une araignée / Qui s'assit à côté / Mademoiselle Muffet partit tout effrayée). (*N.d.T*)

délicate, inutile de vous dire que votre poste au ministère serait en très grand péril. Et qu'en penserait votre mère ?

— Je n'ai pas de mère », rétorquai-je en franchissant la porte de sortie. J'aperçus le ministre qui approchait et le saluai d'un geste de la main. Tandis que nous nous éloignions, je jetai un coup d'œil par-dessus mon épaule et vis Mr Denby-Denby qui me contemplait avec une expression de pitié. De loin, ses cheveux paraissaient plus vifs que jamais, comme une balise signalant l'entrée du port à un navire en détresse.

Le grand recroquevillement

Les circonstances de mes retrouvailles avec Mary-Margaret Muffet ne furent ni romantiques ni favorables. Un journaliste du *Sunday Press* du nom de Terwilliger écrivait une série hebdomadaire sur des crimes qui avaient secoué l'Irlande depuis la création de l'État et il voulait y inclure un article sur l'enlèvement et la mutilation de Julian Woodbead ; peut-être l'attaque la plus tristement célèbre de ces dernières années puisque la victime était mineure. Il trouva les coordonnées des quatre principaux participants du drame, parmi lesquels il n'inclut pas les deux kidnappeurs survivants, qui étaient incarcérés à Mountjoy depuis 1959. Seuls Mary-Margaret et moi étions disponibles pour lui parler.

À ce moment-là, Julian voyageait à travers l'Europe avec sa dernière petite amie en date, Suzi, une affreuse poule de luxe assez décorative qu'il avait ramassée alors qu'il arpentait Carnaby Street à la recherche d'un Homburg semblable à celui d'Al Capone. Je ne l'avais rencontrée qu'une fois, quand ils étaient revenus à Dublin un week-end pour rendre visite à Max et Elizabeth. Elle ne cessait de se ronger les ongles et mâchait des lambeaux de bœuf rôti pendant des heures avant de recracher les restes dans un sac en plastique transparent qu'elle promenait en permanence avec elle. Elle n'avalait rien, m'expliqua-t-elle, elle était bien trop engagée dans sa carrière de mannequin pour prendre le risque de laisser quelque chose aller jusqu'à son estomac.

« Ce n'est pas tout à fait vrai », lança Julian avec son petit sourire narquois habituel. Je fis comme si je ne l'avais pas entendu. Je lui demandai si elle connaissait Twiggy et elle leva les yeux au ciel.

« Son nom est Lesley, signala-t-elle comme si j'étais la créature la plus ignorante de la planète.

— Vous la connaissez ?

— Bien sûr. Nous avons travaillé ensemble quelques fois.

— Comment est-elle ?

— Agréable. Trop gentille pour avoir une carrière qui dure dans ce secteur. Croyez-moi, Cecil, d'ici un an, personne ne se souviendra de son nom.

— C'est Cyril, rectifiai-je. Et les Beatles, vous les connaissez ?

— John est un ami, répondit-elle en haussant les épaules. Paul l'était et ne l'est plus, et il sait pourquoi. George était mon dernier, avant Julian.

— Votre dernier quoi ? insistai-je.

— Son dernier coup, précisa Julian en prenant les horribles vestiges du dîner de sa petite amie pour les poser sur la table derrière nous. Tu y crois ? George Harrison a passé la porte juste avant moi ! »

J'essayai de ne pas vomir.

« Non, il y a eu quelqu'un d'autre, déclara Suzi nonchalamment.

— Quoi ? Qui ? Je croyais que j'étais le suivant ?

— Non, tu ne pouvais pas, tu te souviens ?

— Oh oui, fit-il avec un petit sourire. J'avais oublié.

— Tu ne pouvais pas ? questionnai-je, intrigué. Ah bon ?

— Des morpions. Je les avais récupérés je ne sais où. Suzi a refusé de m'approcher tant que mon bilan de santé n'était pas parfait.

— Évidemment que j'ai refusé. Pour qui tu me prends ?

— Et Ringo ? demandai-je pour détourner la conversation. Qu'en pensez-vous ?

— Rien du tout, lâcha-t-elle avec un geste de la main comme si elle cherchait à chasser une mouche insolente bourdonnant autour de sa tête. Je ne suis pas certaine qu'il vaille la peine qu'on en pense quelque chose. Il joue de la batterie, c'est tout. Un singe savant pourrait en faire autant. »

La conversation se poursuivit ainsi pendant un bon moment. Suzi avait des avis tranchés sur Cilla Black, Mick Jagger, Terence Stamp, Kingsley Amis et l'archevêque de Canterbury – parmi lesquels quatre d'entre eux avaient été ses amants. Au terme de cette soirée, je la détestais encore plus que j'avais détesté l'idée d'elle, ce qui, avant de la rencontrer, me paraissait impossible.

Naturellement, je ne racontai rien de tout cela à Mr Terwilliger, je l'informai simplement que Julian était à l'étranger et injoignable. Il fut très déçu – Julian était la star, après tout – et souligna que c'était la deuxième mauvaise nouvelle ; l'ancienne petite amie de Julian, Bridget Simpson, n'était pas disponible non plus.

« De toute manière elle l'a probablement complètement oublié. Elle a dû faire défiler bon nombre de Julian, depuis.

— En fait, non, m'informa le journaliste. Miss Simpson est décédée.

— Décédée ? répétai-je, me redressant brusquement sur ma chaise de bureau à la manière de Miss Ambrosia lorsqu'elle se rendait compte que sa tante Jemima était venue lui rendre visite. Comment ça, décédée ? Je veux dire, comment est-elle morte ?

— Elle a été assassinée par son moniteur d'auto-école. Apparemment, elle ne voulait pas jouer avec son levier de vitesse, alors il les a conduits tous les deux droit dans un mur, du côté de Clontarf. Elle est morte sur le coup.

— Mon Dieu », m'exclamai-je, sans trop savoir comment réagir. Je ne l'avais pas tellement appréciée, mais je trouvais cette fin bien moche.

« Il ne reste donc que vous et Miss Muffet.

— Qui ?

— Mary-Margaret Muffet, énonça-t-il en lisant probablement le nom sur un morceau de papier. Elle était votre petite amie à cette époque-là, c'est bien cela ?

— Pas du tout ! m'écriai-je, plus choqué par cette insinuation que par la nouvelle de la mort de Bridget. Je connaissais à peine cette fille. Elle était une amie de Bridget, c'est tout. Je ne sais même pas ce qui les liait, toutes les deux. Elle est venue pour que nous soyons quatre.

— Ah d'accord. Eh bien, elle a accepté de me rencontrer. Pensez-vous pouvoir venir en même temps ? Ce serait plus pertinent si j'arrivais à vous interroger tous les deux, que vous évoquiez ensemble vos souvenirs de ce fameux soir. Autrement, elle va me donner une version et vous quelque chose de tout à fait différent, et le lecteur ne saura pas qui croire. »

Je n'étais pas certain d'avoir envie de jouer un rôle dans cette affaire, mais je n'aimais pas l'idée que Mary-Margaret, dont je n'avais qu'un souvenir vague, soit seule sous les projecteurs et risque de confier des propos calomnieux sur Julian à la presse nationale. J'acceptai donc l'invitation. L'après-midi convenu, j'échangeai en arrivant une poignée de mains circonspecte avec elle, mais à mon grand soulagement, nos souvenirs de ce jour de 1959 n'étaient pas très différents. Nous racontâmes à Terwilliger tout ce que nous nous rappelions, même si Mary-Margaret annonça clairement qu'elle ne souhaitait pas parler de Brendan Behan. Cet homme était un rustre et elle ne voulait pas voir ses paroles dans un journal qui pourrait tomber entre les mains d'enfants.

Après l'entretien, il me parut poli de lui proposer d'aller boire un café. Nous nous installâmes dans un des boxes du Bewley's Café sur Grafton Street et nous appliquâmes à trouver un sujet de conversation.

« Généralement, je n'aime pas le Bewley's », m'informa Mary-Margaret après avoir extrait une liasse de serviettes du distributeur posé sur la table pour les étaler entre ses fesses et son siège, afin d'éviter toute contamination. Ses cheveux étaient tirés en chignon et bien qu'elle fût habillée comme une femme de la Legion of Mary, on ne pouvait nier qu'elle était assez jolie si on aimait ce genre. « Les sièges sont parfois terriblement collants. Je crois que les filles ne les nettoient pas après que les clients ont laissé tomber leurs miettes. Ce n'est pas du tout en accord avec mon standing.

— Mais ils font un très bon café, remarquai-je.

— Je ne bois pas de café, déclara-t-elle en avalant une gorgée de thé. Le café, c'est pour les Américains et les protestants. Les Irlandais devraient boire du thé. C'est ainsi que nous avons été élevés. Donnez-moi une bonne tasse de Lyons et je suis heureuse.

— J'aime assez le Barry, de temps en temps.

— Non, ça, ça vient de Cork. Je ne choisis que du thé de Dublin. Je ne me risquerais pas à ingurgiter quelque chose qui a voyagé en train. Ils ont un thé merveilleux au Switzer's. Y êtes-vous déjà allé, Cyril ?

— Non, reconnus-je. Pourquoi, est-ce un endroit que vous fréquentez souvent ?

— Tous les jours, répondit-elle, rayonnante de fierté. C'est très pratique pour nous qui sommes employés à la Bank of Ireland, agence de College Green, et on y trouve une clientèle plus sélecte, ce qui est très bien. Je ne crois pas que les directeurs de la banque seraient tellement contents s'ils me voyaient dans n'importe quel vulgaire café.

— D'accord. Enfin, vous êtes resplendissante. Ce jour-là était vraiment fou, n'est-ce pas ? Le jour où Julian a été enlevé.

— C'était très perturbant, avoua-t-elle, parcourue d'un frisson comme si quelqu'un venait de piétiner sa tombe. J'en ai fait des cauchemars pendant des mois. Et quand ils ont commencé à envoyer des morceaux coupés...

— C'était terrible, acquiesçai-je.

— Comment va-t-il, à propos ? Êtes-vous encore en contact ?

— Oh oui, fis-je, prompt à affirmer la pérennité de notre complicité. Il est toujours mon meilleur ami. Et il va très bien. Il est en Europe en ce moment, mais il m'envoie des cartes postales de temps en temps. Je le verrai à son retour. Nous nous appelons parfois aussi. J'ai le numéro de ses parents ici, regardez. » Je sortis mon répertoire et tournai les pages jusqu'au W, pour lui montrer l'adresse de Dartmouth Square qui autrefois avait été la mienne. « Il a aussi mon numéro. Et s'il n'arrive pas à me joindre, il laisse toujours un message auprès de mon colocataire.

— Calmez-vous, Cyril. C'était juste une question comme ça.

— Désolé, marmonnai-je, un peu gêné d'avoir déployé tant d'enthousiasme.

— Il s'est remis, donc ?

— Remis de quoi ?

— De son enlèvement, bien sûr.

— Oh oui. Il n'a jamais été du genre à se laisser abattre par un événement comme celui-là.

— Et la perte d'un orteil, d'un doigt et d'une oreille ?

— Il lui en reste neuf de chaque. Enfin, pas neuf oreilles, évidemment. Il ne lui en reste qu'une mais c'est plus que certaines personnes, j'imagine.

— Qui donc ? risqua-t-elle le sourcil froncé. Qui a moins d'oreilles que cela ? »

Je réfléchis. Personne ne me vint à l'esprit. « Son père aussi n'a qu'une oreille. Ils ont au moins ça en commun. L'IRA lui a tiré dessus, ce qui la lui a arrachée quelques mois avant l'enlèvement.

— Quelle bande de crétins, l'IRA. J'espère que vous n'avez rien à voir avec ces gens-là, Cyril Avery.

— Je n'ai rien à voir avec eux, affirmai-je, m'empressant de secouer la tête. Je ne porte pas d'intérêt à ce genre de choses. Je n'ai aucune conscience politique.

— Je suppose qu'il boite ?

— Qui ?

— Julian. S'il n'a que neuf orteils, je suppose qu'il boite en marchant ?

— Je ne crois pas, dis-je, sans être sûr de moi. Si c'est le cas, je ne l'ai jamais remarqué. La seule chose qui le dérange vraiment, c'est l'oreille. Son audition n'est pas aussi bonne qu'elle pourrait l'être et l'absence de son oreille lui donne un air un peu étrange, mais il s'est laissé pousser les cheveux, alors personne ne le remarque. Il reste très beau. »

Mary-Margaret frissonna un peu. « Les directeurs de la Bank of Ireland n'autorisent pas leurs employés à garder les cheveux longs. Je les comprends très bien. Les cheveux longs, ça fait vraiment trop inverti pour moi. Et je préfère les hommes avec deux oreilles. Une oreille, ce ne serait pas du tout mon standing. »

Je hochai la tête et jetai un coup d'œil à la recherche de la porte de sortie la plus proche, et horrifié, je croisai le regard d'un séminariste assis avec deux prêtres plus âgés à quelques tables de nous. Ils buvaient du coca-cola et mangeaient un *Eccles cake*. Je le reconnus immédiatement – il était installé au fond de la salle du Metropolitan et j'avais pris place à côté de lui pendant la projection de *Un homme pour l'éternité* quelques jours auparavant. Il avait installé son pardessus sur ses genoux et je lui avais fait une branlette dans le noir. L'odeur qui s'était dégagée était très rance, et les gens s'étaient retournés pour nous regarder, alors nous n'avions pas eu d'autre choix que de filer en vitesse au moment précis où Richard Rich venait à la barre pour trahir Thomas More. Nous piquâmes un fard tous les deux lorsque nos regards se croisèrent.

« Qu'est-ce qui vous arrive ? demanda Mary-Margaret. Vous êtes tout rouge, tout à coup.

— Je suis un peu enrhumé et j'ai des poussées de fièvre.

— Pas question que vous me donniez vos microbes. Pas question que j'attrape quoi que ce soit. Je dois être concentrée sur mon travail.

— Je ne crois pas que ce soit contagieux, la rassurai-je en prenant une gorgée de café. À propos, j'ai été très affligé d'apprendre ce qui était arrivé à Bridget. Vous avez dû être très affectée.

— Eh bien, commença-t-elle d'une voix ferme, avant de poser sa tasse et de me regarder droit dans les yeux. Naturellement, j'ai été très triste d'apprendre sa mort et les circonstances étaient effroyables, mais en vérité, j'avais coupé les ponts avec elle depuis un moment déjà.

— Ah, d'accord. Vous vous étiez querellées ?

— Disons que nous étions très différentes. » Elle hésita quelques instants, puis sembla abandonner toute réserve. « En fait, Cyril, Bridget Simpson était très vulgaire et je ne voulais plus fréquenter ce genre de personne. Je n'arrivais plus à compter le nombre d'hommes avec qui elle avait des relations. Je lui ai dit : “Bridget, si tu ne changes pas de comportement, tu finiras vraiment très mal”, mais elle ne m'a pas écoutée. Elle a répondu qu'il fallait profiter de la vie et que j'étais trop coincée. Moi ! Coincée ! Vous imaginez ça ? Je suis la première à aimer me divertir. Enfin, c'est quand elle a commencé à fréquenter des hommes mariés que j'ai décidé que ça suffisait. J'ai tapé du poing sur la table en lui spécifiant que si elle continuait à avoir ce genre de comportements impossibles, je romprais avec elle. Peu de temps après, j'ai appris qu'elle avait été tuée dans un accident de voiture à Clonmel.

— Je croyais que c'était Clontarf.

— Un des Clon, en tout cas. Je suis allée à son enterrement, bien entendu, et j'ai allumé un cierge pour elle. J'ai fait remarquer à sa propre mère qu'elle pouvait trouver un certain réconfort car Bridget nous avait enseigné à tous une grande leçon : quand on mène une vie dissolue, alors on peut s'attendre à finir très mal.

— Et comment a-t-elle pris la chose ?

— La pauvre femme était si écrasée de chagrin qu'elle n'arrivait pas à prononcer un mot. Elle s'est contentée de me regarder, effarée. Elle s'en voulait probablement d'avoir élevé sa fille sans le moindre respect des convenances.

— Ou peut-être a-t-elle pensé que vous étiez un peu insensible ? suggérai-je.

— Non, je ne crois pas, pas du tout, rétorqua-t-elle, visiblement déroutée par ma remarque. Lisez donc votre Bible, Cyril Avery. Tout y est. »

Nous restâmes silencieux quelques minutes et je vis le jeune séminariste se lever et se diriger vers la porte, non sans jeter un regard angoissé dans ma direction. Pendant quelques instants, je ressentis une certaine compassion pour lui, et tout aussi rapidement, je l'éprouvai à mon égard. Avait-il tenté de me faire comprendre qu'il allait au cinéma et si c'était le cas, comment pouvais-je m'enfuir du Bewley's Café pour le suivre ?

« Est-ce que je peux vous poser une question, Cyril ? » demanda Mary-Margaret, et je la regardai tout en réprimant un bâillement. Pourquoi n'étais-je pas tout simplement retourné au bureau après l'interview – j'aurais évité tout ceci.

« Je vous en prie.

— Où allez-vous à la messe ?

— Où je vais à la messe ?

— Vous avez deux oreilles, apparemment, même si ce n'est pas le cas de votre ami. Oui, où allez-vous à la messe ? »

J'ouvris la bouche tant j'étais surpris, cherchai une réponse et ne trouvant rien, la refermai. Je n'assistais jamais à la messe. La dernière fois que j'étais entré dans une église remontait à sept ans, lorsque j'avais tué un prêtre en lui racontant toutes les pensées perverses qui me passaient par la tête.

« La messe, répétai-je pour gagner du temps. Vous êtes assidue, vous ?

— Bien sûr ! s'exclama-t-elle, en fronçant si fort les sourcils que cinq lignes distinctes se dessinèrent sur son front, comme une portée sur une feuille de papier à musique. Pour qui me prenez-vous ? Je vais à Baggot Street tous les jours. La messe est très belle là-bas. Y êtes-vous jamais allé ?

— Non, répondis-je. Pas que je me souvienne.

— Oh, il le faut absolument. D'abord, il règne une atmosphère extraordinaire dans cet endroit. Et le parfum de l'encens mêlé à l'odeur des corps défunts est merveilleux.

— Ça fait envie.

— Et le sermon du père est magnifique. Il décrit parfaitement tous les tourments de l'enfer, et c'est exactement ce dont l'Irlande a besoin en ce moment. Il y a toutes sortes de créatures, de nos jours. Je les vois défiler à la banque. Des étudiantes sortant de Trinity College, vêtues de presque rien, les mains fourrées dans les poches arrière du jean en denim de leur petit ami. Vous n'avez pas de jean en denim, rassurez-moi, Cyril ?

— J'en ai un. Mais il est un peu long. Je ne le porte pas souvent.

— Jetez-le. Un homme ne devrait jamais sortir dans un jean en denim. Vous savez, je vois le monde entier de là où je me trouve au bureau des devises étrangères à la Bank of Ireland, agence de College Green. Une femme divorcée est venue d'Angleterre la semaine dernière, vous vous rendez compte ? Je ne me suis pas gênée pour exprimer ma désapprobation, j'aime autant vous le dire. Et hier encore un jeune homme se comportait plus comme une fille que comme un garçon. Oh, cette manière qu'il avait de parler ! Il en était, évidemment, fit-elle en pliant son poignet droit. J'ai refusé de le servir. Je lui ai dit qu'il pouvait aller à l'Allied Irish Bank s'il voulait changer son argent. Ils acceptent ce genre de clients là-bas. Il a fait un esclandre terrible. Vous savez de quoi il m'a traitée ?

— Pas vraiment.

— De s-a-l-o-p-e », révéla-t-elle, penchée vers moi, en épelant le mot à mi-voix. Elle secoua la tête. « Je n'ai toujours pas avalé la pilule, ajouta-t-elle au bout de quelques instants. Bref, j'ai demandé au garde de la sécurité de le mettre dehors. Et vous savez ce qu'il a fait à ce moment-là ?

— Non, puisque je n'étais pas là.

— Il s'est mis à pleurer ! Arguant que son argent valait bien celui d'un autre et qu'il en avait assez d'être traité comme un citoyen de second ordre. Je lui ai répondu que si cela ne dépendait que de moi, il ne serait pas un citoyen du tout. Nous nous sommes tous moqués de lui à ce moment-là, même les clients, et il s'est assis sur l'un des bancs, le visage malheureux. Comme si nous avions tort ! Tous ces invertis, on devrait les enfermer, si vous voulez mon avis. Les mettre sur une des îles au large de la côte ouest, où ils ne peuvent faire de mal à personne d'autre qu'à eux. Mais Cyril, de quoi parlions-nous ? Ah oui, où allez-vous à la messe ?

— Westland Row », répondis-je, à défaut d'une meilleure idée. Il était déjà assez difficile de suivre le défilé de ses préjugés sans en plus essayer de trouver une église de Dublin qu'elle daigne approuver.

« Oh, c'est un bel édifice. » Je fus surpris qu'elle ne le rejette pas parce qu'il était trop haut, trop large ou qu'il y avait trop de lettres dans son nom. « Une belle construction en pierre. Cette église est sur ma liste chaque année pour le Jeudi saint, lorsque je fais ma *Visita Iglesia*. Je me demande si je vous y ai déjà vu.

— Tout est possible, fis-je, mais la plupart des coïncidences sont improbables.

— Dites-moi encore une chose et ce sera ma dernière question. » Elle but une gorgée de thé en grimaçant. Apparemment, même le thé conspirait contre elle. « Qu'est-ce que vous faites de votre vie ?

— Pardon ?

— Je suppose que vous occupez un bon poste quelque part.

— Ah oui. » Et je lui parlai de mon travail au ministère de l'Éducation. Son regard se mit à pétiller sur-le-champ.

« Très belle carrière, presque aussi belle que dans une banque. On ne peut pas se tromper du tout, avec le service public. Ils ne peuvent pas vous licencier, déjà, même si les temps sont durs ou si vous êtes totalement incompétent. Papa a toujours voulu que j'entre dans la fonction publique mais je lui ai dit : *Papa, je suis une jeune femme indépendante et je choisirai moi-même ma carrière*, et je l'ai effectivement trouvée au bureau des devises étrangères à la Bank of Ireland, agence de College Green. Mais je continue à penser que l'avantage de la fonction publique, c'est qu'on peut y entrer à vingt ans, passer tous les jours de sa vie assis au même bureau, et avant qu'on s'en soit rendu compte, on est un vieux bonhomme, toute la vie s'est écoulée, et il ne reste plus qu'à mourir. Ça doit procurer un grand sentiment de sécurité.

— Je n'y avais jamais vraiment réfléchi en ces termes, fis-je, écrasé par une étrange tristesse à l'idée de ma mortalité. Mais je suppose que vous avez raison.

— Vous ai-je parlé de mon oncle Martin qui était fonctionnaire ?

— Eh bien, non. Mais nous venons à peine de nous retrouver.

— C'était un fonctionnaire merveilleux. Et un homme adorable. Même s'il avait un tic dans la joue et je n'aime pas les hommes avec des tics. Ça me met mal à l'aise.

— Travaille-t-il toujours au ministère ? demandai-je. Peut-être que je le connais.

— Non. Il est atteint de démence, m'avoua-t-elle sur le ton de la confidence, presque en chuchotant, en se tapotant la tempe du bout du doigt. La moitié du temps, il n'arrive pas à se rappeler qui il est. La dernière fois que je l'ai vu, il pensait que j'étais Dorothy Lamour ! » Elle lâcha un éclat de rire et regarda autour d'elle, en secouant la tête, amusée, puis tout à coup son visage se figea dans une expression de dégoût. « Regardez donc là-bas... »

Je me tournai dans la direction qu'elle m'indiquait et vis une jeune fille au milieu du café, une jeune beauté qui défiait la météo en portant aussi peu de vêtements que possible. Les yeux de tous les hommes du Bewley's étaient rivés sur son postérieur. De presque tous les hommes.

« Un mouton habillé en agneau, persifla Mary-Margaret, avec une moue méprisante. Pas du tout mon standing.

— Voudriez-vous une tranche de gâteau à la crème pour accompagner votre thé ?

— Non merci, Cyril. La crème ne me réussit pas.

— Ah bon. » Je regardai ma montre et vis que nous étions déjà là depuis sept minutes, ce que je trouvais suffisant. « Je devrais y aller, dis-je.

— Aller où ?

— Au bureau.

— Oh, écoutez ça, monsieur le ramenard. »

Je n'avais aucune idée de ce qu'elle voulait dire. Il ne me paraissait pas tellement incongru que je doive retourner au travail, puisqu'il n'était que 15 heures.

« C'était agréable de vous revoir, Mary-Margaret.

— Attendez un instant, que je vous donne mon numéro de téléphone, me glissa-t-elle avant de se mettre à fourrager dans son sac à la recherche d'un papier et d'un crayon.

— Pourquoi ?

— Mais comment pourriez-vous m'appeler si vous n'avez pas mon numéro de téléphone ? »

Je fronçai les sourcils, sans trop comprendre où elle voulait en venir. « Je suis désolé. Me demandez-vous de vous appeler ? Avez-vous quelque chose en tête ? Parce que je peux rester un peu plus longtemps, si c'est le cas.

— Non, gardons des sujets de conversation pour la prochaine fois. » Elle gribouilla un numéro et me le tendit. « Ce sera mieux si vous m'appelez, vous. Je ne suis pas une fille qui appelle un garçon. Mais je n'attendrai pas non plus à côté du téléphone, alors, ne vous faites pas des idées. Et si c'est papa qui décroche, annoncez-lui que vous êtes un fonctionnaire du ministère de l'Éducation, il approuvera. Autrement, il ne vous accordera pas la moindre considération. »

Je regardai le morceau de papier que j'avais à la main et je ne sus que répondre. Cette expérience était totalement inédite pour moi.

« Appelez-moi samedi après-midi. Et nous déciderons ce que nous ferons pour la soirée.

— D'accord, répondis-je, sans trop savoir dans quoi j'étais en train de me fourrer, mais certain que je n'avais pas trop le choix.

— Il y a un film que je veux voir. Il passe au Metropolitan. *Un homme pour l'éternité*.

— Je l'ai vu, déclarai-je, sans ajouter que j'avais été obligé de partir au moment où Richard Rich trahissait son mentor parce que je devais me laver les mains qui sentaient le sperme.

— Eh bien, pas moi, et je veux le voir.

— Il y a beaucoup d'autres films à l'affiche. Je jetterai un coup d'œil dans le journal.

— Je veux voir *Un homme pour l'éternité*, trancha-t-elle, me fusillant du regard.

— D'accord, lâchai-je en me levant avant qu'elle ait le temps de ramasser un couteau et de me découper comme l'IRA avait mutilé Julian. Je vous appellerai samedi.

— À 16 heures. Pas une minute plus tôt.

— À 16 heures », répétai-je. Je tournai les talons et sortis du café, ma chemise déjà collée dans le dos par la transpiration. En marchant au soleil, je réfléchis à la situation. Sans en avoir eu l'intention, et sans même le vouloir, je me retrouvais apparemment avec une petite amie. Mary-Margaret Muffet. Je devais correspondre à son standing. D'un côté, cette perspective me terrifiait car je n'avais pas la moindre idée de la manière dont je devais me comporter avec une fille, et encore moins envie de le découvrir. Mais de l'autre, c'était un grand changement dans ma vie, signifiant que je parviendrais peut-être, comme tout le monde, à écarter les soupçons. Dieu merci, je ne serais pas obligé d'entrer au séminaire. En effet, depuis un an, j'envisageais vaguement cette hypothèse comme solution à tous mes problèmes.

De retour au bureau, j'ignorai une conversation interminable sur Jacqueline Kennedy. Je me mis à écrire une longue lettre à Julian, lui racontant que j'étais tombé amoureux d'une jolie fille rencontrée au Bewley's Café. Je la décrivis de la manière la plus flatteuse et sous-entendis que nous avions des interactions de toutes sortes depuis quelques mois. Je fis tout mon possible pour paraître aussi libéré sexuellement que lui, et terminai en disant que le seul problème dans le fait d'avoir une petite amie, c'était qu'on ne pouvait pas profiter de toutes les autres filles. « Je ne pourrais pas, écrivis-je, je suis trop amoureux d'elle. En même temps, ce n'est pas parce que je fais un régime que je ne peux pas regarder la carte. » J'envoyai la lettre au bureau de la Western Union à Salzburg, où Suzi la harpie et lui étaient en train de skier. J'espérais que sa curiosité le ferait revenir bientôt à Dublin pour que nous puissions sortir tous les quatre ; peut-être les filles se prendraient-elles d'amitié et nous diraient-elles d'aller boire des coups pour qu'elles puissent parler tricot, cuisine et autres. Il n'y aurait plus que Julian et moi, seuls tous les deux, comme je le voulais.

En quelques semaines, Mary-Margaret et moi étions devenus un couple établi. Tous les dimanches, elle me donnait une liste de ce que nous allions faire la semaine suivante. J'étais libre les mardis et jeudis, mais je devais passer avec elle une soirée sur deux. Nous restions généralement assis côte à côte sur le canapé dans le salon pendant que son papa regardait la télévision et mangeait des noix du Brésil enrobées de chocolat sans cesser de clamer qu'il en avait assez des noix du Brésil enrobées de chocolat.

Au bout d'environ un mois, alors que rien de sexuel ne s'était encore produit entre nous, je décidai que cela valait peut-être la peine de tenter. Après tout, je n'avais jamais goûté à l'intimité avec une fille et il était toujours possible que j'apprécie, si j'essayais. C'est ainsi qu'un soir, après que son père était monté se coucher, je me penchai et sans la prévenir, j'écrasai mes lèvres contre les siennes.

« Pardon, s'interposa-t-elle, effarée, en s'éloignant sur le canapé. Comment osez-vous, Cyril Avery ?

— Je tentais seulement de vous embrasser. »

Elle secoua la tête et me regarda comme si je venais d'avouer que j'étais Jack l'Éventreur ou un membre du parti travailliste. « Je croyais que vous aviez un peu plus de respect pour moi. Je n'aurais jamais imaginé que je sortais avec un pervers sexuel.

— Ce n'est pas exact, me semble-t-il.

— Eh bien, en quels autres termes décririez-vous ce comportement ? Je suis là, à essayer de regarder *Perry Mason*, sans me douter un instant que vous prévoyiez de me violer.

— Je ne prévoyais rien de ce genre, protestai-je. C'était juste un baiser, rien de plus. Est-ce qu'on ne devrait pas s'embrasser si nous sortons ensemble ? Il n'y a rien de mal à cela, Mary-Margaret. Si ?

— Peut-être, fit-elle pensive. Mais vous pourriez au moins avoir la décence de me demander à l'avenir. La spontanéité n'a rien de romantique.

— D'accord. Est-ce que je peux vous embrasser ? »

Elle réfléchit et finit par acquiescer. « Vous pouvez, mais j'exige que vous gardiez les yeux fermés – et la bouche aussi. Et il n'est pas question que vos mains s'approchent de moi. Je ne supporte pas qu'on me touche. »

J'opérai ainsi qu'on me l'ordonnait et collai mes lèvres sur les siennes, à nouveau, en marmonnant son nom comme si j'étais emporté par la passion d'une merveilleuse histoire d'amour. Elle resta raide comme une planche et je sentais bien qu'elle regardait toujours le téléviseur, où Perry Mason commençait à malmener un homme dans le box des témoins. Au bout de trente secondes de cet érotisme terriblement farouche, je renonçai.

« Vous embrassez très bien, la complimentai-je.

— J'espère que vous ne suggérez pas que j'ai un passé.

— Non, je voulais seulement dire que vous avez des lèvres très agréables. »

Elle plissa les yeux, se demandant probablement si c'était quelque chose que dirait un pervers sexuel. « Eh bien, ça suffit pour une soirée. Pas question de nous emballer.

— Comme vous voudrez. » Je jetai un coup d'œil du côté de mon entrejambe. Pas le moindre mouvement. Il s'était produit ce qu'on ne pouvait appeler qu'un Grand Recroquevillement.

« Et ne pensez pas qu'une chose en entraînera une autre, Cyril Avery, m'avertit-elle. Je sais que certaines filles feraient n'importe quoi pour garder un homme mais ce comportement n'est pas de mon standing. Mais pas du tout.

— Aucun problème », répliquai-je pesant mes mots.

Partout, on nous dévisage

C'était une période difficile, pour un Irlandais âgé de vingt et un ans attiré par les hommes. Quand on possédait ces trois caractéristiques simultanément, on devait se situer à un niveau d'hypocrisie et de duplicité contraire à ma nature. Je ne m'étais jamais considéré comme une personne malhonnête, et je détestais penser que je puisse être capable de tant de mensonges et de duperie, mais plus j'examinais ma vie, plus je voyais qu'elle reposait sur des bases erronées. L'idée de passer toute mon existence à mentir me pesait terriblement et dans ces moments-là, j'envisageai sérieusement de disparaître à jamais. Les couteaux me faisaient peur, les cordes m'épouvantaient et les armes à feu me terrorisaient, mais je savais que je n'étais pas bon nageur. Si j'allais jusqu'à Howth, par exemple, et que je me jetais dans la mer, le courant m'entraînerait rapidement et je n'aurais aucune chance d'en réchapper. C'était une option toujours présente dans un coin de ma tête.

J'avais peu d'amis, et même lorsque je réfléchissais à ma relation avec Julian, je devais admettre que notre lien reposait essentiellement sur mon amour obsessionnel et secret. J'avais jalousement maintenu et nourri cette relation, en sous-estimant que, sans une détermination sans faille de ma part pour garder le contact, il serait peut-être passé à autre chose des années auparavant. Je n'avais pas de famille, pour ainsi dire, pas de frères et sœurs, pas de cousins, et aucune idée de l'identité de mes parents biologiques. J'avais très peu d'argent et j'en étais venu à détester l'appartement de Chatham Street, car Albert Thatcher s'était trouvé une petite amie régulière, et lorsqu'elle passait la nuit avec lui, les bruits de leurs ébats étaient aussi horribles qu'excitants. Je rêvais d'un endroit à moi, d'une porte avec une seule clé.

En désespoir de cause, je m'adressai à Charles et lui demandai de m'accorder un prêt de cent livres pour m'installer dans de meilleures conditions. J'avais vu un appartement au-dessus d'une boutique sur Nassau Street qui donnait sur les pelouses de Trinity College, mais je n'aurais jamais pu me le payer avec mon minable salaire. Le prêt, lui expliquai-je, me permettrait de vivre là au moins deux ans pendant lesquels j'économiserais pour me construire une vie meilleure. Nous étions au yacht-club de Dun Laoghaire lorsque j'abordai la question, devant un homard arrosé au Moët et Chandon. Il refusa d'emblée, déclarant qu'il ne prêtait pas d'argent à ses amis, car les gestes philanthropes de ce genre se terminaient toujours mal.

« Mais nous sommes plus que des amis, n'est-ce pas, tentai-je, pour essayer de l'apitoyer. Vous êtes mon père adoptif, après tout.

— Oh, allez, Cyril, répondit-il, hilare, comme si je venais de faire une plaisanterie. Tu as vingt-cinq ans...

— Vingt et un.

— Bon, vingt et un. Naturellement, tu ne m'es pas indifférent, nous nous connaissons depuis longtemps, mais tu n'es pas...

— Je sais, l'interrompis-je, levant une main avant qu'il puisse terminer sa phrase. Cela n'a pas d'importance. »

En revanche, ce qui avait plus d'importance, c'était mon insatiable, incontrôlable et furieux appétit sexuel, un désir aussi intense que de manger et boire mais qui, contrairement à ces autres besoins fondamentaux, se trouvait toujours confronté à la peur d'être découvert. Je multipliais les sorties nocturnes sur les berges du Grand Canal ou dans les bosquets denses au cœur de Phoenix Park, les explorations furtives des ruelles derrière Baggot Street et des passages secrets qui zigzaguaient du Ha'penny Bridge à Christchurch Cathedral. La nuit cachait mes crimes, mais achevait de me convaincre que j'étais un dégénéré, un pervers, un Mr Hyde qui laissait sa peau de bienveillant Dr Jekyll dans l'appartement de Chatham Street dès que le soleil se couchait et que les nuages recouvraient lentement la lune.

Satisfaire mon désir sexuel n'était pas le problème. Dans le centre-ville, il était aisé de trouver un jeune homme ayant les mêmes penchants et un simple échange de regards pouvait donner lieu à une sorte de contrat. Nous nous dirigions ensuite sans un mot vers un endroit abrité des regards, où nous ne risquions pas d'être surpris, en prenant soin de ne pas nous regarder alors que nos mains fébriles tiraient et caressaient, et que nos lèvres palpitaient frénétiquement, le dos appuyé contre un arbre, allongés sur l'herbe ou agenouillés comme des suppliants. Nous nous tripotions jusqu'à ce que l'un ou l'autre ne puisse en supporter davantage, puis nous nous vidions dans la terre. Et bien que l'on soit toujours pressé de partir au plus vite, la convention tacite exigeait qu'on ne se sépare pas avant que l'autre ait également eu un orgasme. Après un merci hâtif, on partait d'un pas rapide dans des directions opposées, en priant que les Gardaí ne nous aient pas repérés, en se jurant que c'était la dernière fois, que jamais on ne referait une chose pareille, que c'était définitivement terminé. Mais les heures passaient, les désirs revenaient et le soir suivant, les rideaux frémissaient entre mes doigts pendant que je scrutais le ciel, redoutant de voir la pluie.

Je n'aimais pas aller dans les parcs car ils étaient généralement fréquentés par des hommes plutôt âgés au volant de voitures qui cherchaient quelqu'un de jeune à baiser sur la banquette arrière. La puanteur de leur Guinness et leur sueur suffisait à couper court au moindre désir. Mais j'y allais quand je ne trouvais rien d'autre, tout en redoutant le jour où il m'arriverait de passer devant Áras an Uachtaráin à la recherche de jeune chair. Je cessai lorsque les vieux commencèrent à m'offrir de l'argent. Ils s'arrêtaient près de moi et si je refusais, ils me proposaient un billet d'une livre si je faisais ce qu'ils me demandaient. Une fois ou deux, quand les temps étaient difficiles, j'acceptai leur argent, mais le sexe sans le désir ne m'excitait pas. Je ne pouvais commettre l'acte pour de l'argent. Il fallait que je le veuille.

Une seule fois, j'osai ramener quelqu'un à la maison. J'étais saoul, ivre de désir, et le garçon que j'avais rencontré, un peu plus âgé que moi, vingt-trois ou vingt-quatre ans, me rappelait tellement Julian que j'espérais passer une nuit avec lui et imaginer que mon ami avait répondu à mes avances. Il s'appelait Ciarán, du moins, c'est le nom qu'il me donna, et nous fîmes connaissance dans un bar en sous-sol derrière Harcourt Street, un endroit dont les fenêtres obturées rassuraient ses clients qui sentaient que, comme les Beatles, ils devaient *hide their love away*. J'y allais de temps en temps, car c'était le lieu parfait pour rencontrer quelqu'un d'aussi timide et angoissé que moi sous le prétexte de passer boire une bière. Je le vis alors qu'il revenait des toilettes et nous échangeâmes un regard appréciatif. Quelques minutes plus tard, il s'approcha et me demanda s'il pouvait se joindre à moi.

« Bien sûr, dis-je en désignant la chaise vide. Je suis seul.

— Ça, c'est sûr, nous sommes tous seuls, répondit-il avec un sourire en coin. Comment t'appelles-tu ?

— Julian, répliquai-je – le nom était sorti avant même que je puisse réfléchir à la prudence de ce choix. Et toi ?

— Ciarán. »

Je hochai la tête et bus une gorgée de ma Smithwick's, essayant de ne pas trop le dévisager. Il était d'une beauté insolente, beaucoup plus beau que les hommes avec lesquels je me retrouvais habituellement, et c'était lui qui avait pris la décision de m'approcher, ce qui signifiait qu'il était intéressé. Nous restâmes silencieux un moment. Je me triturai les méninges pour trouver un sujet de conversation intelligent, mais j'avais la tête vide et je fus soulagé qu'il prenne l'initiative.

« C'est la première fois que je viens ici, déclara-t-il en regardant autour de lui, et la familiarité avec laquelle il adressa un signe au barman me fit comprendre que ce n'était pas vrai. J'ai entendu dire qu'il y avait une bonne ambiance.

— Moi aussi. Je passais et je me suis arrêté pour prendre un verre. Je ne savais même pas qu'il y avait un bar ici.

— Est-ce que je peux te demander ce que tu fais dans la vie ?

— Je travaille au zoo de Dublin, répondis-je – c'était ma réponse standard à cette question. Dans la ménagerie des reptiles.

— Moi, j'ai peur des araignées.

— En fait, les araignées sont des arachnides, déclarai-je sur le ton de quelqu'un qui sait de quoi il parle. Les reptiles, ce sont les lézards, les iguanes, ce genre d'animaux.

— Ah, d'accord. » Je jetai un coup d'œil derrière lui. Un homme âgé, dont le ventre débordait par-dessus sa ceinture, était assis au bar et regardait avec envie de notre côté. Je voyais bien, à son expression, qu'il aurait désiré se joindre à nous, mais nous avions quarante ans de moins, alors il ne bougea pas, déplorant peut-être l'hostilité infondée de l'univers.

« Je ne vais probablement pas rester longtemps, finit par dire Ciarán.

— Moi non plus. Je travaille demain matin.

— Tu habites dans le quartier ? »

J'hésitai. Je n'avais encore jamais ramené quiconque à Chatham Street. Mais cette fois, c'était différent. Je ne pouvais pas laisser passer une chance aussi belle. Et puis, il y avait ce truc, cette ressemblance avec Julian. Je voulais plus qu'un pelotage illégal dans une ruelle qui puait la pisse, les frites et le vomi de la veille. Je voulais savoir ce que ça ferait de le prendre dans mes bras, de l'étreindre vraiment, et d'être dans ses bras, d'être étreint vraiment.

« Pas très loin. Près de Grafton Street. Mais c'est un peu difficile, là-bas. Et toi ?

— Pas possible, malheureusement. » Je m'émerveillais de la vitesse avec laquelle nous nous comprenions, du peu de mots nécessaires pour dire sans ambiguïté que nous voulions coucher ensemble. Contrairement à ce qu'ils prétendaient, j'étais certain que les hétérosexuels auraient adoré que les femmes se comportent comme nous.

« Peut-être qu'on pourrait aller se promener, tentai-je, prêt à me contenter des conditions habituelles, si c'était la seule possibilité. Il ne fait pas mauvais. »

Il ne réfléchit que brièvement avant de secouer la tête. « Désolé, déclina-t-il en posant une main sur mon genou sous la table, un geste qui alluma des étincelles dans tout mon corps. Je ne suis pas trop du genre à pratiquer l'extérieur, en toute honnêteté. Tant pis. En même temps, qui ne tente rien n'a rien, n'est-ce pas ? Une autre fois, peut-être. »

Il se leva et je compris que j'étais sur le point de le perdre. Je pris rapidement ma décision. « Nous pourrions essayer chez moi. Mais il ne faudra pas faire de bruit.

— Tu es sûr ? demanda-t-il, le visage plein d'espoir.

— Pas de bruit du tout, répétai-je. J'ai un colocataire et la propriétaire et son fils vivent en dessous. Je ne sais pas ce qui se passerait s'ils nous découvraient.

— Je peux éviter le bruit. Enfin, je peux essayer », ajouta-t-il avec un sourire, et je souris à mon tour, malgré mon inquiétude.

Nous sortîmes puis nous dirigeâmes vers St Stephen's Green. Une foule de bonnes raisons me soufflaient de ne pas lui faire franchir le seuil, mais aucune n'était assez puissante pour l'emporter face au moindre atome de mon corps désirant le sien. En peu de temps, nous fûmes devant la porte rouge vif et il ne me resta plus qu'à glisser la clé dans la serrure. Dans ma fébrilité, j'eus du mal à l'insérer.

« Attends ici juste une minute, chuchotai-je, penché si près de lui que nos lèvres se touchaient presque. Je vais vérifier que la voie est libre. »

Les lumières étaient éteintes dans le couloir et la porte de la chambre d'Albert était fermée, ce qui signifiait qu'il était probablement endormi. Je me retournai, fis signe à Ciarán d'entrer et nous grimpâmes à l'étage. J'ouvris ma porte et en moins d'une minute, nous étions sur le lit nous arrachant nos vêtements comme deux adolescents, et tous les impératifs de discrétion se volatilisèrent tandis que nous faisions ce que nous étions venus faire, ce que nous étions nés pour faire.

L'expérience était totalement nouvelle pour moi. D'habitude, la tentation était d'en finir le plus rapidement possible et de m'enfuir, mais pour une fois, je voulais prendre mon temps. Je n'avais jamais couché avec quelqu'un dans un lit et la sensation des draps sur ma peau nue était incroyablement excitante. Je n'avais jamais passé la main sur la jambe d'un homme, senti les poils se dresser sous ma paume, jamais connu la sensation de mes pieds nus contre les siens ; je n'avais jamais retourné un homme sur le ventre pour passer ma langue le long de sa colonne vertébrale et voir son dos s'arquer de plaisir. Dans la lumière glauque du lampadaire qui filtrait entre les rideaux, nous savourâmes la sincérité de chacun de nos gestes et rapidement, j'oubliai Julian et ne pensai plus qu'à Ciarán.

Alors que la nuit progressait, je ressentis quelque chose de totalement nouveau. Quelque chose de plus que le désir sexuel ou le besoin urgent d'atteindre l'orgasme. J'éprouvai de l'amitié, de la chaleur, du bonheur, tout cela pour un étranger, un homme dont je ne connaissais probablement pas le véritable nom.

Il finit par se tourner vers moi et sourit, secoua la tête avec cette expression familière de regret. « Faut que j'y aille.

— Tu pourrais rester, suggérai-je, surpris d'entendre ces mots sortir de ma bouche. Tu pourrais partir pendant que mon colocataire fait sa toilette. Personne ne s'en rendra compte.

— Impossible, dit-il en sortant du lit et je le contemplai tandis qu'il ramassait ses vêtements, qui, mêlés aux miens, jonchaient le sol. Ma femme m'attend. Pour elle, j'ai travaillé de nuit. »

Mon cœur se serra. Je me rendis compte que j'avais senti la présence de l'anneau d'or sur mon dos lorsqu'il m'étreignait et je n'en avais rien déduit. Il était marié. Forcément. Je le regardai boutonner sa chemise et chercher ses chaussures. Visiblement, cet aveu ne signifiait rien pour lui.

« Cela fait longtemps que tu habites ici ? s'enquit-il en s'habillant, car le silence était pire que tout.

— Un bon moment, oui.

— C'est joli, murmura-t-il, avant de s'interrompre et d'examiner les murs. C'est moi ou cette fissure ressemble au tracé de la Shannon à travers les Midlands ?

— C'est ce que j'ai pensé. La logeuse n'a pas voulu la faire réparer, ça coûterait trop cher d'après elle. Et pas de raison de s'inquiéter puisqu'elle a toujours été là. »

Je m'allongeai et tirai le drap jusqu'à mon cou pour couvrir ma nudité. Je voulais qu'il cesse de parler et qu'il parte.

« On pourrait se retrouver une autre fois, si tu veux ? proposa-t-il en se dirigeant vers la porte.

— Impossible, déclarai-je, reprenant sa formulation. Désolé.

— Pas de problème », répondit-il en haussant les épaules. Pour lui cette nuit n'avait été rien d'autre qu'un coup, un coup parmi beaucoup d'autres. Il y en aurait un autre demain soir, et un autre pendant le week-end, puis la semaine suivante. Quelques instants plus tard, il était parti et au fond de moi, je me fichai pas mal si Albert, Mrs Hogan ou son fils ouvraient leur porte et le voyaient filer. Mais aucune clameur ne parvint jusqu'à moi ; apparemment, il avait réussi à s'éclipser sans être repéré.

Il n'y a pas d'homosexuels en Irlande

Quelques jours plus tard, je pris rendez-vous avec un médecin, le Dr Dourish. Son cabinet était installé dans une rue bordée de maisons en briques rouges à Dundrum, un quartier que je ne connaissais pas bien. Il y avait un certain nombre de généralistes auprès de qui les membres de la fonction publique bénéficiaient d'un prix avantageux, mais dans le contexte de l'Irlande catholique, je n'avais aucune confiance en la déontologie de leur profession et j'étais angoissé à l'idée de me dévoiler – littéralement et métaphoriquement – à quiconque risquerait de révéler mon secret à mes employeurs. J'avais espéré qu'il serait jeune et compatissant. Je découvris, déçu, qu'il avait plus de soixante ans, qu'il était proche de la retraite et qu'il avait l'air aussi amical qu'un adolescent qu'on réveille pour aller à l'école le lundi matin. Il fuma la pipe du début à la fin de notre consultation, sans cesser d'enlever des brins de tabac coincés entre ses dents. La croix de sainte Brigitte sur le mur me serra un peu le cœur, sans parler de la lampe Sacré-Cœur posée derrière son bureau. Son ampoule vacillante lui donnait un air assez spectral.

« Mr Sadler, c'est cela ? » demanda-t-il en prenant le dossier que sa secrétaire lui avait donné. J'avais fourni un faux nom, évidemment. « C'est exact. Je m'appelle Tristan Sadler. C'est le nom que je porte depuis ma naissance.

— Et que puis-je faire pour vous ? »

Je détournai les yeux, aperçus le divan collé contre un mur et sur lequel j'aurais voulu m'allonger, comme chez un psychiatre, alors qu'il restait derrière moi. Raconter mes peines sans devoir contempler l'expression de son visage. Le dégoût, inévitablement.

« Est-ce que je pourrais m'allonger ?

— Pourquoi ?

— Je préférerais.

— Non, objecta-t-il en secouant la tête. Ce divan n'est pas destiné aux patients. C'est là que je fais ma sieste l'après-midi.

— D'accord. Alors, je reste où je suis.

— Si vous voulez bien.

— Je suis venu vous parler. Je crois qu'il y a quelque chose qui cloche chez moi.

— Bien sûr que quelque chose cloche chez vous. Sinon, pourquoi seriez-vous là ? De quoi s'agit-il ?

— C'est un peu délicat.

— Ah, fit-il avec un petit sourire et un hochement de tête. Puis-je vous demander quel âge vous avez, Tristan ?

— J'ai vingt et un ans.

— Serait-ce un problème de nature intime ?

— Oui.

— Je m'en doutais. Vous avez attrapé quelque chose, c'est ca ? Les femmes dans cette ville ne sont plus ce qu'elles étaient, si vous voulez mon avis. Pas propres, toutes ces jouvencelles. Nous n'aurions jamais dû leur donner le droit de vote, je vous assure. Ça leur a mis des idées dans la tête.

— Non », répondis-je. J'avais effectivement attrapé une ou deux choses ces derniers temps, mais j'avais un autre médecin, dans Northside, auquel je m'adressais dans ces cas-là et il me prescrivait toujours quelque chose qui résolvait rapidement le problème. « Non, cela n'a rien à voir avec ça.

— Très bien, soupira-t-il. Alors quoi ? Allez-y, crachez le morceau.

— Je crois, docteur… je crois que je ne me suis pas développé comme j'aurais dû.

— Je ne vous suis pas.

— À mon avis, je ne suis pas autant intéressé par les filles que je le devrais. Comme les autres garçons de mon âge.

— Je vois. » Son sourire avait disparu. « Eh bien, ce n'est pas aussi anormal que vous pouvez le penser. Certains garçons se développent tardivement. Ce n'est pas une grande priorité pour vous, voilà tout. Le sexe, je veux dire.

— C'est une très grande priorité. C'est probablement la plus grande priorité. J'y pense toute la journée, de la minute où je me réveille à celle où je me couche. Et j'en rêve. Parfois je fais même des rêves où je vais au lit et j'en rêve dans mes rêves.

— Alors, où est le problème ? demanda-t-il et je compris qu'il commençait à s'agacer de mes périphrases. Vous n'arrivez pas à trouver de petite amie, c'est ça ? Vous n'êtes pas vilain. Je suis sûr que beaucoup de filles seraient heureuses de sortir avec vous. Vous êtes timide, c'est ça ? Vous ne savez pas leur parler ?

— Je ne suis pas timide. » J'avais retrouvé ma voix. J'étais déterminé à tout révéler et au diable les conséquences. « Il se trouve que j'ai une petite amie, merci beaucoup. Mais, je n'en ai pas vraiment envie. Ce n'est pas aux filles que je pense. C'est aux garçons. »

Il y eut un long silence, pendant lequel je n'osai lever les yeux, préférant contempler le tapis sous mes pieds, les marques d'usure à l'endroit où d'innombrables personnes, assises dans le même fauteuil, année après année, avaient frotté leurs pieds machinalement, sous l'emprise de l'angoisse, du chagrin ou de la dépression. Le silence se prolongea si longtemps que je craignis que le Dr Dourish soit mort sous l'effet du choc et je redoutai d'avoir un nouveau cadavre sur la conscience. Cependant, je finis par l'entendre repousser son fauteuil et, levant la tête, je le vis s'approcher d'un placard, prendre une petite boîte sur l'étagère supérieure. Il s'assit, puis posa le mystérieux paquet sur le bureau entre nous.

« D'abord, vous ne devez pas croire que vous êtes le seul à souffrir de cette affliction. Beaucoup de garçons ont eu des sentiments identiques, depuis les Grecs de l'Antiquité jusqu'à nos jours. Les pervers, dégénérés et cinglés ont toujours existé, ne pensez pas une seconde que vous êtes spécial. Il y a même des endroits où on peut le vivre librement et personne ne bronche. Mais il faut que vous vous rappeliez une chose, Tristan, c'est que vous ne devez jamais agir sous l'effet de ces pulsions répugnantes. Vous êtes un bon garçon, un respectable Irlandais catholique et… vous êtes catholique, n'est-ce pas ?

— Oui, répondis-je n'étant pourtant fidèle à aucune religion.

— C'est bien. Malheureusement, vous souffrez d'une terrible maladie. Quelque chose qui échoit à certaines personnes, au hasard, sans raison apparente. Mais vous ne devez pas penser un seul instant que vous êtes homosexuel, parce que vous ne l'êtes pas. »

Je rougis un peu quand fut prononcé ce mot effrayant et proscrit, qu'on n'entendait presque jamais dans la bonne société.

« Oui, c'est vrai, poursuivit-il, il y a des homosexuels partout dans le monde. L'Angleterre en a beaucoup. La France en est pleine. Et je ne suis jamais allé en Amérique mais j'imagine qu'ils en ont leur content, eux aussi. J'aurais tendance à penser que ce n'est pas si courant en Russie ou en Australie, mais ils ont probablement d'autres choses répugnantes pour compenser. Il faut que vous reteniez ceci : Il n'y a pas d'homosexuels en Irlande. Vous vous êtes peut-être fourré dans la tête que vous en étiez un, mais vous avez tort. C'est aussi simple que ça. Vous avez tort.

— Je n'ai pas l'impression que ce soit aussi simple, docteur, avançai-je prudemment. Je pense vraiment qu'il est très possible que j'en sois un.

— Vous ne m'avez donc pas écouté ? fit-il, avec un sourire, comme si j'étais un crétin fini. Est-ce que je ne vous ai pas dit qu'il n'y avait pas d'homosexuels en Irlande ? Et s'il n'y a pas d'homosexuels en Irlande, comment diable pourriez-vous en être un ? »

Je réfléchis de mon mieux pour saisir la logique de son argument.

« Bon, reprit-il. Qu'est-ce qui vous fait penser que vous en êtes ? Que vous êtes une pédale, je veux dire.

— C'est assez simple. Je suis à la fois physiquement et sexuellement attiré par les hommes.

— Ça ne fait pas de vous un homosexuel, déclara-t-il, les paumes tournées vers le ciel comme s'il énonçait une évidence.

— Ah bon ? balbutiai-je, un peu dérouté. Je croyais que si.

— Pas du tout, mais alors pas du tout, affirma-t-il en secouant la tête. Vous avez trop regardé la télévision.

— Mais je n'ai même pas de téléviseur.

— Est-ce que vous allez au cinéma ?

— Oui.

— Souvent ?

— En général, une fois par semaine.

— Eh bien, voilà l'explication. Quel était le dernier film que vous avez vu ?

— *Alfie*.

— Je ne le connais pas. Il est bon ?

— J'ai bien aimé. Mary-Margaret l'a trouvé dégoûtant et elle a jugé que Michael Caine devrait avoir honte. Qu'il était un être répugnant qui n'avait aucun respect pour lui-même.

— Qui est Mary-Margaret ?

— Ma petite amie. »

Il éclata de rire et se pencha en avant, remplit sa pipe et l'alluma en tirant une série de petites bouffées – le tabac prit feu puis hésita entre le rouge et le noir. « Écoutez-vous, Tristan. Si vous avez une petite amie, eh bien, vous n'êtes visiblement pas homosexuel.

— Mais je ne l'aime pas, avouai-je. Elle porte tout le temps des jugements à l'emporte-pièce, sur tout et tout le monde. Elle me dit ce que je dois faire, me donne des ordres comme si j'étais un chien. Et je ne la regarde jamais en trouvant qu'elle est jolie. Je ne désire pas la voir sans ses vêtements. Chaque fois que je l'embrasse, j'ai envie de vomir juste après. Parfois, je prie pour qu'elle rencontre quelqu'un et me laisse tomber ;

cela m'éviterait de la quitter. Et puis, elle a une drôle d'odeur. Elle assure que se laver trop souvent, c'est de l'arrogance.

— Mais nous ressentons tous cela à l'égard des femmes, certifia le Dr Dourish en haussant les épaules. Je ne sais combien de fois j'ai eu envie de glisser quelque chose dans le chocolat chaud de Mrs Dourish pour qu'elle ne se réveille pas le lendemain matin. Et j'ai accès à tout ce que je veux. Je pourrais faire une ordonnance prescrivant du poison et aucun jury dans ce pays ne la remettrait en cause. Mais ça ne fait pas de moi un homosexuel, quand même ! Comment cela serait-il possible ? J'adore Judy Garland, Joan Crawford et Bette Davis. Je ne manque pas un de leurs films.

— Je veux juste que ça s'arrête ! » La frustration me fit hausser le ton. « Je veux arrêter de penser aux hommes et être comme tout le monde, tout simplement.

— C'est pour cela que vous êtes venu me voir. Et je suis heureux de vous dire que vous vous adressez à la bonne personne, car je peux vous aider. »

Je retrouvai un peu de courage, et le regardai, plein d'espoir. « Vraiment ?

— Oh oui, dit-il en désignant du menton le petit paquet posé sur le bureau. Soyez gentil, prenez cet objet et ouvrez-le. »

J'obéis et une seringue dotée d'une longue aiguille de la taille de mon index tomba.

« Vous savez ce que c'est ? interrogea le Dr Dourish.

— Oui. Une seringue.

— Très bien. Alors, je veux que vous ayez confiance en moi, d'accord ? Donnez-la-moi. » Je la lui tendis et il me montra le divan. « Allez là-bas et asseyez-vous au bord.

— Je croyais qu'il n'était pas destiné aux patients ?

— Je fais une exception pour les dégénérés. Mais avant, enlevez votre pantalon. »

J'étais anxieux, mais je défis mon pantalon qui descendit sur mes chevilles, avant de m'asseoir là où il me l'avait indiqué. Le Dr Dourish s'approcha, la seringue dans la main droite ; il la brandissait d'une manière assez menaçante.

« Maintenant, ôtez votre caleçon.

— Je préférerais ne pas l'enlever.

— Faites ce que je vous dis, sinon, je ne pourrai pas vous aider. »

J'hésitai, gêné et angoissé, mais je finis par obtempérer. Ainsi dénudé de la taille jusqu'aux pieds, je m'appliquai à ne pas le regarder.

« Bon. Je vais énoncer des noms et je veux que vous réagissiez de façon naturelle, d'accord ? Bing Crosby », commença-t-il. Je ne bougeai pas, contemplant le mur devant moi, pensant à la soirée où j'étais allé voir *High Society,* avec Mary-Margaret, au Adelphi Cinema sur Abbey Street. Le film l'avait révoltée ; quelle traînée divorcerait d'un homme pour un autre, puis retournerait auprès du premier le jour de son deuxième mariage. Quel manque de sens moral, avait-elle prétendu. Pas du tout son standing.

« Richard Nixon », poursuivit le Dr Dourish, et je fis la grimace. Selon la rumeur, Nixon allait se présenter à nouveau aux présidentielles en 1968 et j'espérais qu'il n'en ferait rien. Voir ce visage tous les matins dans le journal m'enlevait tout appétit.

« Warren Beatty. » Cette fois, mon visage s'éclaira. J'adorais Warren Beatty depuis que je l'avais vu face à Natalie Wood dans *La Fièvre dans le sang,* quelques années auparavant, et j'étais un des premiers spectateurs de *Promise Her Anything* lorsqu'il avait été à l'affiche au Carlton l'année précédente. Mais avant que je puisse savourer sa beauté, une douleur fulgurante me fit bondir et trébucher sur mon pantalon. Je me retrouvai par terre, plié en deux, les mains plaquées sur mon entrejambe. Lorsque je finis par avoir le courage d'écarter mes mains, je découvris sur mon scrotum une minuscule marque rouge qui n'était pas là cinq minutes auparavant.

« Vous l'avez enfoncée ! hurlai-je en regardant le Dr Dourish comme s'il était fou. Vous m'avez planté la seringue dans les couilles !

— Effectivement, concéda-t-il en s'inclinant un peu comme s'il acceptait des remerciements. Maintenant, revenez par ici, Tristan, pour que je puisse recommencer.

— Il n'en est pas question. » Je me remis debout en essayant de décider s'il valait mieux lui coller mon poing dans la figure ou m'enfuir en courant. Je devais offrir un drôle de tableau, planté au milieu de son cabinet, la queue pendante, le pantalon aux chevilles et le visage rouge de fureur.

« Vous voulez guérir, non ? demanda-t-il d'une voix bienveillante d'oncle indulgent, ignorant ma détresse pourtant évidente.

— Oui, mais pas comme ça. Ça fait mal !

— Mais c'est la seule manière. Nous allons exercer votre cerveau à associer vos désirs envers les hommes à une douleur très intense. De cette façon, vous ne vous permettrez plus d'avoir ces répugnantes pensées. Pensez au chien de Pavlov. C'est le même principe.

— Je ne connais pas Pavlov ni son chien, mais sauf si l'un d'eux a été piqué dans les couilles avec une seringue, ils n'ont aucune idée de ce que je ressens en ce moment.

— Très bien, déclara le Dr Dourish avec un haussement d'épaules. Gardez vos sordides fantasmes. Vivez une vie dominée par vos pensées ignobles et immorales. Restez un exclu de la société jusqu'à la fin de vos jours. C'est votre choix. Mais rappelez-vous, vous êtes venu me demander de l'aide et je vous en propose. À vous de l'accepter ou non. »

Je réfléchis, et tandis que la douleur régressait lentement – très très lentement – je retournai au divan et me rassis, en tremblant, au bord des larmes. Je serrai le bord du coussin et fermai les yeux.

« Bon. Recommençons. Le pape Paul VI. »

Rien.

« Charles Laughton. »

Rien.

« George Harrison. »

Si des patients attendaient leur tour à l'extérieur, ils durent s'enfuir en entendant mes hurlements traverser la cloison et menacer de faire exploser les vitres. Lorsque je sortis en trébuchant, une demi-heure plus tard, pouvant à peine marcher, le visage inondé de larmes, je ne trouvai personne d'autre que la secrétaire du Dr Dourish, assise à son bureau, en train d'écrire le reçu.

« Ça fera quinze pence », annonça-t-elle, me tendant le bordereau, et je fouillai avec précaution – avec au moins mille précautions – dans ma poche. Avant que j'aie le temps de sortir l'argent, la porte du cabinet s'ouvrit. Terrorisé à l'idée qu'il se jette sur moi en hurlant « Harold Macmillan ! Adolf Hitler ! Tony Curtis ! » je me préparai à m'enfuir à toutes jambes.

« Trois pence de plus pour la seringue, Annie, signala le docteur. Mr Sadler l'emporte.

— Ça fera dix-huit pence, donc. » Je posai l'argent sur la table et partis en boitillant, heureux de respirer l'air frais de Dundrum. Dans la rue qui descendait vers le centre commercial, je m'arrêtai et m'assis sur un banc. Je cherchai doucement une position confortable. Je me pris la tête à deux mains. Un jeune couple, dont l'épouse était visiblement dans les premiers mois de sa grossesse, s'arrêta devant moi et ils me demandèrent s'ils pouvaient faire quelque chose pour moi.

« Ça va. Merci.

— Vous n'avez pas l'air bien, insista la femme.

— Effectivement. Un homme vient de planter une aiguille dans mon scrotum à peu près vingt fois en une heure. Et ça fait un mal de chien.

— J'imagine volontiers, dit l'homme sur un ton nonchalant. J'espère que vous n'avez pas payé pour recevoir un traitement pareil.

— Si, dix-huit pence.

— Ça fait une coquette somme, de quoi passer une bonne soirée dehors, commenta la femme. Avez-vous besoin d'un médecin ? Il y en a un un peu plus loin...

— C'est le médecin qui a fait ça. J'ai juste besoin d'un taxi. Je veux rentrer chez moi.

— Helen, trouve un taxi. Le pauvre, il ne tient presque pas debout. » Elle s'était à peine retournée pour lever le bras qu'une voiture se gara devant nous.

« Rien ne mérite que vous vous mettiez dans un état pareil », soutint la femme alors que je montai à l'arrière. Son visage respirait la gentillesse et j'eus soudain envie de pleurer sur son épaule et de lui raconter mes malheurs. « Quel que soit votre problème, ne vous inquiétez pas. Il finira bien par s'arranger.

— Si seulement j'étais aussi optimiste que vous... » Je refermai la portière et la voiture démarra.

Avant que la voiture prenne feu

Quelques semaines plus tard, le ministre fut surpris le pantalon aux chevilles.

Un homme *a priori* heureux en ménage qui emmenait femme et enfants à la messe tous les dimanches matin, qu'on voyait généralement s'attarder sur le parvis, peu importe le temps, pour échanger des poignées de main avec ses administrés et leur promettre de les revoir tous au match de la GAA[1] le dimanche suivant. Ce TD d'une circonscription rurale était resté dans son appartement de Dublin pendant le week-end. Il avait été surpris dans sa voiture, aux premières heures le dimanche, en train de se faire tailler une pipe par un drogué de seize ans qui venait juste d'être libéré après avoir purgé une peine de six mois pour troubles à l'ordre public au Centre de détention pour enfants et adolescents de Finglas. Le ministre fut arrêté et conduit au commissariat de Pearse Street. Il refusa de décliner son identité et leur imposa la routine habituelle, exigeant de connaître leurs numéros de matricule, en martelant que tous seraient au chômage avant la fin de la journée. Quand il essaya de partir, on le mit sans ménagement dans une cellule et on le laissa mariner.

Il ne fallut qu'une petite heure pour que quelqu'un l'identifie. Un jeune Garda, qui s'occupait d'apporter des tasses de thé dans la cellule de dégrisement, lança un regard du côté du visage gras et transpirant du ministre, le reconnut pour l'avoir vu la veille aux nouvelles et s'empressa d'informer son sergent. Celui-ci, qui ne soutenait pas du tout le gouvernement, passa discrètement deux ou trois appels à des amis journalistes. Le temps que les faits soient établis, que sa caution soit payée et qu'il sorte, une foule s'était massée devant le commissariat et à peine dehors, le ministre fut confronté à un barrage de questions et d'accusations, sous le bruit de mitraillette des appareils photo.

Lorsque j'arrivai au ministère le lendemain matin, toute la presse était postée dehors sur Marlborough Street. Je trouvai Miss Joyce, Miss Ambrosia et Mr Denby-Denby au cœur du drame.

« Vous voici, Mr Avery, m'accueillit Miss Joyce au moment où je déposai mon sac. Qu'est-ce qui vous a retenu tout ce temps ?

— Il vient à peine de sonner 9 heures, notai-je, l'œil sur la pendule. Pourquoi, que se passe-t-il ?

— Vous n'avez pas entendu la nouvelle ? »

Je secouai la tête et Miss Joyce fit de son mieux pour expliquer, utilisant tous les euphémismes connus pour éviter les mots nécessaires, mais plus elle s'agitait, moins

1. Gaelic Athletic Association. (*N.d.T.*)

elle était compréhensible, et au comble de l'agacement, Mr Denby-Denby leva les bras dans un geste de désespoir et prit la relève.

« Les Gardaí ont frappé à la vitre de sa voiture, dit-il, la voix forte pour qu'il n'y ait aucune ambiguïté possible sur ce qui s'était passé. Ils les ont découverts tous les deux, le pantalon aux chevilles, et le gamin avait la queue du ministre dans la bouche. Il ne pourra pas s'en sortir, de celle-ci. Il va être affreusement éclaboussé. Pardon pour le jeu de mots. »

Je restai bouche bée, à la fois incrédule et amusé, et malheureusement, j'avais toujours la bouche ouverte lorsque le ministre en personne entra dans le bureau, pâle, transpirant et fébrile. Il pointa un index vers moi et rugit.

« Vous ! Comment vous appelez-vous, déjà ?

— Avery. Cyril Avery.

— Essayez-vous de faire de l'humour, Avery ?

— Non. Pardon, monsieur.

— Parce que j'ai eu ma dose de plaisanteries et il y a des chances que je mette mon poing sur la figure du prochain qui se permettra la moindre blague. C'est compris ?

— Oui, monsieur, fis-je, les yeux rivés sur mes chaussures, concentré pour ne pas éclater de rire.

— Miss Joyce, où en sommes-nous sur ce dossier ? Avez-vous publié quelque chose ? Il faut que nous prenions les devants avant de perdre tout contrôle de la situation.

— J'ai rédigé quelque chose, annonça-t-elle en attrapant une feuille de papier sur son bureau. Mais je ne savais pas trop quelle ligne vous vouliez adopter. Et Miss Ambrosia a terminé la déclaration de votre épouse.

— Lisez-la-moi », ordonna-t-il.

Miss Ambrosia se leva, s'éclaircit la voix comme si elle se préparait pour une audition, et son carnet à la main, se mit à déclamer :

« Le ministre et moi sommes mariés depuis plus de trente ans et pendant toutes ces années je n'ai jamais eu la moindre raison de douter de sa loyauté, de sa foi catholique profonde ni de son amour exclusif pour les femmes. Le ministre a toujours été charmé par les formes féminines. »

« Grands dieux ! » Il se précipita à la fenêtre ; il aperçut la foule rassemblée dans la rue et s'empressa de reculer avant qu'on puisse le repérer. « Vous ne pouvez pas dire ça, espèce d'idiote. Vous me faites passer pour un coureur de jupons. Comme si je n'arrivais pas à empêcher ma queue de sortir de mon pantalon.

— Eh bien, vous n'y arrivez pas, remarqua Mr Denby-Denby. Et n'insultez pas Miss Ambrosia, m'entendez-vous ? Je ne peux l'accepter.

— Fermez-la, vous.

— Pendant toutes ces années, reprit Miss Ambrosia, qui corrigea : je n'ai jamais eu la moindre raison de douter de sa loyauté ni de sa virilité.

— Oh là là, c'est encore pire. Est-ce que vous savez seulement ce qu'est la virilité ? À mon avis, vous devez être au courant, vu comme vous êtes gaulée.

— Eh bien, c'est un peu fort, répliqua Miss Ambrosia qui retourna s'asseoir. Moi, au moins, je ne baise pas des petits garçons dans des voitures.

— Je n'ai baisé personne ! rugit-il. Si quelqu'un s'est fait baiser, c'est bien moi. Même si ce n'était pas moi, de toute manière, puisque ça n'est jamais arrivé.

— Quelle citation remarquable, ironisa Mr Denby-Denby. Nous devrions vraiment l'intégrer dans le communiqué de presse. "Je ne baise pas les jeunes garçons. Ce sont eux qui me baisent."

— Y a-t-il quelqu'un dans cette pièce qui sache écrire ? s'enquit le ministre en nous dévisageant les uns après les autres sans tenir compte de la dernière remarque. Nous sommes censés être au ministère de l'Éducation, non ? Est-ce que quelqu'un ici en a eu une, d'éducation ?

— Monsieur le ministre », commença Miss Joyce, sur le ton qu'elle prenait toujours lorsqu'elle essayait de désamorcer une crise. Elle avait dû en user bien des fois pendant les décennies qu'elle avait passées dans ce bureau. « Dites-nous ce que vous voulez que nous fassions et nous le ferons. C'est notre travail. Mais il faut que vous nous donniez l'orientation. Ce qui, après tout, est votre travail.

— D'accord », acquiesça-t-il, temporairement apaisé. Il s'assit à la table centrale puis se remit debout comme s'il avait une crise d'hémorroïdes. « Commençons par le début. Je veux que les Gardaí qui m'ont arrêté soient interpellés et soient exclus immédiatement du contingent. Pas de recours possible, pas de congés payés, pas de retraite. Prenez contact avec Lenihan à la Justice et insistez pour que ce soit fait avant midi.

— Mais sur quelle base ? demanda-t-elle.

— Détention illégale d'un ministre, lâcha-t-il, le visage rouge de fureur. Et tous les agents en poste au commissariat de Pearse Street doivent être suspendus jusqu'à ce que nous découvrions qui a vendu la mèche à la presse.

— Monsieur le ministre, le ministre de la Justice ne répond pas au ministre de l'Éducation, avança-t-elle doucement. Vous ne pouvez pas lui donner d'ordre.

— Brian fera ce que je lui demanderai. Nous nous connaissons depuis longtemps, lui et moi. Il me soutiendra, aucun problème.

— Je n'en suis pas certaine. En réalité, la première communication que j'ai reçue ce matin venait de mon homologue à la Justice, et elle signifiait clairement que Mr Lenihan serait indisponible pour tous vos appels.

— Quel salopard ! s'écria-t-il, et il envoya valser un dossier posé sur mon bureau ; environ trois cents pages de mémos s'étalèrent par terre. Alors, vous vous déplacez et vous l'en informez en personne, vous m'entendez ? Dites-lui que j'ai assez de calomnies pour l'enterrer s'il ne fait pas ce que je lui demande.

— Je ne peux pas faire ça, répliqua-t-elle. Cela violerait toutes les règles du protocole. Et, en tant que fonctionnaire du service public, il m'est impossible d'approuver une démarche de chantage d'un membre du cabinet à un autre.

— J'en ai rien à foutre de votre protocole, vous m'entendez ? Faites ce que je vous dis ou alors, vous aussi, vous serez au chômage à la fin de la journée. Et voici le communiqué que je veux voir diffusé : le garçon qui se trouvait dans la voiture est le fils d'un vieil ami qui passe par un moment difficile. Je l'ai rencontré par hasard, je lui ai offert de le raccompagner chez lui. Nous nous sommes garés sur Winetavern Street pour discuter de la possibilité de lui trouver un boulot de serveur à Leinster House. Pendant la conversation, il a lâché sa cigarette, elle est tombée et il s'est tout simplement penché pour la ramasser avant que la voiture prenne feu. Au contraire, il agissait de manière héroïque et devrait être félicité.

— Et au moment où il a agi ainsi, renchérit Mr Denby-Denby, votre ceinture s'est ouverte, votre pantalon est descendu tout seul, le sien aussi, et comme ça, par magie, votre queue a atterri dans sa gorge. Parfaitement logique, tout ça. Je ne vois pas comment quelqu'un pourrait mettre en doute une explication pareille.

— Vous. Dehors », signifia le ministre, en pointant son index sur Mr Denby-Denby. Il claqua des doigts et ajouta : « Sortez, vous m'entendez ? Vous êtes viré.

— Vous ne pouvez pas me virer », répondit Mr Denby-Denby. Il se leva dignement et plia son journal sous son bras. « Je suis fonctionnaire. Je suis là jusqu'à la fin de mes jours, si Dieu le veut. Je vais aller prendre une tasse de thé et un gâteau, et vous laisser trouver un moyen de vous sortir de votre pétrin, parce que franchement, je refuse d'entendre plus longtemps ce genre de sornettes. Mais regardons les choses en face, mon cher. De nous deux, je serai le seul à avoir encore un boulot à la fin de la journée. »

Le ministre le regarda partir, je crus qu'il allait lui sauter dessus et lui écraser la tête contre le plancher. Toutefois il resta interdit. Personne n'avait dû lui parler sur ce ton depuis longtemps. Miss Ambrosia et moi échangeâmes un coup d'œil et les lèvres pincées, nous eûmes du mal à ne pas éclater de rire.

« Si l'un de vous ouvre la bouche… », vociféra le ministre en se tournant vers nous. Chacun de nous s'empressa de reprendre sa place à son bureau et de baisser la tête.

« Monsieur le ministre, intervint Miss Joyce calmement, en le ramenant à la table au centre de la pièce. Nous pouvons publier le communiqué que vous souhaitez, nous pouvons raconter tout ce que vous voulez, mais dans l'immédiat, le plus important c'est que vous soyez perçu par l'électorat comme contrit, et que vous ne vous ridiculisiez pas davantage. C'est votre conseiller qui devrait vous dire ça, pas moi.

— Je vous demande pardon ? hoqueta-t-il, abasourdi par son impudence.

— Vous m'avez très bien entendue, monsieur. Personne ne croira à cette histoire grotesque. À moins d'avoir de la bouillie à la place du cerveau. Certains de vos collègues, je suppose, goberont peut-être votre salade. Mais je vous promets que le Taoiseach vous fera chasser à coups de cravache si vous tenez cette ligne de défense. Est-ce ce que vous souhaitez ? Détruire votre carrière politique à tout jamais ? Le public pardonnera et oubliera, avec le temps, mais Mr Lemass jamais. Si vous voulez avoir le moindre espoir de revenir un jour, alors, la solution, c'est de partir avant qu'on vous mette dehors. Je vous assure, vous me remercierez un jour.

— Écoutez-vous, rétorqua-t-il d'une voix chargée de mépris. Vous croyez que vous pouvez me dire tout ce que vous voulez, maintenant ? Vous croyez tout savoir ?

— Je ne sais pas tout, monsieur le ministre. Mais assez pour ne pas payer un mineur probablement très défavorisé pour du sexe oral au milieu de la nuit. Ça, au moins, je le sais. » Elle se leva et repartit s'asseoir à son bureau. Tout à coup, elle se retourna et le regarda comme surprise qu'il fût encore là. « Maintenant, s'il n'y a rien d'autre, monsieur le ministre, je suggère de vous rendre immédiatement au bureau du Taoiseach. Nous sommes occupés. Nous devons nous préparer pour l'arrivée de votre successeur dans la journée. »

Il jeta un regard consterné, le visage blême, le nez rouge, les narines palpitantes. Peut-être comprit-il à ce moment-là que la fête était finie. Il partit, et quelques minutes plus tard Mr Denby-Denby revint avec une tasse de café et une tranche de gâteau à la crème. « Qui pensez-vous que nous aurons après lui ? » Apparemment, les événements de l'heure précédente étaient déjà relégués au fond de sa mémoire. « Ce ne sera pas Haughey, quand même ? Cet homme me fiche la frousse. On dirait toujours qu'il vient d'enterrer des cadavres dans les montagnes de Dublin. »

Miss Joyce l'ignora et se tourna vers moi. « Mr Avery, voulez-vous bien vous rendre à Leinster House et surveiller ce qui s'y passe pour moi ? Si vous entendez quoi que ce soit, appelez-moi. Je serai à mon bureau toute la journée.

— Oui, Miss Joyce. » Je pris mon manteau et ma sacoche, ravi de pouvoir aller au Dáil, au beau milieu de l'action. Une fois passée la première exaltation, j'éprouvai des sentiments plus mêlés alors que je descendais O'Connell Street et contournais les murs de Trinity College. D'un côté, je n'avais jamais apprécié le ministre, qui m'avait toujours traité avec un dédain affiché, mais de l'autre, je savais mieux que personne combien il avait dû être difficile pour lui de garder secrets ses véritables penchants. Depuis combien de temps mentait-il à sa femme, ses amis, sa famille et à lui-même ? Il avait plus de soixante ans, autrement dit, toute une vie.

À Leinster House, les TD et leurs conseillers étaient rassemblés par groupes dans tous les couloirs, toutes les alcôves, occupés à cancaner, chuchotant comme des poissonnières. Partout, j'entendais prononcer des mots comme tapette, lopette et sale pédale. L'atmosphère était pleine d'une animosité brutale. Chacun s'empressait de prendre ses distances avec son collègue en affirmant clairement qu'il n'avait jamais été l'ami d'un tel pervers et qu'il prévoyait de rejeter sa candidature à la prochaine élection. En remontant une galerie dans laquelle les portraits de William T. Cosgrave, Éamon de Valera et John Costello me contemplèrent d'un œil méprisant et moralisateur, je vis l'attaché de presse du Taoiseach arriver face à moi, rouge de fureur après cette matinée passée à repousser les assauts des médias. Il me croisa, puis s'arrêta et pivota. Il me regarda droit dans les yeux.

« Vous, lança-t-il d'une voix rageuse. Je vous connais, n'est-ce pas ?

— Je ne crois pas, répondis-je bien que nous nous soyons vus au moins une douzaine de fois.

— Si, je vous connais. Vous êtes du ministère de l'Éducation, n'est-ce pas ? Avery, c'est ça ?

— C'est exact.

— Et lui, où est-il ? Avec vous ?

— Il est à Malborough Street. » Il devait parler du ministre.

« Avec son pantalon aux chevilles, je suppose ?

— Non, répliquai-je en secouant la tête. En tout cas, il était autour de sa taille la dernière fois que j'ai vu le ministre. À l'heure qu'il est, il pourrait être n'importe où, j'imagine.

— Essayez-vous de faire de l'humour, Avery ? » me demanda-t-il en se penchant vers moi, si près que je sentis son haleine mélange de cigarette froide et de whisky, auxquels s'ajoutaient des relents de chips au fromage et à l'oignon. Un groupe s'était assemblé autour de nous, flairant l'imminence du scandale. C'est un grand jour, lisait-on sur les visages. Il se passe plein de trucs ! « Non mais regardez-moi cette dégaine ! poursuivit-il. Qu'est-ce que c'est que ce manteau ? De quelle couleur est-il, rose ?

— Il est marron. Je l'ai acheté chez Clerys. Il était en solde, à moitié prix.

— Chez Clerys, donc ? répéta-t-il en cherchant un encouragement auprès des spectateurs avec un sourire supérieur.

— Oui, c'est exact.

— Je suppose que c'est lui qui vous a embauché ? Le ministre ? Après un entretien sur son canapé, porte verrouillée et slip baissé ?

— Non monsieur, répondis-je en rougissant devant ces insinuations. J'ai eu cet emploi grâce à une relation. La troisième femme de mon père adoptif, dont il est aujourd'hui séparé. Elle travaillait ici et...

— Votre quoi ?

— Mon père ad...

— Vous en êtes une, n'est-ce pas ? insinua-t-il. Je les reconnais toujours.

— Une quoi, monsieur ? fis-je en fronçant les sourcils.

— Une sale pédale. Comme votre chef. »

Je déglutis avec peine et regardai autour de nous. Quarante personnes au moins nous observaient, des secrétaires parlementaires, des TD, des ministres, puis, s'arrêtant au passage pour voir ce qui causait cette agitation, le Taoiseach en personne, Seán Lemass. « Non monsieur, murmurai-je. J'ai une petite amie. Mary-Margaret Muffet. Elle travaille au bureau des devises étrangères de la Bank of Ireland, agence de College Green, et va au Switzer's tous les matins prendre une tasse de thé.

— Bien sûr, même Oscar Wilde avait une femme. Ils se marient tous, pour que personne n'ait de soupçons. Ça doit être des parties fines tous les jours, au ministère de l'Éducation, n'est-ce pas ? Vous savez ce que je ferais de tous les invertis si je pouvais les attraper ? Je ferais comme Hitler. On peut dire ce qu'on veut de cet homme, mais il a eu quelques bonnes idées. Je les arrêterais tous et je les gazerais. »

Je sentis une boule de colère et d'humiliation se former au creux de mon ventre. « Vous déclarez là une chose terrible. Vous devriez avoir honte.

— Ah bon, vraiment ?

— Oui.

— Ah, allez vous faire enculer.

— Vous, allez vous faire enculer ! criai-je pour ne plus avoir à supporter ses insultes. Et lavez-vous les dents, si vous tenez à vous approcher si près des gens, espèce de gros semeur de merde. Je suis sur le point de défaillir tellement votre haleine pue.

— Qu'est-ce que vous venez de dire ? demanda l'attaché de presse en me dévisageant, ébahi.

— J'ai dit, repris-je, à voix haute cette fois, encouragé par la foule que je crus approbatrice. Lavez-vous les dents si vous tenez à... »

Je ne réussis pas à finir ma phrase, torpillé par un coup de poing dans la figure, et une colère enfouie depuis des années se mit à gronder. Je me remis debout, serrai le poing et le projetai vers lui. Mais il esquiva juste à temps et au lieu d'entrer en contact avec son menton, ma main s'écrasa contre un pilier. Je laissai échapper un cri de douleur. Tout en me massant les doigts, je pivotai pour attaquer et il m'asséna un autre coup, au-dessus de l'œil droit. Je vis passer de l'argent dans les mains des TD.

« Trois contre un que ce sera le jeune.

— Dix contre un serait plus juste. Regarde-le, il est presque déjà au tapis.

— Laissez-le tranquille ! » s'interposa soudain une voix, une voix féminine. La gérante du salon de thé apparut après avoir fendu la foule, comme Moïse avait ouvert la mer Rouge. « Que se passe-t-il ici ? s'écria-t-elle avec toute l'autorité de quelqu'un qui était là depuis plus longtemps que tous les TD, et qui resterait bien après la fin de leur mandat. Vous, Charles Haughey, fit-elle en pointant du doigt le ministre de l'Agriculture, qui se tenait au bord de l'attroupement, un billet d'une livre dans la main – il s'empressa de le ranger dans son portefeuille. Mais que faites-vous tous, à ce pauvre garçon ?

— Ne vous inquiétez pas, Mrs Goggin, ronronna Haughey qui s'avança d'un pas et posa la main sur son bras ; rapidement, elle le repoussa. On s'amuse un peu, c'est tout.

— Vous vous amusez ? fit-elle d'une voix indignée. Regardez-le ! Du sang coule de son arcade sourcilière. Et tout ceci dans le lieu même de la démocratie parlementaire. N'avez-vous pas honte, tous autant que vous êtes ?

— Calmez-vous, chère madame, reprit Haughey.

— Je me calmerai quand votre bande de voyous et vous aurez quitté cette galerie. Allez-y, sinon je vous le jure, j'appelle les Gardaí pour qu'ils s'occupent de vous. »

Je levai la tête et vis disparaître le sourire sur le visage de Haughey. On eut l'impression qu'il voulait se jeter sur elle, puis il ferma les yeux quelques instants, attendit d'avoir repris le contrôle de ses émotions, et lorsqu'il les rouvrit, il avait retrouvé son sang-froid.

« Venez, messieurs, dit-il à la foule, qui semblait prête à suivre ses ordres. Laissez ce garçon tranquille. La garce du salon de thé nettoiera. Et la prochaine fois que vous me voyez, chérie, ajouta-t-il en attrapant Mrs Goggin par le menton pour la tenir fermement, avant de poursuivre en postillonnant : vous tiendrez votre langue. Je suis patient, mais il n'est pas question que j'accepte l'insolence d'une putain. Je sais qui vous êtes, et je sais ce que vous êtes.

— Vous ne savez rien de moi », lâcha-t-elle en se dégageant. Elle essayait de paraître courageuse mais l'angoisse était perceptible dans sa voix.

« Je sais tout sur tout le monde, claironna-t-il avec un sourire. C'est mon travail. Je vous souhaite une bonne journée. Un agréable après-midi. »

Lentement, je me remis debout, le dos appuyé contre le mur tandis qu'ils s'éloignaient, et portai ma main à mon visage. Ma paume était rouge de sang. J'avais un goût métallique dans la bouche ; ma lèvre supérieure était fendue.

« Venez donc avec moi, insista Mrs Goggin. Venez au salon de thé, que je vous arrange un peu. Ne vous inquiétez pas. Comment vous appelez-vous ?

— Cyril.

— Eh bien, Cyril, tout ira bien. Nous serons seuls là-bas, personne ne s'occupera de vous. Tout le monde va aller écouter le discours du ministre. »

D'un hochement de tête, je la suivis. Je me souvins de cet après-midi où Julian et moi avions franchi ces mêmes portes sept ans auparavant pendant notre sortie scolaire, pour boire une pinte de Guinness, Julian se faisant passer pour un TD de je ne sais plus quelle circonscription de Dublin. Et j'étais certain que c'était cette femme qui était venue nous disputer d'avoir bu sans avoir l'âge légal, et qui avait fini par réprimander le père Squires parce qu'il nous avait laissés nous promener librement. Par deux fois, elle m'avait montré qu'elle ne se laissait pas intimider par l'autorité – une femme de valeur.

Je m'assis à une table près de la fenêtre et elle revint quelques instants plus tard avec un verre de brandy, un bol d'eau et un gant de toilette humide avec lequel elle m'essuya le visage. « Ne vous inquiétez pas, ce n'est qu'une égratignure.

— Je n'ai jamais été frappé de ma vie.

— Buvez ça, ça vous fera le plus grand bien. » Elle me dévisagea et fronça les sourcils, resta perplexe comme si elle reconnaissait une expression, avant de secouer la tête et de tremper à nouveau son gant de toilette dans l'eau. « Comment cela a-t-il commencé ?

— C'est cette affaire avec le ministre de l'Éducation. L'attaché de presse a probablement eu une matinée exécrable et il cherchait quelqu'un sur qui se défouler. Il pensait que j'en étais une.

— Une quoi ?

— Une pédale.

— Et est-ce le cas ? fit-elle sur un ton badin comme si elle m'avait demandé quel temps il faisait.

— Oui. » C'était la première fois que je l'avouais à haute voix devant une autre personne, et le mot était sorti de ma bouche avant même que j'aie pu essayer de le retenir.

« Ça arrive.

— Je ne l'ai jamais confié à personne.

— Vraiment ? Alors pourquoi à moi ?

— Je ne sais pas. J'ai senti que je pouvais, c'est tout. Que ça ne serait pas grave.

— Pourquoi cela le serait-il ? Cela ne me regarde en rien.

— Pourquoi nous haïssent-ils tant ? demandai-je après un long silence. S'ils ne sont pas homosexuels, eh bien, qu'est-ce que ça peut bien leur faire ?

— Je me souviens qu'un de mes amis m'a dit un jour que nous haïssons ce qui nous effraie en nous-mêmes. Peut-être est-ce une explication. »

Je n'ajoutai rien et continuai à siroter mon brandy, en me demandant si cela valait la peine que je retourne au bureau cet après-midi-là. La nouvelle parviendrait vite jusqu'à Miss Joyce et bien qu'aucun membre du gouvernement ne puisse, techniquement, licencier un fonctionnaire, il y avait des moyens de contourner cette règle. J'étais probablement en plus mauvaise posture que Mr Denby-Denby ou que le ministre. Je levai la tête et vis que Mrs Goggin avait les yeux pleins de larmes. Elle avait sorti son mouchoir pour les essuyer.

« Ne faites pas attention à moi, articula-t-elle avec un sourire un peu forcé. C'est juste que je trouve ce genre de violence très perturbant. J'en ai déjà été témoin par le passé et je sais où elle peut mener.

— Vous ne le direz à personne, n'est-ce pas ?

— Dire quoi ?

— Ce que je viens de vous avouer. Que je ne suis pas normal. »

Elle se leva et rit. « Grands dieux ! Ne soyez pas ridicule. Personne n'est normal. Personne, dans ce satané pays. »

Les Muffet

Je n'avouai pas à Mary-Margaret que j'avais perdu mon emploi – inconcevable, vu son standing – mais avec aussi peu d'argent sur mon compte en banque, je commençais à me demander avec inquiétude comment j'allais payer mon loyer. Ne voulant pas qu'Albert me pose la moindre question embarrassante ou que les Hogan s'inquiètent de me voir à la maison pendant la journée, je quittais l'appartement de Chatham Street à l'heure habituelle le matin et errais sans but dans la ville jusqu'à l'ouverture des cinémas. Moyennant quelques pence j'avais accès à une séance en matinée et en me cachant dans les toilettes, je pouvais retourner dans la salle une fois les lumières éteintes et y passer l'après-midi.

« Cyril, il y a quelque chose qui ne va pas chez toi en ce moment », attaqua Mary-Margaret le soir de son anniversaire. Malgré mes maigres moyens, je l'avais emmenée dîner dans un nouveau restaurant italien sur Merrion Square qui avait excellente réputation, mais après avoir étudié la carte, elle m'annonça qu'elle ne voulait en rien contrarier son estomac en lui infligeant une nourriture étrangère et s'en tint à des côtes de porc, des pommes de terre et un verre d'eau du robinet. « Il faudrait peut-être aller voir quelqu'un.

— Je vois souvent la veuve poignet, murmurai-je.

— Que veux-tu dire ?

— Rien. Non, je vais bien. Il n'y a aucune raison de t'inquiéter.

— Mais quel genre de femme serais-je si je ne m'inquiétais pas ? demanda-t-elle dans un rare moment d'empathie. Je t'apprécie beaucoup, Cyril. Tu devrais le savoir, depuis le temps.

— Je le sais. Et je t'apprécie beaucoup moi aussi.

— Tu es censé dire que tu m'aimes.

— Très bien. Je t'aime. Comment sont tes côtelettes ?

— Pas assez cuites. Et les pommes de terre sont très salées.

— Tu les as salées toi-même, je l'ai vu.

— Oui, mais quand même. Je dirais bien quelque chose au serveur mais, comme tu le sais, je n'aime pas faire des histoires. » Elle posa ses couverts et regarda autour d'elle. « J'aimerais parler de quelque chose avec toi. Je regrette d'aborder ça alors que nous passons une si jolie soirée mais tu le découvriras un jour ou l'autre, de toute manière.

— Je suis tout ouïe. » À ma grande surprise, elle était au bord des larmes. Je ne l'avais jamais vue dans cet état et quelque chose en moi se radoucit. Je pris sa main dans la mienne.

« Ne fais pas ça, Cyril, protesta-t-elle en retirant sa main. Un peu de tenue, je t'en prie.

— Que voulais-tu dire ? demandai-je avec un soupir.

— Je suis un peu contrariée. Mais si je t'en parle, promets-moi que ça ne changera rien entre nous.

— Je suis presque sûr que rien ne changera jamais entre nous.

— Bien. Alors, tu connais ma cousine Sarah-Anne ?

— Pas personnellement. » Je me demandai pourquoi dans sa famille on ressentait le besoin de doubler les prénoms de toutes les filles. « Je crois que tu as parlé d'elle une fois ou deux, mais je ne l'ai jamais rencontrée. Est-ce celle qui veut devenir bonne sœur ?

— Non, bien sûr que non, Cyril. Ça, c'est Josephine-Shauna. Tu sais ce que c'est, ton problème ?

— C'est que je n'écoute jamais ?

— Oui.

— Alors, laquelle est Sarah-Anne ?

— Celle qui habite à Foxrock. Elle est institutrice à l'école primaire, ce que j'ai toujours trouvé un peu étrange, parce qu'elle ne sait pas faire une division non abrégée et qu'elle est presque analphabète. »

Je me souvins d'une fille que j'avais rencontrée une fois à une garden-party et qui m'avait fait du charme sans la moindre retenue. « Une très jolie fille, si je me rappelle bien ?

— Tout ce qui brille n'est pas d'or, énonça Mary-Margaret en reniflant.
— Comment ? Je n'ai jamais compris cette expression.
— Ça veut dire ce que ça veut dire.
— Bon...
— Eh bien, nous avons eu de mauvaises nouvelles concernant Sarah-Anne. »

Je lui accordai toute mon attention. Ce n'était pas le genre de conversation que Mary-Margaret avait généralement à table. Elle préférait le plus souvent discuter du manque de pudeur dont les jeunes témoignaient dans leur manière de s'habiller, ou de cette musique rock'n'roll si forte qu'on aurait dit le diable lui hurlant dans les oreilles.

« Vas-y. »

Elle regarda tout autour d'elle une fois encore pour s'assurer que personne ne pouvait l'entendre puis se pencha vers moi. « Sarah-Anne a chu.
— Chu ?
— Chu, confirma-t-elle en hochant la tête.
— Est-ce qu'elle s'est fait mal ?
— Quoi ?
— Quand elle a chu ? Est-ce qu'elle s'est cassé quelque chose ? N'y avait-il personne pour l'aider à se relever ? »

Elle me regarda comme si j'étais devenu fou. « Est-ce que c'est de l'humour, Cyril ?
— Non, répondis-je, ahuri. Je ne comprends pas ce que tu veux dire, c'est tout.
— Elle a chu !
— Oui, c'est ce que tu as dit mais...
— Oh, doux Jésus, s'exclama-t-elle entre ses dents. Elle va avoir un bébé.
— Un bébé ?
— Oui. Dans cinq mois.
— Oh, c'est tout ? fis-je avant de retourner à mes lasagnes.
— Mais qu'est-ce que tu entends par "c'est tout" ? Ça n'est pas suffisant ?
— Mais des tas de gens ont des bébés. S'il n'y avait pas de bébés, il n'y aurait pas d'adultes.
— Ne sois pas ridicule, Cyril.
— Je ne suis pas ridicule.
— Sarah-Anne n'est pas mariée.

— Ah, d'accord. Je suppose que ce détail change considérablement la donne.

— Évidemment. Ses pauvres parents sont dans tous leurs états. Tante Mary est surveillée vingt-quatre heures sur vingt-quatre parce qu'elle a menacé de se planter un couteau à viande dans le crâne.

— Qui ? Mary ou Sarah-Anne ?

— Les deux, probablement.

— Sait-elle qui est le père ? »

Horrifiée, elle resta bouche bée. « Bien sûr qu'elle le sait. Tu la prends pour quoi ? Tu dois avoir une piètre opinion de la famille Muffet.

— Je ne la connais même pas, protestai-je. Je n'ai aucune opinion sur elle.

— Le père est un type de Rathmines, carrément. Il travaille dans une usine de tissu, ce qui ne serait absolument pas mon standing. Bien sûr, il a accepté de l'épouser. C'est déjà ça. Mais ils n'arrivent pas à avoir une date pour l'église avant six semaines et d'ici là, ça se verra.

— Au moins, il prend ses responsabilités.

— Après les avoir totalement négligées. Pauvre Sarah-Anne, elle a toujours été une fille tellement bien. Je ne sais pas ce qui lui a pris. J'espère que ça ne te donnera pas des idées, Cyril. Ne t'avise pas de penser que je vais me laisser aller à ce genre de gesticulations.

— Crois-moi, je ne le pense pas. » Je posai mes couverts. J'avais perdu tout appétit rien qu'à l'envisager. « La dernière chose que je veux au monde, c'est te séduire.

— Eh bien, tu peux marquer la date du 17 du mois prochain dans ton agenda. C'est le jour du mariage.

— Très bien. Qu'est-ce que tu vas lui offrir ?

— Que veux-tu dire ?

— Comme cadeau de mariage. Je suppose qu'un objet pour le bébé, ce serait utile.

— Ah ! fit-elle en secouant la tête. Je ne leur ferai pas de cadeau.

— Pourquoi ? On ne va pas à un mariage sans apporter un cadeau.

— Si c'était un mariage normal, bien sûr, je leur offrirais quelque chose. Mais ce n'est pas le cas. Je ne veux pas manifester mon approbation. Comme on fait son lit on se couche. Ils n'avaient qu'à y penser avant. »

Je levai les yeux au ciel et sentis la sueur me picoter la nuque. « Il faut donc toujours que tu sois aussi catégorique ? »

Elle me regarda comme si je venais de la gifler. « Qu'est-ce que tu viens de me dire, Cyril Avery ?

— Je t'ai demandé pourquoi tu étais toujours aussi catégorique. C'est déjà tellement pénible de vivre dans ce pays avec toutes les histoires que font les gens et l'hypocrisie que nous voyons partout, mais n'est-ce pas le comportement de personnes âgées qui ne se rendent pas compte que le monde dans lequel nous vivons a changé ? Nous sommes jeunes, Mary-Margaret. Tu ne peux pas avoir un peu de compassion pour quelqu'un qui traverse une période difficile ?

— Oh, tu es un homme moderne, toi, c'est ça, Cyril ? siffla-t-elle avec un mouvement de recul et une moue dédaigneuse. Est-ce ta manière de me dire que tu cherches à faire ce que tu veux de moi, toi aussi ? Que tu veux me ramener à ton appartement, me traîner dans ta chambre, sortir ton membre, le fourrer en moi et t'exciter jusqu'à ce que je sois pleine de ton foutre ? »

À mon tour d'être abasourdi. J'avais du mal à croire qu'elle venait de débiter ces choses-là, encore plus qu'elle ait eu les mots pour les dire.

« Parce que si c'est ce que tu penses, Cyril, tu te mets le doigt dans l'œil. Je ne fais ça avec personne. Et quand nous serons mariés, n'attends rien les autres jours que le samedi, et toutes lumières éteintes. J'ai reçu une éducation parfaite, vois-tu. »

Je notai dans mon esprit que je devais absolument prévoir quelque chose tous les samedis soir quand nous serions mari et femme, puis je fus pris de panique à l'idée de me marier. Quand cette décision avait-elle été prise ? Nous n'en avions jamais parlé. Avais-je demandé sa main et totalement oublié que je l'avais fait ?

« Je dis juste que nous sommes en 1966, commençai-je. Plus dans les années 1930. Les filles tombent enceintes tout le temps. Je ne sais même pas l'histoire de ma propre mère, alors...

— De quoi parles-tu ? questionna-t-elle, en faisant la grimace. Tu connais exactement l'histoire de ta mère. Tout le pays la connaît. On étudie maintenant ses livres dans les universités.

— Ma mère biologique, corrigeai-je.

— Comment ? »

La surprise me laissa sans voix. Depuis le temps que nous nous fréquentions, je n'avais jamais mentionné que j'étais un enfant adopté. Je lui en fis la révélation et elle pâlit brutalement.

« Tu es quoi ?

— Adopté, répétai-je. J'ai été adopté. Il y a longtemps. Quand j'étais petit.

— Et pourquoi ne me l'as-tu jamais dit ?

— Je n'ai jamais pensé que c'était particulièrement important. Crois-moi, je pourrais te dire des choses bien pires.

— Pas particulièrement important ? Alors, qui sont tes vrais parents ?

— Je n'en ai pas la moindre idée.

— Et ça ne t'intéresse pas ? Tu n'as pas envie de le savoir ? »

Je haussai les épaules. « Pas vraiment. Charles et Maude étaient mes parents, en réalité.

— Par tous les saints ! Alors, ta mère avait peut-être chu, elle aussi ? »

Je la dévisageai et sentis une bouffée de colère monter dans ma poitrine. « En toute logique, c'est presque certain.

— Oh mon Dieu. Quand je vais le dire à papa... Non, je ne le dirai pas. Et tu ne dois pas lui dire non plus, tu m'entends ?

— Je n'avais pas prévu de le faire.

— Il serait choqué, et pourrait faire une crise cardiaque.

— Je me tairai. Mais je continue à penser que ce n'est pas particulièrement important. Beaucoup de gens ont été adoptés.

— Oui, mais quelqu'un qui vient d'on ne sait où... Ça fait tache, dans la famille.

— C'est exactement ce qui est arrivé à ta cousine.

— C'est différent, m'opposa-t-elle vertement. Sarah-Anne a commis une erreur, c'est tout.

— Eh bien, peut-être que ma mère a, elle aussi, commis une erreur. Tu refuses de l'envisager ? »

Elle secoua la tête, fort insatisfaite. « Il se passe quelque chose, Cyril Avery. Il y a quelque chose que tu ne me dis pas. Mais j'en aurai le cœur net, je te le promets. »

La chute d'Horatio

Mon colocataire se fiança à sa petite amie Dolores un lundi soir début mars et j'allai avec eux et une ribambelle de frères et sœurs au pub, chez Neary, pour fêter l'événement avec force bières. Quelques heures plus tard, incapable de dormir à cause des coups répétés de la tête de lit contre mon mur, il me fallut me raisonner de toutes mes forces pour ne pas débarquer dans leur chambre et vider un seau d'eau sur le lit. Les bruits de leur infatigable passion avaient néanmoins un effet troublant sur moi – j'avais désespérément besoin d'un contact humain. Je cédai à mes frustrations, enfilai les vêtements que je portais plus tôt dans la soirée et descendis, déjà excité par la perspective de ce que j'espérais concrétiser. En sortant, j'entendis ce que je crus être un bruit de pas derrière moi ; je jetai un regard anxieux alentour mais à mon grand soulagement, la rue me parut déserte.

Parfois, quelques garçons de mon âge rôdaient dans les ruelles pavées autour du Stag's Head. J'y allai, et ne vis personne. Je traversai Dame Street et pris à droite dans Crown Alley. J'aperçus deux jeunes hommes debout contre un mur, leurs têtes rapprochées, en pleine conversation, et je me cachai dans une porte cochère, prêt à jouer les voyeurs si c'était la seule chose possible. Mais au lieu d'entendre des bruits de fermeture éclair et de baisers fiévreux, je perçus leurs voix teintées d'un fort accent du Nord. Elles étaient si tendues que je regrettai de ne pas avoir poursuivi mon chemin.

« Je veux juste regarder, chuchota le plus grand des deux, un jeune homme qui avait l'air nerveux et dangereux. Combien de fois, dans une vie, on aura l'occasion de voir quelque chose comme ça ?

— Je m'en fiche, répliqua l'autre. Si on est trop près quand ça arrivera, on pourrait se faire pincer.

— On se fera pas pincer.

— Comment tu le sais ? C'est toi qui vas expliquer ça au patron si on se fait prendre ? »

Ma chaussure râpa sur le trottoir et ils se tournèrent dans ma direction. Je n'eus d'autre choix que de sortir de ma cachette et de passer à côté d'eux à grandes enjambées, avec l'espoir qu'ils ne deviendraient pas agressifs.

« Qu'est-ce que tu fichais là ? demanda le plus jeune, en s'approchant de moi. Tu nous espionnais ?

— Laisse tomber, Tommy », marmonna son ami et j'en profitai pour poursuivre mon chemin, d'un pas plus rapide. À mon grand soulagement, ils ne me suivirent pas. Je traversai le Ha'penny Bridge et me dirigeai vers les venelles sombres derrière Abbey Street, où j'avais déjà fait quelques rencontres. Et, effectivement, quelqu'un attendait. Adossé à un lampadaire il fumait une cigarette, et il se fit connaître par le signe convenu – il porta un doigt à sa casquette. Mais lorsque j'approchai, je vis qu'il aurait pu être mon grand-père. Je tournai les talons, maudissant le ciel. Je commençais à me résigner à l'idée de rentrer à la maison, frustré, quand je me souvins des toilettes publiques au bout d'O'Connell Street, l'endroit même où Julian s'était vu faire une proposition indécente près de sept années auparavant.

J'avais baisé dans des toilettes publiques seulement deux fois dans ma vie, la première, par accident – si tant est qu'on puisse baiser par accident – à dix-sept ans. Je m'étais fait surprendre en passant près de Trinity College et j'avais couru jusqu'aux toilettes les plus proches, au deuxième étage du bâtiment des lettres et sciences humaines, pour pisser. Alors que j'étais debout devant un urinoir, un étudiant vint se laver les mains à côté de moi ; je sentis qu'il me regardait fixement. Je lançai un coup d'œil nerveux mais lorsqu'il sourit, j'eus instantanément une érection, l'urine se mit à éclabousser le mur et par ricochet, le jet inonda le devant de mon pantalon. Il éclata de rire, puis désigna d'un mouvement de tête l'un des boxes. Je l'y suivis. Ce fut mon dépucelage officiel. La deuxième fois, c'était un soir aussi décevant que celui-ci, lorsque je m'étais retrouvé bien malgré moi dans des toilettes sur Baggot Street pour une séance terriblement frustrante avec un garçon de mon âge qui déchargea comme le Vésuve dans ma paume à la seconde où je le touchai. Ces endroits étaient si sordides que je préférais les éviter, mais j'étais désespéré, alors je marchai en direction de la colonne Nelson, pressé d'en finir et de rentrer à la maison.

À nouveau, j'eus la nette impression d'être suivi. Je m'arrêtai, examinai nerveusement les alentours, mais je ne vis personne, à l'exception de quelques ivrognes qui s'installaient contre les murs de la Poste centrale avec des couvertures et des cartons. Malgré tout, je restai vigilant à l'approche des toilettes. La grille donnant sur la rue était ouverte, et la lumière était comme une invitation à entrer.

Je descendis l'escalier. Arrivé en bas, je pénétrai dans la pièce carrelée de noir et blanc, regardai autour de moi, déçu de la trouver déserte. Je soupirai et secouai la tête, prêt à reconnaître la défaite. J'étais sur le point de partir lorsqu'un verrou tourna lentement et une porte s'ouvrit. Un jeune homme d'environ dix-huit ans apparut, tétanisé, portant des lunettes et un chapeau baissé sur son front. Il lança un regard effrayé comme un chiot craintif qui découvrait son nouvel habitat et je l'observai, attendant un signe qui confirmât que nous étions là pour la même raison. Il était possible, bien sûr, qu'il fût venu seulement pour utiliser les toilettes, puis se laver les mains et partir. Si je disais quoi que ce soit et si je commettais une erreur, ce serait un désastre.

Je lui donnai trente secondes et il ne broncha pas, sans cesser de me fixer, mais lorsque je le vis me détailler de haut en bas, je compris qu'il n'y avait rien à craindre.

« Je n'ai pas beaucoup de temps », déclarai-je. Et à ma grande surprise, après tout ce que j'avais traversé ce soir-là, je me rendis compte que je n'étais plus d'humeur. J'étais dans un sous-sol puant la pisse et la merde, condamné à trouver une pathétique manifestation de tendresse auprès d'un étranger. Découragé, je sentis mes épaules tomber et j'appuyai mon pouce et mon index au creux de mes yeux. « Ce n'est pas juste, hein ? fis-je doucement, sans trop savoir si je m'adressais à lui, à moi ou à l'univers tout entier.

— J'ai peur », avoua le garçon. Et je retrouvai mon sang-froid. J'avais pitié de lui. Il tremblait et visiblement, c'était la première fois qu'il faisait une chose pareille.

« Envisages-tu de te tuer parfois ? demandai-je en le regardant droit dans les yeux.

— Quoi ? fit-il, troublé.

— Par moments, j'ai envie de saisir un couteau à pain et de me le planter dans le cœur. »

Il ne dit rien, perplexe, avant de se tourner enfin vers moi. Il hocha la tête et répondit :

« J'ai essayé, l'an dernier. Pas avec un couteau à pain. C'était une autre méthode. Des cachets. Mais ça n'a pas marché. J'ai eu un lavage d'estomac.

— Rentrons chez nous.
— Je ne peux pas. Ils m'ont mis dehors.
— Qui donc ?
— Mes parents.
— Pourquoi ? »

Il baissa les yeux, gêné. « Ils ont découvert quelque chose. Un magazine. Je me l'étais fait envoyer d'Angleterre.

— Eh bien, allons nous promener. Marcher et parler. Ça te dit ? Est-ce que tu veux qu'on aille quelque part et qu'on parle ?

— D'accord », dit-il avec un sourire. J'éprouvai immédiatement de l'affection pour lui, aucun désir, aucune attirance, juste de l'affection.

« Comment t'appelles-tu ? »

Après un temps de réflexion, il répondit Peter.

« Moi, c'est James », me présentai-je en lui tendant la main. Il la prit et sourit à nouveau.

À ce moment-là, je découvris que lors de toutes mes rencontres avec des étrangers, je ne les avais jamais regardés dans les yeux. Je parvenais à me souvenir de certains visages, certaines coupes de cheveux, mais jamais de la couleur de leurs yeux.

J'entendis tout à coup un bruit de pas dans l'escalier. Je me retournai, sa main toujours dans la mienne, et vis un représentant en uniforme de An Garda Síochána, un grand sourire satisfait barrant son visage gras et respirant la suffisance et le mépris qu'il ressentait pour moi et les gens comme moi.

« Eh bien, qu'est-ce qu'on a là ? Un couple de pédales, on dirait ?

— Garda, répondis-je en lâchant la main du jeune homme. Ce n'est pas ce que vous croyez. Nous parlions, c'est tout.

— Sais-tu combien de fois j'ai entendu cette réponse, espèce de sale pédale ? rugit-il en crachant à mes pieds. Maintenant, tournez-vous, que je vous passe les menottes et ne tentez rien, sinon je vous cognerai si fort que vous vous en souviendrez, et personne dans ce pays ne m'en voudra. »

Avant que j'aie le temps de bouger, un autre bruit de pas résonna dans l'escalier et horrifié, m'apparut un visage familier. Je ne m'étais pas trompé lorsque j'avais quitté Chatham Street. Quelqu'un m'avait bien suivi. Quelqu'un qui savait que je n'étais pas complètement franc.

« Mary-Margaret », balbutiai-je en la regardant. Elle porta ses mains à sa bouche et nous dévisagea, l'un et l'autre, éberluée.

« Ici, c'est les toilettes des hommes, fit Peter, une remarque assez inutile vu la situation. Elles sont interdites aux femmes.

— Je ne suis pas une femme, répliqua-t-elle avant de se mettre à hurler avec une fureur que je ne lui avais jamais vue. Je suis sa fiancée !

— Vous connaissez ce type ? » demanda le Garda, se tournant vers elle. Le gamin vit l'occasion qui se présentait et bondit, poussa le bonhomme, bouscula Mary-Margaret pour s'enfuir à toutes jambes. Il était en haut de l'escalier et bien loin avant que nous n'ayons eu le temps de bouger.

« Reviens ici, toi ! » appela le Garda, mais il savait qu'il était inutile d'essayer de le rattraper. Il avait une bonne cinquantaine d'années et il n'était pas en forme ; le jeune homme aurait parcouru la moitié d'O'Connell Street avant qu'il remonte l'escalier et il ne le retrouverait jamais.

« Eh bien, j'en ai au moins un, me dit le Garda. T'es prêt à passer trois ans au trou, fiston ? Parce que c'est ce que prennent les gens comme toi.

— Cyril, s'écria Mary-Margaret qui éclata en sanglots. Je savais que quelque chose clochait. Mais pas ça. Je n'aurais jamais cru que ce serait ça. Je n'avais jamais imaginé que tu étais un pervers. »

Je l'entendais à peine ; l'avenir défilait devant mes yeux à toute vitesse. Les articles dans les journaux, le procès, le verdict forcément coupable, les indignités que je subirais à Mountjoy. La possibilité que j'y sois même assassiné. Ce genre d'histoires était fréquent.

« Oh Cyril, Cyril ! larmoya Mary-Margaret, le visage dans les mains. Que dira papa ?

— S'il vous plaît, implorai-je, prêt à me mettre à genoux. Laissez-moi partir. Je vous jure que je ne le referai plus.

— Jamais de la vie, répondit le Garda avant de me frapper au visage.

— Frappez-le à nouveau, cria Mary-Margaret, rouge de colère et d'humiliation. Il est si répugnant ! »

Et il obéit. Il me cogna si fort que je tombai contre le mur, ma joue heurta le haut d'un urinoir, et j'entendis un craquement dans ma bouche. Instantanément, le côté gauche de mon visage fut engourdi. Lorsque je me retournai, une dent tomba. Tous les trois, nous la vîmes sautiller sur le sol avant de s'arrêter au bord d'une bouche d'évacuation, et osciller avec l'impertinence d'une balle de golf qui a roulé jusqu'au bord du trou et décidé de ne pas y entrer.

Je regardai mon assaillant, qui massait sa main, et je reculai d'un pas, craignant qu'il me frappe à nouveau. J'envisageai de lui mettre un coup et de m'enfuir, mais même dans l'état de confusion où je me trouvais, je savais que ce serait inutile. Je parviendrais peut-être à me sauver, mais Mary-Margaret me dénoncerait certainement et ils finiraient par m'arrêter un jour ou l'autre. Alors, je renonçai.

« Très bien », admis-je, vaincu. Le Garda m'attrapa par l'épaule et nous remontâmes l'escalier. Tout en aspirant l'air frais de la nuit à pleins poumons, je jetai un coup d'œil du côté de l'horloge qui ornait la devanture du grand magasin Clerys, sur laquelle tous les Dublinois réglaient leur montre. Il était tout juste 1 h 30 du matin. Trois heures plus tôt, j'étais au pub avec mes amis pour fêter leurs fiançailles. Une heure plus tôt, j'étais dans mon lit. Je lançai un regard en direction de Mary-Margaret, qui me dévisageait avec une expression de haine, et haussai les épaules.

« Je suis désolé. Je ne peux pas contrarier ma nature. Je suis né comme ça.

— Je t'emmerde ! » rugit-elle.

Avant que j'aie le temps de réaliser ce qu'elle venait de dire, un fracas extraordinaire éclata au-dessus de nos têtes, comme si les cieux s'étaient ouverts dans un déchaînement de tempêtes, et tous les trois, nous levâmes les yeux, effrayés.

« Jésus, Marie, Joseph ! s'écria Mary-Margaret. Mais qu'est-ce que c'est donc ? »

Le bruit parut diminuer un moment, puis il s'intensifia. Je vis la statue de l'amiral Nelson vaciller sur sa base, son visage plus furieux que jamais, on aurait dit qu'il prenait vie. Il bondit de son socle, ses bras et sa tête se détachèrent de son corps avant d'exploser ; la pierre vola en éclats.

« Attention ! cria le Garda. La colonne s'écroule. »

Il me lâcha et nous nous dispersâmes sous une pluie de pierres. J'entendis les fragments pulvérisés de l'immense statue tomber partout sur O'Connell Street.

Nous y sommes, pensai-je. L'heure de ma mort a sonné.

Je courus aussi vite que je pus, parvenant par miracle à passer entre les blocs de pierre qui s'écrasaient et explosaient en centaines d'éclats tombant en pluie sur mon dos et sur ma tête. J'attendis de perdre connaissance, certain que ma vie allait prendre fin d'une minute à l'autre. Lorsque je cessai de courir et me retournai, je constatai que la rue avait retrouvé son calme, mais l'endroit où nous nous tenions tous les trois précédemment était invisible, derrière un épais nuage de fumée. Sur le coup, je ne pus penser à rien d'autre qu'à ces moments où, enfant, j'étais entré dans le bureau de Maude sans y être invité et où je n'arrivais pas à la distinguer dans l'atmosphère enfumée.

« Mary-Margaret ! » criai-je puis mon appel se transforma en hurlement. Je retournai sur mes pas en courant. Je trébuchai sur un corps ; le Garda qui m'avait arrêté, couché sur le dos, les yeux grands ouverts, déjà passé dans l'autre monde. J'essayai de mon mieux d'être navré pour lui, mais égoïstement, je n'y parvins pas. Il était mort et ce n'était pas ma faute, il n'y avait rien de plus à dire. Il n'y aurait pas d'arrestation. Pas d'humiliation publique.

J'entendis un bruit sur ma gauche et je découvris Mary-Margaret sous un gros bloc de pierre. Le nez de Nelson était collé contre sa joue comme s'il humait son parfum, et un de ses yeux était sur le sol et la fixait. Elle respirait encore, mais je compris à son halètement guttural qu'elle n'en avait plus pour longtemps.

« Mary-Margaret, m'excusai-je en lui prenant la main. Je suis désolé, je suis tellement désolé.

— Tu es répugnant », siffla-t-elle. Le sang coula de sa bouche qui articulait avec peine. « Pas mon standing du tout.

— Je sais. Je sais. »

Quelques instants plus tard, elle était partie. Et moi aussi. Je remontai O'Connell Street au pas de course pour rentrer chez moi. Il était inutile de rester là. Je savais une chose avec certitude : c'était terminé. Plus d'hommes. Plus de garçons. À partir de maintenant, il n'y aurait plus que des femmes. Je serais comme tout le monde.

Je serais normal, même si ça devait me tuer.

1973

Tenons le diable à distance

Il faut de tout pour faire un monde

Julian arriva chez moi juste avant 20 heures ; il portait une chemise *tie-and-dye* ouverte jusqu'au milieu de la poitrine, un jean taille basse et une veste longue violette à col mao. Ses cheveux étaient coupés très court, un peu comme Steve McQueen dans *Papillon*, mais il n'avait pas adopté les rouflaquettes de rigueur, ce qui faisait d'autant plus ressortir l'absence de son oreille droite. Autour de son cou était passé un cordon de coquillages et perles qu'il avait acheté, me dit-il, chez un petit marchand centenaire à Rishikesh lors d'un voyage qu'ils avaient fait, une ex-petite amie et lui, pour aller rencontrer le maître spirituel Maharishi Mahesh Yogi. Les couleurs se reflétaient dans une bague psychédélique à sa main droite, qu'il avait volée deux semaines auparavant à Brian Jones alors qu'ils redescendaient d'un trip au LSD à l'Arthur's Tavern sur la 54e Rue à New York.

« En dehors de ça, ces derniers mois ont été plutôt calmes, dit-il en me regardant de haut en bas, le sourcil froncé. Mais pourquoi tu n'es pas encore habillé ? On va être en retard.

— Je suis habillé. Regarde.

— Bon, tu portes des vêtements, concéda-t-il, mais pas le genre qu'on attend chez un homme de vingt-huit ans qui a un vague sens du style. Et surtout pour son enterrement de vie de garçon. À qui tu les as pris, ces vieux trucs, à ton père ?

— Je ne connais pas mon père.

— Ton père adoptif, alors, répondit-il avec un soupir. Franchement, Cyril, tu es obligé de dire ça chaque...

— Charles et moi, nous ne partageons pas de vêtements, l'interrompis-je. Nous ne faisons pas du tout la même taille.

— Eh bien, il n'est pas question que tu sortes comme ça. Ou plutôt, je ne sortirai pas avec toi si tu gardes cette tenue. Allez, tu dois bien avoir quelque chose qui ne te fait pas ressembler au jeune frère moins élégant de Richard Nixon. »

Il passa à côté de moi et lorsqu'il ouvrit la porte de ma chambre, je sentis la panique m'électrifier le corps, comme si j'avais essayé de brancher un appareil défectueux dans une prise endommagée. Je fouillai frénétiquement dans ma tête pour savoir si j'avais laissé quelque objet compromettant en évidence. Je priai pour que mon exemplaire de *Modern Male* d'automne 1972, dont la couverture était une photo d'un boxeur basané qui ne portait rien d'autre qu'une paire de gants rouge vif, soit rangé en sécurité dans le deuxième tiroir de ma table de nuit, fermé à clé, avec l'exemplaire de *Hombre* que j'avais commandé via une publicité aux mots choisis trouvée dans le *Sunday World* juste après Noël. J'avais passé deux semaines très tendues en attendant son arrivée, craignant qu'un fanatique religieux ayant des rayons X à la place des yeux aux douanes de l'aéroport de Dublin intercepte le paquet, arrache l'emballage de l'immorale publication et passe un coup de fil scandalisé pour envoyer la Garda chez moi. Et puis, il y avait le *Vim* que, lors d'une excursion à Belfast six mois plus tôt, j'avais piqué dans un magasin pour adultes qui se faisait passer pour un lieu de rendez-vous des unionistes. Quand j'avais été arrêté à la frontière, au retour, je l'avais fourré à l'arrière de mon pantalon, mais heureusement pour moi, les inspecteurs avaient paru satisfaits de confisquer deux préservatifs immondes à une vieille grand-mère qui cachait ses mauvaises intentions sous un costume de membre de la Legion of Mary.

J'avais prévu de ranger tous ces magazines dans un sac en papier le matin suivant et de les jeter dans une poubelle à quelques rues de mon appartement, geste d'adieu à un mode de vie auquel je tournai définitivement le dos. Là, n'osant pas bouger pendant que mon ami fouillait ma chambre, je m'efforçai de me calmer. Julian n'avait aucune raison d'ouvrir le meuble à côté de mon lit, je ne risquais probablement rien. Il cherchait des chemises et des jeans, après tout. Pas les babioles que l'on gardait généralement dans ce genre d'endroit. Mais quand même, quelque chose me taraudait, un léger malaise : je n'avais pas été aussi prudent que je l'aurais dû. Et la mémoire me revint au moment exact où il apparut devant moi à la porte, tenant un magazine, la mine tellement dégoûtée qu'on aurait cru qu'il avait trouvé un mouchoir sale ou un préservatif usagé.

« Putain, mais c'est quoi, ça, Cyril ? demanda-t-il en me regardant, effaré.

— Qu'est-ce que c'est quoi ? fis-je, m'appliquant à paraître parfaitement innocent.

— *Tomorrow's Man*, lut-il sur la couverture. *Le magazine international du body-building*. Ne me dis pas que tu t'es mis à ça ? Tout le monde sait que c'est pour les pédales. »

Je m'étirai ostensiblement simulant un accès de fatigue, dans l'espoir que la rougeur soudaine qui m'était montée aux joues passe inaperçue.

« J'ai pris un peu de poids, ces derniers temps. J'ai pensé que ça m'aiderait peut-être à le perdre.

— Où ? Dans les sourcils ? Tu n'as pas un gramme de gras, Cyril. Tu aurais plutôt l'air sous-alimenté.

— Oui, enfin, c'est ce que je voulais dire. Je veux prendre du poids. Du muscle. Beaucoup de muscle. Beaucoup, beaucoup de muscle.

— Tu viens de déclarer que tu voulais en perdre.

— Je me suis embrouillé, reconnus-je en secouant la tête. Je n'arrive pas à réfléchir, aujourd'hui.

— Eh bien, c'est assez compréhensible, vu ce qui va se passer demain. Non mais regarde-moi ce gars », ironisa-t-il en me montrant le jeune homme plein de muscles sur la couverture, qui ne portait rien d'autre qu'un cache-sexe vert, les mains derrière la tête pour faire saillir ses muscles et le regard lointain, apparemment perdu dans ses pensées. « Il faut de tout pour faire un monde... »

J'acquiesçai, et espérai qu'il se détourne de ce fichu magazine et qu'il revienne au choix de ma tenue. Il se mit à feuilleter les pages, à secouer la tête et éclater de rire devant les spécimens masculins qui, pour être honnête, n'étaient pas complètement à mon goût, mais dont j'appréciais la facilité à se dévêtir devant un appareil photo.

« Tu te souviens de Jasper Timson ?

— Notre copain d'école ? » Je me rappelais ce garçon agaçant qui jouait de l'accordéon, essayait toujours de me voler Julian et sur lequel j'avais plus d'une fois fantasmé.

« Oui. Eh bien, c'en est un.

— Un quoi ? demandai-je innocemment. Un nageur ?

— Non, un pédé.

— Sans déconner, fis-je, une réplique que j'avais entendue récemment dans *French Connection*.

— C'est vrai. Il a même un petit ami. J'ai toujours su qu'il en était un mais je n'en ai jamais parlé à personne, avoua Julian.

— Comment tu le savais ? Il te l'a dit ?

— Pas comme ça. Mais une fois, il m'a fait des avances. » J'écarquillai les yeux, n'en croyant pas mes oreilles. « Sans. Déconner, répétai-je très lentement pour dramatiser. Quand ? Comment ? Pourquoi ?

— C'était en quatrième ou troisième, je ne me rappelle pas. Quelqu'un a apporté en douce une bouteille de vodka dans l'école et à quelques-uns, on l'a descendue après un exam de maths. Tu ne te souviens pas ?

— Non, je ne devais pas être là.

— Peut-être que tu n'étais pas invité.

— Alors, que s'est-il passé ? » Je fis de mon mieux pour que sa demi-insulte ne me blesse pas trop.

« Nous étions tous les deux assis sur mon lit. Dos contre le mur. On était assez ivres, on racontait un peu n'importe quoi, et brusquement, il s'est penché sur moi et a enfoncé sa langue dans ma gorge.

— Tu déconnes, m'écriai-je, à la fois effaré et excité, un peu pris de vertige, alors que j'essayais de digérer cette révélation. Et qu'est-ce que tu as fait ? Tu l'as frappé ?

— Évidemment que non, répondit-il, le sourcil froncé. Pourquoi ferais-je ça ? Je suis un type paisible, Cyril. Tu le sais.

— Oui, mais…

— Je lui ai rendu son baiser, voilà ce que j'ai fait. Sur le moment, j'ai pensé que c'est ce qu'exigeait la politesse.

— Tu as fait quoi ? » Tout à coup, j'ai cru que ma tête allait se mettre à tourner sur elle-même comme une toupie et que mes yeux allaient me sortir des orbites, comme la petite fille de *L'Exorciste*.

« Je lui ai rendu son baiser, répéta Julian en haussant les épaules. Je ne l'avais jamais fait. Avec un garçon, j'entends.

Alors, je me suis dit, allons-y. Voyons ce que ça fait. Quand j'étais en Afrique, j'ai mangé un steak de crocodile. »

Je le dévisageai, ahuri et anéanti à la fois. Julian Woodbead, le seul et unique garçon dont j'étais amoureux depuis toujours et qui n'avait jamais manifesté le moindre intérêt amoureux à mon égard, avait mêlé sa salive à celle de Jasper Timson, un garçon dont la grande passion dans la vie était de jouer du putain d'accordéon ! En réalité, je me souvenais de les avoir surpris tous les deux en train de glousser. C'était probablement à peine quelques minutes après. Je m'assis, pressé de cacher l'énorme érection qui s'était formée dans mon pantalon.

« Je n'y crois pas.

— Hé, panique pas, fit Julian d'un air nonchalant. Nous sommes en 1973, bon sang. Faut vivre avec ton temps. Bref, ça n'a pas duré très longtemps et ça ne m'a rien fait. Point final. Qui ne tente rien n'a rien. Jasper en voulait plus, bien sûr, mais j'ai refusé. Je lui ai dit que je n'étais pas une pédale et il a répondu qu'il se fichait pas mal que j'en sois une ou pas, il voulait juste me sucer.

— Bon Dieu ! » Je me redressai, tremblant presque de rage et de désir. « Tu ne l'as pas laissé, hein ?

— Bien sûr que non, Cyril. Tu me prends pour qui ? Il n'a pas eu l'air de s'en formaliser, et il n'a jamais réessayé. Mais il en est sorti une bonne chose : si je voulais embrasser les gens, m'a-t-il recommandé, je devrais me laver les dents avant parce que mon haleine sentait les chips Tayto. C'était un bon conseil. Je l'applique depuis et ça m'a plutôt réussi.

— Mais tu es resté ami avec Jasper tout le temps qu'on a passé à l'école, soufflai-je, me rappelant les pointes de jalousie que je ressentais chaque fois que je les voyais ensemble.

— Bien sûr ! » Julian me regarda comme si j'étais fou. « Pourquoi pas ? C'était un vrai comique, ce Jasper. » Il jeta l'exemplaire de *Tomorrow's Man* sur un fauteuil et retourna dans la chambre. Il ouvrit mon placard et examina son contenu d'un œil critique. « Mais tu devrais te débarrasser de ce magazine, Cyril. Les gens pourraient se faire une idée fausse. Bon, regardons un peu là-dedans. Ça, peut-être ? » Il brandit une chemise violette avec un col pelle-à-tarte que j'avais achetée au Dandelion Market quelques mois auparavant et que je ne m'étais jamais résolu à porter.

« Tu crois ?

— C'est mieux que cette tenue de papi. Allez, mets-la, et que la soirée commence ! Elles ne vont pas se boire toutes seules, ces pintes. »

Je ressentis une vague gêne lorsque j'enlevai ma chemise. Il continuait à me regarder pendant que je m'habillai, ce qui m'angoissa terriblement.

« Comment tu trouves ?

— Il y a du progrès. Si j'avais eu deux heures de plus, je t'aurais emmené en ville t'acheter une tenue correcte. Pas grave. » Il passa son bras autour de mon épaule et je humai religieusement les effluves de son parfum, mes lèvres affreusement près de sa mâchoire. « Alors, comment tu te sens ? Tu es prêt pour le grand jour ?

— J'imagine que oui. » Ce n'était pas la réponse la plus convaincante du monde. Nous partîmes vers Baggot Street. Je vivais seul sur Waterloo Road depuis quelques années ; j'occupais un poste de documentaliste à la RTÉ et mon travail se répartissait en parts égales entre la programmation religieuse et les foires agricoles. Je ne connaissais pratiquement rien aux deux domaines, mais j'avais rapidement compris qu'il suffisait de coller un micro sous le nez de quelqu'un et il pouvait palabrer pendant des heures.

Nous avions prévu d'aller chez Doheny & Nesbitt's. Certains de mes collègues étaient invités, et j'étais un peu angoissé à l'idée de leur présenter Julian. J'avais souvent parlé de lui, décrit les événements marquants de notre longue amitié, mais ce serait la première fois que ces deux éléments importants de ma vie allaient entrer en contact. Ces dernières années, j'avais créé deux images de moi extrêmement malhonnêtes, une pour mon plus vieil ami, et une autre pour mes amis les plus récents, et elles n'avaient que quelques traits en commun. Si l'un ou l'autre parti faisait une révélation quelconque, tout l'édifice s'écroulerait et avec lui, les projets que j'avais bâtis pour mon avenir.

« J'ai été triste d'apprendre la nouvelle, pour Rebecca et toi, déclarai-je en traversant le Grand Canal, alors que je m'appliquais à cacher mon plaisir de savoir que Julian avait rompu avec sa dernière copine. Je trouvais que vous alliez bien ensemble.

— Oh, c'est déjà ancien, dit-il avec un geste désinvolte de la main. Depuis, il y a eu une Emily, puis une Jessica et maintenant, je suis passé à une nouvelle Rebecca. Rebecca deux. Plus petits seins, mais, putain, c'est une bombe au lit. Enfin, ça ne durera pas très longtemps. Une ou deux semaines, je dirais, tout au plus.

— Comment fais-tu pour te lasser des gens aussi vite ? » Je n'arrivais pas à comprendre. Si j'avais la chance de trouver quelqu'un avec qui j'avais envie de coucher souvent, tout en pouvant parcourir les rues de Dublin, main dans la main, sans me faire arrêter, je ne le laisserais jamais partir.

« Ce n'est pas exactement de la lassitude, prétendit-il en secouant la tête. Mais il y a des milliers de femmes dans le monde, et ça ne m'intéresse pas de rester enfermé avec la même jusqu'à la fin de mes jours. Avec certaines, évidemment, j'aurais volontiers passé plus de temps, mais elles insistent sur la monogamie et je ne suis pas taillé pour ça. Tu vas sans doute être surpris, Cyril, mais je n'ai jamais trompé une femme.

— Non, tu les plaques.

— Oui. C'est un comportement beaucoup plus honnête, non ? Mais le truc, et je suis sûr qu'on est tous d'accord, au fond, même si personne ne veut se l'avouer, c'est que le monde serait bien plus sain si on permettait à son voisin de faire exactement ce qu'il veut, quand il veut, avec qui il veut, au lieu d'énoncer des règles puritaines sur la manière de gérer notre vie sexuelle. On pourrait vivre avec la personne qu'on aime le plus, pour l'affection, la compagnie, mais sortir et coucher avec des partenaires consentants et peut-être même en parler en rentrant à la maison.

— Si on suit cette logique, toi et moi, on pourrait se marier et vivre ensemble jusqu'à la fin de nos jours.

— Eh bien oui, fit-il en riant. On pourrait.

— Tu imagines !

— Oui.

— Enfin, c'est facile à dire, répondis-je en essayant de ne pas trop m'attarder sur cette idée. Mais tu n'aimerais pas que ta petite amie couche avec quelqu'un d'autre.

— Si tu crois ça, tu ne me connais pas du tout. Je m'en ficherais totalement. La jalousie est une émotion vaine. »

Nous arrivâmes au niveau du Toners Pub et Julian traversa la rue d'un pas décidé. Toutes les voitures s'arrêtèrent pour le laisser passer. Lorsque je le suivis quelques instants plus tard, les mêmes voitures me klaxonnèrent. En ouvrant la porte de l'établissement, j'entendis le bourdonnement de la foule à l'intérieur et je cherchai mes collègues. J'en attendais trois : Martin Horan et Stephen Kilduff, deux documentalistes avec qui je partageais le bureau, et Jimmy Byrnes, un journaliste qui pensait être une des plus grandes célébrités irlandaises parce qu'il avait tourné dans quelques épisodes de *7 Days*. Je les vis assis à une table dans un coin, je levai la main pour les saluer mais mon sourire disparut à la minute où j'identifiai une quatrième personne, Nick Carlton, un cameraman qui travaillait sur *Wanderly Wagon*, alors que je m'étais assuré par tous les moyens qu'il n'apprenne pas un mot de cette soirée.

« Cyril ! » s'écrièrent-ils. Je me demandai ce que ça ferait si je fonçais vers la porte et descendais Baggot Street au pas de course. Ça serait bizarre, songeai-je, alors je présentai Julian à chacun d'eux. Il prit les commandes pour une nouvelle tournée, partit à grands pas vers le bar où la foule s'écarta pour le laisser accéder au comptoir.

« Nick, lançai-je en m'asseyant. Je ne m'attendais pas à te voir ici ce soir.

— Eh bien, je te l'accorde, ce n'est pas le genre de lieu que je fréquente. » Il alluma une Superking et la tint de la main gauche, pliée au niveau du poignet, le coude calé sur la table. « Mais j'ai eu envie d'aller voir ce que vivait l'autre moitié de l'humanité. »

J'enviais terriblement Nick Carlton. Il était le seul homosexuel que je connaissais qui non seulement assumait sa sexualité, mais la clamait sur tous les toits avec fierté. Sa bonne humeur et son impudeur hardie étaient telles que personne ne semblait s'en formaliser. Les autres gars plaisantaient dans son dos, bien sûr, pour souligner leur hétérosexualité rigide, mais ils l'intégraient généralement dans leurs sorties et semblaient l'avoir adopté un peu comme une mascotte.

« Et je suis très content d'être là, assura-t-il en jetant un coup d'œil du côté de Julian qui approchait avec un plateau couvert de verres. Personne ne m'a prévenu que tu venais avec Ryan O'Neal.

— Ryan O'Neal est passé à *The Late Late Show* il y a quelques semaines, déclara Jimmy. Je suis surpris que tu ne sois pas descendu pour planquer devant sa loge.

— J'avais des instructions strictes des autorités supérieures – je devais le laisser en paix. Rabat-joie. Et puis, c'était l'anniversaire de Miss O'Mahoney ce soir-là et elle ne m'aurait jamais pardonné si je n'y étais pas allé. »

Les gars s'esclaffèrent et je m'abîmai dans ma Guinness, en buvant un tiers d'un coup.

« Est-ce que je ne t'aurais pas vu dans *7 Days* ? demanda Julian à Jimmy, qui fit un grand sourire. Vous devez fréquenter le gratin, là-bas ? Et vous avez la chance de voir toutes les stars à la RTÉ.

— J'ai rencontré la princesse Grace de Monaco, s'enhardit Stephen.

— Moi, j'ai croisé Tommy Docherty, ajouta Martin.

— Il m'arrive d'écrire le script pour Mr Crow[1] », ironisa Nick.

Peut-être était-ce ses vêtements, sa façon de parler, ou son physique. Ou bien l'aura de sexe qui émanait toujours de lui, comme s'il venait de sortir du lit d'un mannequin et de quitter la maison sans même se donner la peine de prendre une douche. Quelle que soit l'explication, les hommes, les femmes, hétéro ou homo, tous voulaient être appréciés de Julian.

« Mr Crow, fit Julian pensif. C'est celui qui sort de la pendule dans *Wanderly Wagon*, c'est ça ?

— Oui, s'amusa Nick, qui rougit, tout à ce moment de gloire.

— Sans déconner !

— C'est mon expression, bougonnai-je, agacé, sans que personne ne m'entende.

— Pourquoi, tu regardes ? demanda Nick à Julian comme si je n'existais pas.

— Je l'ai vu.

— C'est une émission pour enfants, précisai-je.

— Ouais, mais c'est délirant. Vous prenez quoi, tous, quand vous les tournez ?

— Je refuse de faire le moindre commentaire, répliqua Nick en lui adressant un clin d'œil. Mais disons qu'il vaut toujours mieux frapper avant d'entrer dans la loge de quelqu'un.

1. Personnage de *Wanderly Wagon*, une émission pour enfants irlandaise. Mr Crow est un corbeau sarcastique qui vit dans une pendule. (*N.d.T.*)

— Et que fais-tu dans la vie, Julian ? » interrogea Stephen en lui offrant une cigarette, qu'il refusa. Julian ne fumait pas. Il avait une phobie du tabac et précisait toujours aux filles qu'elles seraient obligées de s'arrêter si elles voulaient sortir avec lui.

« Oh pas grand-chose. Mon vieux est riche dans des proportions éhontées et il m'octroie une allocation mensuelle, alors je me balade, je voyage un peu. De temps en temps je ponds un article pour *Travel & Leisure & Holiday*. L'an dernier, j'ai visité Maurice avec la princesse Margaret et Noël Coward, et j'ai écrit un papier sur la faune sauvage.

— Est-ce que tu l'as sautée ? demanda Nick en toute décontraction.

— Oui, répondit Julian, comme si la chose n'avait pas la moindre importance. Seulement une fois, mais croyez-moi, c'était assez. Je n'aime pas trop qu'on me commande constamment.

— Est-ce que tu l'as sauté, lui ?

— Non, mais il a eu la politesse de demander. Alors qu'elle, non. Elle semblait juste supposer que c'était la raison de ma présence là-bas.

— Bon Dieu ! s'exclama Jimmy, totalement fasciné.

— C'est pour ça que tu as si bonne mine, assura Nick. Tout ce temps passé sur des îles peuplées de femmes aux mœurs légères de haute lignée et de pédérastes nouveaux riches. Tu crois que tu pourrais m'emmener, la prochaine fois ? »

Julian éclata de rire et haussa les épaules. « Pourquoi pas ? Il y a toujours de la place dans ma valise pour un petit plus.

— Qui dit qu'il est petit ? fit Nick faussement offensé.

— Donne-moi suffisamment à boire et peut-être que je le découvrirai, lança Julian, et tous éclatèrent de rire, sauf moi.

— Je ne voudrais pas enfoncer une porte ouverte, commença Nick une fois que l'effervescence fut retombée, mais tu sais qu'il te manque une oreille ?

— Oui, et regarde ça. » Il tendit sa main droite pour montrer qu'il n'y restait que quatre doigts. « Il me manque un pouce aussi. Et le petit orteil de mon pied gauche.

— Je me rappelle, lorsque tu as été enlevé », fit Martin. Je leur avais raconté à tous l'incident le plus célèbre de la vie de Julian (et de la mienne). « On avait fait des paris à l'école sur la prochaine partie du corps qui arriverait par la poste.

— Et laisse-moi deviner, vous avez tous espéré que ce serait ma queue.

— Ouais, avoua Martin en haussant les épaules. Désolé.

— C'est pas grave. Tout le monde le voulait. Heureusement, elle est toujours à sa place.

— Prouve-le », s'emporta Nick. Stephen en recracha sa Guinness sur la table, me manquant de peu.

« Navré, s'excusa Stephen qui saisit une serviette en papier pour nettoyer.

— Ils avaient prévu de m'enlever un œil. Mais on m'a retrouvé avant. J'ai demandé à Damien l'an dernier s'il pensait qu'ils seraient passés à l'acte, et il m'a affirmé que oui.

— Qui est Damien ? » m'enquis-je. Je ne l'avais jamais entendu parler de lui auparavant.

« Un des kidnappeurs. Tu te souviens du gars qui m'a jeté dans le coffre ? C'est lui. »

On resta tous silencieux quelques instants et je le dévisageai, perplexe. « Attends une minute, repris-je enfin. Tu es en train de dire que tu es resté en contact avec un de ces gars de l'IRA ?

— Oui, acquiesça-t-il en haussant les épaules. Tu ne savais pas ? On s'écrit depuis un bon moment déjà. Et je vais le voir en prison de temps en temps.

— Mais pourquoi ? demandai-je d'une voix plus forte. Pourquoi tu fais ça ?

— Ben, c'était une expérience vraiment intense, dit-il avec légèreté. J'ai passé une semaine avec ces gars dans des circonstances très pénibles. Et n'oublie pas qu'ils n'étaient pas beaucoup plus âgés que nous, à l'époque. Ils avaient presque aussi peur que moi. Leurs grands patrons, je ne sais comment on les appelle, leur avaient donné l'ordre de m'enlever et ils voulaient faire les choses bien. Pour être promu dans la hiérarchie, en quelque sorte. On s'entendait assez bien, la plupart du temps.

— Même quand ils te coupaient en morceaux ?

— Euh… non. Pas dans ces moments-là. Damien n'a jamais participé à ça. Il a vomi tripes et boyaux quand ils m'ont coupé l'oreille. On est presque amis, maintenant. Normalement, il sera libéré dans dix ans. Je crois bien que je lui offrirai une pinte. Pardonner et oublier, voilà ma devise.

— Eh bien, félicitations, s'exclama Nick. Pas la peine de garder rancune, n'est-ce pas ? »

Je me sentais très mal à l'aise, assis à côté de lui, parce que même si nous ne nous connaissions pas bien, il avait perçu un côté de moi que les autres n'avaient jamais vu. Peu de temps après mon arrivée à la RTÉ, une fête avait été donnée pour une raison fallacieuse – célébrer la victoire de Dana au concours de l'Eurovision –, et une grande partie du personnel avait fini dans un pub du centre-ville jusqu'aux premières heures du matin. J'étais déjà passablement saoul lorsque je me retrouvai dans une ruelle, pour pisser, et quelques instants plus tard, Nick apparut, pour la même raison que moi. Il ne m'avait jamais vraiment séduit, mais déprimé et excité comme je l'étais, je me jetai sur lui avant qu'il ait eu le temps de défaire sa braguette. Je le plaquai contre le mur et je l'embrassai tout en attrapant sa main pour la guider vers ma queue. Il se laissa faire une demi-minute, puis secoua la tête et me repoussa.

« Désolé, Cyril, se défendit-il en me regardant avec une expression proche de la pitié. Tu as l'air d'un chic type, mais tu n'es pas mon genre. »

Je fus immédiatement dégrisé. Je n'avais jamais, jamais été rejeté et j'étais stupéfait que mes avances puissent être repoussées. Ces années-là, les homosexuels prenaient ce qu'ils pouvaient, où ils pouvaient et ils s'en contentaient. L'attirance était considérée comme un bonus, mais jamais une exigence préalable. Lorsque je me réveillai, tard, le lendemain après-midi, et que le souvenir me revint progressivement, comme un affreux cauchemar, je fus horrifié. J'envisageai de donner ma démission à la RTÉ, mais il m'avait fallu trop de temps pour trouver un emploi dont le salaire me permettait de vivre seul, et l'idée de devoir partager à nouveau un appartement m'était insupportable. Alors, je fis comme si rien ne s'était passé et pendant les trois années qui s'étaient écoulées depuis, j'avais essayé de l'éviter. Mais chaque fois qu'il me regardait, il me comprenait mieux que personne sur cette terre.

« Attends, rappelle-moi, intervint Martin. Vous vous connaissez depuis l'école, c'est ça ?

— On a partagé une chambre pendant six ans, précisa Julian.

— Je parie que Cyril a adoré, lâcha Nick, à qui j'envoyai un regard noir.

— On s'est rencontrés une première fois lorsqu'on avait sept ans, lui fis-je remarquer, exprès pour montrer à quand remontait notre amitié. Son père était venu chez moi pour voir mon père adoptif, et j'ai trouvé Julian en train d'errer dans le hall.

— Cyril me raconte toujours ça. Pourtant, je ne m'en souviens pas.

— Moi, si, dis-je doucement.

— Je me rappelle un garçon, quand j'avais cet âge-là, me demandant si on pouvait se montrer nos queues respectives, mais Cyril prétend que ce n'était pas lui. »

Les trois autres crachèrent leur bière sur la table et Nick porta une main à son visage. Je voyais ses épaules trembler tant il riait. Je ne me donnai pas la peine de tenter une nouvelle rectification.

« Et tu es le témoin ? demanda Stephen quand les taquineries eurent cessé.

— Oui.

— Et ton discours, il se prépare ?

— Il est presque prêt. J'espère que personne n'est trop sensible. Il est un peu cochon par moments.

— Ah Julian..., marmonnai-je en grimaçant. Je t'avais pourtant demandé de garder les formes.

— Ne t'inquiète pas, il n'y a rien de violent, m'assura-t-il avec un sourire. Alice me tuerait si je disais un mot de travers. Enfin, à Cyril », ajouta-t-il en levant son verre. Les autres l'imitèrent. « Mon ami de toujours, et d'ici vingt-quatre heures, mon beau-frère. Ma sœur a beaucoup de chance.

— Elle a dû faire quelque chose d'extraordinaire dans une vie antérieure pour mériter un tel bonheur », souffla Nick. Et un petit bruit résonna lorsque nous entrechoquâmes nos verres.

Alice

Bien que nos chemins se fussent croisés quelques fois dans le passé, notre relation amoureuse n'avait commencé qu'environ dix-huit mois auparavant, lors d'une fête pour le départ de Julian en Amérique du Sud – il devait traverser les Andes à pied en six mois. C'était probablement son expédition la plus tristement célèbre. Il voyageait avec ses petites amies, une paire de jumelles finnoises appelées Emmi et Peppi qui, prétendait-il, étaient siamoises à la naissance et avaient été séparées par un chirurgien américain à l'âge de quatre ans. De fait, chaque fois que je les regardais, elles paraissaient pencher l'une vers l'autre d'une manière peu naturelle.

Alice n'avait que deux ans de moins que moi. L'adolescente un peu empotée était devenue une jeune femme incroyablement jolie, une version féminine de Julian, et comme lui, elle avait hérité de leur mère Elizabeth les pommettes fines et les yeux très bleus – ces traits qui avaient attiré mon père adoptif Charles – plutôt que le nez bulbeux et les yeux d'amphibien de Max. Cependant, elle n'avait pas les mœurs légères de son frère ; elle était sortie pendant sept ans avec un jeune étudiant en médecine. Leur relation s'était terminée le matin de leur mariage, par un appel téléphonique de Fergus au moment où Max et elle quittaient Dartmouth Square pour l'église. Il était incapable d'aller au bout. Son explication fut prévisible et banale : il avait les jetons. Quelques jours plus tard, il s'était envolé pour Madagascar où, disait-on, il travaillait comme assistant dans une léproserie. Je me souviens avoir croisé Julian par hasard sur Grafton Street après le mariage avorté et je revois son visage bouleversé en me racontant les derniers événements. Il aimait profondément sa sœur et l'idée que quelqu'un lui fasse du mal lui était insoutenable.

« Ne te sens pas obligé de rester avec moi, Cyril, me signala Alice alors que nous observions le coin du bar où Julian était assis comme une tranche de viande dans un sandwich finnois, un groupe d'amis à lui les regardant avec envie, les trouvant appétissants. Si tu préfères aller rejoindre les garçons, vas-y. Je suis très bien avec mon livre.

— Je ne les connais pas du tout. Où est-il allé les chercher ? On dirait qu'ils ont tous joué dans *Hair*.

— Je crois que ce sont les gens qu'on appelle communément des mondains, déclara-t-elle, la voix pleine de dédain. La définition du dictionnaire doit être quelque chose comme : un paquet d'individus égocentriques, narcissiques, physiquement attrayants mais intellectuellement sans profondeur, dont les parents ont tellement d'argent qu'ils n'ont absolument pas besoin de travailler. Ils vont de fête en fête, dans le seul but de se faire voir, tandis qu'ils s'érodent de l'intérieur, comme une batterie vide, à cause de leur manque d'ambition, de perspicacité ou d'esprit.

— Tu n'es pas fan, donc ? demandai-je, et elle se contenta de hausser les épaules. Ça paraît quand même plus amusant que de se lever tous les matins à 7 heures, traverser la ville et rester assis à un bureau pendant huit heures. Qu'est-ce que tu lis ? » J'avais aperçu le coin d'un livre pointer de son sac. Elle y plongea la main et en sortit un exemplaire de *L'Obscur*, de John McGahern. « Il n'est pas interdit ?

— Je crois que oui. Pourquoi tu me dis ça ?

— Pas de raison précise. De quoi est-il question ?

— D'un garçon et de son père violent. Je devrais le donner à Julian. »

Je ne dis rien. S'il y avait une tension grave entre Julian et Max, je n'en avais jamais entendu parler.

« Alors, Cyril, est-ce que tu es toujours fonctionnaire ?

— Oh non. J'ai quitté cet emploi il y a longtemps. Ce n'était pas pour moi. Je travaille à la RTÉ maintenant.

— Ça doit être passionnant.

— Par moments, oui, mentis-je. Et toi ? Est-ce que tu travailles ?

— À mon avis, oui, mais Max pense le contraire. » J'attendis qu'elle poursuive, tout en remarquant que, comme moi, elle appelait son père par son prénom. « Je fais de la recherche et j'écris ma thèse en littérature anglaise à University College. Je voulais m'inscrire à Trinity mais l'archevêque ne m'a pas donné l'autorisation.

— Tu lui as demandé ?

— Oui. Je suis allée jusqu'au palais à Drumcondra et j'ai pris mon courage à deux mains. Sa gouvernante voulait me jeter dans le caniveau, parce que je portais une robe qui dénudait mes épaules, mais il m'a laissée entrer et j'ai pu lui demander en direct. Il trouvait que j'étais un peu bizarre de vouloir avoir une profession. Il m'a affirmé que si je mettais autant d'énergie à chercher un mari qu'à étudier, j'aurais déjà une maison, une famille et trois enfants.

— Quel charmeur ! m'exclamai-je en riant malgré moi. Et qu'est-ce que tu lui as répondu ?

— Quand votre fiancé déserte le matin de votre mariage alors que deux cents personnes, famille et amis, attendent dans l'église à moins d'un kilomètre de là, la priorité absolue n'est plus de convoler en justes noces.

— Ah, fis-je, le regard baissé sur mes chaussures. J'imagine que non.

— Mais il a quand même dit que j'étais une fille charmante, ajouta-t-elle avec un sourire. J'ai au moins ça pour moi. Finalement, je suis contente d'avoir atterri à University College. J'ai rencontré de bons amis. J'aurai fini mes études dans un an et le département m'a déjà proposé un poste d'enseignante pour le semestre suivant. Je pourrai devenir professeur dans cinq ans environ si je fais profil bas et si je reste concentrée.

— Est-ce ce que tu veux ? Passer ta vie dans le monde universitaire ?

— Oui. » Elle jeta un coup d'œil circulaire et grimaça devant le tapage des amis de Julian. « J'ai parfois l'impression que je ne suis pas faite du tout pour vivre au milieu des gens. Que je serais plus heureuse sur une petite île quelque part, seule avec mes livres et de quoi écrire. Je pourrais faire pousser ma nourriture et ne pas être obligée de parler à quiconque. Je le regarde parfois – elle désigna son frère d'un mouvement de la tête – et c'est comme si sa force vitale avait décuplé depuis sa naissance et qu'il avait récupéré la moitié de la mienne. »

Dans ses paroles, je ne perçus aucun ressentiment, aucun apitoiement – il était évident, à voir l'expression de son visage, qu'elle l'adorait autant que moi – et je ressentis immédiatement une grande affinité avec elle. Sa description d'un havre de paix isolé me plaisait. Un lieu où je pourrais me réfugier, où je serais tranquille.

« Tu crois que c'est à cause de… de ce qui s'est passé ? Que c'est de là que vient ton désir de t'abstraire du monde ?

— À cause de ce que Fergus m'a fait ?

— Oui. »

Elle secoua la tête. « Non, je ne crois pas. J'ai toujours été une enfant solitaire et ça n'a jamais vraiment changé. Évidemment, la trahison de Fergus n'a pas aidé. Il est très rare que ce genre d'humiliation soit imposé à quelqu'un. On t'a dit que Max a insisté pour que la réception ait lieu ?

— Quoi ? fis-je, interloqué, ne sachant pas si elle plaisantait ou non.

— C'est vrai, poursuivit-elle. Il a déclaré que le mariage lui avait déjà coûté une fortune et qu'il n'allait pas laisser tant d'argent partir en fumée. Alors, il m'a traînée jusqu'à l'hôtel dans la Daimler qu'il avait louée pour Fergus et moi, et quand on est descendus, tout le personnel était en rang de part et d'autre du tapis rouge. Certains nous regardaient en se demandant pourquoi cette jeune fille se mariait avec un homme si âgé qu'il pourrait être son père et les autres se disaient que cela expliquait mon air si malheureux. Il y a eu l'apéritif au champagne. J'ai dû remercier chaque personne d'être venue, présenter mes excuses au nom de Fergus, et ensuite, j'ai été obligée de m'asseoir à la table d'honneur pendant que les invités mangeaient et buvaient tout leur saoul. Max a même fait un discours, tu imagines ? Il a lu son texte et n'a pas changé un mot, parce qu'apparemment, il y avait passé des jours. "C'est le plus beau jour de ma vie, dit-il. Alice le mérite. Je n'ai jamais vu mariée plus heureuse." Et ça durait, encore et encore. C'était presque comique.

— Mais comment as-tu fait pour supporter tout ça ? Pourquoi n'as-tu pas quitté les lieux ? Ou sauté dans une fusée pour Mars ou un avion pour quelque part ?

— Eh bien, j'étais un peu sous le choc, je crois. Je ne savais pas quoi faire d'autre. J'aimais Fergus, tu vois. Beaucoup. Et je n'avais jamais été plaquée le jour de mon mariage, ajouta-t-elle avec un petit sourire, je ne savais pas exactement quels étaient les usages dans cette situation. Alors, j'ai fait ce qu'on m'a dit.

— Putain de Max, lâchai-je à la surprise d'Alice autant que de la mienne devant ce mot que j'utilisais rarement.

— Putain de Fergus, répondit-elle.

— Putain de tous les deux. Qu'en penses-tu, on pourrait prendre deux putain de verres de plus ?

— Putain de oui, glissa-t-elle, avec un sourire, je partis vers le bar. Il va te manquer, j'imagine ? demanda Alice lorsque je revins avec deux grands verre de vin. Six mois, ça fait long.

— Oui. C'est mon meilleur ami.

— Le mien aussi. Alors, qu'est-ce que ça fait de nous ?

— Des rivaux ? » risquai-je. Elle éclata de rire. J'étais attiré par elle, c'était indéniable. Pas physiquement, mais affectivement. Émotionnellement. Pour la première fois de ma vie, j'étais heureux d'être en compagnie d'une fille tandis que Julian se trouvait ailleurs dans la pièce. Mon regard n'était pas constamment rivé sur lui, et je n'étais pas jaloux que d'autres passent plus de temps avec lui. Cette sensation était entièrement nouvelle pour moi, et je la savourai.

« As-tu vu des célébrités à la RTÉ ? m'interrogea-t-elle après une brève pause, je m'étais torturé les méninges pour trouver quelque propos brillant – sans succès.

— Paul McCartney est venu un jour.

— Oh, j'adore Paul McCartney ! J'ai vu les Beatles en concert quand ils ont joué à l'Adelphi en 1963. Je suis même allée au Gresham Hotel ensuite et je me suis fait passer pour une invitée pour pouvoir entrer et les voir.

— Ça a marché ?

— Non. La plus grande déception de ma vie. » Après quelques hésitations, elle me sourit. « Enfin, jusqu'à celle dont on a parlé, évidemment. Est-ce que je peux t'avouer quelque chose, Cyril ?

— Bien sûr.

— Il s'agit de mon doctorat. Il porte sur les livres de ta mère.

— Vraiment ? fis-je en levant un sourcil.

— Oui. Est-ce que ça te met mal à l'aise ?

— Non. Mais il vaut mieux que tu le saches : Maude était ma mère adoptive, pas ma mère biologique.

— Oui, je le sais. Où est-ce qu'ils t'ont récupéré, d'ailleurs ? Sur le seuil de leur porte un jour ? Ou est-ce que tu es arrivé par la mer et que tu t'es échoué sur la jetée de Dun Laoghaire ?

— Selon la légende familiale, une sœur rédemptoriste bossue m'a amené chez eux. Ils voulaient un enfant, ou le prétendaient, et on leur en a trouvé un.

— Et tes parents biologiques ? Est-ce que tu as essayé de les retrouver ?

— Non, jamais. Ça ne m'intéresse pas beaucoup.

— Pourquoi ? Tu es en colère contre eux ?

— Non, pas du tout. J'ai eu une enfance raisonnablement heureuse, ce qui est assez étrange, quand j'y repense, car ni Charles ni Maude ne manifestaient vraiment d'intérêt pour moi. Mais ils ne me battaient pas, ne m'affamaient pas, rien de ce genre. Je n'étais pas un orphelin à la Dickens, si tu vois ce que je veux dire. Et ma mère biologique, je suppose qu'elle a fait ce qu'elle devait faire. Elle n'était sans doute pas mariée, c'est généralement comme ça que naissent les bébés confiés à l'adoption, n'est-ce pas ? Non, je ne ressens aucune colère. Quel intérêt y aurait-il ?

— Je suis ravie de l'entendre. Il n'y a rien de plus ennuyeux qu'un homme adulte qui rend ses parents, biologiques ou non, responsables de tout ce qui s'est mal passé dans sa vie.

— Tu supposes qu'il y a des choses qui se sont mal passées dans ma vie.

— Quelque chose sur ton visage me dit que tu n'es pas heureux. Oh, je suis désolée. C'est une remarque très personnelle. Je n'aurais pas dû dire ça.

— Non, tout va bien, l'assurai-je, même si j'étais un peu déconcerté qu'elle puisse lire en moi aussi facilement.

— Bref, Fergus était comme ça. Il ne cessait de reporter sur d'autres la responsabilité de problèmes qu'il devait résoudre, lui. C'était une des rares choses que je n'aimais pas chez lui, pour être tout à fait honnête.

— Alors, es-tu toujours fâchée contre lui ? questionnai-je, ma question aussi était très personnelle, mais c'était un juste retour des choses.

— Oh, je le hais. » Je remarquai que ses joues rosirent et que les doigts de sa main gauche s'enfoncèrent dans sa paume, comme si elle voulait qu'une nouvelle douleur vienne remplacer l'ancienne. « Je le déteste de toutes mes forces. Je n'ai presque rien ressenti pendant une ou deux semaines. Je suppose que j'étais en état de choc. Mais ensuite, la fureur est montée et elle n'a jamais diminué depuis. Parfois, je la trouve difficile à contrôler. Je crois que j'ai commencé à l'éprouver lorsque les gens ont cessé de me demander si j'allais bien, lorsque la vie a repris son cours. S'il avait été à Dublin, j'aurais vraiment été capable d'aller chez lui, défoncer sa porte et le poignarder dans son sommeil. Heureusement pour lui, il était à Madagascar avec ses lépreux. »

Je pouffai, et un peu de vin fut expulsé par mes narines ; je dus sortir mon mouchoir de ma poche pour m'essuyer la figure. « Désolé, m'excusai-je, sans cesser de rire. C'est juste la manière dont tu le racontes. Je ne me moque pas de toi.

— Ce n'est pas grave, dit-elle en riant elle aussi, et je vis que ça lui faisait du bien d'en parler avec légèreté. C'est assez comique, quand on y pense. Bon, s'il m'avait quittée pour Jane Fonda, j'aurais compris. Mais pour un paquet de lépreux ? Je ne savais même pas qu'il y en avait encore, des lépreux. Je connaissais cette maladie seulement parce que le film préféré de Max est *Ben-Hur* et j'ai été obligée de le regarder de nombreuses fois.

— Eh bien, c'est lui qui a perdu au change.

— Oh, pas de condescendance, coupa-t-elle sèchement, soudain à nouveau sérieuse. Les gens disent tous ça, mais ils ont tort. Ce n'est pas lui qui y a perdu. C'est moi. Je l'aimais. » Elle hésita quelques instants, puis répéta cette phrase en mettant bien l'accent sur le dernier mot. « Et il me manque encore, malgré tout. J'aurais juste préféré qu'il m'avoue tout. S'il m'avait expliqué quelques jours avant qu'il ne m'aimait pas assez pour m'épouser, si nous avions eu la possibilité d'en discuter posément, eh bien, même si après, il avait voulu tout annuler, cela aurait été difficile, mais au moins, j'aurais pu participer à la prise de décision. Je n'aurais pas eu à subir une telle humiliation. Mais la manière dont il m'a quittée, en téléphonant alors que j'étais déjà en robe de mariée pour m'annoncer qu'il "avait les jetons" ? Ridicule. Quel genre d'homme fait une chose pareille ? Et quel genre de femme suis-je, sachant que s'il entrait maintenant dans cette pièce, je me jetterais probablement dans ses bras ?

— Je suis désolé de ce qui t'est arrivé, Alice. Personne ne devrait avoir à supporter une telle cruauté.

— Heureusement pour moi, poursuivit-elle en baissant la tête pour s'essuyer les yeux, les larmes menaçant de déborder, j'ai eu ta mère pour me consoler. Ta mère adoptive. Je me suis jetée à corps perdu dans mon travail. Dans ses travaux. Je vis, je respire Maude Avery depuis, et j'ai trouvé un grand réconfort dans ses livres. Elle était un écrivain formidable.

— Effectivement. » J'avais lu la plupart de ses textes, à ce moment-là.

« C'était comme si elle comprenait parfaitement ce qu'était la solitude et la manière dont elle nous mine, nous oblige à faire des choix dont nous savons pertinemment qu'ils ne sont pas bons pour nous. Dans chaque roman, elle explore ce thème plus en profondeur. C'est extraordinaire. As-tu lu la biographie que Malleson a écrite ?

— J'y ai jeté un œil. Je ne l'ai pas lue du début à la fin. La femme qu'il décrivait me semblait très différente de celle que je connaissais. On aurait cru un personnage de fiction. L'une des deux Maude l'était, celle que je connaissais, ou bien celle qu'on imagine d'après ses livres. Ou les deux, qui sait ?

— Tu apparais dans le livre, tu es au courant ?

— Oui, je sais. »

Nous restâmes silencieux quelques instants. Alice reprit la parole. « Je trouve encore ahurissant d'habiter dans la maison où elle vivait. Et toi aussi, j'imagine. Max s'est vraiment mal comporté en la soustrayant ainsi à Maude quand ton père est allé en prison. Et à un prix tellement bas.

— Charles l'avait bien cherché, répondis-je en haussant les épaules. S'il n'avait pas séduit ta mère, Max n'aurait pas voulu se venger.

— Dans cette histoire ma mère aime jouer les victimes mais elle était tout aussi coupable. Aucune femme ne se fait réellement séduire. C'est une décision concertée du séducteur et de la personne séduite. Et l'ironie de l'histoire, c'est que la seule personne qui en a vraiment souffert est celle qui n'avait rien fait de mal.

— Maude.

— Exactement. Maude. Elle a perdu sa maison, son bureau, son sanctuaire. Avoir un endroit où on se sent en sécurité, où on peut travailler est plus important qu'on ne l'imagine, et le jour où il n'existe plus, c'est tragique. Surtout pour une femme. Évidemment, elle est morte peu de temps après.

— Oui, mais c'était à cause du tabac. » Je commençais à être un peu contrarié par le tour que prenait la conversation. Depuis vingt ans, je n'avais jamais éprouvé un chagrin et une compassion aussi intenses à l'égard de ma mère adoptive que ce qu'exprimait Alice et j'en avais honte. « Elle n'est pas morte d'avoir eu le cœur brisé, insistai-je.

— Mais cela n'a certainement pas aidé. Tu ne crois pas que les deux événements étaient liés ? Que le cancer l'a emportée à cause de tout ce qu'elle avait perdu ?

— Non, je crois qu'elle est morte parce qu'elle a passé toute sa vie d'adulte à inhaler de la fumée de cigarette, depuis l'instant où elle ouvrait les yeux jusqu'au moment où elle s'endormait le soir.

— Peut-être que tu as raison, fit Alice, conciliante. Tu la connaissais et pas moi. Tu dois avoir raison. » Un autre long silence suivit et je crus que nous avions fini de parler de Maude mais non, elle avait encore une chose à me confier.

« Je l'ai rencontrée une fois, tu sais. Quand j'étais enfant. J'avais environ cinq ou six ans et Max nous avait emmenés, Julian et moi, à Dartmouth Square parce qu'il devait voir ton père. Je crois que c'était à l'époque du procès. Bref, j'ai eu besoin d'aller aux toilettes et je suis montée les chercher, mais bien sûr, la maison était tellement grande, il y avait tant d'étages que je me suis perdue, et je me suis retrouvée dans la pièce qui devait être son bureau. Au début, j'ai cru que la maison brûlait parce qu'il y avait plein de fumée…

— Oui, c'était bien son bureau.

— J'arrivais à peine à voir l'autre bout de la pièce. Mais progressivement, mes yeux se sont habitués et j'ai vu une femme assise à un bureau ; elle portait une robe jaune et elle tremblait un peu. Elle n'a pas bougé, elle a juste levé la main comme l'Esprit des Noëls à venir, pointé un doigt vers moi puis elle a énoncé un seul mot, une question : Lucy ? Je me suis immobilisée, épouvantée, paralysée. Elle s'est levée, elle s'est approchée de moi à pas lents, et blanche comme un fantôme, elle m'a regardée fixement comme si c'était moi, le fantôme. Et quand elle a tendu le bras pour me toucher, j'ai été prise d'une telle terreur que je suis sortie de la pièce en courant, j'ai dévalé l'escalier et je me suis enfuie dans la rue. Je n'ai arrêté de courir qu'une fois de l'autre côté de Dartmouth Square, et je me suis cachée derrière un arbre pour attendre que mon père et mon frère réapparaissent. Je suis presque sûre que j'en ai fait pipi dans ma culotte. »

Je la dévisageai, à la fois étonné et ravi par son histoire. Je me rappelais depuis toujours l'étrange petite fille en manteau rose pâle qui s'était enfuie en courant comme si le chien des Baskerville était à ses trousses, mais je n'avais jamais su ce qui l'avait tant effrayée. Maintenant, enfin, je savais. Il était assez réconfortant de pouvoir enterrer cette histoire.

« Lucy était sa fille. Elle a dû te confondre avec elle.

— Sa fille ? Il n'est fait mention d'aucune fille dans la biographie de Malleson.

— C'était un bébé mort-né, indiquai-je. Maude avait eu une grossesse très difficile, je crois. C'est pour ça qu'elle n'a pas pu avoir d'enfant par la suite.

— D'accord... », fit Alice. Je compris que cette information était quelque chose qui pourrait lui être utile pour son doctorat. « Enfin, c'est la seule fois où je l'ai rencontrée. Jusqu'à ce que je décide d'étudier son œuvre, vingt ans plus tard.

— Elle serait atterrée si elle le savait. Elle détestait toutes les formes de publicité.

— Si cela n'avait pas été moi, ç'aurait été quelqu'un d'autre, répondit-elle en haussant les épaules. Et il y en aura d'autres. Elle est tout simplement trop importante pour qu'on ne travaille pas sur ses textes, tu ne crois pas ? Comment était-elle ? Désolée, je ne suis pas à la recherche d'éléments pour ma thèse. Mon intérêt est sincère.

— C'est difficile à expliquer, répondis-je, malgré mon désir de changer de sujet. J'ai vécu avec elle pendant les huit premières années de ma vie mais notre relation n'a jamais été ce qu'on appellerait proche. Elle voulait un enfant. Charles et elle m'ont adopté, mais je crois qu'elle en désirait un comme on désire un tapis persan ou un lustre du château de Versailles. Juste pour l'avoir, tu vois ? Elle n'était pas une mauvaise femme, pas vraiment, mais je ne peux pas dire que je l'aie vraiment connue. Après que Charles a été envoyé en prison, nous avons été seuls tous les deux pendant quelques mois, mais elle était déjà mourante, alors nous n'avons jamais eu l'occasion de nous parler comme devraient le faire des parents et des enfants.

— Est-ce qu'elle te manque ?

— Parfois, avouai-je. Je pense rarement à elle, en fait. Sauf quand les gens parlent de ses livres. Ils sont maintenant tellement appréciés que je reçois quelquefois des lettres d'étudiants qui me demandent de l'aide pour finir leur thèse.

— Et tu acceptes ?

— Non. Tout est dans les livres. Il n'y a pas grand-chose que je puisse ajouter.

— Tu as raison. Je ne comprends pas pourquoi certains auteurs ressentent le besoin de parler de leurs œuvres ou d'accorder des interviews. Si tu n'as pas dit ce que tu souhaitais dans les pages que tu as écrites, cela signifie que tu aurais dû les corriger encore une fois. »

Je souris. Je n'étais pas un grand lecteur et je ne savais pas grand-chose de la littérature contemporaine, mais j'aimais bien l'idée qu'Alice soit férue de littérature. Une autre Maude, sans la froideur.

« Est-ce que tu écris ? » demandai-je. Elle secoua la tête.

« Non, je n'en serais pas capable. Je n'ai pas d'imagination. Je suis une lectrice, pure et simple. Je me demande d'ailleurs combien de temps je vais devoir rester ici. Rien ne me fait plus plaisir que d'être chez moi et de me pelotonner tout contre John McGahern. Dans le sens métaphorique, évidemment. » Elle rougit presque immédiatement et posa sa main sur mon bras. « Je suis désolée, Cyril. C'était grossier de ma part. Je ne m'ennuie pas du tout en ta compagnie.

— Ne t'inquiète pas, dis-je en riant. J'ai compris.

— Tu es très différent des autres amis de Julian. Ils sont tous tellement rasoirs et vulgaires, chaque fois que je suis dans les parages, ils balancent exprès des choses avec l'intention de me scandaliser. Ils pensent que parce que je suis un rat de bibliothèque, je vais glapir devant leur grossièreté, mais ils se trompent. Je suis assez difficile à choquer.

— Je suis ravi de l'entendre.

— Est-ce que tu as parlé aux jumelles finnoises ?

— Non. Quel intérêt ? Elles auront disparu la prochaine fois que je verrai Julian.

— Tu as raison. La vie est trop courte pour faire cet effort. Et toi, Cyril ? As-tu une paire de jumelles finnoises cachées quelque part ? Ou suédoises ? Ou norvégiennes ? Ou juste une fille, si tu préfères être traditionnel ?

— Non. » Je ressentis un certain malaise à l'idée que la conversation se mette à porter sur ma vie sentimentale, ou son inexistence. « Non, je n'ai jamais eu beaucoup de chance dans ce domaine, malheureusement.

— Je n'y crois pas une seconde. Tu as un physique agréable et tu as une bonne place. Tu pourrais probablement avoir toutes les filles que tu veux. »

Je jetai un coup d'œil autour de nous. Le volume de la musique était tellement élevé que personne ne pouvait nous entendre. Et je sentis tout à coup que je ne supportais plus de toujours dissimuler.

« Est-ce que je peux te dire quelque chose ?

— Est-ce quelque chose de scandaleux ? fit-elle avec un sourire.

— Je suppose, oui. Je n'en ai jamais parlé à Julian. Mais je ne sais pas pourquoi… j'ai le sentiment que je peux te le confier. »

L'expression de son visage changea un peu, d'amusée à intriguée. « D'accord. De quoi s'agit-il ?

— Tu me promets que tu ne le diras pas à ton frère ?

— Promettre de ne pas dire quoi à son frère ? » demanda Julian qui apparut soudain derrière nous. Je bondis. Il se pencha entre nous, déposa un rapide baiser sur la joue de sa sœur, puis un autre sur la mienne.

« Rien. » La magie de l'instant avait disparu. Je m'écartai et sentis mon rythme cardiaque s'accélérer de manière insensée.

« Non, allez, dis-moi !

— Tu vas me manquer quand tu seras parti, c'est tout.

— J'espère bien ! On ne trouve pas des meilleurs amis tous les quatre matins, après tout. Qui est partant pour un autre verre ? »

Alice lui tendit le sien et il décampa vers le bar tandis que je fixai mes chaussures.

« Alors. Qu'y a-t-il ?

— Comment ça ?

— Tu étais sur le point de me révéler quelque chose. »

Je secouai la tête. Une autre fois peut-être. « Il va me manquer, voilà.

— Qu'est-ce qu'il y a de scandaleux, là ? J'espérais quelque chose de bien plus croustillant.

— Désolé. Je suppose que ce n'est pas le genre de confidence que font généralement les hommes à propos de leurs amis. Nous sommes censés rester stoïques, ne pas dévoiler nos sentiments.

— Qui l'impose ?

— Tout le monde. »

Quelques jours plus tard, après le départ de Julian pour l'Amérique du Sud, j'étais à la maison un soir et le téléphone se mit à sonner.

« Cyril Avery, dis-je en décrochant.

— Oh, tant mieux, dit une voix – une voix féminine. J'espérais bien avoir le bon numéro. »

Je fronçai les sourcils. « Qui est à l'appareil ?

— C'est la voix de ta conscience. Toi et moi nous devons avoir une petite conversation. Tu as été un très vilain garçon, n'est-ce pas ? »

J'écartai le combiné pour le regarder, ahuri, avant de le coller à nouveau contre mon oreille. « Qui est à l'appareil ?

— C'est moi, idiot. Alice. Alice Woodbead. »

J'hésitai un instant, cherchant une raison qui expliquerait cet appel.

« Qu'est-ce qui se passe ? demandai-je, un peu angoissé. Rien à voir avec Julian, j'espère ? Il va bien ?

— Oui, très bien. Pourquoi ça n'irait pas ?

— Je ne sais pas. Je suis surpris de t'entendre, c'est tout.

— Tu n'étais donc pas assis à côté du téléphone à attendre que je t'appelle ?

— Non, pourquoi je ferais ça ?

— Tu sais vraiment tourner un compliment à une fille, toi. »

Ma bouche s'ouvrit et se referma deux ou trois fois. « Pardon. Ce n'est pas ce que je voulais...

— Je commence à me sentir un peu bête.

— Non, surtout pas, m'empressai-je de répondre, conscient que je me comportais assez grossièrement. Je suis désolé. Tu m'as pris au dépourvu.

— Pourquoi, qu'est-ce que tu faisais ? »

Pas grand-chose, je traînais, je feuilletais une revue pornographique et me demandais si j'avais le temps pour une petite branlette avant le dîner. Voilà la vérité.

« Je lisais *Crime et Châtiment*.

— Jamais lu. Mais j'ai toujours voulu. C'est bien ?

— Pas mal. Il n'y a pas beaucoup de crimes, mais beaucoup de châtiments.

— C'est le résumé de ma vie. Surtout, Cyril, dis non si tu veux...

— Non.

— Quoi ?

— Tu m'as dit de dire non si je voulais.

— Oui, mais laisse-moi le temps de poser la question, d'abord. Mon dieu, tu ne facilites pas la vie aux filles, toi !

— Navré. Qu'est-ce que tu voulais savoir ?

— Je me disais... » Elle laissa sa phrase en suspens et se mit à tousser. Pour la première fois, elle parut moins assurée.

« Je me demandais si tu aimerais te joindre à moi pour dîner, un de ces soirs ?

— Dîner ?

— Oui, dîner. Tu manges, n'est-ce pas ?

— Oui. Je suis obligé. Sinon, j'ai faim. »

Elle marqua une pause. « Tu me taquines ?

— Non, c'est juste que je ne suis pas habitué. Je dis probablement des choses stupides.

— Ça ne me dérange pas. J'en dis tout le temps. Alors, nous avons établi que tu manges pour éviter d'avoir faim. Est-ce que tu voudrais dîner avec moi ? Ce week-end, peut-être ?

— Juste nous deux ?

— Et les clients du restaurant. Je ne vais pas cuisiner ; je n'ai rien d'une femme d'intérieur. Mais nous ne sommes pas obligés de parler aux autres, à moins que nous n'ayons plus rien à nous raconter. »

Je réfléchis. « Je suppose qu'on pourrait.

— Je crois que je vais m'asseoir. Ton enthousiasme me coupe les jambes.

— Désolé, lâchai-je en riant. Oui. Dîner. Toi et moi. Dans un restaurant. Ce week-end. Je suis ravi.

— Excellent. Je vais faire comme si cet appel ne ressemblait pas à une séance chez le dentiste et me réjouir de cette soirée. Je t'enverrai un mot d'ici samedi avec une heure et une adresse. D'accord ?

— D'accord.

— Au revoir, Cyril. »

Je raccrochai et regardai autour de moi, sans trop savoir ce que j'étais censé ressentir. Était-ce un rendez-vous ? Me demandait-elle de sortir avec elle ? Les femmes avaient-elles le droit de demander à un homme de sortir avec elles ? Je secouai la tête et retournai dans ma chambre. Je n'avais plus envie d'une branlette. Et plus envie de dîner non plus.

Mais quelques jours plus tard, je me retrouvai assis en face de la sœur de Julian dans un restaurant, à évoquer quelque banalité, quand elle tendit le bras, posa sa main sur la mienne et me regarda droit dans les yeux.

« Est-ce que je peux être franche, Cyril ? » Les effluves de lavande de son parfum embaumaient l'air.

« Bien sûr, fis-je, un peu anxieux.

— J'ai senti quelque chose de fort passer entre nous à la fête de Julian et j'espérais que tu appellerais. Je t'ai toujours apprécié, chaque fois qu'on s'est rencontré, mais avant j'étais avec Fergus. Certes tu n'as pas appelé, alors c'est moi qui l'ai fait. C'est cavalier, je suppose. Enfin, je ne sais pas si tu fréquentes quelqu'un, j'imagine que non, sinon tu n'aurais probablement pas accepté de venir ce soir. Simplement si c'est le cas, ou si tu n'es pas du tout intéressé par moi, est-ce que tu pourrais juste me le dire, parce que je ne veux pas qu'il y ait de malentendu entre nous. Pas après tout ce que j'ai vécu. Je t'aime vraiment bien, tu sais. »

Je baissai les yeux dans mon assiette, et m'accordai quelques respirations profondes. Je sus immédiatement que cet instant marquerait une étape décisive dans ma vie. Je pouvais tout lui avouer, comme j'en avais eu l'intention la semaine précédente, lui confier mon secret et lui demander de m'accorder son amitié. Si je procédais ainsi, il y avait de grandes chances qu'elle soit une amie plus dévouée que son frère ne l'avait jamais été. Mais à ce moment-là, je ne trouvai pas le courage d'être honnête, je ne me sentis pas prêt. Quelques rencontres furtives ne blesseraient personne. J'appréciais sa compagnie. Et il n'était pas question de se marier.

« Non, je suis seul, lui répondis-je en levant la tête, souriant malgré moi. Et bien sûr que je suis intéressé par toi. Quel homme normal ne le serait pas ? »

Une phrase

Tout le monde autour de la table devait supposer que j'étais puceau, alors que j'avais probablement eu plus de rapports sexuels que n'importe lequel d'entre eux, Julian y compris, quoique dans des cadres bien moins romantiques. Mais ils avaient vécu des choses que je n'avais jamais connues, des plaisirs certainement supérieurs au frisson éphémère d'un orgasme vite oublié.

Je ne savais rien, par exemple, des préliminaires ou de la séduction, de ce qu'on pouvait ressentir quand on rencontrai un étranger dans un bar et qu'on se lançait dans une conversation, préoccupé par la perspective d'une suite plus intéressante. Si je ne baisais pas dans les dix minutes suivant la rencontre, il était probable que ça n'arriverait pas. Ma réaction pavlovienne à un orgasme était de remonter mon pantalon puis de m'enfuir. Je n'avais jamais baisé de jour ; c'était une activité honteuse, menée en hâte, en cachette et dans la pénombre. J'associais les rapports sexuels avec l'air nocturne, l'extérieur, la chemise sur le dos et le pantalon au niveau des chevilles. Je connaissais la sensation de l'écorce d'un arbre imprimée sur mes paumes quand je baisais un type dans un parc et l'odeur de la sève tout contre mon visage lorsqu'un étranger se collait à moi par-derrière. Le sexe n'était pas ponctué de soupirs de plaisir mais de la fuite précipitée de rongeurs dans les fourrés et du bruit des voitures passant au loin, sans parler de la peur que de ces rues puisse provenir le hurlement impitoyable des sirènes de la Garda, en réponse à l'appel téléphonique indigné d'un promeneur de chien. Je n'avais aucune idée de ce qu'on pouvait ressentir quand on enlaçait un amant sous les draps avant de s'endormir, en murmurant des mots d'une douceur affectueuse qui se transformaient nonchalamment en paisible tendresse. Je ne m'étais jamais réveillé à côté de quelqu'un d'autre, je n'avais jamais pu satisfaire mon désir tenace du matin avec un partenaire exempt de remords. J'avais eu plus de partenaires sexuels dans ma vie que quiconque parmi mes connaissances, mais la différence entre l'amour et le sexe se résumait pour moi en une phrase : j'aimais Julian ; je baisais avec des étrangers.

Je me demandais ce qui les aurait le plus surpris : savoir tout cela ou apprendre que j'avais effectivement couché avec une femme. Seulement une fois, d'accord, mais ce moment extraordinaire avait eu lieu trois semaines auparavant, quand, à ma grande surprise, Alice avait insisté pour que nous couchions ensemble et que, encore plus surprenant, j'avais accepté.

L'intimité était l'une des choses que j'étais parvenu à éviter pendant les dix-huit mois qu'avait duré notre parade nuptiale et pour une fois, j'étais heureux de vivre en Irlande, un pays où un homosexuel, comme un séminariste, pouvait facilement cacher ses préférences en arborant l'habit sombre d'un fervent catholique. Naturellement, comme nous n'étions qu'en 1973 et que nous étions des enfants de notre temps, notre timidité nous interdisait à Alice et à moi d'en débattre à voix haute.

Alors nous utilisâmes la personne qui nous liait, Julian, pour aborder le sujet.

« Il couche constamment avec plein de partenaires différentes », me plaignis-je, quelques semaines avant le mariage. Nous étions chez Doyle's sur College Green, tous les deux un peu excités après avoir regardé Robert Redford et Paul Newman passer des T-shirts aux smokings pendant deux heures dans *L'Arnaque*. J'étais dans une de ces phases où mon amertume devant les prouesses sexuelles et l'hétérosexualité inflexible de son frère me poussait à le dénigrer. « Il le fait avec qui il veut, en gros, ce qui est dégoûtant, quand on y pense. Mais est-il vraiment heureux ?

— Tu plaisantes, Cyril ? rétorqua Alice, amusée par l'absurdité de ma question. Il nage dans le bonheur à mon avis. Toi aussi à sa place, non ? »

Je savais qu'elle me taquinait, mais je ne ris pas. Le sexe rôdait autour de nos vies comme un invité crispé à une fête. Tôt ou tard, l'un de nous allait trouver le courage de se lancer. Je n'avais juste pas particulièrement envie que ce soit moi.

« Est-ce que je t'ai dit, reprit-elle sans me regarder vraiment dans les yeux, que Max et Samantha vont à Londres le week-end prochain ?

— Non. » Samantha était la deuxième femme de Max. Un peu comme mon père adoptif – qui cette année-là se fiança avec la femme qui deviendrait, quoique brièvement, la quatrième Mrs Avery –, le père d'Alice avait obtenu son divorce d'Elizabeth en Grande-Bretagne au motif d'un comportement inqualifiable. Pour être juste, devant la cour il avait parlé de son comportement déraisonnable, pas de celui de sa femme, car après tout, la chose la plus déraisonnable qu'elle ait faite, à part sa brève liaison avec Charles, avait été de rester avec ce salaud de Max. Peu de temps après, Max avait épousé une actrice en herbe qui ressemblait de façon étrange et profondément troublante à Alice. C'était un sujet totalement impossible à aborder, même si j'éprouvais souvent une envie irrésistible de demander à Julian s'il l'avait remarqué, et si oui, comment il l'interprétait.

« Nous devrions aller à Londres, un jour.

— Nous pourrons faire plein de projets de vacances après le mariage, renchéris-je. Nous pourrions un jour visiter l'Espagne. C'est très à la mode. Ou le Portugal.

— Le Portugal ? » Elle leva un sourcil, faussement enthousiaste. « Tu crois vraiment ? Je n'aurais jamais imaginé être le genre de fille qui va au Portugal !

— D'accord, eh bien, allons aux États-Unis, proposai-je en riant. Ou en Australie. Tout est possible. Il faudra économiser jusqu'à la fin de nos jours si nous avons envie de voyager aussi loin mais…

— J'ai du mal à croire que j'ai vingt-six ans et que je ne suis jamais sortie d'Irlande.

— Eh bien, j'en ai vingt-huit, et je n'ai jamais quitté l'Irlande non plus. Qu'est-ce qu'ils vont faire à Londres ?

— Oh, Samantha a un rendez-vous avec Ken Russell.

— Qui est Ken Russell ?

— Un metteur en scène. Tu sais, *Les Diables*, *Love*. Oliver Reed et Alan Bates engagés dans une partie de lutte nus comme des vers.

— Ah oui. C'est du porno soft, si je me rappelle bien ?

— Ça dépend sans doute de l'âge qu'on a. Pour la génération de nos parents, oui. Pour nous, ce sont des films d'art.

— Je me demande comment nos enfants les trouveront. D'un charme terriblement désuet, je suppose.

— Nos enfants ? dit-elle en me lançant un regard plein d'espoir. C'est drôle que nous n'ayons jamais parlé d'enfants. Quand on pense qu'on va se marier dans quelques semaines…

— Oui, c'est vrai. » Et pour la première fois de ma vie, je me rendis compte que je n'avais jamais pensé une seule seconde à l'idée d'être père. Je marquai une pause pour y réfléchir et découvris que ça me plaisait assez. Peut-être n'y avais-je jamais songé auparavant parce que je savais à quel point c'était impossible.

« Est-ce que tu voudrais fonder une famille, Cyril ?

— Eh bien, oui. Oui. Je crois que oui. J'aimerais bien avoir une fille. Ou plein de filles.

— Comme un *gentleman* d'un roman de Jane Austen. Tu pourrais léguer mille livres et une quarantaine d'hectares dans le Hertfordshire à chacune après ta mort.

— Et si elles se disputent, leur punition sera un après-midi en compagnie de la Miss Bates locale.

— Je préférerais un fils, il me semble », déclara Alice en détournant les yeux. Je remarquai son regard suivre un jeune homme très beau qui venait d'entrer dans le pub. Elle détailla son corps tandis qu'il se penchait sur les pompes à bière pour faire son choix. Elle déglutit et pour la première fois, je lus un vrai désir sexuel dans ses yeux. Je ne lui en voulais pas – j'aurais piétiné les cadavres de mes meilleurs amis pour arriver jusqu'à lui. Lorsqu'elle se tourna vers moi, le sourire sur son visage était résigné, comme si elle avait désiré celui-là mais devait se contenter de celui-ci, et celui-ci ne lui avait pas, jusque-là, montré ses talents dans le domaine qui importait vraiment. Je ressentis tout à coup un accès de culpabilité et me retrouvai enfermé dans un silence peiné. Soudain, les plaisanteries sur Austen paraissaient absurdes et gênantes.

« De quoi parlions-nous ? » reprit-elle enfin. Le fil de ses pensées ne s'était pas emmêlé, il s'était cassé et sa tête était partie loin loin, dans un pays totalement exotique auquel personne d'autre n'avait accès.

« D'enfants. Tu aimerais un petit garçon. Je préférerais une fille. »

Je n'étais peut-être pas très informé sur les grossesses, mais je savais qu'on ne pouvait pas avoir un fils ou une fille sans le faire. Les curés à l'école avaient un jour marmonné quelque chose du genre : quand un papa et une maman s'aimaient très fort, ils se couchaient ensemble et le Saint-Esprit descendait sur eux pour créer le miracle d'une nouvelle vie. (Charles, dans son unique tentative d'avoir une conversation d'homme à homme avec moi, l'avait formulé très différemment. « Déshabille-la. Joue un peu avec ses seins, parce que les dames aiment ça. Ensuite, enfonce ta queue dans sa chatte et pousse plusieurs fois. N'y reste pas trop longtemps – ce n'est pas une gare de chemin de fer. Fais ta petite affaire et reprends le cours de ta journée. » Pas étonnant qu'il ait réussi à avoir autant d'épouses, ce vieux romantique.)

J'essayai d'imaginer comment ce serait de déshabiller Alice, et si elle me déshabillait, si on se couchait dans un lit ensemble, nus. Si elle regardait mon pénis, le caressait ou le suçait avant de le guider pour le faire entrer en elle.

« Qu'est-ce qui ne va pas ? demanda Alice.

— Rien. Pourquoi ?

— Tu as une drôle de couleur, tout à coup. On dirait que tu vas vomir.

— Ah bon ?

— Sérieusement, Cyril. Tu es presque vert.

— Je suis un peu ivre, je crois, fis-je en saisissant mon verre.

— Dans ce cas, tu ne devrais pas boire davantage. Veux-tu de l'eau ?

— Oui, je vais en chercher.

— Non ! » Elle cria presque et se leva d'un bond. « J'y vais. »

Elle se dirigea vers le bar. Le jeune homme était toujours là et tout en prenant place à côté de lui, elle se mit à lui lancer des regards obliques. Le barman était occupé et ils patientèrent, côte à côte, jusqu'à ce qu'il se penche pour lui dire quelque chose. Elle répondit aussitôt. Il éclata de rire, et je sus qu'il ne s'agissait pas seulement d'un jeu de séduction de sa part à lui. Alice avait l'esprit vif ; c'était une des choses que j'aimais le plus chez elle.

Et oui, je l'aimais. À ma manière. À ma manière égoïste et lâche.

Je les regardai parler, puis le barman approcha, prit leurs commandes et ils changèrent de sujet. Il dut lui demander si elle était seule, parce qu'elle secoua la tête et fit un geste du menton vers moi. Quand il me vit assis là, il parut déçu. Il reporta son attention vers Alice et je pus voir distinctement son visage, car ils se regardaient avec une telle intensité qu'ils en avaient oublié ma présence. Le jeune homme n'était pas seulement très beau, mais il y avait de la chaleur dans son expression. Je ne savais rien de lui mais j'étais persuadé qu'il traiterait la femme qu'il aimait avec douceur et affection. Quelques instants plus tard, elle revint avec mon verre d'eau, s'assit et je fis comme si je n'avais rien vu.

« Il y a quelque chose dont je voulais te parler, commença-t-elle soudain ; elle avait l'air un peu agacé, les joues légèrement roses. Et je vais cracher le morceau puisque apparemment tu ne vas pas prendre l'initiative, malgré toutes mes allusions. La raison pour laquelle j'ai dit que Max et Samantha allaient à Londres le week-end prochain, c'est qu'il n'y aura personne à la maison. Je crois que tu devrais venir, Cyril. Viens dîner, on se servira dans les meilleurs vins de Max et on passera la nuit ensemble. »

Je ne pipai mot mais j'eus l'impression qu'on enroulait un poids gigantesque autour de mon corps tout entier, comme les bons bourgeois d'Amsterdam avaient coutume de le faire au XVIIe siècle quand ils attachaient une meule autour du cou des homosexuels condamnés avant de les jeter dans les canaux pour qu'ils s'y noient.

« Bon, fis-je. Je vois. L'idée est intéressante.

— Écoute, je connais tes convictions religieuses. Mais nous allons nous marier bientôt, après tout. »

Je n'avais aucune conviction religieuse. Je m'en fichais complètement, et même s'il m'arrivait, parfois, de me dire que Jésus avec ses longs cheveux et sa barbe était assez séduisant, jamais je ne réfléchissais à un au-delà ni à la question de la création de l'homme. C'était une tromperie – encore une – que j'avais bâtie depuis qu'Alice et moi sortions ensemble et je m'en étais servi comme excuse pour éviter de coucher avec elle. L'inconvénient, c'est que je devais aller à la messe tous les dimanches, pour être cohérent. Craignant qu'elle se mette à me soupçonner comme Mary-Margaret et me suive sans me prévenir – ce qui était peu probable, vu leur différence de caractère, mais malgré tout possible – j'y allais régulièrement à 11 h 30 à Westland Row, l'église où, quatorze ans auparavant, j'avais tué un curé en lui confessant mes perversions. Je ne m'asseyais jamais de ce côté-là de l'église, bien sûr. Je l'avais fait une fois, j'avais aperçu le carreau cassé qui n'avait pas été remplacé depuis sa chute et j'en avais encore eu la chair de poule. Je m'installais plutôt vers le fond, et piquais un roupillon jusqu'à ce qu'une vieille dame me mette un coup dans le bras pour me réveiller, en me dévisageant comme si j'étais le seul responsable du déclin de la civilisation occidentale.

« Je ne sais pas, marmonnai-je après une longue pause. J'en ai envie, très envie. Mais tu connais la position du pape…

— Je m'en fiche, de la position du pape, rétorqua Alice. Je n'ai aucune envie de baiser avec le pape.

— Doux Jésus, Alice ! » m'exclamai-je, en gloussant un peu. Je n'étais peut-être pas religieux, mais ces mots paraissaient un peu abusifs, même à moi.

« Écoute, Cyril, appelons un chat un chat. Nous allons nous marier bientôt. Et si tout se passe bien, notre mariage sera très heureux et très épanoui pendant les cinquante prochaines années, à peu près. C'est ce que je veux, en tout cas. Pas toi ?

— Si, bien sûr.

— Parce que, ajouta-t-elle à mi-voix, si tu as un doute, quel qu'il soit, tu as encore le temps de le dire.

— Mais je n'ai pas de doute, Alice.

— Il n'est pas question que je reçoive une nouvelle fois un appel téléphonique alors que j'ai déjà enfilé ma robe. Tu comprends ça, Cyril ? Je ne sais pas comment j'ai réussi à me remettre de ce que Fergus m'a fait. Mais, je ne pourrais pas vivre une chose pareille une deuxième fois. Je n'y survivrais pas. »

Je la regardai fixement, sans trop comprendre d'où venait ce discours. Y pensait-elle depuis un moment ? Soupçonnait-elle quelque chose ? Près du bar, je vis le beau jeune homme terminer son verre et attraper sa veste.

Voilà l'occasion rêvée, songeai-je. Dis-lui la vérité. Fais-lui confiance, elle comprendra, elle pardonnera ta duperie, elle sera ton amie, elle t'aidera et t'aimera encore. Et ensuite, nous pouvons continuer à discuter de tout ça une autre fois, mais là, il faut qu'elle se lève, qu'elle aille au bar et qu'elle donne son numéro de téléphone à cet homme avant qu'il ne soit trop tard.

« Cyril ? fit Alice, soudain inquiète. Qu'est-ce qui ne va pas ?

— Rien, pourquoi ?

— Tu pleures.

— Je ne pleure pas. » Mais lorsque je portai la main à ma joue, je constatai, à mon grand étonnement, qu'elle était mouillée, et que les larmes coulaient. Je n'avais même pas remarqué. Je les essuyai avec mon mouchoir et essayai de retrouver mon sang-froid.

« Alice. » Je la regardai plus intensément que je n'avais jamais regardé personne dans ma vie. Je lui pris la main.

« Pourquoi pleurais-tu ?

— Je ne pleurais pas.

— Si !

— Je ne sais pas. Je dois être enrhumé. Alice…

— Quoi ? fit-elle, anxieuse. Dis-moi, Cyril. Peu importe ce que c'est, parle. Je promets que tout se passera bien.

— Vraiment ? questionnai-je en la regardant droit dans les yeux.

— Tu me fais peur, maintenant.

— Je suis désolé, Alice. Tout est de ma faute.

— Qu'est-ce qui est de ta faute ? Cyril, qu'est-ce que tu as fait ?

— C'est ce que je n'ai pas fait. Ce que je n'ai pas dit.

— Pourquoi, qu'est-ce que tu n'as pas dit ? Cyril, tu peux tout me dire, je te le promets. Tu as l'air tellement malheureux. Rien ne peut provoquer tant de tristesse, si ? »

Je baissai la tête et elle resta silencieuse, attendant que je parle. « Mais tu me haïras. Et je ne veux pas que tu me haïsses.

— Mais jamais je ne pourrais te haïr ! Je t'aime !

— J'ai commis une erreur terrible. »

Elle se redressa, son visage de plus en plus sombre. « Y a-t-il quelqu'un d'autre ? Tu fréquentes quelqu'un d'autre ?

— Non », protestai-je, bien que ce fût le cas. Sauf que ce n'était pas en public. « Ce n'est pas ça.

— Alors quoi ? Bon sang, Cyril, dis-moi !

— D'accord. Depuis que je suis enfant...

— Oui ?

— Depuis que je suis enfant, je sais que...

— Excusez-moi. »

Nous levâmes la tête tous les deux et debout à côté de nous se trouvait le beau jeune homme du bar. Je croyais qu'il était parti mais il était là, un grand sourire aux lèvres, l'air un peu gêné.

« Je m'excuse de vous interrompre.

— Quoi ? fit Alice irritée. Qu'est-ce qu'il y a ?

— C'est juste que... normalement, je ne fais pas ce genre de choses. Mais j'ai cru qu'il se passait un petit quelque chose entre nous, tout à l'heure. Je me demandais si vous accepteriez de me donner votre numéro de téléphone, c'est tout. Si ça ne vous dérangeait pas. Peut-être que je pourrais vous inviter à dîner un soir ? »

Elle le dévisagea, incrédule. « C'est une plaisanterie ?

— Non, répondit-il en fronçant les sourcils. Pardon. Me suis-je fait des idées ? C'est juste qu'il me semblait que...

— Je suis assise là avec mon fiancé. Vous ne le voyez pas ? Ça vous arrive souvent de demander à une fille de sortir avec vous alors qu'elle est avec son fiancé ? Vous êtes tellement sûr de vous ?

— Oh, fit-il et il me regarda, ahuri. Je suis affreusement désolé. Je n'ai pas pensé que... euh, j'ai supposé que vous étiez frère et sœur.

— Qu'est-ce qui vous a fait croire une chose pareille ?

— Je ne sais pas, balbutia-t-il, complètement déstabilisé. Quelque chose dans la manière dont vous vous teniez. Dont vous vous regardiez. Je ne pensais pas que vous étiez "ensemble".

— Eh bien, nous le sommes. Et vous êtes d'une grossièreté invraisemblable.

— Oui. Je suis navré. Je vous présente mes excuses, à tous les deux. »

Là-dessus, il tourna les talons et Alice le regarda sortir, en secouant la tête. *Rattrape-le*, aurais-je dû dire. Rattrape-le avant qu'il disparaisse pour toujours !

« C'est à peine croyable ! s'exclama-t-elle en se tournant vers moi.

— C'était une erreur. Il ne l'a pas fait exprès.

— Je suis étonnée que tu ne l'aies pas frappé. »

Je la regardai, ébahi. « C'est ce que tu voulais ? Je ne suis pas du genre à cogner.

— Non, évidemment que non. Sauf que… oh, je ne sais pas ce que je raconte. Cette soirée va tout de travers. Oublions ce qui vient de se passer et dis-moi juste ce que tu voulais me dire.

— Je ne m'en rappelle plus, maintenant », mentis-je. Si seulement j'avais pu disparaître.

« Mais si, tu t'en souviens. Tu as dit que depuis que tu es enfant…

— Depuis que je suis enfant, je n'ai jamais pensé que je pourrais rendre quelqu'un heureux, m'empressai-je, changeant d'avis. C'est tout. Ça a l'air idiot, je sais. Est-ce qu'on peut parler d'autre chose ?

— Mais tu me rends heureuse tout le temps.

— Ah bon ?

— Je ne t'épouserais pas si ce n'était pas le cas.

— D'accord.

— Mais puisque nous sommes francs l'un avec l'autre, il y a quelque chose que je veux te dire moi aussi. Et je vais cracher le morceau, OK ?

— OK, fis-je, malheureux au plus haut point.

— Je crois que nous devrions coucher. Ensemble. Avant de nous marier. Juste pour être sûrs.

— Pour être sûrs de quoi ?

— Est-ce que je peux te poser une question ?

— Tu peux me poser toutes les questions que tu veux.

— Est-ce que tu me diras la vérité ? »

Je ne sais si elle remarqua mon hésitation. « Bien sûr.

— Est-ce que tu as déjà été avec une femme, Cyril ? »

Je savais que je pouvais être honnête avec elle sur ce point-là au moins.

« Non, répondis-je en baissant les yeux et en frottant mon doigt sur une marque invisible dans le bois de la table. Non, jamais.

— Je m'en doutais, souffla-t-elle et une sorte de soulagement se fit entendre dans sa voix. J'en étais presque sûre, que tu étais puceau. C'est la faute de l'Église. Elle vous a tous embrouillés, vous, les garçons. Pas Julian, bien sûr. Julian est différent. Même si je suppose qu'il a ses propres problèmes avec son constant besoin de s'affirmer. Ils t'ont fait croire que le sexe est quelque chose de sale, alors que ce n'est pas le cas. C'est parfaitement naturel. Ça fait partie de la vie. C'est comme ça qu'on est arrivés là, pour commencer. Et ça peut être merveilleux si c'est fait correctement. Même quand ce n'est pas le cas, c'est bien mieux que de se faire piquer l'œil avec un clou rouillé. Oh, je n'affirme pas que tout le monde devrait coucher à tort et à travers comme Julian, mais si tu aimes vraiment…

— Je suppose que tu as déjà couché avec quelqu'un.

— Oui, c'est vrai. Et je n'ai pas honte de l'admettre. Ça ne te pose pas de problème ? Tu ne vas pas m'en vouloir ?

— Non, bien sûr que non. Peu m'importe la légèreté avec laquelle certaines personnes se jettent volontairement dans les feux de l'enfer pour toute éternité.

— Quoi ?

— Je plaisante.

— Ça vaut mieux pour toi.

— Mais y en a-t-il eu beaucoup ? demandai-je, intrigué.

— Est-ce important ?

— Je suppose que non. Mais je voudrais quand même savoir.

— Eh bien, disons-le comme ça. Plus que la reine et moins qu'Elizabeth Taylor.

— Combien ? insistai-je.

— Tu veux vraiment savoir ou tu demandes juste par perversité ?

— Un peu des deux.

— Il y en a eu trois, si tu tiens à être au courant. Mon premier était un ami de Julian, j'avais dix-huit ans. Le second…

— Un ami de Julian ? l'interrompis-je. Qui ?

— Peut-être que je ne devrais pas te le dire. C'est possible que ce soit un de tes amis à toi aussi.

— Qui ? répétai-je.

— Je ne me rappelle pas son nom de famille. Je l'ai rencontré par hasard, un soir où je suis sortie avec Julian, juste après la fin du lycée. C'était à une fête chez quelqu'un. Il s'appelait Jasper. Il jouait de l'accordéon. On est d'accord, personne ne devrait jouer de l'accordéon en public, il faudrait les obliger à sortir leur instrument uniquement quand ils se trouvent sur une île déserte, mais il s'est avéré qu'il était plutôt bon. Il avait des doigts très sexy.

— Ne me dis pas que c'est Jasper Timson ! m'écriai-je, me redressant brusquement sous le choc.

— C'est lui, acquiesça-t-elle en tapant des mains, tant elle était réjouie. Bravo ! Oh, je suppose que tu le connais, alors.

— Bien sûr. Nous sommes allés à l'école ensemble. Tu aurais donc perdu ta virginité avec Jasper Timson, c'est ça ?

— Eh bien, oui, fit-elle en haussant les épaules. Il faut bien la perdre avec quelqu'un, non ? Et il était gentil. Et beau. Et il était là, ce qui, d'une certaine façon, me suffisait à ce moment-là. Mais Cyril, tu as dit que tu t'en fichais.

— Je m'en fiche.

— Tu sais qu'il vit à Toronto avec son… son petit ami », dit Alice qui éclata de rire sans avoir l'air de s'en formaliser.

Quoi ? Il avait un petit ami et ils vivaient ensemble, comme ça ? Est-ce que ça pouvait être aussi simple ?

« Je savais qu'il était homosexuel, reprit Alice, même à cette époque. Il m'a confié qu'il croyait l'être, mais qu'il n'était pas absolument certain. Enfin, on était tous les deux jeunes, on s'aimait bien, je voulais à tout prix perdre ma virginité ce jour-là, alors j'ai suggéré qu'on tente le coup.

— Et qu'est-ce qu'il a dit ? demandai-je, abasourdi par ce que je venais d'apprendre.

— Oh, il a sauté sur la proposition. Nous nous sommes mis au lit illico. Et ça s'est bien passé. Chacun a tiré de l'expérience ce qu'il recherchait. J'ai vu le loup et lui, il a compris que ça ne l'intéressait pas vraiment. En tout cas, avec une fille. Après une poignée de main, nous sommes partis chacun de notre côté. Enfin, métaphoriquement. Nous ne nous sommes pas serré la main au sens propre. Ça aurait été un peu bizarre. Je crois que nous nous sommes embrassés sur la joue. Il a dû préférer la joue aux autres endroits où il m'avait embrassée. Bref... » J'eus l'impression qu'elle était pressée de conclure. « Après Jasper, je suis sortie pendant quelques mois avec un garçon qui rêvait de devenir acteur, qui n'était clairement pas homosexuel, à moins qu'il fût du genre à se torturer en essayant de coucher avec toutes les filles de Dublin. Et ensuite, il y a eu Fergus, bien sûr.

— Bien sûr. Ce bon vieux Fergus.

— Nous n'en sommes arrivés là que parce que j'ai proposé que nous passions la nuit ensemble pendant que Max et Samantha seraient à Londres.

— Mais tu es déchaînée, on dirait.

— Tais-toi, Cyril, rétorqua-t-elle et elle me donna une petite tape sur la main. Tu fais semblant d'être contrarié. Alors, qu'est-ce que tu en penses ?

— Quelle est ta chambre ?

— Quoi ?

— À Dartmouth Square. N'oublie pas que j'ai grandi là-bas.

— Ah oui, bien sûr. Eh bien, ma chambre est au deuxième étage.

— Mais Julian m'avait dit que tu étais dans mon ancienne chambre. Au dernier étage.

— Je suis descendue d'un niveau. Je n'en pouvais plus, de tous ces escaliers !

— Eh bien, je ne le ferai pas là, m'empressai-je d'annoncer. C'était la chambre de Maude. C'est juste... Je ne pourrais pas. Vraiment.

— Très bien, nous pouvons nous installer tout en haut, si tu préfères. Dans ton ancienne chambre. Qu'est-ce que tu en penses ? »

Je réfléchis et hochai la tête à contrecœur. « D'accord. Oui. Bon, d'accord. Si c'est si important pour toi.

— Ça devrait être important pour toi et moi.

— Ça l'est. » Je me redressai et me dis, merde, à la fin. Si Jasper Timson – qui était encore plus homosexuel que moi, vu qu'il avait un petit ami – pouvait le faire, je pouvais moi aussi. « J'opine. Je veux dire, j'accepte. Enfin, non, c'est pas ça. Je veux dire...

— Détends-toi, Cyril. Tout va bien. Disons samedi ? Vers 19 heures.

— Samedi. Vers 19 heures, répétai-je.

— Et prends un bain avant de venir.

— Bien sûr que je prendrai un bain, rétorquai-je, vexé. Qu'est-ce que tu crois ?

— Parfois, les hommes ne se lavent pas.

— Toi, prends un bain. Souviens-toi, je sais où tu es allée traîner. »

Elle sourit. « Je pensais bien que tu accepterais quand tu verrais à quel point c'est important pour moi. C'est une des choses que j'aime chez toi, Cyril. Tu n'es pas comme les autres. Tu perçois ce que je ressens.

— Oui, bon... », fis-je, sachant que les jours suivants allaient me paraître très longs.

Je ne me touchai pas de toute la semaine et n'approchai pas des ruelles ni des parcs, mes lieux de prédilection nocturnes, pour être aussi remonté que possible lorsque viendrait le grand jour. Peu importait ce qui se passerait samedi, même si tout se passait parfaitement bien, il resterait ces cinquante années qu'Alice avait mentionnées. J'étais tellement irresponsable que je décidai que je franchirais ce pont le moment venu.

Et finalement, la soirée de samedi se déroula mieux que je n'aurais pu le prévoir. Je ressentais une véritable tendresse pour elle, une affection proche du sentiment amoureux même si elle n'était pas vraiment sexuelle, et de nombreuses fois, j'avais pris plaisir à nos séances de baisers. Bien entendu, j'insistai pour que les lumières restent éteintes, car je voulais apprendre à connaître son corps en le touchant, avant d'être confronté à la réalité de ses formes. Et bien que ce ne fût pas ce que je désirais – il était doux, pas musclé et ferme comme je les aimais, et plus lisse que je n'aurais jamais cru possible – je finis par me laisser séduire par la nouveauté de l'exploration et m'exécutai de façon « parfaitement adéquate ».

« Bon, c'est un début, au moins », dit Alice quand ce fut terminé.

Elle n'avait évidemment pas joui, mais moi, si. Ce que je trouvai assez ironique, finalement.

Un signe

Lorsque je me réveillai, le soleil se déversait par la fenêtre et me brûlait les paupières. Je n'avais pas tiré les rideaux quand j'étais rentré quelques heures plus tôt, et je m'étais écroulé sans me déshabiller sur le canapé, le nez dans les coussins. Entre la gueule de bois et ma conscience de la situation délicate dans laquelle je me trouvais, j'avais l'impression que je vivais mes derniers instants. Je fermai les yeux, cherchant désespérément à retrouver le sommeil, mais rapidement, je traînai ma pauvre carcasse vers la salle de bains sans savoir si j'avais besoin de pisser ou de vomir. Pour finir, je fis les deux, simultanément, avant de m'approcher du miroir avec angoisse. Dracula aurait été moins effrayé en contemplant son reflet.

Évidemment, j'avais une mine de déterré. On aurait dit que j'avais été victime d'un acte de violence, tabassé et laissé pour mort avant d'être ramené à la vie par un médecin malveillant.

J'espérai qu'une longue douche chaude m'aiderait à me remettre, mais la probabilité de voir arriver la fin immédiate et définitive de la faim dans le monde était plus élevée. Il était 10 h 45 et je devais être à l'église à midi. J'imaginai Alice à Dartmouth Square, en train de mettre sa robe, entourée des demoiselles d'honneur, qui toutes essayaient de ne pas avoir l'indélicatesse de rappeler ce qui s'était passé la dernière fois qu'elles s'étaient retrouvées pour un événement semblable.

Soudain, je compris comment résoudre tous mes problèmes. Je perdrais tous mes amis y compris Julian – surtout Julian – mais avec le temps, ils verraient tous que j'avais agi pour le mieux et ils me pardonneraient certainement. Prenant une poignée de monnaie sur la table de chevet, je mis ma robe de chambre et me traînai jusqu'au téléphone situé dans le couloir ; je composai le numéro avant d'avoir le temps de changer d'avis. Lorsque Max décrocha, j'appuyai sur le bouton, entendis les pièces tomber à l'intérieur et déglutis avec peine tout en me torturant les méninges pour trouver les bons mots.

« Allô ? » Il avait la voix de quelqu'un qui a déjà bu un verre ou deux, malgré l'heure. « Max Woodbead ? » Dans le fond j'entendis des rires, des voix féminines et des bruits de verres qu'on entrechoquait. « Allô ? Qui est à l'appareil ? Parlez donc, bon sang, je n'ai pas que ça à faire. »

Mais je ne dis rien. Je raccrochai et retournai chez moi. J'étais en bien mauvaise posture.

Vingt minutes plus tard, je me dirigeais vers l'église à Ranelagh en grognant contre tous les gens qui me souriaient et les gars qui criaient depuis leur voiture que j'étais condamné à perpétuité. Pris d'un accès de nausée, je marquai une pause, et me rendant compte que j'avais une demi-heure d'avance, je décidai d'entrer dans un salon de thé sur Charlemont. Il y avait du monde, mais il restait une table dans un coin ; je m'y installai et commandai une grande tasse de café fort et deux verres d'eau avec des glaçons. Je commençai à me détendre un peu en regardant les étudiants arriver en ville, les hommes d'affaires se diriger vers leur bureau, les femmes au foyer tirant leur chariot de courses vers Quinnsworth. Ma vie aurait-elle pu prendre une autre tournure ? me demandai-je. Comment Jasper Timson, un putain de connard de joueur d'accordéon, avait-il réussi à s'installer avec son petit ami à Toronto, alors que je m'apprêtais à épouser une femme pour qui je n'avais pas le moindre intérêt sur le plan sexuel ? À quel moment aurais-je pu trouver du courage et une fois dans ma vie, faire ce qu'il fallait ?

Maintenant, me dis-je. C'est maintenant ! Le moment parfait ! J'ai encore le temps !

« Envoie-moi un signe, marmonnai-je à l'univers. Juste quelque chose pour me donner la force de m'en aller. »

Je sursautai lorsqu'une main toucha mon épaule et levai les yeux. À côté de moi, une femme et un petit enfant contemplaient les sièges inoccupés à ma table.

« Vous permettez ? Il n'y a pas d'autres places libres.

— Je vous en prie. » Même si j'aurais préféré rester seul.

L'enfant, un garçon de huit ou neuf ans, s'assit face à moi et je lui lançai un regard furieux tandis qu'il examinait mon costume de marié d'un air amusé. Très soigné, il portait une chemise blanche sous un pull bleu sans manches, et ses cheveux étaient impeccablement coiffés avec une raie parfaite sur le côté. Il aurait pu être le petit frère du jeune Nazi qui chantait « Tomorrow Belongs To Me » dans *Cabaret*, le dernier film qu'Alice et moi étions allés voir. Il portait quatre livres et il les rangea sur la table devant lui, pour décider, apparemment, lequel méritait le plus son attention.

« Est-ce que je peux vous demander un service ? Voudriez-vous surveiller Jonathan quelques minutes, s'il vous plaît ? J'ai besoin d'aller aux toilettes puis de passer un appel téléphonique, avant de commander du thé. Vous vous mariez aujourd'hui ? Votre tenue est parfaite.

— Dans une heure environ, indiquai-je, certain de la reconnaître mais incapable, sur le moment, de retrouver son nom. Et qui est Jonathan ?

— C'est moi, Jonathan, évidemment, annonça le petit garçon, la main tendue. Jonathan Edward Goggin. Et vous êtes ?

— Cyril Avery, répondis-je en regardant la petite main qui exhalait une légère odeur de savon, puis je cédai et la serrai. Aucun problème, dis-je à la mère. Je ne laisserai personne le kidnapper. Je sais identifier les signes avant-coureurs. »

À l'évidence, elle ne comprit pas mes dernières paroles, mais elle partit quand même à l'autre bout de la salle tandis que je reportais mon attention sur le petit garçon toujours concentré sur ses livres. « Qu'est-ce que tu lis ? finis-je par lui demander.

— Eh bien, déclara-t-il avec un énorme soupir, comme s'il portait le poids du monde sur ses épaules, mais qu'il essayait de rester sociable malgré cette responsabilité. Je n'ai pas encore décidé. Je suis allé à la bibliothèque ce matin ; c'est le jour où j'y vais d'habitude, et Mrs Shipley, la bibliothécaire, m'a recommandé ces trois livres-là, et généralement, elle a un goût très sûr en matière de bonnes histoires, alors, j'ai suivi ses conseils. Celui-ci semble porter sur un lapin qui prend comme compagnon un bébé renard, mais je ne vois pas comment ça pourrait marcher parce que même si le lapin se montre très gentil avec le renard, pour finir, il grandira et le mangera. Celui-ci parle d'un groupe d'enfants qui doivent avoir un vague lien de parenté, c'est généralement le cas, et qui résolvent des affaires criminelles pendant leurs vacances d'été ; je l'ai feuilleté en chemin et j'ai trouvé le mot *nègre* dedans ; il y a un garçon noir dans ma classe et il dit que ce mot est très vilain et comme c'est un extrêmement bon ami, probablement mon troisième meilleur ami, je vais peut-être éviter ce livre, pour ne pas prendre de risque. Et celui-ci une histoire compliquée à propos de l'Insurrection de 1916 et le truc, c'est que je n'ai aucune conscience politique. Je n'en ai jamais eu. Alors, finalement, je vais peut-être commencer par celui-ci, celui que j'ai choisi, moi. » Il brandit le volume et je jetai un coup d'œil à la couverture, l'image d'un garçon debout, la tête haute, les jambes écartées, tenant un coquelet sous un bras et une mystérieuse boîte sous l'autre alors qu'à l'arrière-plan, on voyait défiler des personnages qui devaient être des réfugiés. Le titre *The Silver Sword* était imprimé dans le coin supérieur droit.

« De quoi est-il question ?

— Je ne sais pas vraiment. Puisque je n'ai pas commencé à le lire. Mais d'après le texte de présentation, il porte sur la guerre et des enfants qui fuient le nazisme. Vous connaissez, les Nazis ? Moi, je sais tout sur eux. Ils étaient les pires. Juste des gens affreux, très affreux, sans une once d'humanité. Mais il y a un truc, Mr Avery…

— Appelle-moi Cyril.

— Non, je ne pourrais pas. Vous êtes vraiment vieux et je suis seulement un enfant.

— J'ai vingt-huit ans ! protestai-je, atterré, offensé.

— Ouah, fit-il en riant. C'est tellement vieux. Un dinosaure. Bon, enfin, comme j'expliquais avant que vous ne m'interrompiez grossièrement, je préfère les histoires sur des choses qui ont vraiment eu lieu. Et la guerre a vraiment eu lieu, non ? Alors je veux apprendre des choses sur la guerre. Vous avez combattu pendant la guerre, Mr Avery ?

— Non, je suis né quelques mois après qu'elle a pris fin.

— Je trouve cela très difficile à croire, reprit Jonathan en secouant la tête. Vous avez l'air tellement vieux que si vous affirmiez que vous avez fait la Première Guerre mondiale, je n'en serais pas surpris ! »

Là-dessus, il éclata de rire et continua pendant si longtemps et si fort que je n'eus d'autre choix que de rire avec lui.

« Tais-toi, petit con, lançai-je, riant encore, et il passa aux gloussements. J'ai la gueule de bois, c'est tout.

— Vous avez dit un gros mot.

— Oui, admis-je. Je l'ai appris dans les tranchées à Verdun.

— Verdun, une bataille de la Première Guerre mondiale, annonça-t-il. Elle a duré onze mois et c'est le général von Hindenburg, qui ensuite est devenu président d'Allemagne, qui commandait. Je savais que vous étiez vieux. C'est quoi, la gueule de bois ?

— C'est quand on descend tellement de boissons alcoolisées que le lendemain matin, on se réveille en se sentant dans le même état que l'épave du *Hesperus*. »

Je cherchai sa mère des yeux, en vain. Pas le moindre signe d'elle.

« Alors, vous êtes content de vous marier ? demanda Jonathan. Est-ce que la plupart des gens ne se marient pas quand ils sont beaucoup plus jeunes ? Est-ce parce que vous ne parveniez pas à trouver quelqu'un à épouser ?

— Je me suis révélé sur le tard.

— Qu'est-ce que ça signifie ?

— Attends quelques années. Quelque chose me dit que tu comprendras à temps.

— Et vous épousez une femme ?

— Non, j'épouse un train. Le 11 h 04 de Castlebar. »

Il fronça les sourcils. « Comment peut-on épouser un train ?

— Il n'y a rien dans la constitution stipulant que je ne peux pas.

— Je suppose. Et si vous aimez le train et si le train vous aime, alors, vous devriez l'épouser.

— Je n'épouse pas un train, Jonathan, soupirai-je en prenant une longue gorgée d'eau glacée. J'épouse une femme.

— Je le savais. Vous êtes bête.

— Je suis bête. Je suis probablement l'homme le plus bête que tu aies jamais vu. Je suis un putain de connard d'idiot, voilà.

— Vous avez encore dit des gros mots. Je parie que vous allez coucher avec votre femme ce soir, hein ?

— Comment est-ce que tu sais ces choses-là ? Tu n'as que six ans.

— J'ai huit ans et j'en aurai neuf dans trois semaines. Et je sais tout sur le sexe, ajouta-t-il sans paraître le moins du monde embarrassé. Ma mère m'a tout expliqué.

— Laisse-moi deviner. Quand une maman et un papa s'aiment beaucoup, ils se couchent tout près l'un à côté de l'autre et le Saint-Esprit descend sur eux pour créer le miracle d'une nouvelle vie.

— Ne soyez pas ridicule, protesta Jonathan. Ce n'est pas comme ça que ça se passe, pas du tout. » Là-dessus, le voilà parti dans une description très exacte de la manière dont l'homme et la femme accomplissent l'acte de fornication ; j'appris même quelques petites choses.

« Comment se fait-il que tu connaisses tout ça ? lui demandai-je, une fois qu'il eut terminé son discours truffé de détails à donner la nausée.

— Ma mère m'a dit que l'un des problèmes de ce pays est que personne n'est prêt à parler de sexe à cause de l'influence de l'Église catholique, et elle veut que je grandisse en comprenant que le corps d'une femme est quelque chose que l'on doit chérir, pas quelque chose dont on doit avoir peur.

— Si seulement elle avait été ma mère, marmonnai-je.

— Quand je serai grand, j'ai l'intention d'être un amant très délicat, annonça Jonathan en hochant vigoureusement la tête.

— Bravo. Et que dit ton père de tout ça ?

— Je n'ai pas de père.

— Bien sûr que tu as un père. Tu n'as rien compris au sexe si tu ne sais pas que tout le monde a un père et une mère.

— Je ne le connais pas, expliqua Jonathan. Je suis illégitime.

— Je déteste ce mot-là.

— Moi aussi. Mais je l'exhibe avec fierté. J'ai compris que si je préviens les gens, ils n'en parlent pas dans mon dos. Ils ne peuvent plus blablater dans tous les coins *Savez-vous que Jonathan Edward Goggin est un enfant illégitime ?* Parce que je leur ai déjà dit. Un à zéro pour moi. Chaque fois que je rencontre quelqu'un de nouveau, je me débrouille pour l'informer assez vite.

— Ça ne gêne pas ta mère ?

— Elle préférerait que je n'en parle pas. Mais elle pense que je dois faire ce qui me semble juste, elle ne va pas prendre les décisions à ma place. Elle dit qu'elle est ma mère, pas mon grand-père.

— Qu'est-ce que ça peut bien vouloir dire ?

— Je n'en ai pas la moindre idée, fit le petit. Mais elle a promis de m'expliquer un jour.

— T'es un drôle de numéro, Jonathan. Personne ne te l'a jamais dit ?

— Dix-neuf personnes rien que cette année. Et nous ne sommes qu'en mai. »

Je ris et regardai ma montre. Dans cinq minutes, je serais obligé de partir.

« Comment s'appelle la jeune fille avec qui vous vous mariez ? demanda Jonathan.

— Alice.

— Il y a une fille qui s'appelle Alice dans ma classe, répondit-il ; il écarquilla les yeux, apparemment enthousiasmé par l'idée que nous avions cela en commun. Elle est très très très belle. Elle a de longs cheveux blonds et des yeux couleur d'opale.

— C'est ta petite amie ?

— Non ! » s'écria-t-il. Les autres clients du café se retournèrent et nous lancèrent un regard appuyé. Jonathan piqua un fard. « Non, ce n'est pas ma petite amie, pas du tout !

— Désolé, gloussai-je. J'ai oublié, tu n'as que huit ans.

— C'est Melanie ma petite amie.

— D'accord. J'ai compris.

— Et je vais me marier avec elle un jour.

— Vraiment ? Bravo !

— Merci. C'est drôle, non, que vous vous mariiez ce matin et que moi je vous parle de la fille qui va se marier avec moi quand je serai grand ?

— C'est hilarant. *All you need is love ; it's all any of us need.*

— Les Beatles, s'empressa de préciser Jonathan. « All You Need Is Love », une composition de Lennon et McCartney, même si elle a été écrite par John Lennon. *Magical Mystery Tour*, 1967, face B, piste 5.

— Tu es un fan des Beatles, on dirait.

— Bien sûr. Pas vous ?

— Si.

— Qui est votre Beatle favori ?

— George, dis-je.

— Intéressant.

— Et le tien ?

— Pete Best.

— Intéressant.

— Je suis toujours du côté de l'opprimé », expliqua Jonathan.

Nous restâmes à nous regarder, et tout compte fait, je me sentis un peu déçu quand sa mère revint.

« Je suis tellement désolée, s'excusa-t-elle, l'air vaguement préoccupée. Mon appel téléphonique a pris plus de temps que prévu. J'essaie de trouver un vol pour Amsterdam et

Aer Lingus ne me facilite pas les choses. Il faut que je me déplace jusqu'à leur bureau demain, et ça va me prendre une demi-journée.

— Ce n'est pas grave. Mais je dois y aller maintenant.

— Il va se marier avec une fille appelée Alice, l'informa Jonathan.

— Vraiment ? Elle a beaucoup de chance, Alice. » Elle marqua une pause et me regarda. « Nous nous connaissons, n'est-ce pas ? Vous me paraissez familier.

— Je crois que oui. Vous travailliez au salon de thé du Dáil Éireann, n'est-ce pas ?

— J'y travaille toujours.

— J'étais fonctionnaire, avant. Nos chemins se sont croisés parfois là-bas. Un jour, l'attaché de presse du Taoiseach m'a mis son poing dans la figure et vous vous êtes occupée de moi, après. »

Elle réfléchit et secoua la tête. « J'ai un très vague souvenir de cet événement. Mais les empoignades sont fréquentes. Vous êtes sûr que c'était moi ?

— Absolument. » J'étais content qu'elle ne s'en souvienne pas, puisque ce jour-là, je lui avais avoué ma sexualité. « Vous avez été très gentille avec moi.

— Si vous le dites. C'est juste que vous me rappelez quelqu'un que j'ai connu autrefois. Il y a longtemps. »

Je haussai les épaules et me tournai vers Jonathan, m'inclinai brièvement en me préparant à partir.

« C'était un plaisir, jeune homme.

— Bonne chance pour votre mariage imminent à votre fiancée, Alice.

— Ce garçon est passionnant, déclarai-je à sa mère en passant à côté d'elle. Il doit vous occuper à plein temps.

— Oui, dit-elle avec un sourire. C'est mon fils adoré. Et celui-là, je ne vais pas le laisser partir. Oh !

— Quoi ? demandai-je en la voyant brusquement parcourue d'un frisson. Vous allez bien ?

— Oui. Je viens d'avoir une sensation étrange, comme si quelqu'un marchait sur ma tombe. »

Je souris, fis mes adieux et me dirigeai vers la porte. Je t'emmerde, dis-je à l'univers. Tout ce que je demandais, c'était un signe, quelque chose qui me donnerait la force de partir, et tu n'as même pas été capable de faire ça. Je n'avais plus le choix.

Il était temps d'aller me marier.

Amoureux d'un autre

J'entrai dans la sacristie par la porte latérale et trouvai Julian assis à une table, en train de lire le programme de la cérémonie. Pour quelqu'un qui devait avoir dormi quelques heures à peine, il semblait remarquablement frais. Il s'était débarrassé de la barbe de trois jours qu'il affectionnait récemment et s'était fait couper les cheveux. Je fus surpris de le voir porter ses lunettes de lecture – il ne les sortait presque jamais en public – mais il les enleva dès qu'il me vit et les glissa dans sa poche poitrine. Son nouveau costume lui allait comme un gant.

« Te voici ! s'exclama-t-il avec un sourire. Prêt à te faire passer la corde au cou ? Comment va la tête ?

— Affreux. Et la tienne ?

— Pas trop mal, tout compte fait. J'ai dormi deux ou trois heures, puis je suis allé nager à la piscine du centre de loisirs Markievicz avant de filer chez le barbier. Il a mis des serviettes chaudes sur mon visage et a fredonné des chansons de Simon et Garfunkel pendant qu'il me rasait, et la séance a été incroyablement relaxante.

— Tu as fait tout ça pendant les neuf dernières heures ? fis-je, ahuri.

— Oui, pourquoi pas ? »

Je secouai la tête. Comment pouvait-on boire autant que lui, sortir aussi tard, puis se lever, passer une matinée pareille, et avoir encore autant de charme ? Certaines personnes avaient donc tous les dons ?

« Je crois que je vais vomir. Je ferais mieux de retourner me coucher. »

Son sourire disparut et il me lança un regard anxieux avant d'éclater de rire. « Bon sang. Ne me fais pas des blagues pareilles, Cyril. L'espace d'un instant, j'ai cru que tu étais sérieux.

— Qu'est-ce qui te fait penser que je ne le suis pas ? marmonnai-je. Enfin, je suis là, non ?

— Tu te rends compte que je n'aurai pas d'autre choix que de te tuer si tu laisses tomber ma sœur ? En tout cas, tu étais vraiment déchaîné hier soir. Je suppose que c'est le stress. Ton ami Nick a été assez contrarié de la manière dont tu lui as parlé.

— Ce n'est pas mon ami. Et comment sais-tu ce qu'il ressent ?

— Oh, je l'ai croisé tout à l'heure. Juste par hasard, sur Grafton Street. Nous avons pris un petit café. »

Je m'assis et fermai les yeux. Bien sûr. Forcément, ils avaient pris un petit café. J'aurais pu le prévoir.

« Qu'est-ce qui se passe ? me demanda-t-il en s'asseyant à côté de moi. Tu as besoin d'une aspirine ?

— J'en ai déjà pris quatre.

— Un verre d'eau ?

— Oui, merci. » Il alla jusqu'au lavabo, chercha un verre, en vain. Il attrapa un grand calice doré avec une incrustation en argent, le remplit jusqu'en haut et le couvrit d'une patène en bronze avant de me le donner. « Je te bénis, mon fils.

— Merci Julian.

— Tu es sûr que ça va aller ?

— Oui oui, dis-je, essayant d'avoir l'air enjoué. C'est le plus beau jour de ma vie.

— J'ai du mal à croire que nous allons être beaux-frères dans une heure. Après toutes ces années d'amitié. Je ne sais pas si je te l'ai dit, Cyril, mais j'ai été très heureux quand tu m'as demandé d'être ton témoin. Et quand tu as demandé à Alice de t'épouser.

— À qui d'autre aurais-je pu demander ?

— Eh bien, il y a plein d'autres filles.

— Je veux dire, à qui d'autre que toi ? Tu es mon meilleur ami, après tout.

— Et tu es mon meilleur ami. Elle avait l'air si heureuse lorsque je suis parti de la maison ce matin.

— Qui ?

— Alice, bien sûr !

— Ah oui. Bien sûr. Elle est là ?

— Non. Le curé nous fera signe lorsqu'elle et Max arriveront. J'ai vu ton père dans l'église. Et la nouvelle Mrs Avery. Elle est vraiment canon, hein ?

— Mon père adoptif. Et oui, il se trouve qu'elle est mannequin.

— Sans déconner ! »

Je levai les yeux au ciel.

« Pourquoi ? Tu envisages d'aller lui faire des avances, tout à l'heure ?

— Ça m'a traversé l'esprit, mais non. Les mannequins sont fatigantes et elles sont toutes complètement siphonnées. J'ai essayé avec Twiggy un jour et elle m'a envoyé sur les roses.

— J'imagine que c'est un signe indubitable qu'elle est siphonnée.

— Ce n'est pas ça. Mais elle m'a regardé comme si j'étais une merde collée à sa chaussure. Même la princesse Margaret n'était pas aussi grossière. Je tire quand même mon chapeau à Charles. Il arrive encore à s'envoyer de jolis petits lots. J'espère que j'aurai toujours autant de chance que lui quand j'aurai son âge. »

Je sentis l'eau mal réagir dans mon estomac et des gouttes de sueur se mirent à perler sur mon front. Mais qu'est-ce que je faisais là ? Des années de regrets et de honte commencèrent à me submerger. Une vie entière à mentir, à penser que j'étais forcé de mentir, m'avait conduit ici. Je m'apprêtais à détruire non seulement ma vie, mais aussi celle d'une fille qui n'avait absolument rien fait pour mériter un sort pareil.

Sentant mon désespoir, Julian vint me rejoindre et passa un bras autour de mes épaules. Je posai ma tête contre lui. Je ne voulais qu'une chose, fermer les yeux et m'endormir pendant qu'il m'enlaçait. Je perçus l'odeur raffinée de son parfum et celle de la crème à raser. « Qu'est-ce qui se passe, Cyril ? me demanda-t-il doucement. Tu n'as pas l'air du tout dans ton assiette. Il est naturel d'être tendu le jour de son mariage, mais tu sais combien Alice t'aime, n'est-ce pas ?

— Oui.

— Et tu l'aimes aussi, n'est-ce pas ? » Son ton se durcit un peu quand il constata que je ne répondais pas immédiatement. « Tu aimes ma sœur, hein, Cyril ? »

J'inclinai un peu la tête pour donner l'impression que je répondais par l'affirmative.

« J'aurais voulu que ma mère soit là, c'est tout. » J'en fus moi-même surpris, car je n'avais pas réalisé que je désirais une chose pareille.

« Maude ?

— Non, ma vraie mère. La femme qui m'a mis au monde.

— Ah oui. Est-ce que tu l'as retrouvée ? Tu ne me l'as jamais dit.

— Non. J'aurais juste voulu qu'elle soit là. Pour m'aider. Pour me parler. Lorsqu'elle a pris la décision de m'abandonner, cela a dû être incroyablement difficile. Je me demande juste à quel point ça l'a affectée ensuite, c'est tout. Je voudrais lui poser la question.

— Eh bien, moi je suis là. Alors s'il y a quelque chose dont tu as besoin de parler, c'est le rôle du témoin que de t'écouter. Sans parler du meilleur ami. »

Je levai les yeux vers lui et, d'une manière inattendue, je me mis à pleurer.

« Bon sang, Cyril, fit Julian, véritablement inquiet, cette fois. Tu commences à me faire peur. Qu'est-ce qui t'arrive ? Allez, tu peux tout me dire, tu le sais. C'est juste parce que tu as bu ? Est-ce que tu as envie de vomir ?

— Non, c'est pas ça, objectai-je en secouant la tête. Je ne peux pas... Je ne peux pas te dire.

— Bien sûr que tu peux. Pense à toutes les confidences que je t'ai faites, toutes ces années. Si on devait en écrire certaines, je n'en sortirais pas couvert de gloire, n'est-ce pas ? Tu n'as pas fréquenté une autre fille, dis-moi, dans le dos d'Alice ? C'est quelque chose comme ça ?

— Non. Non. Il n'y a pas d'autre fille.

— Parce que si c'était le cas, eh bien, je suppose que tu pourrais mettre ça sur le compte de la nécessité d'avoir de l'expérience. Alice n'est pas une sainte non plus, tu sais. Un mariage ne commence que lorsqu'on échange les vœux. Après, tu dois rester fidèle, j'imagine, sinon, quel est l'intérêt ? Mais si tu as eu quelques dérapages en cours de route...

— Ce n'est pas ça, rétorquai-je plus fort.

— Alors, quoi ? Qu'est-ce qu'il y a, Cyril ? Dis-moi, bon sang.

— Je ne suis pas amoureux d'elle », marmonnai-je, en baissant la tête, et je remarquai pour la première fois que les chaussures de Julian étaient un peu râpées sur les côtés. Il avait oublié de les cirer. Peut-être qu'il n'était pas parfait, après tout.

« Qu'est-ce que tu viens de dire ?

— Je ne suis pas amoureux d'elle, répétai-je doucement. Je l'aime beaucoup. Elle est la femme la plus gentille, la plus attentionnée, la plus honnête que j'aie jamais rencontrée. La vérité, c'est qu'elle mérite mieux que moi.

— Tu ne vas pas déverser sur moi toute ta haine de toi-même.

— Mais je ne l'aime pas, insistai-je.

— Bien sûr que tu l'aimes, bordel, dit-il en enlevant son bras de mes épaules.

— Non, affirmai-je et je sentis une excitation intense lorsque les mots commencèrent à sortir de ma bouche. Je sais ce qu'est l'amour parce que je le ressens pour quelqu'un d'autre. Mais pas pour elle. » C'était comme si j'étais détaché de mon corps, comme si je flottais sous une forme désincarnée quelques mètres au-dessus de nous, observant attentivement, intrigué par la façon dont cette scène allait se dérouler. Et j'étais encore tellement prisonnier de mon délire que j'envisageais même la possibilité de rentrer avec un autre Woodbead que celui que j'étais venu épouser.

Julian attendit un long moment avant de parler à nouveau. « Mais tu viens de me dire, énonça-t-il, en prononçant chaque mot soigneusement, qu'il n'y avait pas d'autre fille.

— La vérité, c'est que je suis amoureux depuis toujours, déclarai-je avec toute la fermeté que je pus trouver. Depuis mon enfance. Je sais que ça paraît idiot de croire en quelque chose d'aussi mièvre que le coup de foudre, mais c'est bien ce qui m'est arrivé. Je suis tombé amoureux il y a des années et je n'ai jamais pu me détourner de cette personne.

— Mais de qui s'agit-il ? » murmura-t-il. Je tournai la tête vers lui. « Qui est-ce ? Je ne comprends pas. »

Soudain, nous nous regardâmes les yeux dans les yeux, et je sus alors que toute ma vie avait tendu vers ce moment, cette sacristie, nous deux assis l'un à côté de l'autre, et sans l'avoir prévu, je me penchai pour l'embrasser. Pendant quelques secondes, pas plus de trois ou quatre, nos lèvres se touchèrent et je sentis ce curieux mélange de tendresse et de virilité qui le caractérisait. Ses lèvres s'ouvrirent imperceptiblement, dans un mouvement presque automatique, et les miennes aussi.

J'avançai la langue.

Et ce fut la fin.

« Putain de merde ! » s'écria Julian en se mettant brusquement debout pour s'éloigner vers le mur, en trébuchant presque sur ses propres pieds. Il ne paraissait pas tant furieux que totalement dérouté.

« Je ne peux pas l'épouser, Julian. » Je le regardai et me sentis plus courageux que jamais. « Je ne suis pas amoureux d'elle.

— Mais qu'est-ce que tu racontes ? C'est une plaisanterie ?

— Je ne suis pas amoureux d'elle. Je suis amoureux de toi. Je le suis depuis aussi longtemps que je me souvienne. Depuis ce moment où je suis descendu au rez-de-chaussée à Dartmouth Square et que je t'ai vu assis dans l'entrée. Je l'ai été pendant toute notre scolarité. Et tous les jours depuis. »

Il me regarda fixement, et les pièces du puzzle commencèrent à s'emboîter. Il détourna les yeux et se mit à contempler les jardins de la sacristie par la fenêtre. Je n'ajoutai rien. Mon cœur battait si fort dans ma poitrine que j'avais l'impression de faire une crise cardiaque. Et pourtant, je ne ressentais aucune peur. Au contraire, il me semblait que mes épaules étaient délivrées d'un immense fardeau. J'étais excité. Et libre. Parce qu'il n'était plus question qu'il me permette d'épouser sa sœur maintenant. Pas en sachant la vérité. Ce qui allait se passer serait peut-être douloureux, mais au moins je ne me condamnais pas à une vie entière avec une femme pour laquelle je ne ressentais aucun désir.

« Tu es une pédale, lâcha-t-il en se tournant vers moi, le ton de sa voix s'égarant quelque part entre la question et l'affirmation.

— Je suppose que oui. Si tu tiens à le dire comme ça.

— Depuis quand ?

— Depuis toujours. Je ne m'intéresse pas du tout aux femmes, voilà la vérité. Je n'ai… bref, tu vois… je ne l'ai fait qu'avec des hommes. Enfin, sauf il y a quelques semaines, avec Alice. Elle voulait. Pas moi. Mais j'ai pensé que ça valait la peine d'essayer.

— Tu es en train de me dire que tu baises avec des hommes ? » Je fus surpris d'entendre autant d'incrédulité dans la voix de cet homme qui pouvait difficilement survivre vingt-quatre heures sans baiser quelqu'un.

« Bien sûr. Je ne suis pas un eunuque.

— Combien ? Quatre ? Cinq ?

— Bon sang, mais quelle importance ! »

Tout à coup je me souvins d'une conversation analogue avec Alice, et je n'avais pas su si je demandais combien d'hommes elle avait connus par curiosité ou perversité.

« Oui, c'est important. Peut-être que c'est juste une phase et...

— Oh, Julian. J'ai vingt-huit ans. C'est fini, les phases.

— Combien ?

— Je ne sais pas. Deux cents peut-être. Certainement plus.

— Deux cents ?

— Ce qui est probablement beaucoup moins que les femmes avec qui tu as couché.

— Putain de bordel de dieu. » Complètement affolé, il marchait en décrivant des ronds parfaits sur le tapis. « Impossible, je n'arrive pas à y croire. Tu me mens depuis vingt ans.

— Je ne mens pas. » Je voulais tellement qu'il me dise que ce n'était pas grave, que tout irait bien. Qu'il arrangerait tout. Qu'Alice comprendrait et que tout reviendrait comme avant.

« Comment tu appelles ça, toi ?

— Je ne savais pas comment te le dire.

— Et tu as attendu jusqu'à aujourd'hui ? Maintenant ? Alors que tu vas épouser ma sœur dans environ dix minutes ? Bon Dieu, ajouta-t-il en secouant la tête. Quand je pense que je trouvais que ce connard de Fergus était un salaud.

— Je ne suis pas du tout comme Fergus, protestai-je.

— Non, c'est un putain de saint, comparé à toi.

— Julian, tu ne peux pas me détester parce que je suis homo. Ce n'est pas juste. Nous sommes en 1973, bon sang.

— Tu crois que je te déteste parce que tu es homo ? » Il me regarda comme s'il n'avait jamais rien entendu de plus stupide de toute sa vie. « J'en ai rien à foutre, que tu sois homo. Je m'en serais foutu complètement. Si tu t'étais donné la peine de me le dire. Si tu m'avais traité comme un véritable ami au lieu d'un simple objet de désir lubrique. Je te déteste parce que tu m'as menti pendant toutes ces années, Cyril, et pire encore, tu as menti à Alice. Ça va lui briser le cœur. Est-ce que tu as la moindre idée de ce qu'elle a traversé après Fergus ?

— Elle comprendra.

— Elle quoi ?

— Elle comprendra, affirmai-je. C'est quelqu'un de très empathique. »

Julian rit, incrédule. « Lève-toi, Cyril.

— Quoi ?

— Lève-toi.

— Pourquoi ?

— Parce que je te le demande. Si tu m'aimes tant que ça, alors, tu dois vouloir me rendre heureux. Et je serais très heureux que tu te lèves. »

Je fronçai les sourcils, sans savoir ce qui allait se passer, mais j'obéis et je me mis debout.

« Voilà. Je suis debout. »

Mais cela ne dura pas. Quelques instants plus tard, j'étais par terre, étendu sur le dos, un peu hébété, et ma mâchoire était traversée d'une douleur si violente que je me demandai s'il l'avait cassée. Je portai la main à mon visage et sentis le sang dans ma bouche.

« Julian, balbutiai-je, au bord des larmes. Je suis désolé.

— J'en ai rien à foutre que tu sois désolé. Tu sais quoi ? Je n'ai jamais ressenti plus de mépris pour qui que ce soit de toute ma vie. Je le jure devant Dieu, si je le pouvais sans risquer de me retrouver en prison jusqu'à la fin de mes jours, je te briserais le cou, là, maintenant, tout de suite. »

Je déglutis. J'étais minable. Tout était gâché. Une fois qu'il se fut éloigné à l'autre bout de la pièce, pour réfléchir en se frottant le menton, je réussis à me remettre debout, puis me rassis en me massant la mâchoire.

« Je devrais y aller, lançai-je après un long silence.

— Y aller ? fit-il en se tournant vers moi, le sourcil froncé. Aller où ?

— Chez moi. Ma place n'est plus ici. J'ai fait assez de dégâts. Mais il va falloir que tu lui dises. Je ne peux pas. Je ne peux pas la regarder en face.

— Lui dire ? À qui ? À Alice ?

— Bien sûr.

— Parce que tu crois que je vais lui dire ?

— Elle t'aime. Elle voudra que tu sois à ses côtés aujourd'hui. Pas moi.

— Je ne lui dirai rien », hurla Julian. Il avança vers moi avec une telle férocité que je me recroquevillai sur ma chaise. « Voici ce qui va se passer aujourd'hui, espèce de gros salopard, et ce qui ne va pas se passer. Si tu crois que je vais laisser ma sœur se faire humilier une deuxième fois devant tous ses amis et sa famille, tu te trompes complètement. »

Je le dévisageai, sans comprendre. « Alors, qu'est-ce que tu veux que je fasse ?

— Ce à quoi tu t'es engagé. Nous allons sortir d'ici, tous les deux. Attendre côte à côte que Max conduise ma sœur à l'autel. Et nous allons tous les deux avoir sur la figure le plus grand sourire plein de dents que personne ait jamais eu de toute sa vie, et quand le curé te dira de dire Oui, tu répéteras comme si c'était le plus grand bonheur de ta vie. Et ensuite, Alice et toi sortirez de l'église mari et femme, et toi, mon ami, tu vas être un bon mari fidèle, et si jamais j'entends dire que tu es allé fricoter avec une pédale en cachette, je te choperai et je te couperai les couilles moi-même avec le canif le plus rouillé que je puisse trouver. Est-ce que c'est clair, Cyril ? »

Je le regardai et déglutis avec peine. Je n'arrivais pas à croire qu'il était sérieux.

« Je ne peux pas, fis-je en essayant de retenir mes larmes. Nous sommes en train de parler de ma vie entière.

— Et de celle d'Alice. Tu vas l'épouser, putain de merde, tu m'entends, Cyril ?

— Tu veux que ta sœur se marie avec moi ? Sachant ce que tu sais ?

— Bien sûr que je ne le veux pas. Et si elle entrait ici maintenant en disant qu'elle ne veut pas t'épouser, je la soulèverais de terre et je la sortirais d'ici sur mes épaules. Mais elle vient ici pour se marier, et c'est ce qui va se passer. Elle t'aime, bordel. Même si c'est difficile à croire qu'elle aime une personne qui n'a pas la moindre moralité.

— Et nous ? » questionnai-je. Ses mots étaient autant de flèches qui me transperçaient le cœur.

« Nous ? Comment ça, nous ? Qu'est-ce que tu racontes ?

— Toi et moi. Est-ce que nous resterons amis ? »

Il me regarda et éclata de rire. « Tu es incroyable. Tu es absolument in-cro-ya-ble. Nous ne sommes pas amis, Cyril. Nous ne l'avons jamais été. Je ne te connais pas, voilà la vérité. La personne que je pensais être Cyril Avery n'a jamais existé. Alors, non, nous ne serons plus jamais amis. Quand nous nous verrons dans des réunions de famille, je serai courtois pour que personne ne découvre la vérité. Mais je t'interdis de penser que je puisse éprouver à ton égard autre chose qu'une détestation totale. Et si tu mourais pendant ta lune de miel, je ne verserais pas une larme. »

Je me remis à pleurer. « Ne dis pas ça, Julian. S'il te plaît. Tu ne peux pas être sincère. Je t'aime. »

Il se précipita sur moi, me souleva de ma chaise et me colla contre le mur, une main me tenant par le cou, l'autre fermée en un poing qu'il arma, prêt à frapper. Il tremblait de rage. S'il m'avait cogné à ce moment-là, je sais qu'il m'aurait tué.

« Si jamais tu redis ça, siffla-t-il, si jamais tu me dis à nouveau quoi que ce soit de ce genre, je jure devant Dieu que ce sera la dernière phrase qui sortira de ta bouche. Tu as compris ? » Je cessai d'opposer la moindre résistance et hochai la tête. Il s'écarta de moi. « Mais qu'est-ce qui cloche chez vous ? Pourquoi devez-vous mentir à propos de tout ? Cacher tout ? Pourquoi ne pas tout simplement dire la vérité ? Mais putain, qu'est-ce qui vous empêche d'être juste honnêtes avec les gens, depuis le début ? »

Je laissai échapper un rire amer et détournai les yeux. « Ne viens pas me chercher sur ce terrain-là, Julian, déclarai-je, prêt à me défendre maintenant, si j'y étais obligé. Tu ne sais pas du tout de quoi tu parles. Mais en même temps, c'est vrai de tous les gens comme toi. »

Quelqu'un frappa doucement à la porte et nous nous tournâmes comme un seul homme pour apercevoir le curé qui passait sa tête, un sourire joyeux sur le visage.

« Votre promise vous attend, jeune homme. » Son sourire s'estompa légèrement quand il vit ma tenue un peu débraillée. Je regardai Julian, le suppliant de me rendre ma liberté, mais il détourna les yeux et s'avança vers la porte.

« Passe-toi un coup de peigne. Rappelle-toi où tu es. Et ce que tu es venu faire. » Ce serait les derniers mots qu'il m'adresserait avant de nombreuses années.

Un fou tout nu

Trois heures plus tard, en homme marié respectable, je me retrouvai au Horseshoe Bar du Shelbourne Hotel à bavarder avec le président d'Irlande, Éamon de Valera. Sa présence à la réception était un succès triomphal pour

Max, pour qui l'ascension sociale était devenue une obsession encore plus pathologique ces dernières années, bien que le grand homme eût décliné l'invitation à la cérémonie pour aller à un rendez-vous impossible à déplacer avec son pédicure-podologue. L'ancien Taoiseach, Jack Lynch, était présent lui aussi, et gardait soigneusement ses distances avec Charles Haughey. Ce dernier se tenait à côté du bar et ressemblait étrangement aux personnages de fêtes foraines en porcelaine, dont le corps reste immobile tandis que leurs yeux bougent quand leur regard balaye la pièce. Le sport était représenté par Jimmy Doyle de Tipperary, qui, ces dernières années, avait remporté pour son comté six médailles de hurling au championnat d'Irlande ; la littérature, par Ernest Gébler et J. P. Donleavy. À une table dans un coin, la nouvelle femme de mon père adoptif, Rosalyn, léchait les bottes à Maureen O'Hara, qui souriait poliment mais ne cessait de regarder sa montre, se demandant quand viendrait enfin le moment approprié pour se faire appeler un taxi.

Il m'était impossible de me concentrer sur ce que disait Dev, car mon attention était presque exclusivement focalisée sur Julian, qui se trouvait à côté d'un archevêque Ryan au visage anxieux, tandis qu'une des demoiselles d'honneur s'appliquait à engager la conversation avec lui. Normalement, il aurait joué les charmeurs – Julian, pas l'archevêque – hésitant entre l'emmener dans sa chambre pour un petit coup vite fait avant le dîner, ou attendre que la soirée soit plus avancée pour consacrer un peu plus de temps et d'énergie à la séduction, mais cette fois, il paraissait totalement insensible. Quand son regard croisait le mien, j'y lisais un mélange de déception et d'envie meurtrière. Puis il se détournait et commandait un autre verre. Je voulais le prendre à part et lui expliquer pourquoi j'avais agi ainsi, mais je savais que c'était inutile. Rien de ce que je pourrais avancer ne me gagnerait son pardon, rien ne pouvait excuser mes actes. Notre amitié était morte.

Lorsque je finis par réussir à échapper au président, qui exposait longuement en termes assez imagés l'état de ses oignons, je cherchai des yeux un endroit calme où je puisse trouver une fourchette à me planter dans le cœur. Mais où que je me tourne, je me retrouvais happé par un autre de nos trois cents invités, qui pour la plupart étaient de parfaits étrangers, chacun voulant me serrer la main tout en m'informant que je m'étais condamné à cinquante ans de vaines tentatives pour satisfaire ma petite femme.

« Alors, ce soir, c'est le grand soir, hein ? gloussaient les hommes âgés avec des sourires tellement scabreux que j'avais envie de pulvériser leur visage tout ridé. Tu descends quelques pintes pour faire le plein de jus, hein ? »

« Bientôt, vous aurez des enfants, disaient leurs femmes, qui devaient avoir une montée de lait en m'imaginant ensemencer Alice à intervalles réguliers au cours des prochaines années. Faites-en trois en trois ans, voilà ce que je vous conseille. Un garçon, une fille et l'un ou l'autre. La famille parfaite. Et ensuite, vous pourrez décréter la fin de tous ces épisodes dégoûtants. » L'une d'elles se pencha pour me chuchoter à l'oreille : « Après, je suggère même que vous fassiez chambre à part. Pour tenir le diable à distance. »

J'étais cerné par les gens et le bruit, écrasé par les puissantes odeurs de parfum et d'alcool, étouffé par la fumée dense des cigarettes. J'étais comme un enfant pris au piège pendant une kermesse, incapable de trouver le chemin vers la sortie. Les battements de mon cœur commencèrent à s'accélérer tandis que la foule se pressait autour de moi. Finalement, bataillant pour me frayer un passage jusqu'au hall, je me retournai et découvris Alice, aussi hébétée et embarrassée que moi. Elle sourit mais je remarquai une angoisse muette sur son visage.

« Nous aurions dû rester plus modestes sur le nombre des invités. » Je devais me rapprocher d'elle et crier pour me faire entendre. « Je ne connais même pas la moitié de ces gens.

— Des connaissances de Max, dit-elle en secouant la tête. Ça n'avait pas l'air si mal, sur le papier, mais j'arrive à peine à trouver le temps de parler à mes amis. L'âge moyen dépasse les soixante ans. Il y a un homme là-bas qui a une poche de colostomie à l'extérieur de son pantalon.

— Il ne l'a plus. Un enfant l'a percuté et la poche a éclaté.

— Grands dieux ! Mais on est à un mariage !

— On devrait déclencher l'alarme à incendie. Puis choisir qui on laisse revenir ensuite. Il faut qu'ils aient tous leurs cheveux, leurs dents et une probabilité raisonnable d'être beaux sur les photos. »

Elle sourit à moitié, mais ne parut pas très heureuse.

« Je n'aurais pas dû lui laisser le champ libre, marmonna-t-elle. J'aurais dû le savoir depuis... Oh mon dieu, je suis désolée, Cyril.

— Quoi ?

— Ça n'a pas d'importance.

— Si, dis-moi. »

Elle eut le bon goût de paraître gênée. « J'étais sur le point de dire que j'aurais dû le savoir, depuis la dernière fois. Et je me suis rendu compte que c'était tout à fait inapproprié, surtout aujourd'hui.

— Oh, crois-moi. C'est bien fade, par rapport à certaines choses que j'ai dites aujourd'hui.

— Les gens n'arrêtent pas de me donner de l'argent, dans des enveloppes. Je ne sais pas ce que je suis censée en faire. Alors, je lui ai tout donné, à lui. » Elle fit un mouvement de tête vers le bar.

« À Charlie Haughey ? demandai-je effaré, d'une voix un peu plus forte. Tu as donné tout notre argent à Charlie ? Nous ne le reverrons jamais ! Tout va partir vers le Nord, aux Provos !

— Je l'ai donné à Julian. Julian.

— Ah, d'accord. Ce n'est pas si grave, alors.

— D'ailleurs, j'en ai encore une ici. » Elle sortit une enveloppe d'une poche mystérieuse que recélait sa robe. « Tu ne veux pas la lui apporter ?

— Non », tranchai-je avec plus de précipitation que je ne l'aurais voulu. Il n'était pas question que j'approche de son frère. « Je m'apprêtais à sortir prendre l'air.

— Est-ce que ça va ? Tu es un peu rouge.

— C'est juste un peu étouffant, là-dedans. Je reviens. »

Elle leva la main pour m'empêcher de partir. « Attends. Il faut que je te parle.

— Je reviens dans quelques minutes. Je te le promets.

— Non, il faut que je te parle tout de suite.

— Pourquoi ? demandai-je, surpris devant son insistance. Quelque chose ne va pas ? Qu'est-ce qu'il t'a dit ?

— Qu'est-ce que qui m'a dit ?

— Personne.

— Mais qu'est-ce que tu racontes, Cyril ? »

Je jetai un coup d'œil vers Julian, qui nous observait, le visage furieux, et je commençai à être agacé par son attitude. Si tu ne voulais pas que je l'épouse, pensai-je, tu aurais pu m'en empêcher. Mais maintenant que je l'ai fait, ne me regarde pas comme ça, merde.

Elle ouvrit la bouche pour parler mais avant qu'elle puisse dire un mot, sa mère Elizabeth apparut au bras d'un petit ami assez jeune pour être son petit-fils, et j'y vis l'occasion rêvée de m'éclipser.

« Ne pars pas, ronronna Elizabeth en prenant ma main pour s'y cramponner. Tu n'as pas encore rencontré Ryan.

— Effectivement », concédai-je. Je lui serrai la main. Il était certes jeune, mais en toute honnêteté, je ne le trouvai pas si spécial que ça. Il ressemblait vaguement à Mickey Rooney dans les films où il jouait Andy Hardy. En un peu moins grand. Je vis Charles observer le couple de loin ; peut-être se rappelait-il les rendez-vous galants tristement célèbres entre Elizabeth et lui et aux conséquences si affreuses.

« Le mariage est une institution tellement démodée, vous ne trouvez pas ? fit Ryan en nous regardant, Alice et moi, comme s'il s'était soudain retrouvé face à deux étrons à forme humaine.

— C'est étrange, de dire une chose pareille à une jeune mariée le jour de ses noces, contra Alice.

— Ryan plaisante, c'est tout », assura Elizabeth dans un éclat de rire. Elle avait clairement gagné la course à l'ivresse du mariage. « Il vient du Vermont, ajouta-t-elle, comme si cela expliquait tout.

— Je suis allé dans le Vermont un jour, dit Charles qui se glissa entre eux deux et les poussa des coudes pour les séparer. J'ai passé quelques semaines à Newport. Pour affaires, précisa-t-il avec emphase.

— Newport est à Rhode Island, rectifia Ryan. C'est un autre État.

— Je sais bien, rétorqua Charles, vexé. Les deux phrases n'étaient pas liées. Je suis allé dans le Vermont une fois. Et par ailleurs, j'ai passé un peu de temps à Newport, Rhode Island. Lors d'un autre voyage.

— Voici Charles Avery, pérora Elizabeth, folle de joie d'avoir l'occasion d'exhiber son petit trésor. Et voici Ryan Wilson.

— Salut, fit Ryan.

— Bonjour, dit Charles.

— Charles est le père de Cyril, précisa Elizabeth.

— Père adoptif. » Charles et moi parlâmes à l'unisson.

« Ce n'est pas un vrai Avery, ajouta Charles après une courte pause. Enfin, qu'est-ce qui vous amène ici, jeune homme ? Participez-vous à un échange étudiant ?

— Non, je suis l'amant d'Elizabeth, répondit-il tout de go, et il faut le reconnaître, même Charles fut impressionné par cette franchise tellement peu irlandaise.

— Ah très bien », commenta-t-il, pour une fois un peu pris de court. Je me demandais franchement pourquoi il se donnait toute cette peine. Il ne projetait pourtant pas de rallumer la flamme avec Elizabeth. Il m'avait bien dit, autrefois, qu'il trouvait que c'était une erreur de se marier avec une femme assez âgée pour être son épouse.

« Je reviens tout de suite, chuchotai-je à Alice.

— Attends, dit-elle en m'attrapant par le bras. Il faut que je te parle.

— Quand je reviendrai !

— C'est vraiment important. Donne-moi juste…

— Bon sang, Alice », interrompis-je d'un ton irrité et je dégageai mon bras ; c'était la première fois que j'élevais la voix à son adresse.

« Waouh, quelle autorité ! s'exclama Ryan et je lui lançai un regard méprisant.

— Cinq minutes, dis-je à Alice. Un besoin pressant. »

En quittant la pièce, presque indépendamment de ma volonté, mon regard se posa sur Julian. Il me tournait le dos et était accoudé au bar, la tête dans les mains. Quelque chose dans le tremblement de ses épaules me fit penser qu'il pleurait, mais je décidai que c'était impossible. Je n'avais jamais vu Julian verser la moindre larme de toute sa vie, même lorsqu'il était revenu à la maison après sa lune de miel avec les membres de l'IRA, un pouce, un orteil et une oreille en moins.

Une fois dans le hall, je pus respirer à nouveau, mais lorsque je vis Dana se diriger vers moi, les bras tendus prêts à m'enlacer, ses lèvres couleur rubis commençant à émettre les premières notes d'un gracieux compliment, je tournai les talons et courus vers l'escalier, dont je sautai les marches deux par deux avant de me mettre à courir pour monter jusqu'aux suites avec terrasses du cinquième étage où se situait la chambre nuptiale. Je cherchai ma clé dans toutes mes poches, refermai la porte derrière moi et arrachai ma cravate. J'arrivai dans la chambre, où, grâce à une fenêtre ouverte, entrait une brise rafraîchissante. Je respirai profondément plusieurs fois jusqu'à ce que je sente mon rythme cardiaque revenir à la normale. Je m'assis sur le lit ; le magnifique jeté de lit avait été décoré de brassées de pétales de roses qui ne firent qu'accentuer mon désespoir, alors je me relevai immédiatement et allai m'asseoir sur le canapé.

Je tournai l'anneau en or qui ornait depuis peu ma main gauche. Je l'enlevai un peu trop facilement et le tins au creux de ma paume, le soupesai, avant de le poser sur un guéridon, à côté d'une bouteille de vin encore intacte. Alice et moi avions passé tout un samedi après-midi à les chercher et nous nous étions bien amusés ; nous avions dépensé plus d'argent que prévu et à la fin de la journée, pendant le dîner, j'avais ressenti une affection si grande à son égard que j'avais commencé à me demander si notre amitié ne finirait pas un jour par se transformer en amour. Mais je me berçais d'illusions, car l'amour était une chose, mais le désir en était une autre, complètement différente.

D'un côté, je regrettais d'avoir parlé à Julian ; d'un autre, j'avais été obligé de me cacher pendant si longtemps que j'en avais conçu du ressentiment. Il avait affirmé dans l'église que si je lui avais avoué la vérité depuis le début, il ne m'en aurait pas voulu, mais je ne le croyais pas. Pas un instant. Lorsque nous nous retrouvâmes dans la même chambre à Belvedere College, il aurait demandé à changer de coturne si je lui avais expliqué ce que je ressentais pour lui. Et même s'il avait manifesté de la gentillesse ou de la compréhension envers moi à ce moment-là, la nouvelle se serait rapidement répandue et les autres garçons auraient fait de ma vie un enfer. Les curés m'auraient mis à la porte et je n'aurais pas eu de foyer où me réfugier. Si seulement Charles et Max ne s'étaient jamais rencontrés. Si seulement les chemins des Avery et des Woodbead ne s'étaient jamais croisés. Ma nature n'aurait peut-être pas été différente, mais au moins, je ne me serais pas retrouvé dans cette situation épouvantable. Ou alors, y aurait-il eu un autre Julian ? Quelqu'un comme lui, quelque part, qui m'aurait envoûté de la même manière ? Une autre Alice ? Impossible de savoir. J'en avais la migraine, à essayer de comprendre tout ce qui s'était passé.

J'allai sur le balcon, et jetai quelques coups d'œil timides, comme un cousin éloigné de la Famille Royale une fois la foule dispersée. La vue sur le parc de St Stephen's Green depuis cette hauteur, par-dessus les cimes des arbres, était tout à fait nouvelle. Mais nous étions à Dublin, la capitale. L'endroit où j'étais né, une ville que j'aimais, dans un pays que je détestais. Une ville pleine d'innocents au grand cœur, d'affreux bigots, de maris adultères, d'hommes d'Église sournois, d'indigents qui ne recevaient aucune aide de l'État, et de millionnaires qui lui pompaient toutes ses ressources. Je baissai les yeux et regardai les voitures tourner autour du Green, les carrioles tirées par les chevaux pleines de touristes, et les taxis qui s'arrêtaient devant l'hôtel. Les frondaisons des arbres étaient resplendissantes ; j'aurais voulu ouvrir les bras et prendre mon essor, survoler le parc et contempler le lac avant de monter dans les nuages comme Icare, heureux d'être brûlé par le soleil et de me désintégrer pour retrouver le néant.

Le soleil brillait et j'enlevai ma veste et mon gilet, avant de les jeter dans le salon, où ils atterrirent sur l'accoudoir d'un fauteuil. Mes chaussures me serraient les pieds et je les enlevai aussi, puis mes chaussettes, et la sensation de la pierre du balcon sous mes pieds nus fut curieusement revigorante. J'inspirai une grande goulée d'air frais et un début de sérénité commença à s'installer en moi.

Si le balcon s'était avancé sur la rue, j'aurais pu, en tournant la tête, voir les coins du Dáil Éireann, le théâtre d'une des premières aventures que j'avais partagées avec Julian. Plus loin, hors de mon champ de vision, j'aurais pu repérer Dartmouth Square et la maison où j'avais été élevé, celle-là même que Maude et moi avions été obligés de quitter dans la disgrâce après l'incarcération de Charles, et où j'avais posé la première fois mon regard sur Julian après avoir observé, perplexe, Alice qui s'enfuyait en hurlant du bureau de ma mère adoptive au deuxième étage. L'endroit où j'étais tombé amoureux, avant même de savoir ce que ces mots signifiaient.

Tandis que je m'attardais sur ces souvenirs et sentais la brise me remonter le moral, il me parut naturel d'enlever ma chemise pour sentir le vent sur ma poitrine. C'était tellement agréable, tellement exaltant, que je défis ma ceinture et enlevai mon pantalon, ne ressentant ni honte ni timidité, jusqu'à ce que je me retrouve là, près de quinze mètres au-dessus des rues de Dublin, en caleçon.

Je jetai un coup d'œil vers la droite mais les bâtiments à l'extrémité nord du Green m'empêchèrent d'avoir une vue dégagée sur l'appartement de Chatham Street où j'avais habité avec Albert Thatcher et où j'avais été obligé de subir le bruit de sa tête de lit cognant contre mon mur, nuit après nuit. Ah, si je pouvais retourner sept ans en arrière, pensai-je, et agir différemment.

Au point où j'en étais, que me restait-il à perdre ? Je me baissai, enlevai mon caleçon et le balançai d'un mouvement du pied dans la chambre. Je me penchai par-dessus le garde-corps, un peu étourdi, et contemplai les toits de la ville, nu comme le jour de ma naissance.

Si j'avais eu une vision illimitée, j'aurais pu apercevoir de l'autre côté de Dublin, au-delà de Kildare et Tipperary, Cork, puis au fin fond du pays, Goleen, où, bien que je n'en sache rien, mes grands-parents étaient enterrés côte à côte ce même après-midi, après avoir été renversés par une voiture lancée à toute vitesse alors qu'ils revenaient de la messe d'enterrement du père James Monroe, l'homme qui avait banni ma mère du village, vingt-huit ans auparavant. J'aurais vu mes six oncles debout côte à côte près des tombes comme toujours rangés par ordre d'âge et de stupidité, et mon propre père, l'homme qui avait planté sa graine dans le ventre de ma mère, pas très loin, en train d'accepter les condoléances des voisins et de se demander s'il était censé offrir une tournée générale quand ils arriveraient au Flanavan's.

J'aurais tout vu, si j'en avais eu le pouvoir, mais je ne vis rien car toute ma vie, j'avais été aveugle, sourd, muet et ignorant, privé de tous les sens sauf de celui qui provoquait mes pulsions sexuelles et qui était responsable de la situation épouvantable dans laquelle je me trouvais, et d'où, j'en étais certain, je ne pourrais jamais me sortir.

Il fut aisé de me hisser sur le garde-corps et de passer mes jambes par-dessus. Si aisé que je me demandai pourquoi je ne l'avais pas fait des années auparavant. Je regardai la rue, dans ma nudité hésitante ; personne ne levait les yeux vers les cieux pour me voir. Je me balançai un peu d'avant en arrière, laissant la brise me bercer et mon centre de gravité osciller comme il le souhaitait. Mes mains serrèrent la barre en fer, puis, progressivement, leur étreinte se desserra.

Vas-y, lâche, songeai-je.

Lâche.

Laisse-toi tomber…

Je pris une profonde inspiration et la dernière pensée qui me traversa l'esprit ne fut ni pour ma mère, ni pour mes parents adoptifs, ni pour Julian ni l'un ou l'autre des étrangers que j'avais été obligé de baiser dans le noir pendant toutes ces années. Ma dernière pensée fut pour Alice. Je souhaitais qu'elle me pardonne. Cet acte lui rendrait sa liberté. Et étonnamment, je me sentais complètement en paix lorsque je retirai mes mains et laissai mon corps s'incliner vers l'avant.

Puis la voix d'un enfant, montant de la rue :

« Regarde, maman, l'homme là-bas, il n'a pas de vêtements ! »

Effrayé, j'eus un mouvement de recul. Mes mains se cramponnèrent à la balustrade. J'entendis les gens sur St Stephen's Green crier, manifester excitation, hystérie, hilarité et horreur. Je baissai les yeux et regardai la foule se rassembler. Le vertige qui m'avait épargné me submergea, manquant me faire tomber alors que je ne le voulais pas, et il me fallut toute ma force et ma concentration pour repasser de l'autre côté de la balustrade, ignorer les cris et les rires. Je retombai dans la chambre, allongé sur la moquette, haletant, incapable de comprendre pourquoi j'étais nu. Quelques instants plus tard, le téléphone se mit à sonner.

Je décrochai, m'attendant à entendre soit le directeur de l'hôtel soit un Garda, appelé par un passant. Mais non, c'était juste Alice. Calme, ignorant évidemment ce que j'avais essayé de faire, sa voix pleine de compassion et d'amour.

« Tu es là ? Qu'est-ce que tu fais là-haut ? Je croyais que tu m'avais dit juste quelques minutes.

— Excuse-moi. J'avais laissé mon portefeuille ici. Je redescends tout de suite.

— Non, ne descends pas. Je monte. Il y a quelque chose dont je dois te parler. C'est important. »

Ça recommence. « Qu'est-ce que Julian t'a raconté ? » demandai-je.

Il y eut un long silence. « Nous allons parler là-haut. Seuls tous les deux.

— Laisse-moi venir te rejoindre.

— Non, Cyril, insista-t-elle. Reste où tu es, d'accord ? J'arrive. »

Puis elle raccrocha. Je posai le combiné et contemplai mon costume de marié, étalé par terre. Dans deux ou trois minutes elle franchirait le seuil. Et d'autres personnes arriveraient sûrement peu de temps après, une fois que les badauds auraient rapporté ce qu'ils avaient vu. Alors, je fis la seule chose qui me vint à l'esprit. J'attrapai ma valise, sortis une tenue et m'habillai. J'ouvris le bagage à main que j'avais apporté en prévision de la lune de miel et y pris les seules choses dont j'avais besoin : mon portefeuille et mon passeport. Je mis un chapeau que je rabattis sur mon front, jetai un coup d'œil du côté de l'alliance que j'avais posée sur le guéridon mais décidai de ne pas l'emporter. Je sortis de la chambre et au lieu de me diriger vers l'escalier, j'allai à l'autre bout du couloir, prendre l'ascenseur que les garçons d'étage utilisaient quand ils montaient et descendaient les repas du room-service.

Un dernier coup d'œil juste avant que les portes se referment me permit d'apercevoir, j'en étais sûr, une éruption de blanc, un nuage gonflé de tulle, au moment où Alice arrivait sur le palier. Je me retrouvai enfermé dans la cabine silencieuse et transporté jusque dans les entrailles du bâtiment, où, grâce à une issue réservée au personnel, j'accédai à Kildare Street. Une foule s'était rassemblée. Tout le monde regardait en l'air, vers le toit, attendant que le fou tout nu réapparaisse ; une moitié d'entre eux espérait qu'il serait sauvé, l'autre, qu'il sauterait.

Il ne restait rien pour moi ici, c'était certain. Alors, que pouvais-je faire d'autre que quitter la ville ?

II.

EXIL

1980

Dans l'Annexe

Au bord de l'Amstel

Je vis qu'ils se disputaient alors que j'étais encore à bonne distance. Un homme de taille colossale portant un manteau orné de fourrure et, pour le moins paradoxal, un chapeau à la Sherlock Holmes en piteux état ; à côté de lui, un jeune garçon, trois fois plus petit, en jean et veste bleu foncé, avec un T-shirt blanc en dessous. Ils parlaient fort, le garçon hurlait et agitait les bras, comme enragé. Lorsque l'homme prit la parole, il se contrôlait, visiblement, mais sa voix était beaucoup plus menaçante. Au bout d'un moment, le garçon tourna les talons, prêt à s'en aller, mais l'homme tendit le bras et l'attrapa par le col sans ménagement, le plaqua contre le mur et lui envoya un coup de poing terrible dans le ventre. Le jeune homme s'écroula et se recroquevilla pour se protéger d'une nouvelle attaque. Il tourna la tête et se mit à vomir dans le caniveau. Quand il eut terminé, l'homme le tira pour le remettre debout, lui chuchota quelque chose à l'oreille et le repoussa violemment. Le garçon retomba dans son vomi et son assaillant s'éloigna dans la nuit. Pendant tout cet épisode, je m'étais tenu à distance, peu désireux de me mêler à une bagarre de rue, mais maintenant que le garçon était seul, je me dirigeai vers lui d'un pas rapide. Il leva les yeux, effrayé, en me voyant approcher et je vis les larmes couler sur ses joues. Il était jeune, à peine quinze ans.

« Est-ce que ça va ? » Je lui tendis la main pour l'aider à se lever mais il eut un mouvement de recul, comme si j'avais l'intention de lui faire du mal moi aussi, et se tapit contre le mur. « Je peux t'aider ? »

Il secoua la tête et se remit à grand-peine sur ses pieds. Puis, un bras replié contre son ventre, il s'en alla d'un pas traînant en direction de l'Amstel. Je le regardai partir avant d'enfoncer la clé dans ma serrure. L'incident n'avait duré qu'une minute ou deux, et il me fallut encore moins de temps pour l'oublier.

Je me sors de la merde

Chose incroyable, je n'avais jamais appris à faire de la bicyclette avant d'aller vivre à Amsterdam.

Pour certains, le spectacle d'un homme d'une bonne trentaine d'années vacillant sur son vélo dans Vondelpark tandis qu'un autre courait derrière, prêt à le rattraper, aurait pu sortir tout droit d'un film de Chaplin. Mais, pendant l'été 1980, ce fut ainsi que je consacrai de nombreux samedis et dimanches après-midi. Après avoir causé un énorme carambolage près du Rijksmuseum et failli mourir sous les roues d'un tram à Frederiksplein, on me conseilla de passer le Verkeersdiploma, que détenaient la plupart des enfants de douze ans. Je le ratai trois fois – un record, d'après l'inspecteur incrédule – et me retrouvai avec des points de suture sur le genou droit après une collision particulièrement violente contre un lampadaire. Je finis par le réussir et accédai enfin à la liberté périlleuse de la route.

Mon premier voyage en solo à bicyclette eut lieu quelques semaines plus tard. Je partis pour un trajet d'environ une heure et demie, qui devait m'amener à Naarden où, pour la première fois, j'allais rencontrer les parents de Bastiaan, Arjan et Edda. Bastiaan viendrait en train d'Utrecht après son travail. Il m'avait promis d'y être tôt pour faire les présentations, et lorsque j'arrivai un peu en avance, l'angoisse me saisit. Je n'avais jamais été présenté aux parents d'un petit ami et je ne savais pas trop quels étaient les usages. Même si j'avais été en relation avec le seul membre de ma famille qui devait être encore vivant – Charles – il n'aurait pas envisagé qu'une telle rencontre puisse avoir lieu.

Une longue route accidentée, pleine de cailloux et de nids-de-poule, conduisait à la ferme des Van den Bergh. Ma progression chancelante fut menacée par deux chiens qui chargèrent droit sur moi à la seconde où ils m'aperçurent ; ils aboyaient furieusement et je n'avais aucun moyen de comprendre s'ils étaient excités ou enragés par mon apparition. Même si généralement j'aimais les chiens, leur accueil ambigu, sans parler de leur détermination à gambader autour de moi, provoqua une nouvelle chute, et j'atterris dans une énorme bouse fumante dont l'odeur et la texture laissaient supposer qu'elle venait de sortir de l'intestin d'une vieille vache diarrhéique. Je contemplai mon pantalon en toile flambant neuf et le T-shirt Parallel Lines auquel je tenais plus que tout ; j'étais prêt à verser des larmes sur les traînées marronnasses barrant le visage parfait de Debbie Harry.

« Espèces de gros salopards », marmonnai-je tandis que les chiens se rapprochaient, et feignant l'innocence, agitaient la queue pour célébrer leur petite victoire. Le plus grand leva la patte et pissa contre ma bicyclette ; je trouvai l'humiliation excessive. Au bout du chemin, une voix lança une longue phrase. Je plissai les yeux et distinguai une femme devant la ferme, les poings sur les hanches, me faisant des grands signes. À cette distance, je devinai qu'il s'agissait de la mère de Bastiaan et je n'eus d'autre choix que de me remettre debout et me diriger vers elle, mes agresseurs sur mes talons. En m'approchant, je remarquai que son regard amusé s'attardait sur mes vêtements souillés.

« Vous devez être le garçon irlandais, dit-elle en mordillant sa lèvre inférieure tout en me dévisageant.

— Cyril, me présentai-je sans lui tendre ma main épouvantablement sale. Et vous devez être Madame Van den Bergh.

— Appelez-moi Edda. Vous savez que vous êtes couvert de merde de vache ?

— Oui. Je suis tombé de ma bicyclette.

— Mais comment peut-on tomber de vélo ? Vous avez bu ?

— Non. Enfin, pas aujourd'hui. J'ai bu quelques bières hier soir mais je suis presque sûr que…

— Peu importe, m'interrompit-elle. En Hollande, même les gens saouls roulent à vélo sans tomber. Il m'est déjà arrivé de conduire avec la tête posée sur le guidon et parvenir à la maison sans encombre. Entrez. Arjan est dans le champ du haut, mais il rentre bientôt.

— Je ne peux pas, déclarai-je en contemplant le désastre sur mes vêtements. Pas dans cette tenue, en tout cas. Peut-être que je devrais repartir et revenir un autre jour ?

— Nous sommes dans une ferme, Cyril, me rassura-t-elle en haussant les épaules. Ça n'a rien d'inhabituel pour nous. Venez. Suivez-moi. »

Nous entrâmes et j'enlevai mes bottes à la porte, soucieux de ne pas causer de dégâts. Elle me fit traverser le salon et longer un étroit couloir menant à la salle de bains ; elle me tendit une serviette qui, au toucher, donnait l'impression d'avoir été utilisée, lavée, séchée et rangée environ dix mille fois. « Vous pouvez prendre une douche là. La porte suivante, c'est l'ancienne chambre de Bastiaan et il a quelques vêtements dans son armoire. Vous y trouverez bien ce qu'il vous faut.

— Merci », bredouillai-je en fermant la porte derrière moi. Je me tournai vers mon reflet dans le miroir et prononçai le mot *merde* avec autant d'intensité silencieuse que possible. Je me déshabillai rapidement et entrai dans la douche – il n'y avait que deux réglages de température, glacial et brûlant, mais je réussis malgré tout à enlever la saleté de mon visage et de mes mains. Je me frottai tant que l'unique morceau de savon finit par se dissoudre. En me retournant pour que l'eau coule sur mon dos et mes jambes, à mon grand étonnement, je distinguai la silhouette de Mme Van den Bergh ; elle prit mes vêtements sales et les posa sur son bras. Puis elle se tourna et braqua son regard sur mon corps nu, hocha la tête d'un air satisfait et sortit. Très étrange, songeai-je. Lorsque j'eus terminé, je jetai un coup d'œil pour m'assurer que le couloir était désert avant de filer à toute vitesse dans la pièce voisine et de refermer la porte derrière moi.

Il y avait quelque chose d'un peu érotique à me retrouver seul dans la chambre d'enfant de Bastiaan, et je ne pus m'empêcher de m'allonger sur le lit qui avait été le sien pendant dix-huit ans avant qu'il parte faire ses études. J'essayai de l'imaginer en train de s'endormir, adolescent, la tête pleine de fantasmes sur des nageurs à la poitrine glabre ou des pop stars néerlandaises aux cheveux longs, lui qui avait accueilli sa sexualité au lieu de la fuir. C'était dans ce lit qu'il avait perdu sa virginité à quinze ans avec un garçon de l'équipe de football du coin, lors de la nuit suivant la finale de la coupe. Quand il me raconta cette histoire, le visage attendri, les yeux humides en repensant à ce souvenir merveilleux, je m'étais senti déchiré entre un respect plein de rancune et une jalousie féroce, car mes propres expériences ne pouvaient être comparées aux siennes. Que Gregor restât une présence vague dans sa vie était pour moi une grande source d'étonnement, car avant Bastiaan, je n'avais jamais eu deux fois le même amant.

D'emblée, Bastiaan parla librement de sa vie amoureuse. Il n'avait pas eu beaucoup d'amants, moins d'une quinzaine, mais avec la plupart il avait poursuivi une relation d'un genre ou un autre, amoureuse ou seulement amicale. Certains vivaient toujours à Amsterdam et s'ils se rencontraient par hasard dans la rue, ils s'étreignaient et s'embrassaient tandis que je restais à côté, mal à l'aise, inquiet face à ces manifestations d'affection aussi ouvertes entre deux hommes. Je continuais à redouter que les gens autour de nous, qui s'en fichaient royalement, nous prennent à partie.

Malgré la franchise qu'il avait eue avec moi, car Bastiaan ne mentait jamais et ne cachait rien, je trouvais beaucoup plus difficile d'être honnête avec lui sur mon passé. Je n'avais pas honte du nombre élevé de mes partenaires sexuels, mais j'avais fini par me rendre compte qu'il y avait quelque chose de tragique dans mes mœurs sexuelles pathologiques. Oui, j'avais peut-être baisé d'innombrables garçons, mais en termes de relation amoureuse, j'étais encore puceau. Lentement, en apprenant à l'aimer et à lui faire confiance, je me libérai de mon amour obsessionnel pour Julian Woodbead, lui épargnant certains épisodes les plus pathétiques de crainte qu'il s'enfuie, effrayé. Un mois après notre rencontre, il fut clair qu'il ne s'agissait pas d'une passade, ni pour l'un ni pour l'autre, et je lui fis le récit des trois heures de mon mariage ridicule. Il m'écouta avec stupéfaction, partagé entre l'épouvante et l'hilarité. Il finit par hocher la tête, incrédule, incapable de saisir pourquoi je nous avais, Alice et moi, embarqués dans une aussi vaste supercherie.

« Mais qu'est-ce qui cloche chez vous ? me demanda-t-il comme si j'étais atteint de folie au sens clinique. Qu'est-ce qui ne va pas en Irlande ? Vous êtes tous complètement cinglés, dans ce pays, ou quoi ? Vous ne voulez pas que vos compatriotes soient heureux ? »

J'eus de la peine à expliquer ce qui se passait dans mon pays. « Non, je crois que non. »

Je me levai du lit, pris un jean et une chemise en jean dans l'armoire. Ils étaient un peu trop grands pour moi, car Bastiaan était plus athlétique, plus musclé que moi, mais c'était troublant de porter ses vêtements. Un jour, la deuxième fois que j'avais dormi chez lui, je n'avais pas eu le temps de rentrer me changer avant d'aller travailler et il m'avait prêté un de ses slips. Le porter toute la journée avait été une expérience tellement excitante que je m'étais retrouvé à me masturber dans les toilettes quelques heures après l'avoir quitté – un sacrilège absolu quand on pense à l'endroit où je travaillais. Et là, avoir ses vêtements sur le dos provoquait le même genre de frisson, mais je repoussai toute envie de me tripoter au cas où sa mère entrerait sans prévenir. Nous ne nous connaissions que depuis dix minutes, et elle m'avait déjà vu nu. Elle n'avait pas besoin de me voir me branler en plus.

Je sortis de la chambre et me rendis dans la cuisine pour y trouver un homme qui lisait le journal. Son visage doux était strié de rides profondes et il avait encore son manteau, bien qu'il fût à l'intérieur. Il l'enleva en soupirant lorsqu'il me vit.

« Edda m'a expliqué que vous êtes tombé dans une bouse de vache. » Il replia le journal et le posa sur la table devant lui. Il n'avait pas retroussé ses manches malgré la chaleur, remarquai-je.

« Oui.

— Ça arrive, fit-il en haussant les épaules. On se retrouve tous dans la merde plus d'une fois dans sa vie. Le plus difficile, c'est d'en sortir. »

J'acquiesçai, sans trop savoir si c'était de la philosophie ou simplement des faits.

« Mon fils devrait être là, constata-t-il après que je me fus présenté. J'espère que vous ne pensez pas que nous lui avons donné une éducation déplorable.

— Il a dû être retardé. Il n'est pas un champion de la ponctualité.

— Il ne l'a jamais été », lâcha Arjan, affirmant sa primauté sur moi.

Edda nous rejoignit et posa deux tasses de café sur la table. Je m'assis et jetai un coup d'œil autour de moi. Bien que la maison des Van den Bergh fût petite, ils avaient rempli tous les coins et recoins de curiosités accumulées au cours des années. Sous la collection de photos de famille, on ne pouvait pas savoir si les murs étaient couverts de papier peint ou de peinture. Les étagères débordaient de livres et sur un pupitre à côté d'un tourne-disque reposait une énorme pile de vinyles. Pas étonnant, pensai-je, que mon compagnon soit devenu un adulte si calme et équilibré en quittant ce lieu, à l'inverse de la créature complètement paumée que j'étais lorsque j'avais fait mes premiers pas à Dublin. Néanmoins, l'idée qu'un couple qui avait vécu tant d'horreur puisse réussir à trouver à nouveau de la beauté dans le monde me stupéfiait.

Je connaissais leur histoire, bien entendu. Lors de notre quatrième rencontre, en buvant des pintes dans notre bar favori, le MacIntyre's, sur Herengracht, Bastiaan m'avait raconté comment ses parents, à peine sortis de leur cérémonie de mariage en 1942, les paroles des *sheva berakhot* résonnant encore à leur oreille, avaient été arrêtés par les Nazis en même temps que trois cents autres juifs, puis envoyés dans le camp de transit néerlandais de Westerbork. Ils y restèrent presque un mois, au cours duquel ils ne s'aperçurent qu'une fois, lorsque leurs équipes se croisèrent au moment de la relève. Puis Arjan fut interné à Bergen-Belsen et Edda à Auschwitz. Ils réussirent à survivre par miracle aux voyages et à leur emprisonnement là-bas, et furent libérés respectivement par les armées britannique et russe, vers la fin de la guerre. Ils ne se retrouvèrent qu'en 1945 par hasard dans le bar qui s'appelait De Twee Paarden. Leurs familles avaient été décimées. Edda avait un emploi de serveuse au bar et Arjan s'y arrêta un soir avec sa première semaine de paye pour y chercher l'oubli. Presque neuf mois plus tard, leurs retrouvailles inattendues et joyeuses donnèrent naissance à Bastiaan, leur seul enfant.

Même si je savais que Bastiaan avait dit à ses parents où je travaillais depuis deux ans, ils feignirent la surprise quand j'en parlai. Je redoutais ce moment, tant j'avais été marqué par leur histoire, mais ils semblaient intéressés, même s'ils n'avaient jamais visité la Maison Anne Frank, pour des raisons qu'ils ne partagèrent pas avec moi. Après avoir abordé des sujets complètement différents pendant les dix minutes suivantes, Arjan me surprit en y revenant ; il avait été à l'école dans la même classe que Peter Van Pels, à la fin des années 1930, me confia-t-il. Et Edda avait été invitée à un anniversaire avec Margot Frank, mais elle n'avait jamais rencontré Anne, lui semblait-il.

« Peter et moi avons joué au foot dans la même équipe, expliqua Arjan, le regard perdu vers les champs, où les chiens se pourchassaient dans un nouvel accès d'énergie. Il voulait être attaquant mais notre entraîneur avait insisté pour qu'il soit en défense. Sans être doué, il était sportif, et il courait plus vite que n'importe qui. Ma sœur Edith venait voir le match tous les samedis matin parce qu'elle l'aimait bien, même si elle était trop timide pour le reconnaître. Il était de toute manière trop âgé pour elle. Mon père ne l'aurait jamais permis. Peter était toujours en retard à l'entraînement ; j'ai commencé à en avoir assez. Un jour, j'ai décidé de vider mon sac mais ce fut, évidemment, le jour où il disparut à jamais. Dans l'Annexe. »

Je fus à la fois ému et abasourdi d'apprendre que l'homme assis face à moi avait eu un lien si personnel avec quelqu'un dont je voyais la photo tous les jours, et dont l'histoire était devenue partie intégrante de ma vie. Je jetai un coup d'œil vers Edda, mais elle gardait le dos tourné. Elle finit par nous faire face, s'éclaircit la voix et se mit à parler, évitant mon regard, comme une actrice en train de réciter un monologue.

« M. Frank avait une boutique d'épices, déclara-t-elle. M. Frank était un gentleman, un ami très cher de mon père. Chaque fois que nous passions, M. Frank s'enquérait de la santé de ma mère, car elle était souvent malade. Elle avait de l'asthme. Et il avait un bocal de caramels derrière le bureau de Mlle Gies pour les enfants comme moi. Des années plus tard, bien après la publication du journal, j'ai vu M. Frank un jour sur le Dam et j'ai voulu l'approcher, lui rappeler Edda, qui passait si souvent le voir à sa boutique quand elle était petite, mais j'ai hésité. Je l'ai regardé au milieu des touristes, invisible, bousculé par les gens. Un homme portant un T-shirt marqué Ajax lui a mis son appareil photo entre les mains et lui a demandé de les prendre, sa femme et lui, puis il lui a repris l'appareil sans même le remercier, comme si M. Frank n'existait que pour répondre à son désir. Je me suis interrogée sur ce que ces gens feraient s'ils apprenaient qu'il était un être exceptionnel. Et ensuite, la tête baissée, il a disparu, tout simplement. C'est la seule fois que j'ai revu M. Frank après la guerre. »

J'aurais voulu poser tant de questions, mais j'avais du mal à savoir si ma curiosité pourrait les agresser. Depuis quatre ans que je vivais à Amsterdam, j'avais rencontré des dizaines de survivants des camps de la mort et noué des relations professionnelles avec nombre d'entre eux par le biais de mon travail au musée. Ce moment-là avait quelque chose de plus intime. Ces deux personnes avaient traversé la pire des expériences et y avaient survécu, j'étais amoureux de leur fils et, à mon plus grand étonnement, il semblait être amoureux de moi aussi.

« Comment supportez-vous ça ? » questionna Edda en s'asseyant. Elle avait élevé la voix, mélange de colère et de perplexité. « De travailler là-bas, je veux dire ? Passer toutes vos journées dans un endroit pareil ? Est-ce que ça ne devient pas douloureux ? Ou pire, êtes-vous tout simplement devenu insensible à tout ça ?

— Non, rétorquai-je en choisissant mes mots avec soin. Je suis impressionné. J'ai grandi en Irlande et je savais très peu de choses sur ce qui s'est passé pendant la guerre. On ne nous en parlait pas à l'école. Et maintenant, j'en apprends tous les jours. Au musée, on lance souvent de nouvelles initiatives pédagogiques. On accueille des groupes scolaires tout le temps. Mon travail consiste à leur expliquer ce qui s'est passé là.

— Et comment pouvez-vous faire ça ? demanda-t-elle, d'une voix trahissant son incrédulité. Alors que vous n'y comprenez absolument rien vous-même ? »

Je me tus. Effectivement, je ne pouvais pas comprendre comme eux, sentir comme eux, mais quand j'étais arrivé à Amsterdam et que j'étais tombé sur cet emploi de conservateur assistant au musée, ma vie avait commencé à avoir du sens, pour la première fois. J'avais trente-cinq ans et j'avais enfin l'impression d'avoir trouvé un lieu où j'étais bien. D'être utile. La Maison Anne Frank était plus importante pour moi que je ne pouvais le dire. C'était un endroit imprégné de tension historique et pourtant, d'une manière assez perverse, un endroit où je me sentais parfaitement en sécurité.

« Bien sûr que c'est important, soupira-t-elle. Je ne le conteste pas. Mais passer toutes ses journées avec ces fantômes. » Elle frissonna. Arjan tendit le bras pour poser sa main sur la sienne ; sa manche remonta un peu et lorsque mon regard fut attiré vers son avant-bras, il s'empressa de recouvrir son poignet. « Et pourquoi ça vous intéresse ? N'y a-t-il pas de juifs irlandais auprès de qui vous pouvez vous racheter une conduite ?

— Pas beaucoup, avouai-je, piqué au vif par les termes qu'elle avait choisis.

— C'est le cas partout, intervint Arjan.

— Je sais tout de votre pays, reprit-elle. J'ai lu sur l'Irlande. J'en ai entendu parler. On dirait que c'est arriéré. Un peuple qui n'a d'empathie pour personne. Pourquoi laissez-vous vos curés décider de tout à votre place ?

— Parce qu'il en a toujours été ainsi, j'imagine.

— Quelle réponse ridicule, souffla-t-elle avec un rire agacé. Enfin, au moins, vous l'avez abandonné. C'était intelligent de votre part.

— Je ne l'ai pas abandonné, répliquai-je surpris de sentir au fond de moi, qui me croyais exempt de ce genre d'esprit de clocher, un brusque élan de patriotisme. Je l'ai quitté, c'est tout.

— Y a-t-il une différence ?

— J'en suis persuadé.

— Vous y retournerez un jour, j'imagine. Finalement, tous les Irlandais retournent auprès de leur mère, n'est-ce pas ?

— S'ils savent qui est leur mère, sans doute.

— Enfin, je ne pourrais pas faire ce que vous faites. Je n'aime même plus aller à Amsterdam. Cela fait des années que je ne me suis pas approchée du Westerkerk, pourtant j'adorais monter jusqu'au sommet quand j'étais petite. C'est comme… » Elle s'interrompit et se tourna vers son mari. « Le fils d'Elspeth. Comment s'appelle-t-il, déjà ?

— Henrik.

— Oui, Henrik. Le fils d'un de nos amis. Il est historien. Et il a passé ces deux dernières années à travailler au musée d'Auschwitz. Comment peut-on faire une chose pareille ? Comment arrive-t-il à le supporter ? Ça me dépasse.

— Est-ce que vous accepteriez éventuellement de venir parler au musée ? » demandai-je. L'idée commença à se former dans ma tête et s'exprima en mots avant même que j'aie le temps d'y réfléchir posément. « Peut-être devant un groupe d'enfants ?

— Je ne crois pas, Cyril, répondit Arjan en secouant la tête. Qu'est-ce que je pourrais dire ? Que Peter Van Pels était un bon joueur de foot ? Que ma sœur, comme Anne Frank, en pinçait pour lui ? C'était il y a presque quarante ans, souvenez-vous. Je n'ai rien à raconter qui pourrait intéresser qui que ce soit.

— Alors, vous pourriez peut-être parler de votre expérience à... »

Il se leva, en repoussant sa chaise avec tant de force qu'elle crissa sur le carrelage, et je tressaillis. Je levai la tête et fus frappé par sa taille, par les efforts qu'il avait dû faire pour se maintenir en forme. Physiquement, il avait la même carrure que l'homme qui avait tabassé le garçon devant mon appartement quelques jours auparavant, mais sa stature cachait une authentique douceur et je me sentis honteux d'avoir osé les comparer. Le silence nous enveloppa quelques instants, puis Arjan finit par se retourner, alla jusqu'à l'évier et lava les tasses. Edda prit ma main dans la sienne et ajouta d'une voix plus douce :

« Vous ne devriez pas perdre le contact avec votre pays. C'est là que tous vos souvenirs se sont construits. Vous devriez y emmener Bastiaan un jour. A-t-il envie de le connaître ?

— Il me l'affirme, oui, fis-je en jetant un coup d'œil à la pendule, impatient qu'il arrive. Peut-être un jour. Nous verrons. La vérité, c'est que je suis heureux à Amsterdam. Je me sens bien plus chez moi en Hollande qu'en Irlande. Et je ne suis pas certain de pouvoir y retourner. Quand je suis parti... »

À ce moment-là, à mon grand soulagement, avant que j'aie le temps de révéler trop de choses personnelles, j'entendis des pas monter les marches. Trois petits coups frappés sur la porte d'entrée, le bruit du verrou qui s'ouvre, et Bastiaan apparut, rouge d'avoir couru. Il entra et serra ses parents dans ses bras, la manifestation d'un amour filial qui m'était totalement étranger, avant de se tourner et de me regarder en souriant, comme s'il n'y avait personne au monde qu'il eût plus envie de voir que moi.

Près du Rokin

J'étais assis à côté de la fenêtre dans un bar sur Rokin, j'attendais mon amie Danique. La femme qui m'avait recruté comme conservateur assistant avait quitté son emploi à la Maison Anne Frank un an auparavant pour un poste au Mémorial de l'Holocauste à Washington DC mais elle était revenue à Amsterdam une ou deux semaines pour un mariage dans sa famille. J'avais oublié d'apporter un livre et je contemplais la rue, le regard attiré par le bar en face. C'était un lieu de prédilection connu des jeunes prostitués, un taudis plein de bouteilles de bière à moitié bues, peuplé d'une clientèle facile, des hommes d'âge mûr esseulés avec leur alliance au fond de leur poche, venus chercher une passe rapide. Pendant mes premiers mois à Amsterdam, une période de dépression noire, loin de ma ville, j'avais atterri là une fois ou deux, pour tenter de trouver l'oubli dans le sexe facile. Contemplant l'endroit sans la moindre concupiscence, je vis deux hommes sortir, dont l'un me semblait familier, et pas l'autre. Le premier était l'homme qui avait frappé le gamin dans la rue devant chez moi quelques semaines plus tôt. Je le reconnaissais à sa corpulence, son manteau orné de fourrure et son ridicule chapeau à la Sherlock Holmes. Il sortit une cigarette et l'alluma, tandis que l'autre, qui avait une quarantaine d'années et la peau jaunâtre, vêtu d'un T-shirt Manchester United, rangeait son portefeuille dans la poche arrière de son pantalon. Quelques instants plus tard, la même porte s'ouvrit et sans surprise, je vis apparaître le garçon de l'autre jour, les cheveux décolorés en un mélange de marron et de blond. Sherlock posa la main sur l'épaule du garçon dans un geste paternel avant de saluer Manchester United, et quand il leva le bras en l'air, un taxi apparut immédiatement. Le garçon et son client montèrent à l'arrière et s'éloignèrent. Après leur départ, Sherlock jeta un coup d'œil de l'autre côté de la rue et nos regards se croisèrent. Il m'observa fixement, froid et belliqueux. Je me détournai, heureux de voir mon amie approcher, un grand sourire aux lèvres.

La colère de l'exil

Lorsque je commençai à trouver mes repères à Amsterdam, j'étais de plus en plus attiré par les quartiers de la ville où se trouvaient les galeries d'art, les brocanteurs, bouquinistes et artistes de rue. J'assistai à des concerts, achetai des places de théâtre et passai de longs après-midi au Rijksmuseum pour voir toutes les expositions et me cultiver. Comme je n'avais presque aucune connaissance en histoire de l'art, je ne comprenais pas toujours ce que je regardais, et je n'étais pas en mesure de replacer une peinture ou une sculpture dans son contexte, mais l'art commença à m'émouvoir et mon intérêt grandissant pour les œuvres, à égayer la solitude que j'éprouvais parfois.

Ce fut peut-être une des raisons pour lesquelles je trouvais mon travail à la Maison Anne Frank si stimulant, car dans ce musée étaient conservées les histoires d'autres victimes à côté des mots d'Anne Frank, une juxtaposition saisissante pour le visiteur. Je n'avais jamais eu une vie culturellement riche à Dublin, même si j'avais vécu mes jeunes années avec une romancière. Sachant que les livres constituaient le socle de la vie de Maude, je trouvai soudain étrange qu'elle n'ait jamais eu envie que je m'intéresse à la littérature. Il y avait des livres à Dartmouth Square, bien entendu, en quantité impressionnante, mais jamais Maude n'avait parcouru les bibliothèques avec moi pour me montrer les romans ou nouvelles qui l'avaient inspirée, jamais elle n'avait mis l'un de ces livres entre mes mains en insistant pour que je le lise et que nous puissions en parler ensuite. Dès que j'eus quitté cette maison pour commencer l'existence tristement hypocrite qui serait la mienne pendant ma troisième décennie, j'ignorai délibérément tout ce qui pourrait me ramener aux années compliquées de mon enfance.

La partie de la ville entre Herengracht et l'Amstel était mon quartier préféré et je m'arrêtais souvent au MacIntyre's pour dîner en rentrant du travail. Pendant mes années nomades en Europe, j'avais soigneusement évité les bars irlandais, mais il y avait là quelque chose, dans le mélange des traditions néerlandaise et irlandaise, qui me séduisait. Le décor me rappelait mon pays, en revanche la nourriture et l'atmosphère étaient empreintes d'une culture complètement différente.

Le bar était surtout fréquenté par des homosexuels, mais ce n'était pas tant un lieu de drague qu'un pub où on passait de bons moments. Parfois, deux ou trois jeunes prostitués entraient et attiraient l'attention des hommes plus âgés assis seuls à leur table en train de lire *De Telegraaf*. S'ils ne faisaient pas affaire rapidement, le propriétaire, Jack Smoot, les jetait dehors et d'une voix féroce, les renvoyait vers Paardenstraat et Rembrandtplein avec l'ordre de ne jamais revenir.

« Quelques passes de temps en temps, ça me dérange pas, me déclara-t-il un soir après avoir chassé un garçon aux cheveux noirs moulé dans un short en jean qui ne le flattait guère. Mais je ne veux pas entendre dire qu'on se fait harceler au MacIntyre's.

— Ils ne sont pas néerlandais, on dirait, indiquai-je en observant le garçon qui contemplait le canal. Il a l'air grec ou turc.

— La plupart viennent d'Europe de l'Est, signala Smoot en jetant un coup d'œil rapide. Ils viennent ici faire fortune, mais ils n'ont pas le même succès que les filles. Personne n'est attiré par des garçons qui posent en sous-vêtements dans une vitrine à De Wallen. Ils ont à peu près cinq années devant eux, s'ils ont de la chance, ensuite, ils vieillissent et plus personne ne les regarde. Si tu le veux…

— Bon Dieu ! m'exclamai-je avec un mouvement de recul tant j'étais offensé. Certainement pas ! Ce n'est qu'un gosse. Mais il n'a pas d'autre moyen de gagner sa vie ? On dirait qu'il meurt de faim.

— C'est probablement le cas.

— Alors, pourquoi le mettre à la porte ? Il aurait peut-être pu se faire assez d'argent pour manger ce soir.

— Si je laisse le champ libre à l'un d'eux, je serai vite débordé. Et cet endroit n'est pas un refuge pour les jeunes prostitués. Il n'aurait pas voulu ça.

— Qui donc ? » Mais il ignora ma question et retourna derrière le bar, se lava les mains et se désintéressa de moi tout le reste de la soirée.

Je m'entendais bien avec Jack Smoot depuis mes premiers jours au MacIntyre's. Il avait environ vingt ans de plus que moi ; son crâne rasé, son cache-œil et la canne qui soutenait sa jambe gauche en imposaient. Un vendredi soir où je m'attardai en compagnie d'une collègue que j'aimais bien, il m'invita à passer la nuit avec lui. Mais je déclinai et il parut plus contrarié par mon refus que je ne l'aurais imaginé. Il devait souvent faire des avances à ses habitués, parfois avec succès, parfois sans. Je fis exprès d'y retourner le lendemain soir, espérant qu'il n'y aurait pas de malaise entre nous, et à mon grand soulagement, il se comporta comme s'il ne s'était rien passé. Désormais, il me laissait seul pendant que je prenais mon repas, et il me rejoignait parfois pour boire un verre avant que je rentre chez moi. Un soir, il me surprit en m'avouant qu'il était irlandais.

« Enfin, à moitié, corrigea-t-il. Je suis né là-bas. Mais j'ai quitté le pays quand j'avais vingt ans.

— Tu n'as pas le moindre accent.

— J'ai travaillé dur pour m'en débarrasser, révéla-t-il en tapotant nerveusement sur la table avec ses ongles rongés.

— Tu es originaire d'où ?

— Du coin de Ballincollig », lâcha-t-il en détournant le regard, sa langue bombant sa joue. Je sentis tout son corps se crisper.

« Où est-ce ? Dans le comté de Kerry ?

— De Cork.

— Ah oui, fis-je. Je ne suis jamais allé par là.

— Eh bien, tu n'as rien manqué.

— Tu y retournes souvent ? »

Il éclata de rire comme si j'avais posé une question ridicule. « Non. Je n'ai pas mis le pied en Irlande depuis trente-cinq ans et il faudrait une armée entière de mercenaires pour m'y traîner. Un pays atroce. Des gens horribles. Des souvenirs terribles. »

Sa profonde amertume me troubla un peu. « Et pourtant, tu tiens un bar irlandais.

— Parce que ça marche. Cet endroit est une petite mine d'or. Je déteste peut-être le pays, Cyril, mais je veux bien que ses citoyens viennent dépenser leur argent chez moi. Et de temps en temps, quelqu'un entre et il y a quelque chose dans sa voix ou son visage qui… » Il s'interrompit, secoua la tête avant de fermer les yeux et je compris que les blessures de son passé ne guériraient probablement jamais.

« Qui… ? relançai-je. Quelque chose qui quoi ?

— Qui me rappelle un garçon que j'ai connu autrefois », dit-il en levant la tête, un petit sourire aux lèvres. Je décidai de ne plus poser de questions. Ses souvenirs lui appartenaient et ne me regardaient pas.

« Bref. J'admire les gens comme toi, Cyril. Les gens qui sont partis. Ceux qui sont restés, je les méprise ; les touristes qui viennent ici le vendredi matin par le premier vol d'Aer Lingus sans autre projet que de boire comme des trous, puis d'aller dans le quartier chaud pour baiser, même si à ce stade ils sont généralement trop ivres pour bander. Ils repartent le dimanche, retrouvent leur emploi de fonctionnaire le lundi matin avec la gueule de bois, convaincus que les putains ont adoré les cinq minutes passées avec eux juste parce qu'elles ont souri tout du long et les ont embrassés avant leur départ. Je parie que tu ne vois jamais un groupe de touristes irlandais à la Maison Anne Frank.

— Pas souvent, en effet.

— C'est parce qu'ils sont tous ici. Ou dans des endroits comme ici.

— Tu sais, j'étais fonctionnaire quand j'étais plus jeune, avouai-je.

— Je ne suis pas complètement surpris de l'entendre. Mais tu es parti, alors, ça ne devait pas te plaire.

— Ça allait. J'aurais pu y être encore aujourd'hui si… enfin, il s'est passé un incident et il n'était pas question que je reste après ça. Ça ne m'a pas beaucoup dérangé, pour être honnête. Après, j'ai travaillé à la RTÉ, et c'était bien plus intéressant. »

Smoot but une gorgée de bière et jeta un coup d'œil par la fenêtre. Des bicyclettes passaient et de temps en temps, un coup de sonnette retentissait pour avertir un piéton distrait. « C'est drôle, je connais quelqu'un qui travaille au Dáil.

— Un TD ?

— Non, une femme.

— Il y a des femmes TD.

— Ah bon ?

— Bien sûr, espèce de gros macho. Enfin, il y en a quelques-unes. Pas beaucoup.

— Elle n'est pas TD. Elle travaille en coulisse. Je ne l'aimais pas beaucoup quand nous nous sommes rencontrés. Je la détestais même. Je la voyais comme une sorte de coucou venu s'installer dans mon nid. Mais il se trouve que par la suite, elle m'a sauvé la vie. Je ne serais pas ici en train de te parler si elle n'avait pas été là. »

Dans le bar, qui était pourtant plein, nous avions l'impression d'être isolés dans une poche de silence. « Que s'est-il passé ? » demandai-je.

Il se contenta de hocher la tête, puis prit une grande inspiration comme s'il cherchait à retenir ses larmes. Quand il me regarda à nouveau, je lus une immense douleur sur son visage.

« Êtes-vous toujours amis ? Vient-elle te voir ?

— C'est ma meilleure amie, me confia-t-il en appuyant au coin de ses yeux avec ses pouces. Elle vient tous les ans ou presque. Elle économise, prend l'avion pour Amsterdam, et on s'assoit là tous les deux, à cette table. On pleure comme des enfants en parlant du passé. Il y a quelque chose que tu dois comprendre sur l'Irlande, poursuivit-il en se penchant vers moi, l'index tendu. Rien ne changera jamais dans ce putain de pays. L'Irlande est épouvantablement rétrograde, dirigée par des curés malveillants, malintentionnés et sadiques, et le gouvernement est aussi asservi par le pouvoir religieux qu'un chien mené au bout d'une laisse. Le Taoiseach fait ce que l'archevêque de Dublin lui dit et après avoir fait preuve d'obéissance, il reçoit une récompense, comme un bon petit toutou. La meilleure chose qui puisse arriver à l'Irlande serait qu'un tsunami engloutisse tout, avec la violence vengeresse d'une inondation biblique. Que tous les hommes, femmes et enfants disparaissent à jamais. »

J'eus un mouvement de recul, abasourdi par la véhémence de son propos. Smoot se montrait généralement plutôt bienveillant ; entendre autant de rage dans sa voix me déroutait. « Allez... tu ne crois pas que tu vas un peu loin ?

— Je dirais plutôt le contraire, pas assez loin », fit-il d'une voix qui trahit une pointe d'accent de Cork. Il le remarqua sans doute aussi, car il frissonna, comme contrarié de découvrir qu'il était encore là, enfoui profondément quelque part, indélébile, au fond de lui. « Aie conscience de ta chance, Cyril. Tu en es parti. Et tu n'es pas obligé d'y retourner un jour. »

Bastiaan

C'est au MacIntyre's que je rencontrai Bastiaan pour la première fois. Je le remarquai dès mon arrivée ; il était assis à une table dans un coin avec un verre de Jupiler et lisait une traduction en néerlandais d'un des romans de Maude. Bien que je ne sois pas au fait du nombre de langues dans lesquelles ses œuvres étaient traduites, et que je ne bénéficie d'aucune royalty, puisqu'elles allaient en totalité à Charles, je savais que ses romans étaient présents partout dans le monde et qu'ils étaient étudiés dans de nombreuses universités. J'avais vu des exemplaires de *Comme l'alouette* dans une gare à Madrid, assisté à une adaptation scénique du *Codicille d'Agnès Fontaine* dans un théâtre underground à Prague et vu de près Ingmar Bergman, dans un café à Stockholm, alors qu'il prenait des notes dans la marge du *Fantôme de ma fille*, trois ans avant l'adaptation triomphale de ce roman au Kungliga Operan. Apparemment, la réputation de Maude grandissait d'année en année. Elle en aurait été mortifiée.

Bastiaan était totalement absorbé dans sa lecture et il n'était plus très loin de la fin. Les dernières pages racontaient les retrouvailles d'un homme et d'une femme, dans un hôtel londonien, des dizaines d'années après la fin de la Grande Guerre – une scène bouleversante qui était ma préférée de tous les livres de ma mère adoptive. Je restai au bar, à boire ma bière tout en m'appliquant à cacher l'intérêt manifeste que je lui portais. Quand il eut lu la dernière page, il posa le livre et le contempla fixement pendant quelques instants avant d'enlever ses lunettes et de se masser l'arête du nez. J'étais conscient que je le matais carrément, mais je ne pouvais pas m'en empêcher. Ses cheveux noirs étaient plus courts que la mode de l'époque, il avait une barbe de deux jours et il était d'une beauté insolente. Il devait avoir à peu près le même âge que moi, à un ou deux ans près et je sentis le serrement de cœur habituel – qui revenait à chaque rencontre lorsque quelqu'un me paraissait tellement séduisant qu'il me semblait exclu qu'un lien puisse s'établir entre nous…

Mais quelques instants plus tard, il lança un coup d'œil de mon côté et sourit. Je m'ordonnai de me lever et d'aller m'asseoir à côté de lui – Dieu sait que j'avais une entrée en matière toute trouvée avec le livre qu'il venait de terminer – mais pour une raison inexplicable, je détournai le regard. Et avant que je puisse rassembler mon courage, il se leva et, à mon grand désespoir, salua le patron d'un geste de la main avant de partir.

« Ta timidité te perdra, Cyril, proféra Jack Smoot en posant un verre plein devant moi.

— Je ne suis pas timide, avançai-je timidement.

— Si, tu l'es. Tu as peur d'être rejeté. Je le vois sur ton visage. Tu n'as pas beaucoup d'expérience avec les hommes, on dirait.

— Non, pas beaucoup », avouai-je. Je faillis ajouter : question sexe, oui, mais pas avec les hommes.

« Tu n'es pas à Dublin mais à Amsterdam. Si tu vois quelqu'un qui te plaît, tu vas le voir et tu lui dis bonjour. Tu lui parles. Surtout si tu as l'impression que tu lui plais. Et tu plais à Bastiaan, j'en suis sûr.

— Qui est Bastiaan ?

— L'homme que tu n'arrêtais pas de reluquer.

— Je crois qu'il ne m'a même pas remarqué, fis-je tout en souhaitant qu'il me contredise.

— Crois-moi, il t'a remarqué. »

Le soir suivant, je retournai au MacIntyre's espérant l'y revoir. À ma grande déception, la table dans le coin était vide ; je m'assis et repris la lecture du *Monde selon Garp*, que je relisais, en néerlandais cette fois, pour essayer d'améliorer ma connaissance de la langue. Environ vingt minutes plus tard, il arriva, jeta un coup d'œil circulaire avant de se diriger vers le bar pour commander deux bières puis il vint s'asseoir face à moi.

« Je suis revenu en espérant que tu serais là, me déclara-t-il tout à trac.

— Moi aussi.

— Je me suis dit que si tu ne venais pas me parler le premier, c'était à moi de le faire. »

Je le regardai droit dans les yeux et chose incroyable, je sus immédiatement que l'homme assis devant moi était l'être le plus important que je connaîtrais dans ma vie. Plus important que Charles Avery. Plus important que Julian Woodbead. Le seul que j'aimerais jamais et qui m'aimerait en retour.

« Je suis désolé, je suis un peu timide, c'est tout.

— On ne peut pas être timide à Amsterdam, affirma-t-il en écho aux paroles de Smoot, la veille au soir. C'est illégal. On peut se faire arrêter pour moins que ça.

— Je passerais beaucoup de temps en prison, si c'était le cas.

— Comment tu t'appelles ?

— Cyril Avery.

— Ton accent… Tu es irlandais ? » Son visage s'assombrit un peu. « Tu visites notre pays ?

— Non, j'habite ici. De façon permanente.

— Tu travailles ici ?

— À la Maison Anne Frank. Je suis conservateur du musée. »

Il hésita brièvement. « OK.

— Et toi ? Qu'est-ce que tu fais dans la vie ?

— Je suis médecin. Chercheur, plus exactement. Sur les maladies transmissibles.

— Comme la variole, la polio, ce genre de choses ? »

Il mit un peu de temps à répondre. « Ce genre, oui. Même si ce n'est pas tout à fait dans ce domaine que je travaille.

— Tu es dans quel domaine ? »

Avant qu'il puisse répondre, Smoot apparut, tira une chaise et nous regarda avec un sourire, en entremetteur appliqué dont le travail est terminé.

« Vous vous êtes trouvés, pas vrai. Je savais que ça finirait par arriver.

— Jack me dit tout le temps que l'Irlande est un endroit épouvantable. C'est vrai ? Je n'y suis jamais allé.

— Ce n'est pas si mal, protestai-je, surpris par ma velléité à défendre mon pays. Jack n'est pas revenu chez nous depuis longtemps, c'est tout.

— Ce n'est pas "chez nous". Et pas chez toi non plus.

— Quand y es-tu allé la dernière fois ? voulut savoir Bastiaan.

— Il y a sept ans.

— Ce n'est pas un endroit facile pour les gens comme nous, soutint Smoot.

— Les gens comme nous ? s'enquit Bastiaan en se tournant vers lui. Quoi, les patrons de bar, les conservateurs de musée, les médecins ?

— Regarde un peu ça, dit Smoot et sans répondre, il souleva son bandeau pour laisser apparaître un amas de tissu cicatriciel à l'endroit où était censé se trouver son œil. Voici ce que l'Irlande fait aux gens comme nous. Et ça aussi, ajouta-t-il en tapant à trois reprises avec sa canne sur le sol, ce qui fit sursauter les autres clients. Cela fait trente-cinq ans que j'ai du mal à marcher sur mes deux jambes. Putain de pays. »

Je poussai un profond soupir. Je n'étais pas d'humeur à supporter l'amertume de Smoot, ce soir-là. Je lui lançai un regard furieux, j'aurais voulu qu'il nous laisse, mais Bastiaan se pencha avec intérêt et examina ses blessures pendant quelques instants.

« Qui t'a fait ça, mon ami ? demanda-t-il doucement.

— Une espèce de gros salopard de Ballincollig, dit Smoot dont le visage s'assombrit immédiatement. Scandalisé que son fils soit venu à Dublin pour être avec moi, un jour, il l'a suivi, a attendu devant notre porte pour pouvoir entrer, et il a fracassé la tête de mon ami avant de retourner sa rage contre moi. Je me serais vidé de mon sang s'il n'y avait pas eu quelqu'un d'autre ce soir-là. »

Bastiaan secoua la tête, horrifié. « Et que lui est-il arrivé ? Est-il allé en prison ?

— Non », lâcha Smoot en se redressant. Je me rendis compte que la douleur était presque trop forte, même après tant d'années. « Le jury l'a laissé libre, mais ça n'a rien de très surprenant. Un jury composé de douze autres gros salopards irlandais qui ont déclaré que son fils était mentalement déficient et qu'il avait donc le droit de lui faire ça. Et à moi aussi. Si vous voulez savoir ce qu'il m'a pris, jetez un coup d'œil là-bas, sur le mur. » Il désigna une photographie punaisée entre les briques, à côté de nous ; je ne l'avais encore jamais remarquée. « Seán MacIntyre. Le jeune homme que j'aimais. Le jeune homme qu'il a assassiné. » J'examinai le cliché, deux hommes debout côte à côte, l'un souriant au photographe, l'autre – Smoot en plus jeune – qui le fusillait du regard ; à leur droite, la silhouette d'une femme, coupée en deux verticalement. « Quelques mois après cette photo, Seán s'est retrouvé dans sa tombe. »

Je jetai un coup d'œil du côté du bar, dans l'espoir qu'il y retourne. À mon grand soulagement, deux touristes entrèrent et Smoot se leva en soupirant.

« Je ferais bien de m'y remettre. » Il partit en boitant pour les servir.

« Tu as dîné ? » demandai-je à Bastiaan. Je voulais partir rapidement, au cas où Smoot reviendrait. « Ça te dirait de manger quelque chose avec moi ?

— Bien sûr, répondit-il en souriant. Tu pensais que j'étais revenu ici juste pour examiner l'œil crevé de Jack Smoot ? »

Ignac

Quelques semaines avant Noël, un samedi soir glacial, nous découvrîmes Ignac recroquevillé devant la porte de notre appartement sur Weesperplein.

Bastiaan était venu s'y installer deux mois plus tôt, et en savourant le plaisir simple de notre cohabitation, je me demandais pourquoi je m'étais préoccupé un jour de ce que les gens pourraient penser. Sept ans s'étaient écoulés depuis que j'avais quitté Dublin et je n'étais jamais retourné dans mon pays, je n'avais jamais communiqué avec quiconque appartenant au passé. Je n'avais aucune idée de ce qui était arrivé aux uns et aux autres, je ne savais même pas s'ils étaient vivants ou morts. Et la réciproque était également vraie. La perspective de ne jamais y retourner m'attristait pourtant, car j'avais beau aimer Amsterdam, je considérais toujours l'Irlande comme mon pays et parfois, je regrettais ces moments où je déambulais sur Grafton Street alors que les chanteurs de Noël étaient rassemblés devant chez Switzer ou ces dimanches où je me promenais le long de la jetée de Dun Laoghaire dans la fraîcheur du matin avant d'aller déjeuner dans un pub.

À ma grande surprise, c'était à Charles que je pensais le plus. Il avait peut-être été un père adoptif nul, et je n'étais sans doute pas un vrai Avery, mais j'avais grandi dans sa maison et j'avais au fond de moi une certaine tendresse pour lui, qui semblait d'autant plus grande que nous étions éloignés. Je pensais à Julian moins souvent et lorsque cela m'arrivait, c'était sans désir ni concupiscence. Je me demandais s'il m'avait pardonné mes mensonges, et le crime terrible que j'avais commis envers sa sœur. Pour l'essentiel, j'essayais de ne jamais penser à Alice, la chassant de mon esprit chaque fois qu'elle apparaissait. Alors que je ne me sentais pas responsable des épreuves que j'avais imposées à d'autres dans ma vie, je m'en voulais terriblement pour la souffrance que je lui avais causée, à elle. Malgré tout, dans ma naïveté, je supposais qu'assez de temps s'était écoulé pour qu'ils soient tous deux passés à autre chose et peut-être, qu'ils m'aient oublié. Je ne pouvais absolument pas imaginer ce qui avait lieu en mon absence.

Il y avait quelque chose d'enchanteur dans les promenades le long de l'Amstel lors de soirées glaciales comme celle-là, avec les lumières du Amstel Hotel éclairant les cyclistes sur Sarphatistraat, les péniches qui dérivaient à côté de nous chargées de touristes prenant des photos à travers les hublots embués. Bastiaan et moi pouvions nous tenir par la main et les couples que nous croisions ne bronchaient pas. À Dublin, nous aurions été agressés, battus au point d'être laissés pour morts, et les

Gardaí nous auraient ri au nez en nous accusant d'être les seuls responsables. À Amsterdam, nous échangions des vœux à Noël avec des étrangers, commentions le temps hivernal et nous ne nous sentions pas du tout menacés. C'est peut-être notre vie si tranquille qui rendit si incongrue l'apparition du garçon blessé, blotti devant notre porte, dans la neige.

Je le reconnus instantanément. Il portait les mêmes vêtements que le soir de l'altercation avec son mac au chapeau Sherlock Holmes et ses cheveux étaient décolorés n'importe comment, comme la fois où je l'avais vu monter dans un taxi avec le supporter de Manchester United. Mais son visage était enflé au-dessus de la joue droite et, sous son œil, un hématome se préparait à éclore en un arc-en-ciel de couleurs vives. Son menton était couvert de sang séché et je vis qu'il avait perdu une dent du bas. Bastiaan s'empressa de saisir son poignet pour chercher son pouls, mais il était clair que le garçon était encore vivant, même s'il avait été battu comme plâtre.

« Est-ce qu'on appelle une ambulance ? demandai-je.

— Je vais m'occuper de lui, déclara Bastiaan en secouant la tête. C'est superficiel. Mais il va falloir qu'on le monte à l'étage. »

J'hésitai, ne sachant pas trop si j'avais envie de faire entrer un étranger chez nous. Bastiaan me regarda.

« Quoi ?

— Est-ce prudent ? Tu te rends compte que c'est un prostitué ?

— Oui, qui a été salement agressé. Tu veux qu'on le laisse là jusqu'à ce qu'il meure de froid ? Allez, Cyril, aide-moi à le porter. »

J'acceptai de mauvaise grâce. Je n'étais pas insensible aux souffrances de ce jeune homme, mais j'avais vu ce dont son mac était capable et je ne voulais pas particulièrement m'en mêler. Mais Bastiaan avait déjà commencé à soulever le gamin et il se tourna vers moi avec une expression dépitée – il se demandait ce que j'attendais ; nous le hissâmes jusqu'à notre appartement et l'installâmes dans un fauteuil. Il entrouvrit une paupière gonflée et nous regarda l'un après l'autre, en marmonnant quelque chose d'incompréhensible.

« Attrape-moi ma sacoche, dit Bastiaan me désignant le couloir d'un mouvement du menton. Elle est dans l'armoire. Une sacoche en cuir noir, au-dessus de mes costumes. »

J'obéis et les observai. Bastiaan parla doucement au garçon, essayant de le faire revenir à lui. À un moment, il reprit vie et se déchaîna, cria des mots inintelligibles, mais Bastiaan l'immobilisa en lui tenant les bras jusqu'à ce qu'il retombe dans son demi-sommeil.

« Quel âge a-t-il, à ton avis ? questionnai-je.

— Quinze ans. Seize ans, maximum. Il est tellement maigre. Il ne doit pas peser plus de soixante kilos. Et regarde. » Il prit le bras droit du gamin et me montra une série de petits trous laissés par des aiguilles. Il sortit un flacon de son sac et imbiba de liquide une boule de coton avant de l'appliquer sur les marques rouges. Le gamin grimaça un peu en sentant le froid sur sa peau mais ne se réveilla pas.

« On doit avertir la police ? demandai-je et Bastiaan secoua la tête.

— Pas la peine. Ils lui mettront tout sur le dos. Ils l'enfermeront dans une cellule de dégrisement sans lui donner l'aide dont il a besoin.

— A-t-il besoin d'un médecin ? »

Bastiaan se tourna vers moi, le visage à la fois amusé et irrité. « Je suis médecin, Cyril.

— Je veux dire, un vrai médecin.

— Je suis un vrai médecin !

— Un clinicien, me repris-je. Un service d'urgences. Tu vois ce que je veux dire. Tu es chercheur ! Quand as-tu fait quelque chose comme ça, la dernière fois ?

— Il n'a pas besoin d'autre chose pour le moment. Il vaut mieux le laisser dormir. Il aura mal quand il se réveillera mais je lui ferai une ordonnance pour des antalgiques demain matin. » Il souleva le T-shirt du garçon et tâta ses côtes saillantes à la recherche de fractures. Je distinguai des ronds violet foncé aux endroits où les poings de son assaillant l'avaient frappé. Bastiaan examina le dessous de son bras gauche mais il était intact, puis il enleva ses chaussures et ses chaussettes pour inspecter ses pieds et la peau entre ses orteils. Pas d'autres marques d'aiguilles.

« Il va falloir qu'il reste ici ce soir, indiqua Bastiaan avant de se redresser et d'aller se laver les mains dans la salle de bains. Nous ne pouvons pas le renvoyer dans la rue dans cet état. »

Je me mordis la lèvre, ne sachant pas trop si j'approuvais ou non cette idée, mais j'attendis qu'il revienne pour parler.

« Et s'il se réveille en pleine nuit et qu'il ne sait plus du tout où il est ni ce qui lui est arrivé ? Il va peut-être penser que c'est nous qui l'avons tabassé. Il pourrait venir dans notre chambre et nous tuer.

— Tu ne crois pas que tu en fais un peu trop, dans le mélodrame ?

— Non. C'est une possibilité. On lit des histoires comme ça dans le journal tout le temps. Et si son mac débarque ?

— Il ne va pas partir à sa recherche avant que ses hématomes aient disparu pour pouvoir le remettre sur le trottoir. Cyril, tout ira bien. Regarde-le. Il est complètement dans les vapes. Il ne ferait pas de mal à une mouche.

— Quand même…

— Si ça te rassure, on fermera notre porte de chambre à clé. Et la porte du salon aussi. S'il se réveille au milieu de la nuit et qu'il essaie de sortir, je l'entendrai bricoler la porte et j'irai le voir.

— D'accord, fis-je, pas vraiment convaincu. Mais seulement ce soir, OK ?

— Juste ce soir, promit-il et il se pencha pour m'embrasser. Demain matin, il sera dégrisé et nous pourrons l'emmener dans un endroit plus approprié. »

Je cédai. Il était impossible de discuter avec Bastiaan quand il voulait aider quelqu'un. C'était dans sa nature. Nous installâmes le jeune sur le canapé avec deux oreillers sous la tête et le couvrîmes sommairement. Juste avant que Bastiaan éteigne la lumière, je jetai un dernier coup d'œil. Sa respiration était désormais plus régulière et il avait collé son pouce contre ses lèvres en dormant. Dans le faible clair de lune qui filtrait entre les rideaux, on aurait vraiment dit un enfant.

Le matin suivant, je me réveillai, surpris qu'il n'y ait pas eu de bruit pendant la nuit et encore plus surpris qu'il n'y en ait toujours pas. Je pensai d'abord que le garçon était mort, qu'il s'était réveillé aux premières heures du jour, qu'il avait pris une substance quelconque et avait fait une overdose. Nous n'avions pas inspecté les poches de sa veste, après tout, et Dieu sait ce qu'elles renfermaient. Je secouai Bastiaan, qui me regarda encore endormi, puis il se redressa et se gratta la tête.

« On ferait bien d'aller voir. »

Il déverrouilla la porte lentement et je retins ma respiration, me préparant à une scène affreuse, mais à mon grand soulagement, le garçon était vivant, réveillé et assis sur le canapé enroulé dans une couverture. Il avait l'air absolument furieux, et nous entendîmes sa respiration siffler dans ses narines alors qu'il nous lançait un regard noir.

« Vous m'avez enfermé, cria-t-il en portant immédiatement une main à sa mâchoire, qui devait encore le faire souffrir.

— C'était pour notre sécurité, dit Bastiaan avant d'entrer dans la pièce et d'avancer jusqu'à une chaise près de la fenêtre. Nous n'avions pas le choix. Pour ta sécurité aussi.

— Je devrais être parti depuis longtemps. Ça coûte plus cher si je passe la nuit. Vous m'avez enfermé alors vous devez payer. Deux cents florins.

— Quoi ? fis-je.

— Deux cents florins ! hurla-t-il. Je veux mon argent.

— Ferme-la, on ne va pas te donner un rond », trancha Bastiaan sur un ton très calme. Le garçon se tourna vers lui, surpris, et Bastiaan lui répondit par un sourire. « As-tu mal au visage ? demanda-t-il.

— Oui.

— Et aux côtes ?

— Encore plus.

— Ça va prendre quelques jours. Qui t'a fait ça ? »

Le garçon resta les yeux rivés sur le motif de la couverture, les sourcils froncés. Il ne devait pas trop savoir comment gérer la situation.

« Vous devez me payer, déclara-t-il après un long silence, mais cette fois, sur un ton plus plaintif. Ce n'est pas juste si vous ne me payez pas.

— Te payer pour quoi ? demandai-je. À ton avis, que s'est-il passé ici hier soir ? »

Il bondit sur ses pieds et se mit à marcher en tous sens à la recherche de ses chaussures et ses chaussettes ; une fois qu'il les eut trouvées, il se rassit sur le canapé et se massa les orteils pendant un moment avant de les enfiler.

« Vous êtes des salauds si vous ne me payez pas. » Et j'entendis l'émotion commencer à lui serrer la gorge. Les larmes ne devaient pas être loin. « Et vous êtes deux, alors je veux le double. Cinq cents florins !

— C'était deux cents il y a une minute. Le double serait plutôt quatre cents, non ?

— Les intérêts ! hurla-t-il. Et une taxe pour m'avoir enfermé toute la nuit ! Chaque minute qui passe, le prix augmente.

— Nous n'allons pas te donner d'argent », l'avertit Bastiaan. Puis il se leva et s'approcha de lui, mais lorsque le garçon se mit en garde, il leva les mains en signe d'apaisement et se rassit.

« Six cents », fulmina-t-il de plus en plus rageur. Si la scène n'avait pas été aussi bizarre j'aurais éclaté de rire, car il n'y avait absolument rien de menaçant chez cet enfant. Bastiaan aurait pu le mettre au tapis du tranchant de la main, s'il avait voulu.

« Nous n'allons pas te donner d'argent, répéta Bastiaan. Et quoi que tu puisses penser, il ne s'est rien passé ici hier soir. Nous ne t'avons pas amené ici pour le sexe. Nous t'avons trouvé dehors. Devant notre porte. Couché dans la neige. Tu avais été battu.

— Vous mentez, dit le garçon en détournant les yeux. Vous m'avez baisé tous les deux et je veux mon argent. Sept cents florins !

— Nous allons devoir faire un emprunt si cette conversation se poursuit, dis-je en levant les bras en l'air.

— Je peux t'aider, si tu veux. Je suis médecin.

— Un médecin qui baise les gamins, hein ? cria-t-il. Avec votre ami, là ?

— Nous n'avons pas posé un doigt sur toi, énonçai-je, épuisé par sa virulence et ne voulant plus qu'une chose – qu'il parte. Alors, encore une phrase de ce genre et tu retournes dans la rue. »

Le garçon fit la moue et regarda par la fenêtre. La lumière sembla lui faire mal aux yeux et il se retourna vers moi presque immédiatement. « Pourquoi m'avez-vous monté jusqu'ici si vous ne vouliez pas baiser ? Vous voulez seulement baiser avec ce vieux, là ?

— Il n'est pas tellement vieux, répliquai-je. Il a trente-trois ans.

— Pourquoi vous ne m'avez pas laissé dehors, dans la rue ?

— Parce qu'on est au beau milieu de l'hiver, insista Bastiaan. Tu étais blessé et frigorifié. Tu crois que je t'aurais laissé dans la rue ? Je te l'ai dit, je suis médecin. Je fais ce que je peux pour aider les gens. Les marques sur tes bras... quelle drogue prends-tu ?

— Je ne prends pas de drogue, nia le garçon, fébrile.

— Si, tu te drogues, répéta Bastiaan. Tu te piques. C'est évident. Nous allons devoir faire quelque chose. Et qu'est-ce que tu as comme maladies ?

— Hein ?

— Tu as une blennorragie ? Une chlamydia ?

— Bien sûr que non. Je ne baise pas avec des femmes. On n'attrape des maladies que quand on baise les salopes dans les vitrines. Tout le monde le sait. On ne peut pas attraper des choses avec les hommes.

— Le monde est un cloaque. Crois-moi, je sais. C'est mon domaine. Bref. Je me fiche pas mal de la manière dont les gens gagnent leur vie, ce que tu fais te regarde, mais si tu as besoin d'aide, si tu veux de l'aide, alors, sache que je suis là. C'est à toi de choisir. »

Le garçon réfléchit quelques instants puis bondit, et se jeta sur Bastiaan, prêt à lui mettre un coup de poing dans la mâchoire, mais Bastiaan fut trop rapide et trop fort pour lui. Il attrapa son bras et le lui replia dans le dos pour l'immobiliser. « Calme-toi.

— Vous, calmez-vous », fit le garçon, qui fondit en larmes.

Bastiaan le repoussa et il retomba en arrière sur le canapé ; il resta là, la tête entre les mains. « S'il vous plaît, donnez-moi de l'argent, supplia-t-il en relevant la tête.

— Et si on t'offrait à déjeuner, plutôt ? proposa Bastiaan. Est-ce que tu as faim ? »

Le garçon rit sans joie. « Bien sûr que j'ai faim. J'ai toujours faim.

— Comment t'appelles-tu ? »

Il réfléchit un long moment avant de répondre. Apparemment, il se demandait s'il devait ou non dire la vérité. « Ignac, lâcha-t-il enfin et je sus que c'était son vrai prénom.

— D'où viens-tu ?

— Ljubljana.

— Où est-ce ? demandai-je.

— En Slovénie, répondit-il d'un air méprisant. Vous ne connaissez vraiment rien en géographie.

— Pas grand-chose, confirmai-je en haussant les épaules ; je vis Bastiaan qui dissimulait un sourire. Depuis combien de temps es-tu à Amsterdam ?

— Six mois. »

Bastiaan se leva et annonça : « Sortons, tous ensemble. J'ai faim, Cyril a faim. Nous allons déjeuner. Tu viens avec nous, Ignac. D'accord ?

— Si je viens déjeuner avec vous, est-ce que je peux revenir ici après ?

— Absolument pas.

— Où dors-tu, d'habitude ? demanda Bastiaan.

— Il y a des chambres, commença le jeune homme, d'un air évasif. Près du Dam. Les garçons de Music Box et de Pinocchio vont là-bas pendant la journée. Quand les hommes ne veulent pas de nous.

— C'est là que tu devrais aller, alors, dit Bastiaan.

— Je ne peux pas, répondit-il.

— Pourquoi ? C'est un client qui t'a battu ou ton mac ? »

Le garçon garda les yeux baissés. Il commençait à trembler un peu ; j'allai dans la chambre lui chercher un pull. Bastiaan me rejoignit et s'assit sur le lit pour mettre ses chaussures. Quelques instants plus tard, j'entendis le bruit de la porte qui claquait et au moment où nous arrivâmes en courant dans le couloir, celui de pas qui dégringolaient l'escalier à toute vitesse. Je regardai Bastiaan. Appuyé contre le mur, il avait une mine désappointée et hochait la tête.

« Enfin, fit-il avec un haussement d'épaules. On aura essayé.

— Mon portefeuille », m'écriai-je en jetant un coup d'œil vers la table où je le laissais toujours quand je rentrais le soir, à côté de mes clés. Bien sûr, il avait disparu. « Le petit salopard. »

Un visiteur surprise

Trois soirs plus tard, nous étions à la maison, seuls, devant la télévision, et je me surpris à repenser au garçon.

« À quoi a-t-il utilisé l'argent, à ton avis ? demandai-je.

— Qui ? Quel argent ?

— Ignac. L'argent qu'il a volé. Tu crois qu'il s'en est servi pour se nourrir ?

— Ça ne l'aurait pas emmené bien loin. Tu n'as perdu que deux ou trois cents florins. Beaucoup moins que ce qu'il voulait. Il les a probablement dépensés pour acheter de la drogue. Et je suis sûr qu'il a des dettes. On se met le doigt dans l'œil en s'imaginant qu'il s'est acheté des fruits et des légumes. »

Je hochai la tête. J'aimais beaucoup Amsterdam mais cette expérience me laissait un goût amer.

« Crois-tu que nous devrions déménager ? m'enquis-je.

— Pour aller où ?

— Je ne sais pas. Dans un quartier plus calme de la ville. Ou à Utrecht, peut-être. Ce n'est pas si loin.

— Mais l'emplacement de cet appartement est idéal, pour l'hôpital, pour le musée. Pourquoi aller ailleurs ? »

Je me levai, gagnai la fenêtre et regardai dans la rue ; les promeneurs circulaient, seuls, en couple, en groupe. N'importe lequel d'entre eux, pensai-je, pouvait être à la recherche d'une passe pour une heure ou pour la nuit.

Quelqu'un frappa à la porte et je sursautai – nous n'avions jamais de visites. Je sortis dans le couloir pour aller ouvrir. Sur le seuil se trouvait Ignac, ses plaies étaient presque guéries mais il était beaucoup plus pâle que quelques jours auparavant. Il avait l'air effrayé. Dans sa main il avait mon portefeuille, et il tremblait quand il me le tendit.

« C'est à vous. Je suis désolé.

— Exact, déclarai-je en lui reprenant mon bien, très étonné de le revoir.

— Mais il est vide, ajouta-t-il. Je suis désolé pour ça aussi. J'ai dépensé tout l'argent.

— Je vois ça, dis-je en examinant l'intérieur. Alors pourquoi me l'as-tu rapporté ? »

Il haussa les épaules, se détourna, jeta un coup d'œil vers la rue, et lorsqu'il se retourna à nouveau, Bastiaan était à côté de moi, tout aussi surpris de le voir réapparaître.

« Est-ce que je peux rester ce soir ? nous demanda-t-il. S'il vous plaît... »

L'époque de l'esclavage

Je m'étais assis à cette même table et j'avais regardé cette photo des dizaines de fois, et pourtant je fus surpris lorsque je compris enfin pourquoi elle me paraissait si familière.

« Cette photo, expliquai-je à Bastiaan au moment où il s'assit et posa deux bières fraîches sur la table, suivi d'Ignac, qui venait de la cuisine nous apporter notre dîner. Celle de Smoot et Seán MacIntyre. Tu vois le bâtiment devant lequel ils se tiennent ?

— Oui. » Il se pencha pour l'examiner de plus près.

« Regarde bien derrière eux. J'ai habité là, au milieu des années 1960. Il est sur Chatham Street. En plissant les yeux, tu arriveras peut-être à voir la fenêtre de ma chambre. »

Bastiaan et Ignac regardèrent de plus près mais aucun d'eux n'eut l'air particulièrement impressionné.

« Bah, je trouvais que c'était intéressant, fis-je en reprenant ma place. Pendant tout ce temps où j'ai été assis ici, je n'ai jamais remarqué. » Ignac était toujours là et je levai les yeux. « Quoi ?

— Vous n'allez pas donner un pourboire à votre serveur ? demanda-t-il.

— Et si nous disions que notre pourboire, c'est qu'on ne te mette pas à la porte de chez nous ? » s'amusa Bastiaan avec un petit sourire alors qu'Ignac retournait derrière le bar et commençait à essuyer le comptoir. Je le regardai quelques instants avant de me mettre à manger. La décoloration capillaire avait disparu, il avait maintenant la boule à zéro, et il avait pris un peu de poids. Dans l'ensemble, il paraissait en bien meilleure santé que le jour où nous l'avions recueilli.

« Alors, quand t'est venue cette envie d'être père ? demandai-je, et Bastiaan me regarda, surpris.

— Que veux-tu dire ?

— Eh bien, je vois ton dévouement avec lui depuis son arrivée à Weesperplein. Tu réussis bien, vraiment. Bien mieux que moi.

— Nous ne sommes ni l'un ni l'autre son père. On ne doit jamais l'oublier.

— Je sais. Mais ça commence à y ressembler, non ? Ou disons des figures paternelles de substitution, en tout cas. Ça fait trois mois maintenant.

— Trois mois et deux semaines.

— Et regarde comme il a changé. Plus de drogue, plus question de se vendre à des étrangers, il mange correctement, il a un boulot. Et l'essentiel de tout ça, c'est grâce à toi. Alors, dis-moi, depuis quand as-tu envie d'être père ? C'est bizarre que nous n'en ayons jamais parlé avant…

— Depuis toujours, je crois, avoua-t-il après un long silence. Ça ne m'a jamais dérangé d'être gay, ça ne m'a jamais contrarié, même quand j'étais adolescent.

— Parce que tu baisais tous les joueurs de l'équipe de foot. Ça ne m'aurait pas dérangé non plus si j'avais eu tes expériences.

— Un joueur, Cyril. Un seul. Et il était goal.

— Ça compte quand même. Beaucoup de dextérité dans les mains.

— Bref, je me fichais d'être gay, mais j'ai toujours été ennuyé à l'idée que je n'aurais probablement pas d'enfants. Si j'avais été une femme, je suis sûr que j'en aurais déjà quelques-uns, à mon âge. Et toi ?

— Honnêtement ? Je n'y ai jamais pensé depuis que je suis né, pour ainsi dire. Mon enfance a été vraiment perturbée. J'ai eu une expérience tellement bizarre de la parentalité quand je vivais avec mes "parents" que ça m'a dégoûté. Et le plus drôle, c'est que maintenant qu'on a un "enfant", ou qu'on fait semblant d'en avoir un, je découvre que j'aime bien. »

Évidemment, lorsque l'idée qu'Ignac s'installe avec nous fut évoquée la première fois, j'avais eu de sérieux doutes. J'étais sûr qu'il nous volerait à nouveau ou qu'un jour, il reviendrait dans un état second sous l'emprise de drogues et commettrait un acte de violence irréversible contre l'un de nous ; mais Bastiaan m'avait persuadé que nous devions l'aider pour la simple raison qu'il nous avait demandé notre aide. L'équation semblait logique pour lui. Puis les quelques jours dans notre chambre d'amis, pour que son mac ne le retrouve pas, devinrent quelques semaines et finalement, nous nous assîmes tous les trois autour d'une table et décidâmes de nous organiser à plus long terme. Jack Smoot accepta de l'employer à temps partiel au MacIntyre's et le reste du temps, il était à la maison, lisait et gribouillait dans un cahier qu'il gardait sous clé dans sa chambre.

« Est-ce que tu ne rêverais pas de devenir écrivain ? lui demandai-je un jour.

— Non. J'aime écrire des histoires, c'est tout.

— Autrement dit, c'est oui.

— C'est peut-être.

— Tu sais que ma mère adoptive était écrivain ?

— Elle avait du talent ?

— Oui, beaucoup. C'est Maude Avery. Peut-être que tu as entendu parler d'elle ? » Il secoua la tête. « Eh bien, si tu continues à lire à ce rythme, tu vas forcément tomber sur ses romans.

— Est-ce qu'elle aimait écrire ? Ça la rendait heureuse ? »

Je me rendis compte qu'il m'était impossible de répondre à ces questions.

Plus Bastiaan et moi apprenions à connaître Ignac, plus il nous livrait de choses sur son passé. Au début, il était intimidé, ne sachant pas trop s'il pouvait nous faire confiance, puis comme dans son écriture, les mots finirent par sortir. Il nous raconta qu'il était arrivé de Slovénie à Amsterdam quelques semaines après la mort de sa mère. Sa grand-mère paternelle, chez qui il avait été envoyé, lui donna un billet de train et lui annonça qu'elle ne voulait plus s'occuper de lui. Elle n'avait pas d'argent, lui dit-elle, et encore moins envie d'élever un autre adolescent, après avoir échoué de manière spectaculaire avec son propre fils, le père d'Ignac. Lorsque nous l'interrogeâmes sur son père, il nous fit bien comprendre qu'il n'en dirait pas un mot. Le billet de train l'amena à Amsterdam, et il était là depuis moins d'une semaine quand il fit sa première passe. Il n'était pas gay, il était attiré par les filles, bien qu'il n'eût jamais couché avec une fille et n'en eût pas particulièrement envie, après tout ce qu'il avait fait subir à son corps depuis qu'il avait quitté Ljubljana. Il ne semblait pas éprouver de gêne liée aux expériences qu'il avait vécues, et nous ne suggérâmes en rien qu'elles étaient bizarres. Cependant, il était évident qu'il détestait le genre de vie dans lequel il était tombé. Nous l'interrogeâmes sur ses amis et il nous avoua que même s'il connaissait beaucoup de garçons dans la ville, il ne les considérait pas comme des amis ; c'étaient des fugueurs, des réfugiés, ou des orphelins venant de nombreux pays qui étaient à Amsterdam pour faire de l'argent, et avec qui il se retrouvait quotidiennement.

« Il fallait bien que je mange, lâcha-t-il dans un haussement d'épaules, évitant notre regard tout en expliquant. Et c'est comme ça que je gagnais de l'argent. »

Il avait commencé à se droguer sans autre raison que ça l'aidait à passer les longues matinées et après-midi avant que des hommes ne viennent les chercher dans les bars, le soir. Il traînait dans les cafés où les jeunes prostitués se retrouvaient, à raconter des bêtises et à fumer de l'herbe, avant de passer à des substances plus dures. Bastiaan s'occupa de ce problème dès le jour de son emménagement. Il le conduisit auprès d'un de ses collègues à l'hôpital, qui l'aida à se sevrer et à recouvrer la santé. Maintenant qu'il était clean et sobre, sa peau avait retrouvé un nouvel éclat et son caractère était nettement plus agréable.

Je n'avais vu son mac au chapeau Sherlock Holmes qu'une fois depuis qu'Ignac s'était installé chez nous. J'avais rendez-vous avec lui après avoir quitté mon travail. Nous devions retrouver Bastiaan pour dîner et alors que nous remontions Singel, je remarquai avec plaisir que sa démarche était un peu sautillante.

« Parle-moi de l'Irlande », me demanda-t-il. C'était la première fois qu'il manifestait le moindre intérêt pour mon pays.

« Que veux-tu savoir ?

— C'est comment, là-bas ? Tu ne vas pas y repartir bientôt, hein ?

— Mon Dieu, non. » Je frissonnai rien qu'à l'idée. J'avais encore peur de me trouver confronté au désastre que j'avais provoqué avant de partir, même s'il remontait à plus de sept ans. « Je crois que je n'y retournerai jamais.

— Quand tu iras, tu m'emmèneras ? J'aimerais bien y aller.

— Ignac, je viens de dire que je ne veux pas y retourner. Jamais.

— Oui, mais tu mens, je l'entends dans ta voix. Tu as envie d'y retourner.

— Il n'y a plus rien là-bas pour moi, de toute façon. Mes amis… ma famille… personne ne serait prêt à renouer avec moi.

— Pourquoi ? Qu'est-ce que tu as fait de si terrible ? »

Je ne vis aucune raison de lui cacher la vérité. « J'ai menti à mon meilleur ami pendant vingt ans, je ne lui ai jamais avoué que j'étais amoureux de lui, puis j'ai épousé sa sœur et l'ai quittée pendant la réception suivant le mariage sans même lui dire au revoir.

— Merde, fit-il en se mordant la lèvre pour ne pas rire. C'est pas bon, ça.

— Non. Et de toute façon, Bastiaan ne trouverait jamais à Dublin un hôpital intéressé par son genre de recherche.

— Il n'y a pas de maladies sexuellement transmissibles en Irlande ? demanda-t-il avec un ricanement, et malgré son passé, on voyait bien qu'il était vraiment jeune.

— Si, beaucoup, mais nous faisons comme si elles n'existaient pas et personne n'en parle jamais. C'est comme ça, en Irlande. Si tu attrapes quelque chose, tu vas chez le médecin, il t'injecte une dose de pénicilline, et avant de rentrer chez toi, tu passes te confesser.

— Ça ne peut pas être aussi terrible que ça. » J'étais sur le point de lui donner d'autres détails quand il s'arrêta net, tellement brusquement que j'avais déjà avancé de presque cinq mètres avant de remarquer qu'il n'était plus à côté de moi. Je dus retourner sur mes pas.

« Quoi ? Qu'est-ce qui se passe ? » Je regardai dans la même direction que lui et vis la silhouette familière du géant avancer vers nous, le chapeau à la Sherlock Holmes bien enfoncé sur sa tête. J'aurais pu entraîner Ignac à l'abri d'une porte cochère mais à cet instant précis, l'homme leva les yeux, nous aperçut et nous fit un immense sourire. En deux secondes, il était devant nous, les bras grands ouverts pour enlacer son ancien protégé, qui, collé contre son maître, se figea.

« Et moi qui croyais que tu t'étais noyé dans l'Amstel, déclara l'homme. Je pensais que tu t'étais tellement défoncé que tu étais tombé dans l'eau avant que je puisse te pousser. Ou alors, que tu t'étais enfui avec un roi du pétrole russe en oubliant qui s'était occupé de toi, tout ce temps. »

Ignac ouvrit la bouche, prêt à répondre, mais je compris qu'il était terrifié. Je le pris par le bras et le fis reculer de quelques pas.

« Il faut qu'on y aille, dis-je.

— Qui est-ce ? demanda l'homme, en me détaillant de haut en bas, d'un air à la fois joyeux et menaçant. Nous ne nous connaissons pas, je crois. Je m'appelle Damir. »

Il me tendit une main énorme, et malgré moi, je la serrai brièvement, pour ne pas risquer de le contrarier.

« Nous sommes attendus, repris-je.

— Nous sommes tous attendus quelque part, répondit-il avec un sourire. Comment vous appelez-vous ? Je me suis présenté. Où sont vos manières, mon ami ?

— Cyril, Cyril Avery.

— Cyril, permettez-moi de vous poser une question. Êtes-vous un capitaliste ou un communiste ? »

Je fronçai le sourcil, sans trop comprendre où il voulait en venir. « Je crois que je ne suis ni l'un ni l'autre.

— Alors, vous êtes un capitaliste. La plupart des gens le sont, s'ils sont honnêtes avec eux-mêmes. Et la nature du capitalisme veut que nous nous occupions de nous, mais lorsque nous achetons un service ou un produit, nous le payons au commerçant qui le fournit. Vous le savez, n'est-ce pas ?

— Je n'ai pas acheté Ignac, rétorquai-je sans faire semblant de ne pas comprendre. Et il ne vous appartient pas, vous ne pouvez pas le vendre. Nous ne sommes plus à l'époque de l'esclavage.

— Ah, vous croyez ? fit Damir en riant. J'aimerais bien être du même avis que vous. » Il me regarda fixement quelques instants avant de revenir au jeune homme. « Où étais-tu fourré, ces derniers mois ? demanda-t-il d'une voix moins chaleureuse. Tu sais combien d'argent tu m'as coûté ?

— Je ne te dois rien, dit Ignac.

— Ce n'est pas parce que tu trouves tes passes tout seul que…

— Je ne trouve pas mes passes. Depuis des mois. Je ne fais plus ça. »

L'homme fronça les sourcils. « Qui te l'a dit ? Que tu ne faisais plus ça. Tu as l'air de penser que c'est une décision que tu peux prendre seul.

— C'est le cas », répondit Ignac, et un sourire béat se dessina sur le visage de Damir. Les passants en nous voyant pouvaient croire que nous étions les meilleurs amis du monde. « Je t'ai donné tout ce que j'ai gagné. Je veux arrêter, maintenant.

— Et moi, je veux une maison aux Bahamas et Bo Derek à mon bras, lança Damir en haussant les épaules. Dans les faits, j'ai un appartement minable près d'Erasmuspark et une femme que je n'arrive à baiser que toutes lumières éteintes, tellement elle est laide. Tu travailles toujours pour moi, Ignac. C'est moi qui déciderai quand ce ne sera plus le cas.

— La discussion est close, dis-je et son sourire disparut dès qu'il se tourna vers moi.

— Et toi, le pédé, tu la fermes, gronda-t-il en m'enfonçant son gros index dans l'épaule. C'est entre lui et…

— Quoi qu'il ait fait pour vous, déclarai-je, la voix ferme, tout en sentant mon cœur se mettre à battre plus fort dans ma poitrine, je suis certain que vous en avez eu pour votre argent. Il ne veut plus, c'est clair ? Vous devez avoir plein d'autres garçons à exploiter. » Je marquai une pause et baissai d'un ton, dans l'espoir de toucher sa corde sensible, s'il en avait une. « Vous ne pouvez pas le laisser tranquille ? Il veut une autre vie, c'est tout.

— Il y a des centaines d'autres garçons, approuva l'homme en caressant la joue d'Ignac du bout du doigt. Mais aucun n'est aussi joli que celui-ci. Vous devez comprendre ça, Cyril. Vous le baisez depuis trois mois, après tout. Alors vous me devez... » Son regard alla se perdre vers le canal tandis que ses lèvres bougeaient sans émettre de son, comme s'il essayait de calculer. « Il me faudrait un papier et un crayon. Je n'ai jamais été très fort en calcul mental. Mais vous savez quoi ? Je vais préparer ça et je vous l'enverrai. Je ne voudrais pas vous faire payer trop cher.

— Il ne se passe rien de ce genre entre nous, affirma Ignac. J'habite chez lui, c'est tout.

— Et tu penses que je vais croire ça ? fit Damir en éclatant de rire. Ne me prends pas pour un con. Et tu es content d'habiter avec cet homme ?

— Oui.

— Tu veux continuer ?

— Oui, répéta Ignac.

— Très bien. Ce n'est pas un problème. Je n'ai aucune objection contre un arrangement aussi heureux. Mais il va devoir payer pour le privilège de cohabiter avec toi. Tu m'appartiens, après tout, à moi, et pas à lui. Et vous, Cyril Avery, vous avez une dette envers moi. Toutes les dettes doivent être réglées. Telle est la nature même du capitalisme.

— Je ne vous donnerai pas d'argent.

— Oh que si. Demandez à Ignac ce que je fais aux gens qui ne me paient pas. Ce n'est pas agréable. Bon... » Il jeta un coup d'œil à sa montre et secoua la tête. « Je regrette, j'ai un autre rendez-vous. Mais je vous recontacterai. Au revoir, Cyril. Et toi, Ignac, tiens-toi à carreau ! »

Là-dessus, il nous écarta pour passer et s'en alla. Il disparut au coin de la rue et Ignac se tourna vers moi, le visage terrorisé.

« Je savais que ça ne pourrait pas durer. Rien ne dure jamais.

— Si tu veux continuer à vivre avec Bastiaan et moi, crois-moi, Ignac, ça ne changera pas.

— Si, ça changera. Il ne s'arrêtera que lorsqu'il vous aura soutiré jusqu'au dernier sou. Et même quand vous serez ruinés, il en demandera encore. Il ne me laissera jamais tranquille.

— Combien de garçons a-t-il dans son giron ?

— Deux ou trois dizaines, peut-être plus. Ça dépend.

— Eh bien, il sera occupé par d'autres. Il t'oubliera. Il est seulement en colère parce que tu l'as laissé tomber, c'est tout. À mon avis, on n'entendra plus jamais parler de lui. En plus, il ne sait même pas où te trouver.

— Amsterdam est une petite ville. Et tu lui as donné ton nom.

— Ne te fais pas de souci, tout ira bien. » Je n'en croyais pas un mot.

Un bateau voguant entre deux tours

La nuit tombait lorsque Bastiaan et moi nous dirigeâmes vers le MacIntyre's quinze jours plus tard. La femme que Smoot présentait comme sa meilleure amie était venue de Dublin et nous avions prévu d'aller dîner tous ensemble. Cette idée m'angoissait un peu. Je n'avais pas très envie de savoir si la ville avait changé ou pas, même à travers les yeux d'une étrangère. Elle avait loué une voiture pour faire une excursion mais elle devait rentrer sous peu à son hôtel, où nous irions la retrouver. Toutefois, en tournant dans Herengracht, je remarquai une silhouette qui s'approchait en titubant.

« C'est lui, dis-je, la voix étranglée, et je tirai Bastiaan par la manche.

— Qui ?

— Le mac d'Ignac. Celui dont je t'ai parlé. »

Bastiaan accéléra le pas et moins de deux minutes plus tard, nous nous retrouvions tous les trois devant le pub. Les portes étaient fermées, ce qui signifiait que Smoot et Ignac étaient probablement à l'étage en train de ranger les recettes de la journée dans le coffre.

« Mon vieil ami Cyril », fit Damir en me reconnaissant. Son haleine empestait tellement le whisky que je reculai d'un pas. « On m'a dit que je pourrais vous trouver ici.

— Qui vous a dit ça ?

— Les adorables employés de la Maison Anne Frank. Je n'ai eu aucun mal à retrouver votre trace. Le pédé irlandais avec son adolescent. Tous vos amis du musée le connaissent, *a priori*. Vous devez être très amoureux pour parler autant de lui.

— Barrez-vous, lâcha Bastiaan calmement.

— À qui ai-je l'honneur ? demanda Damir ; je constatai qu'il était un peu plus intimidé par mon compagnon que par moi.

— Peu importe qui je suis. Barrez-vous, OK ? Il n'est pas question qu'Ignac vous suive. »

Damir haussa les épaules et alluma une cigarette. « Calmez-vous, tous les deux. Je ne suis pas venu jouer les trouble-fêtes. Mais j'ai de bonnes nouvelles. Dans ma grande générosité, j'ai décidé de ne pas vous faire payer le temps pendant lequel vous avez retenu Ignac loin de moi, bien que ça représente un sérieux manque à gagner. Je suis quelqu'un de gentil, voyez-vous. Mais j'ai un client qui a connu Ignac autrefois, et il a pour lui des projets très particuliers et, je dois avouer, assez créatifs. Et dans ces projets, il y a beaucoup d'argent pour moi. Il va donc venir avec moi. Il a pris des vacances, mais c'est terminé. Il travaille ici, c'est ça ? » Il désigna le bar d'un mouvement du menton. « C'est ce qu'on m'a dit, du moins.

— Non.

— Si, je le sais, fit-il en levant les yeux au ciel. Ce n'est pas la peine de mentir. Je suis bien informé. » Il tendit le bras et essaya d'ouvrir la porte. Sans succès. « Ouvrez-la.

— Nous n'avons pas la clé, répondit Bastiaan. Ce bar ne nous appartient pas. »

Damir l'ignora, frappa sur la porte et demanda qu'on lui ouvre. Je levai les yeux et aperçus Smoot qui écartait le rideau, à l'étage. Il s'attendait probablement à voir un groupe de soiffards ; il découvrit deux silhouettes familières et un étranger.

« Il y a des chambres, là-haut, n'est-ce pas ? C'est là que le patron habite ?

— Vous devez avoir beaucoup de garçons, déclara Bastiaan. Pourquoi vous ne laissez pas Ignac tranquille ? Il veut changer de vie.

— Parce que ce n'est pas lui qui choisit. Pas maintenant.
— Pourquoi ?
— Dans dix ans, il n'aura plus le même physique que maintenant et il pourra faire ce qu'il veut. Je ne me mettrai pas en travers de son chemin. Mais aujourd'hui… aujourd'hui, il doit faire ce que j'ai décidé.
— Pourquoi donc ? insista Bastiaan.
— Parce que c'est ce que font les fils pour leur père. »
À ces mots, je sentis ma tête tourner un peu et je jetai un coup d'œil à Bastiaan, qui prit le temps de les comprendre, le sourcil froncé. Évidemment, l'homme ne ressemblait en rien physiquement à Ignac, mais leurs accents étaient similaires.
« Vous avez mis votre propre fils sur le trottoir ? demandai-je, horrifié.
— Je l'ai laissé avec sa mère. Mais cette idiote est morte et ma salope de mère a refusé de s'occuper de lui. J'ai payé pour le faire venir ici. Je l'ai sorti d'un pays agité pour l'amener dans une ville sûre.
— Il n'y a rien de sûr dans ce que vous lui imposez, insista Bastiaan. Comment pouvez-vous faire une chose pareille à votre propre fils ? »
Avant qu'il puisse répondre, la porte s'ouvrit et une fille appelée Anna, l'une des serveuses, apparut, prête à rentrer chez elle. Elle nous reconnut, mais pas notre compagnon, qui la poussa sans ménagements pour entrer. Nous restâmes plantés dans la rue, sans trop savoir quoi faire.
« Nous sommes fermés ! s'écria Anna.
— Où est Ignac ? demanda l'homme.
— Rentre chez toi, dit Bastiaan à la jeune fille. Nous allons régler ça. »
Elle haussa les épaules et repartit. Damir était dans le bar désert.
« Il doit être déjà parti », dis-je. Il secoua la tête et avisa l'escalier qui rejoignait l'appartement de Smoot.
« Je vais appeler la police, m'écriai-je.
— Appelle qui tu veux, connard ! répondit-il en montant.
— Merde », fit Bastiaan en se précipitant derrière lui.
Nous le suivîmes au pas de course. Il était sur le palier en train de secouer la poignée de la porte, sans succès. Quand il constata qu'elle était verrouillée, il recula d'un pas et y mit un coup de pied tellement puissant qu'elle s'ouvrit d'un coup,

alla claquer contre le mur et fit tomber une étagère de livres. Le salon était vide, mais dès qu'il déboula dans la pièce avec Bastiaan et moi sur ses talons, le bruit de voix crispées nous parvint de la cuisine. J'étais monté quelques fois. Il y avait un coffre dans un des placards et Smoot y enfermait ses recettes tous les soirs avant de les apporter à la banque le lendemain.

« Sors de là, Ignac ! rugit l'homme. Je suis patient mais j'ai mes limites. Tu viens avec moi. »

Il leva le bras et claqua sa main puissante sur la table deux ou trois fois au moment où Smoot et Ignac apparaissaient sur le seuil. Le garçon semblait terrifié, mais c'est l'expression de Smoot qui m'inquiéta le plus. Il paraissait furieux et contrarié, mais aussi étrangement calme, comme s'il savait quoi faire.

« Partez », dis-je en attrapant l'homme par la manche. Il me repoussa violemment, je trébuchai sur un tapis, tombai par terre et me cognai le coude.

« Je n'irai pas avec toi ! » cria Ignac, redevenu en un instant un petit enfant épouvanté. Smoot disparut dans la cuisine. Damir se contenta de rire ; il tendit le bras, attrapa son fils par la peau du cou et lui mit une gifle terrible qui le fit tomber, puis il le souleva pour lui en coller une autre.

« Tu feras ce que je te dirai. » Il traîna le jeune homme jusqu'à l'autre bout du salon, et lorsque Bastiaan essaya d'intervenir, il le fit valser d'un mouvement du bras. Depuis le coin de la pièce, j'aperçus une crosse ornée d'un autocollant avec un bateau voguant entre deux tours, un souvenir que Smoot avait dû apporter d'Irlande. Je l'attrapai et fonçai sur Damir, brandissant la crosse à deux mains. Il se tourna vers moi ; il montrait ses dents comme un animal et il lâcha son fils. « Viens donc ! Frappe-moi si tu l'oses. »

Je levai mon arme, cherchant à paraître menaçant et flanquai un coup inefficace sur son bras. Il se jeta sur moi, me flanqua par terre et attrapa la crosse. Il la brisa sur son genou et envoya les deux morceaux de l'autre côté de la pièce. Pour la première fois, j'éprouvai une certaine panique à l'idée qu'il déverse sa colère non seulement sur Ignac mais aussi sur nous. Même si nous étions plus nombreux, il était d'une carrure si impressionnante que je n'étais pas sûr que nous l'emporterions. Mais je ne pouvais laisser Ignac à sa merci. Lorsqu'il se retourna, il se trouva face à Bastiaan qui, les poings serrés, s'était mis en garde.

« Non ! » Si costaud que fût Bastiaan, je ne lui donnai aucune chance contre ce géant. L'homme hésita à peine une seconde ; il se précipita sur lui avec une telle force que Bastiaan tomba en arrière, puis lorsque Damir le bourra de coups de pied, j'entendis le bruit caractéristique de ses côtes qui se brisaient. Je criai, mais avant qu'il puisse réagir, Damir l'avait remis debout et balancé dans l'escalier.

« Ça suffit ! rugit-il avant de se retourner. Ignac, tu viens avec moi. Compris ? »

Le garçon me jeta un coup d'œil et secoua tristement la tête. « Très bien. Je viens. Ne fais plus de mal à personne. »

Damir s'approcha de l'endroit où j'étais toujours assis par terre. « C'est terminé pour toi, souffla-t-il à mi-voix. Si je te vois près de mon fils, je te coupe la tête et je la jette dans le canal, c'est compris ? »

Je déglutis, trop effrayé pour répondre quoi que ce soit, mais la façon dont son expression changea soudain me stupéfia. La colère avait disparu, la menace aussi, remplacées par la douleur et l'incrédulité. Je le dévisageai, puis je regardai Ignac, les deux mains devant la bouche dans un geste horrifié. Damir agita les bras, essaya d'attraper quelque chose, puis ses jambes cédèrent et il se mit à glisser ; il essaya de se cramponner à la table du salon, et tomba à côté de moi avec un grognement. Je m'éloignai en titubant, me remis debout et le regardai. Allongé sur le ventre, il avait un couteau planté dans le dos. À ma droite se tenait Smoot.

« Partez ! dit-il calmement.

— Jack ! m'écriai-je. Qu'est-ce que tu as fait ?

— Partez. Tous les deux. Fichez le camp d'ici. »

Je me dirigeai vers la porte et jetai un coup d'œil dans l'escalier ; Bastiaan se remettait debout avec peine en se frottant l'arrière de la tête. Ignac se pencha et contempla le visage de son père. Les yeux de l'homme étaient grands ouverts. Il était mort.

« Je ne pouvais pas laisser une chose pareille arriver une deuxième fois, déclara Smoot tranquillement et je me tournai vers lui, sans comprendre.

— Laisser quoi arriver ? Bon Dieu, tu l'as tué. Qu'est-ce qu'on va faire ? »

Smoot regarda autour de lui, et à mon grand étonnement, il paraissait parfaitement serein. Il souriait, même. « Je sais exactement quoi faire. Et je n'ai pas besoin de vous. Partez, d'accord ? Tiens, les clés. Fermez derrière vous et glissez le trousseau dans la boîte aux lettres.

— On ne peut pas...

— Allez-vous-en ! rugit-il, l'écume aux lèvres. Je sais ce que je fais. »

Je ne vis aucune alternative. J'acquiesçai, pris Ignac par le bras et descendis l'escalier. Bastiaan était assis sur une chaise et essayait de retrouver sa respiration.

« Qu'est-il arrivé ? Qu'est-ce qui se passe ?

— Je te dirai après. Il faut qu'on s'en aille.

— Mais...

— Tout de suite, insista Ignac en m'aidant à le mettre debout. Si on ne part pas maintenant, on ne partira jamais. »

Dans la rue, nous suivîmes à la lettre les instructions de Jack Smoot. Une fois la porte fermée à clé, nous glissâmes le trousseau dans la boîte aux lettres. Vingt minutes plus tard, nous étions rentrés. Nous restâmes éveillés la moitié de la nuit, déchirés entre la culpabilité, l'excitation et la confusion. Bastiaan et Ignac allèrent se coucher mais je ne parvins pas à m'endormir. Je sortis, traversai la rivière, passai les ponts et retournai vers le canal. Je vis une voiture s'arrêter devant le MacIntyre's, une voiture de location, à en croire l'inscription sur la portière, et dans le clair de lune, une silhouette vêtue d'un manteau sombre sortit et ouvrit le coffre, avant de frapper trois coups à la porte du bar. Smoot se montra et fit signe à la personne d'entrer. Quelques minutes plus tard, ils réapparurent en portant ce qui ressemblait à un tapis roulé très lourd qui devait contenir le corps du père d'Ignac, car ils avaient du mal à le soulever. Ils le jetèrent dans le coffre puis montèrent tous deux à l'avant.

Avant qu'ils ne s'éloignent, la lune éclaira le visage du conducteur. Ce fut trop rapide pour que j'en aie la certitude absolue, mais à ce moment-là, je fus convaincu que le complice de Smoot était une femme.

1987

Le patient n° 741

Le patient n° 497

Tous les mercredis matin à 11 heures, je quittais notre appartement sur la 55e Rue ouest et j'allais jusqu'à Columbus Circle, où je prenais la ligne B vers le nord avant de traverser Central Park pour me rendre au Mount Sinai Hospital. Après avoir bu rapidement un café, je montais au septième étage et me présentais à Shaniqua Hoynes, l'autoritaire infirmière totalement dévouée responsable du programme des bénévoles. Elle me terrifiait littéralement. La première fois que je l'avais rencontrée, elle m'avait surpris en train de lui voler une barre chocolatée dans son tiroir – je n'avais pas déjeuné, tellement j'étais angoissé – et m'avait passé un savon avant de décider finalement que j'étais une personne en qui on ne pouvait avoir confiance.

Shaniqua faisait partie d'une équipe de plus en plus nombreuse sous les ordres de Bastiaan. Elle commençait invariablement en me posant la même question. « Vous êtes sûr que vous êtes prêt pour ça, aujourd'hui ? » Lorsque je répondais par l'affirmative, elle tendait le bras vers une pile de dossiers dont la hauteur ne diminuait jamais, prenait une liste au-dessus et promenait son doigt sur une page avant d'énoncer deux numéros : celui du patient à qui j'allais rendre visite ce jour-là et celui de sa chambre. Parfois, elle me donnait quelques informations sur l'avancement de sa maladie, mais le plus souvent, elle me tournait le dos pour me signifier de débarrasser le plancher. De nombreux patients du septième étage ne recevaient aucun visiteur – à cette époque-là, même certains membres du personnel hospitalier redoutaient de s'approcher d'eux et les syndicats commençaient déjà à s'interroger sur les dangers auxquels étaient exposés les soignants. Néanmoins, dans des moments de dépression ou d'isolement extrême, ces malades avaient demandé à être inscrits sur la liste de ceux qui accepteraient la compagnie d'un bénévole. Le bénévole, lui, ne savait jamais à quoi s'attendre ; parfois les malades étaient reconnaissants, prêts à vous raconter l'histoire de leur vie, mais d'autres, à défaut de membres de leur famille, cherchaient seulement à se déchaîner sur quelqu'un.

Le patient n° 497 de la chambre 706 était l'une des personnes les plus âgées que j'aie rencontrées jusque-là, un homme d'une bonne soixantaine d'années aux lèvres exagérément pulpeuses. Il me lança un regard circonspect lorsque j'entrai dans sa chambre et laissa échapper un soupir épuisé avant de se tourner vers la fenêtre pour contempler le paysage vers North Meadow, dans Central Park. Deux perfusions étaient placées à côté de son lit, les poches pleines d'un fluide qui coulait abondamment dans des tubes jusqu'à ses veines, tandis qu'un moniteur cardiaque, dont les fils disparaissaient comme des sangsues affamées sous sa tunique, bipait doucement. Il était pâle mais sa peau demeurait intacte, pour ce que je pouvais en voir.

« Je m'appelle Cyril Avery. » Je restai quelques instants à côté de la fenêtre avant d'approcher une chaise pour m'asseoir. D'un geste hésitant, je voulus lui tapoter la main mais il la retira, rejetant ma pathétique tentative pour établir un contact physique entre nous. Bien que Bastiaan m'eût expliqué en détail le mode de transmission du virus, j'étais nerveux en entrant dans ces chambres et malgré tous mes efforts pour paraître courageux, ça se voyait peut-être. « Je suis bénévole ici au Mount Sinai.

— Et vous venez me voir ?

— Oui.

— Vous êtes très gentil. Vous êtes anglais ? demanda-t-il me détaillant de haut en bas, pour porter un jugement sur mes vêtements plutôt quelconques.

— Non, irlandais.

— Encore pire, fit-il avec un geste méprisant de la main. Ma tante a épousé un Irlandais. Un salopard de première classe et un cliché sur pattes. Constamment saoul, il la battait sans arrêt. Il a fait neuf enfants en huit ans à cette pauvre femme. Il y a quelque chose de bestial dans ce genre de comportement, vous ne trouvez pas ?

— Eh bien, nous ne sommes pas tous comme ça.

— Je n'ai jamais aimé les Irlandais, poursuivit-il en secouant la tête et je détournai les yeux en apercevant un filet de bave qui commençait à descendre sur son menton. Une race de dégénérés. Personne ne parle de sexe et pourtant, ils ne pensent qu'à ça. Il n'y a pas une nation sur terre plus obsédée par le sexe, si vous voulez mon avis. » Son accent indiquait que c'était un pur New-Yorkais – de Brooklyn – et je regrettais qu'il n'ait pas exprimé ses préjugés raciaux lorsque Shaniqua avait enregistré sa demande de visite. Cela aurait pu nous éviter à tous les deux bien des tracas.

« Y êtes-vous allé ?

— Oh, bon Dieu, je suis allé partout. J'ai parcouru le monde entier. Je connais les ruelles sombres et les bars secrets dans des villes dont vous n'avez jamais entendu parler. Et maintenant, je suis ici.

— Comment vous sentez-vous ? Est-ce que je peux vous apporter quelque chose ?

— À votre avis ? J'ai l'impression d'être déjà mort mais mon cœur continue à faire circuler du sang dans mon corps juste pour me faire souffrir. Donnez-moi de l'eau, voulez-vous ? »

Je jetai un coup d'œil autour de moi et attrapai le pichet posé sur la table de nuit. « Là ! Comme ça ! » aboya-t-il. Il but avec une paille. Ses lèvres énormes étaient mouchetées de blanc et j'aperçus ses dents jaunes enfoncées dans ses gencives. Tout en aspirant l'eau, une action qui exigeait de lui des efforts démesurés, il me dévisageait avec une haine farouche.

« Vous tremblez, dit-il en repoussant le pichet.

— Non.

— Si. Vous avez peur de moi. Vous avez raison. » Il rit un peu, mais sans la moindre joie. « Vous êtes pédé ? finit-il par demander.

— Non. Mais je suis homo, si c'est ce que vous voulez savoir.

— Je m'en doutais. Il y a quelque chose dans votre façon de me regarder. Comme si vous aviez peur de voir votre propre avenir. Comment vous vous appelez, déjà ? Cecil ?

— Cyril.

— Ça, c'est un nom de pédé ou je m'y connais pas. Vous avez l'air d'un personnage tout droit sorti d'un roman de Christopher Isherwood.

— Je ne suis pas pédé, répétai-je. Je vous l'ai dit, je suis homo.

— Il y a une différence ?

— Oui.

— Je vais vous raconter quelque chose, Cyril, commença-t-il en essayant, sans succès, de se redresser un peu dans son lit. Je n'ai jamais eu de problème avec les pédés. Je travaillais dans le théâtre, après tout. Tout le monde pensait qu'il y avait quelque chose qui clochait chez moi parce que j'étais amateur de chattes. Mais maintenant, ils croient tous que je suis pédé moi aussi, à cause de cette maladie. Ils imaginent que je l'ai caché toutes ces années alors que je n'ai jamais rien fait. Je ne sais pas ce qui me dérange le plus, le fait qu'ils croient que je suis pédé ou qu'ils pensent que je n'avais pas les couilles de l'avouer depuis le début. Je vous assure, si j'avais été pédé, je leur aurais dit et j'aurais été le meilleur putain de pédé de la terre. J'aurais jamais menti.

— C'est important, l'opinion des gens ? » J'étais déjà las de son agressivité mais déterminé à ne pas le laisser me décourager. C'était ce qu'il voulait, après tout ; que je parte, pour se sentir abandonné à nouveau.

« Oui, c'est important quand on est allongé sur un lit d'hôpital et qu'on sent la vie s'en aller tout doucement. Et les seules personnes qui entrent sont des médecins, des infirmières et des bons samaritains qu'on n'a jamais vus de sa vie.

— Et votre famille ? Avez-vous…

— Oh, lâchez-moi.

— D'accord, fis-je, conciliant.

— J'ai une femme, reprit-il au bout d'un moment. Je ne l'ai pas vue depuis deux ans. Et quatre garçons. Tous plus égoïstes les uns que les autres. Même si je devrais me sentir responsable de ce qu'ils sont devenus. Je n'ai pas été très présent comme père. Mais montrez-moi un homme qui a réussi, qui a donné à sa famille tout ce qu'elle exigeait de lui, et qui puisse prétendre qu'il a été présent.

— Et ils ne vous rendent pas visite ? »

Il secoua la tête. « Je suis déjà mort, pour eux. Une fois que le diagnostic a été posé, ça a été fini. Ils ont raconté à leurs amis que j'avais fait une crise cardiaque pendant que j'étais en croisière en Méditerranée et que mon corps avait été enfoui en mer. On ne peut qu'admirer leur créativité. » Il secoua la tête et sourit. « Ça n'a aucune importance, dit-il à mi-voix. Ils ont raison d'avoir honte de moi.

— Non, c'est faux.

— Vous savez, ce qui est drôle, c'est que j'ai baisé environ mille femmes ces quarante dernières années. Et j'ai pas eu la moindre maladie, pendant tout ce temps. Rien. Pas même quand j'étais dans la Navy, alors que, vous savez, la plupart des gars étaient renvoyés chez eux bourrés de pénicilline. Bref, j'imagine que c'était inévitable, que le jour où j'attrape quelque chose, ce soit un truc grave. Vous portez une lourde responsabilité dans cette affaire. »

Je me mordis la lèvre. Encore une fois, la même rengaine : un patient hétérosexuel se déchaînant contre les homosexuels, les rendant responsables de la propagation du virus et de la maladie. Je savais par expérience qu'il était inutile de discuter. Ils étaient incapables de voir au-delà de leur propre souffrance. Et pourquoi le devraient-ils ?

« Que faisiez-vous, dans le domaine du théâtre ? demandai-je, impatient de changer de sujet.

— J'étais chorégraphe, répondit-il en haussant les épaules. Je sais, je sais. Le seul chorégraphe pas pédé à New York City, hein ? Mais c'est la vérité. J'ai travaillé avec les plus grands. Richard Rodgers, Stephen Sondheim, Bob Fosse. Bob est venu me voir il y a quelques semaines ; c'est le seul. C'était gentil de sa part. La plupart ne se sont pas donné cette peine. Toutes ces danseuses jeunes et belles, elles auraient fait n'importe quoi pour avoir un rôle et j'étais heureux de leur faire plaisir. Attention, je ne pratiquais pas la promotion canapé. Je n'en avais pas besoin. On ne dirait pas, à me voir aujourd'hui, mais à l'époque, j'avais beaucoup de charme. Les filles arrivaient en courant. J'ai eu le choix. Mais où sont-elles passées ? Elles ont peur de m'approcher. Elles pensent peut-être que je suis mort, elles aussi. Mes fils ont été plus efficaces pour me faire mourir que le sida. Au moins, ils ont été rapides.

— Je ne vais pas beaucoup au théâtre.

— Alors, vous êtes un inculte. Mais je parie que vous allez au cinéma, hein ?

— Oui, admis-je. Assez souvent.

— Vous avez un petit ami ? »

J'acquiesçai. Je n'ajoutai pas que mon petit ami était le chef du département des maladies transmissibles, qu'il l'avait probablement vu des dizaines de fois et qu'il était le médecin responsable de son traitement. Bastiaan avait été très clair, je ne devais révéler aucune information sur notre relation aux patients.

« Vous le trompez, parfois ?

— Non. Jamais.

— Je suis sûr que oui.

— Non, je vous assure.

— Quel pédé ne va pas voir ailleurs ? On est dans les années 1980, bon Dieu.

— Je vous l'ai dit, je ne suis pas pédé.

— Vous n'arrêtez pas de répéter ça, s'énerva-t-il en agitant la main comme si la distinction était négligeable. Si vous n'allez pas voir ailleurs, eh bien, je vous conseille de continuer comme ça et d'espérer que lui non plus. Vous ne risquez probablement rien. Mais si vous ne le faites pas, lui le fait certainement. Il n'y a aucune chance pour que les deux seuls pédés monogames de New York City se soient trouvés.

— Il n'est pas comme ça, insistai-je.

— Tout le monde est comme ça. Certains sont juste meilleurs que d'autres pour le cacher. »

Il se mit à tousser et instinctivement, j'eus un mouvement de recul et attrapai le masque qui était accroché autour de mon cou. « Petit merdeux, dit-il en me regardant avec mépris une fois qu'il eut retrouvé son souffle.

— Je suis désolé. » J'enlevai mon masque et me sentis rougir, un peu honteux. « Je plaisante. Je ferais pareil si j'étais vous. D'ailleurs, je ne serais même pas là, si j'étais vous. Pourquoi vous venez, d'abord ? Pourquoi vous faites ça ? Vous ne me connaissez pas ; pourquoi voulez-vous entrer dans cette chambre ?

— Pour apporter mon aide.

— Peut-être que vous voulez regarder quelqu'un mourir. Vous prenez votre pied, c'est ça ?

— Non. Pas du tout.

— Vous avez déjà vu quelqu'un mourir ? »

Je réfléchis. J'avais vu plusieurs personnes mourir ; le prêtre qui était tombé du confessionnal dans l'église sur Pearse

Street, ma première fiancée, Mary-Margaret Muffet, et le père d'Ignac, bien sûr, ce soir terrible à Amsterdam, avant que nous décidions de quitter la Hollande pour de bon. Mais je n'avais vu personne mourir du sida. Pas encore, en tout cas.

« Non.

— Eh bien, restez dans le coin, le spectacle va commencer, mon pote, parce que je n'ai plus beaucoup de temps à vivre. Comme nous tous. À mon avis, c'est le début de la fin du monde. Et ce sont aux gens comme vous que les gens comme moi le doivent. »

Trois types de mensonges

Le restaurant était situé sur la 23e Rue, près du Flatiron Building, et de l'endroit où nous étions assis je voyais des couples traverser Madison Square Park, où à peine quelques semaines auparavant, une vieille dame m'avait craché au visage quand Bastiaan, dans un mouvement spontané, avait passé son bras sur mon épaule et déposé un baiser sur ma joue.

« Saletés, gronda la femme, qui était assez âgée pour se rappeler la crise de 1929, et il y avait tellement de rage dans sa voix que les autres passants s'étaient retournés pour nous regarder. C'est vous qui répandez le sida. »

J'aurais volontiers évité le quartier mais l'ami de Bastiaan, Alex, l'un des médecins qui travaillait dans son équipe au Mount Sinai, avait fait la réservation sans être au courant de l'incident.

J'essayai de chasser le souvenir de mon esprit tandis que la femme d'Alex, Courteney, noyait son chagrin : une promotion lui était passée sous le nez, ce jour-là. Le projet initial était de fêter l'événement – Alex et elle étaient tous deux certains qu'elle l'obtiendrait – mais la soirée s'était transformée en une sorte de veillée funèbre.

« Je crois que je devrais changer de métier, dit-elle, les yeux baissés, en promenant sa fourchette dans son assiette sans grande efficacité, pour ne manger qu'une bouchée de temps en temps. Faire quelque chose d'utile. Devenir neurochirurgien ou éboueur. Toute ma carrière devait mener au poste de premier correspondant à la Maison Blanche, et voilà le résultat. J'ai passé tellement de temps à apprendre à connaître tout le monde là-bas. Et ce salopard donne le job à un gars qui est au journal depuis moins d'un an et qui serait incapable de retrouver le nom du secrétaire à l'Agriculture. C'est vraiment dégueulasse, y a pas d'autre mot.

— Moi, je ne saurais pas donner le nom du secrétaire à l'Agriculture, affirma Alex.

— Oui, mais toi, tu n'as pas besoin de le savoir. Tu n'es pas journaliste politique. Et c'est Richard Lyng », ajouta-t-elle à voix basse. J'étais sûr qu'elle le ferait.

« Lui en as-tu parlé ? demandai-je.

— Bien sûr. Enfin, ce n'était pas tellement une conversation, plutôt une dispute. Les cris, les noms d'oiseau, tout y était. Et j'ai peut-être même lancé un objet à travers la pièce.

— Quoi ?

— Une plante. Contre le mur. Ce qui n'a fait que servir son propos. D'après lui, je n'ai pas le caractère adéquat pour un poste avec une telle responsabilité.

— Je me demande bien d'où lui venait une idée pareille, ironisa Bastiaan, qui risquait sa vie, avec ce sarcasme.

— Ce n'est pas drôle, dit Courteney, en le fusillant du regard. Il n'a même pas été capable de citer une bonne raison d'avoir donné le poste à quelqu'un d'autre. Il aurait pu, en fait, et il a choisi de se taire. Mais je sais exactement ce qui s'est passé. La Maison Blanche lui a mis la pression pour qu'il ne me nomme pas. Ils ne m'aiment pas, là-bas. L'équipe de Reagan pense que je suis une emmerdeuse. Je n'arrive pas à croire qu'il ait cédé, c'est tout. Qu'est devenue l'intégrité journalistique ?

— Parfois, quand on n'arrive pas à croire quelque chose, risqua Alex, c'est parce que ce n'est pas vrai.

— Mais c'est vrai ! insista Courtney. Je sais que c'est vrai. Je le lui ai dit et il n'a pas nié. Il n'arrivait même pas à me regarder en face, ce connard. Il a marmonné un truc sur le fait que le journal devait entretenir les relations avec les puissants, mais quand je l'ai contredit, il s'est refermé comme une huître.

— Comment est-il, Reagan ? » demanda Bastiaan, qui s'intéressait beaucoup plus à ces questions que moi. Il lisait même un journal tous les jours, alors que moi, presque jamais. « Est-il aussi stupide que les gens le disent ?

— Il n'est pas stupide du tout, protesta Courteney en secouant la tête. Personne ne peut devenir président des États-Unis s'il est stupide. Il est peut-être un tout petit peu moins intelligent que ceux qui ont occupé le Bureau ovale avant lui, mais stupide, non. Je trouve même qu'il est assez intelligent, à certains points de vue. Il sait exactement ce qu'il fait. Il se sert de son charme pour se sortir de situations difficiles. Et les gens l'apprécient pour ça. Ils lui pardonneraient n'importe quoi.

— Je n'imagine même pas me retrouver face à Reagan. Ce que j'ai vécu de plus proche, c'est un jour où j'ai été frappé au visage par un attaché de presse au parlement irlandais. La femme qui tenait le salon de thé a dû venir me sauver.

— Alors, qu'est-ce que tu as fait à Reagan de si répréhensible ? demanda Bastiaan, qui connaissait déjà l'histoire.

— On ne devrait pas attaquer ça maintenant, murmura-t-elle. Alex et toi, vous n'allez pas parler boutique ce soir. Je me défoule, c'est tout.

— Boutique ? Pourquoi ? Quel est le rapport avec notre travail ?

— Elle l'a interpellé sur sa gestion de la crise du sida pendant une conférence de presse, expliqua Alex. Et les journalistes ont pour instruction ferme de ne jamais prononcer ce mot devant le président.

— Et qu'a-t-il dit ?

— Rien. Il a fait comme s'il ne m'avait pas entendue.

— Peut-être que c'était bien le cas, suggérai-je. Il est très âgé. Je crois qu'il a dans les quatre-vingts ans.

— Il m'a parfaitement entendue.

— Est-ce qu'il avait son appareil ?

— Il m'a parfaitement entendue, je te dis !

— Tu es sûre qu'il y avait des piles ?

— Cyril !

— Alors, il t'a ignorée, c'est tout ? demanda Bastiaan.

— Il m'a regardée dans les yeux avec ce petit sourire qu'il adopte quand il se met à rêvasser, et on voit bien qu'il préférerait être en train de chevaucher dans les prairies du Wyoming plutôt que de se trouver face à une salle pleine de journalistes. Ensuite, il a désigné un gars du *Washington Post* qui a posé une question banale sur l'Irangate. Non, le sujet sur lequel je l'interrogeais était bien plus controversé. Quelque chose sur lequel on n'a pas encore assez écrit.

— Écoute, Reagan ne fera jamais rien pour nous aider dans cette lutte, dit Alex. Dans dix-huit mois, on élira un nouveau président, et Dukakis ou Jesse Jackson ou Gary Hart ou un gars de ce genre se retrouvera à la Maison Blanche, c'est certain. Et là, il y aura plus de chances que nos voix soient entendues. Reagan ne supporte pas les homos ; tout le monde le sait. Il n'est même pas prêt à reconnaître qu'ils existent.

— "La société ne peut tolérer ce mode de vie, et moi non plus" », déclamai-je, citant le président, dans une imitation que je trouvais assez bonne. Et pour la première fois, je remarquai quatre personnes assises à la table à côté en train de nous dévisager avec le plus grand mépris.

« Merde à la société, lâcha Courteney. Qu'est-ce que la société a fait pour nous, récemment ?

— Margaret Thatcher affirme que la société, ça n'existe pas, dis-je. Qu'il n'y a que des individus, hommes et femmes, et des familles.

— Merde à elle aussi, renchérit Courteney.

— Ce qui est bizarre, reprit Bastiaan, c'est que Reagan a travaillé dans le cinéma et la télévision pendant des années avant de se mettre à la politique. Il a dû être entouré d'homosexuels.

— Oui, mais il ne l'a probablement jamais compris, soutint Alex. Vous connaissez l'anecdote sur Charlton Heston qui ne savait pas que Gore Vidal écrivait une histoire d'amour pour Ben-Hur et Messala. Il pensait qu'ils étaient juste de vieux copains de maternelle à Jérusalem. Reagan devait certainement être aussi naïf. En même temps, je n'imagine pas qu'on puisse lui faire des avances. »

J'eus le malheur de boire un peu de vin au moment où il disait cela et il me fallut déployer un effort surhumain pour ne pas tout recracher. Une fois de plus, je remarquai nos voisins et une des femmes, qui secouait la tête avec une mine dégoûtée.

« Un vrai grand Américain, dit son mari d'une voix forte, agressive.

— Et Rock Hudson, alors ? demanda Bastiaan qui n'avait pas conscience que nos voisins se manifestaient. Ils étaient amis, non ?

— Quand Rock Hudson est mort, Reagan n'a pas prononcé un mot, alors que leur amitié datait de plusieurs dizaines d'années, répondit Alex. Pour le président, il s'agit d'une maladie d'homos qui décime les homos et ça, par définition, ce n'est pas le pire scénario. Le premier cas a été identifié aux États-Unis il y a six ans et depuis, il n'a absolument rien dit. Il n'a jamais prononcé les mots VIH ou sida en public.

— Bref. Je suis allée voir le chef de cabinet, après, reprit Courteney, et il m'a clairement fait comprendre que le sujet n'était même pas sur l'agenda du président. Officieusement, il m'a glissé que le gouvernement n'accorderait jamais de fonds substantiels pour financer des recherches sur une maladie qui, dans l'opinion de la majorité de la population, concernait les homosexuels. "Les gens normaux n'aiment pas les pédés", a-t-il dit avec un petit sourire comme s'il ne comprenait pas pourquoi je m'énervais autant. "Qu'est-ce que ça signifie ? je lui ai demandé. Qu'ils devraient tous mourir parce qu'on ne les aime pas ? La majorité des représentants ne sont pas aimés non plus, mais personne ne suggère qu'on les extermine."

— Et qu'est-ce qu'il a répondu ?

— Il a haussé les épaules comme s'il s'en fichait. Mais plus tard, ce jour-là, je sortais de la salle de presse et je retournais vers l'aile ouest pour aller vérifier une citation sur quelque chose qui n'avait aucun rapport, j'ai croisé Reagan par hasard dans le couloir. Je l'ai démasqué. Il avait dû oublier qu'il m'avait vue quelques heures auparavant ; j'ai réussi à attirer son attention grâce à quelques hameçons faciles, et une fois ferré, je lui ai demandé s'il était conscient que depuis son arrivée à la Maison Blanche, vingt-huit mille cas de sida avaient été recensés aux États-Unis et que sur ces vingt-huit mille personnes, presque vingt-cinq mille étaient mortes. Autrement dit, plus de 89 pour cent. "Je ne sais pas si c'est parfaitement exact", a-t-il répondu – et là, elle fit une imitation de Reagan qui était encore meilleure que la mienne – "et vous savez ce qu'on dit sur les statistiques, n'est-ce pas ?"

— Et que dit-on sur les statistiques ? lançai-je.

— Je l'ai interrompu, ce qu'on n'est pas censé faire à un président, et je lui ai demandé s'il croyait que l'administration devrait réagir de façon plus sérieuse – devant une pandémie d'une telle ampleur –, on pouvait raisonnablement penser qu'elle ne régresserait pas dans un avenir proche.

— Il y a trois types de mensonges, énonça Alex en me regardant. Les mensonges, les sales mensonges et les statistiques.

— Est-ce qu'il t'a répondu ? demanda Bastiaan.

— Bien sûr que non. Il a grogné, puis souri, et sa tête a branlé un peu : "Vous, les filles de la salle de presse, vous connaissez tous les potins, on dirait." Ensuite, il a voulu savoir si j'avais déjà vu *Radio Days* et ce que je pensais de Woody Allen. "Un grand réalisateur, lui ? il a fait en se grattant le menton. De mon temps, il aurait trié le courrier." En gros, il a juste ignoré ma question et l'attaché de presse est arrivé en courant pour prévenir le président qu'on l'attendait dans le Bureau ovale. Une fois Reagan parti, il m'a passé le savon du siècle et m'a menacée de me prendre ma carte de presse.

— Et tu crois qu'il a parlé à ton chef de ta promotion ? s'enquit Bastiaan. Tu penses que c'est une mesure de rétorsion ?

— Lui ou quelqu'un d'autre de l'administration. Ils ne veulent pas de questions sur ce sujet. Surtout pas de quelqu'un si proche de la problématique, quelqu'un qui, comme par hasard, est marié à un médecin spécialiste du sida et a des informations de première main sur ce qui se passe vraiment sur le terrain.

— S'il te plaît, ne m'appelle pas comme ça, implora Alex en faisant la moue. Je déteste cette expression, elle est tellement réductrice.

— Eh bien… c'est ce que tu es, non ? Surtout. Tous les deux. Ce n'est pas la peine de tourner autour du pot.

— On n'avancera pas tant que la communauté hétérosexuelle n'acceptera pas que cette maladie les touche aussi, dit Bastiaan en posant ses couverts. Il y a un patient au Mount Sinai en ce moment, le patient n° 741. Tu le connais, Alex ? » Alex acquiesça. « Est-ce que tu l'as rencontré ? me questionna-t-il.

— Non », dis-je. J'avais une assez bonne mémoire des numéros, ils semblaient s'inscrire à l'encre indélébile dans ma tête, et je n'avais jamais rencontré quiconque dans la septième centaine.

« Il m'a été envoyé l'an dernier par un médecin de la clinique Whitman-Walker à Washington. Ce gars avait commencé à avoir des migraines épouvantables quelques semaines auparavant, ensuite il a développé une toux dont il n'arrivait pas à se débarrasser. Il a essayé les antibiotiques, qui n'ont rien donné. Son médecin lui a fait faire quelques examens et elle avait des soupçons. Elle me l'a adressé pour une consultation.

Quand je l'ai vu, j'ai su qu'elle avait raison, j'en étais certain rien qu'en le regardant, mais je n'ai pas voulu inquiéter le pauvre gars inutilement en partageant mes doutes, alors je lui ai fait passer les tests habituels.

— Quel âge a-t-il ? demanda Courteney.

— Environ notre âge. Pas de femme, pas d'enfants, pas homo. Il avait cette arrogance, ce sentiment que tout lui était dû qu'on voit souvent chez les hétéros d'une beauté exceptionnelle. Il a passé une grande partie de sa vie à voyager et il était inquiet à l'idée qu'il avait peut-être chopé un truc quelque part, la malaria, par exemple. Je lui ai demandé s'il était sexuellement actif. "Bien sûr que je le suis, a-t-il répondu en riant comme si ma question était ridicule. Je suis sexuellement actif depuis mon adolescence." Je l'ai interrogé sur le nombre de partenaires et il a haussé les épaules, il avait perdu le fil. Au moins deux ou trois cents, selon lui. Des hommes ? l'ai-je interrogé. Il a secoué la tête et m'a regardé comme si j'étais cinglé. "Est-ce que j'ai l'air de quelqu'un qui baise avec des hommes ?" a-t-il fait. Je ne me suis pas donné la peine de répondre. Quand il est revenu chercher ses résultats une semaine plus tard, je l'ai fait asseoir et je lui ai expliqué que j'étais désolé mais que j'avais identifié le virus VIH dans son sang. Bien qu'il n'ait pas encore développé le sida à proprement parler, et même si nous pourrions peut-être repousser l'échéance, il y avait une probabilité non négligeable que le virus se transforme en maladie en quelques mois, et bien entendu, comme il le savait probablement, il n'y avait pas de traitement pour le moment.

— Tu sais avec combien de personnes j'ai eu cette conversation depuis le début de l'année ? demanda Alex. Dix-sept. Et nous ne sommes qu'en avril. »

J'eus soudain un flash-back. C'était un moment auquel je n'avais pas pensé depuis des années. Assis dans un café à Ranelagh le matin de mon mariage, je m'étais retrouvé sans vraiment comprendre comment en train de surveiller un enfant de neuf ans, le fils de la dame qui dirigeait le salon de thé du Dáil Éireann pendant qu'elle appelait Aer Lingus pour réserver un vol pour Amsterdam. « Tu es un drôle de numéro, Jonathan, lui avais-je dit. Personne ne te l'a jamais dit ? » Il m'avait répondu : « Dix-neuf personnes rien que cette année. Et nous ne sommes qu'en mai. »

« Alors, comment le patient n° 741 a-t-il pris la nouvelle ? voulut savoir Courteney. Tu sais, j'ai l'impression que je suis dans un film de science-fiction avec ces numéros. Tu ne peux pas nous donner son nom ?

— Non, bien sûr que non, fit Bastiaan. Il ne l'a pas bien pris. Il m'a regardé comme si je me payais sa tête. Ensuite, il s'est mis à trembler, vraiment fort, et il m'a réclamé un verre d'eau. Je suis sorti lui en chercher un et quand je suis revenu, il avait son dossier entre les mains et il l'examinait, dans un état de grande agitation. Il n'aurait pas pu comprendre un mot de ce qu'il lisait, il n'était pas médecin, mais c'était comme s'il voulait me prouver que j'avais tort. J'ai repris le dossier et je lui ai tendu le verre d'eau. Ses mains tremblaient tellement qu'il a tout renversé en essayant de boire. Quand j'ai réussi à le calmer, il m'a dit qu'il était impossible que mon diagnostic soit juste et qu'il voulait un second avis. "Vous pouvez consulter un confrère, bien sûr, lui ai-je dit, mais cela ne changera rien. Il y a des tests très spécifiques, bien établis, qui nous permettent d'identifier le virus. Aucun doute possible. Je suis absolument désolé." »

Je hochai la tête, empathique, et en jetant un coup d'œil alentour, je remarquai que les gens de la table voisine nous observaient, l'air dégoûté. Je croisai le regard d'un des hommes – il avait une bonne cinquantaine d'années, il était chauve et obèse, avec un énorme steak saignant dans son assiette – et il nous scrutait avec une répugnance absolue.

« Malgré tout, poursuivit Bastiaan, le patient n° 741 n'était toujours pas prêt à accepter la vérité. Il a voulu savoir qui était le meilleur médecin dans le domaine, où se trouvait le meilleur hôpital. Il n'en démordait pas, quelqu'un devait pouvoir l'aider. Et ce quelqu'un parviendrait à me donner tort. "Mais docteur, a-t-il dit en me secouant par les épaules comme s'il cherchait à me faire entendre raison, il est impossible que j'aie cette maladie. Est-ce que j'ai l'air d'être une pédale ? Je suis normal, bon sang !"

— Vous voyez ? fit Courteney en levant les mains en signe d'impuissance. Ils ne sont au courant de rien. Ils ne comprennent rien.

— Et avec le temps, a-t-il fini par accepter ? demandai-je.

— Il a bien été obligé. » Bastiaan tendit le bras et prit ma main pour la serrer tendrement. Malgré l'amitié que nous

partagions avec Alex et Courteney, il y eut néanmoins un moment où je remarquai leur regard attiré vers nos mains et la gêne qu'ils semblaient éprouver devant ce geste d'affection.
« Il n'avait pas le choix. Quand je lui ai dit qu'il allait devoir contacter toutes les femmes dont il avait partagé l'intimité pour qu'elles se fassent tester elles aussi, il a répondu qu'il ne connaissait même pas le nom de la moitié des femmes avec qui il avait couché au cours de la dernière année, et encore moins leur numéro de téléphone. Ensuite, il a exigé une transfusion sanguine. "Prenez tout mon sang et remplacez-le par du sain." Je lui ai expliqué que c'était ridicule, que ça ne marchait pas comme ça. "Mais je ne suis pas un putain de pédé !" répétait-il constamment.

— Et maintenant, où est-il ? demandai-je.

— Au Mount Sinai. Il ne lui reste pas longtemps à vivre. Il est arrivé il y a quelques semaines et à ce stade, ce n'est plus qu'une question de temps. À la fin de notre entretien, j'ai dû appeler la sécurité. Il devenait fou. Il avait contourné mon bureau, m'avait collé contre le mur...

— Il t'avait quoi ? l'interrompis-je.

— Collé contre le mur. Il a dit qu'il savait que j'étais une sale pédale et que je ne devrais pas avoir le droit d'approcher des patients, que je les infectais probablement les uns après les autres.

— Oh, c'est pas vrai, s'exclama Courteney.

— Est-ce qu'il t'a fait mal ?

— Non. C'était il y a un an, de toute manière. J'étais plus grand que lui. Et plus fort. J'aurais pu le mettre au tapis si j'avais été obligé, mais j'ai réussi à contrôler la situation, à le calmer, à lui faire comprendre que sa colère ne l'aiderait en rien. Finalement, il m'a lâché, il s'est effondré et s'est mis à pleurer. "Mon Dieu, répétait-il. Qu'est-ce qu'ils diront, à la maison ? Qu'est-ce qu'ils penseront de moi ?"

— C'était où, à la maison ? » demanda Courteney.

Bastiaan hésita quelques instants, puis se tourna vers moi.
« Eh bien, c'est curieux. Il était irlandais.

— Tu plaisantes. Je n'ai pas du tout suivi ce qui se passe là-bas. Les gens attrapent le sida en Irlande aussi ?

— On l'attrape partout, Cyril, déclara Alex. Probablement à une plus petite échelle, mais il y aura forcément quelques cas.

— Alors pourquoi il n'est pas rentré mourir chez lui ? Pourquoi rester aux États-Unis ?

— Il ne voulait pas que sa famille soit au courant. Il préférait mourir tout seul ici que leur dire la vérité.

— Tu vois ? m'emportai-je. Ce fichu pays ne changera jamais. Vaut mieux tout planquer sous le tapis que de se confronter aux réalités de la vie. »

Je levai les yeux lorsque le serveur s'approcha de notre table et se planta devant nous avec un sourire crispé. Il avait une tignasse volumineuse et un torse velu sous un gilet en cuir qu'il portait sans chemise ; il aurait pu faire partie du groupe Bon Jovi.

« Le dîner vous a plu ? s'enquit-il et avant qu'on puisse répondre, son visage se contracta davantage. Je vous laisse ça, quand vous voudrez, dit-il en posant un minuscule plateau argenté sur la table, puis il tourna les talons et s'éloigna.

— Pourquoi vous nous apportez l'addition ? s'étonna Alex en le rappelant. Personne n'a rien demandé.

— Malheureusement, nous avons besoin de cette table, argua le serveur en jetant un coup d'œil du côté de nos voisins. Nous ne nous attendions pas à ce que vous restiez si longtemps.

— Cela fait à peine une heure que nous sommes là.

— Et nous n'avons encore pris ni dessert ni café, ajouta Courteney.

— Je peux vous donner des cafés à emporter si vous voulez.

— Je ne veux pas de café à emporter ! rétorqua-t-elle. Bon sang !

— Remportez l'addition et nous commanderons la suite quand nous serons prêts, dit Bastiaan.

— Je ne peux pas faire ça, monsieur. » Le serveur cherchait des yeux des soutiens dans la salle. Je remarquai que deux ou trois de ses collègues s'étaient rassemblés du côté du bar pour observer ce qui se passait. « Cette table est réservée pour d'autres clients.

— Ah oui et où sont-ils ? fis-je, le regard inquisiteur.

— Ils ne sont pas encore arrivés. Mais ils sont en route.

— Je compte au moins quatre tables libres, précisa Courteney. Vous avez le choix pour les installer ailleurs.

— Ils veulent cette table.

— Eh bien, tant pis pour eux, fit Alex. Nous sommes arrivés les premiers.

— S'il vous plaît… » Le serveur se tourna à nouveau vers nos voisins qui nous observaient, un grand sourire aux lèvres. « Ne faites pas de scène. Nous devons penser à nos autres clients.

— Que se passe-t-il exactement ? s'emporta Bastiaan qui jeta sa serviette sur la table. Vous nous mettez dehors, c'est ça ? Pourquoi ? Qu'avons-nous fait ?

— Nous avons eu des plaintes.

— À quel sujet ? demandai-je, ahuri.

— Pourquoi vous ne fichez pas le camp d'ici, émit une voix de la table voisine, et nous nous tournâmes tous vers l'homme au steak qui nous regardait l'air écœuré. Nous essayons de dîner agréablement et tout ce que nous entendons venant de votre table, c'est des discussions sur cette sale maladie de pédés. Si l'un de vous l'a, vous ne devriez même pas être dans un restaurant.

— Personne ne l'a, espèce de débile, s'énerva Courteney, se tournant vers lui. Ces messieurs sont médecins, ils soignent les victimes du sida.

— Je crois que vous ne connaissez pas le sens du mot victime, souffla une des femmes. On n'est pas une victime quand on l'a bien cherché.

— Qu'est-ce que c'est que ce bordel ? fis-je, mi-amusé, mi-choqué par ce que j'entendais.

— Jeune homme, vous devrez jeter toute leur vaisselle, assiettes et couverts, dit le client. Il n'est pas question que quiconque mange avec les mêmes ustensiles que ces gens. Et portez des gants, je vous le conseille. »

Bastiaan bondit sur ses pieds et alla jusqu'à leur table. Le serveur, effrayé, recula ; Alex se leva aussitôt, je l'imitai, indécis sur la manière de réagir.

« Partons, dit Courteney, en attrapant Bastiaan par le bras au moment où il passait à côté d'elle. Mais il n'est pas question que nous payions la note, ajouta-t-elle à l'intention du serveur. Vous pouvez vous la mettre où je pense, et profond.

— C'est quoi, votre problème ? » demanda Bastiaan au gros type qui s'était levé entre-temps, et il le poussa en collant ses deux mains sur sa poitrine. Son accent néerlandais devenait de plus en plus marqué à mesure que sa fureur grandissait ; je l'appelais sa « voix tonnante » et je redoutais son apparition, rare néanmoins. « Vous croyez que vous savez de quoi vous parlez ? Vous ne comprenez rien, rien du tout. Apprenez donc à faire preuve d'un peu d'humanité !

— Tirez-vous d'ici avant que j'appelle la police. » L'homme n'était pas du tout intimidé bien que Bastiaan soit plus jeune, plus athlétique et plus grand que lui. « Pourquoi vous allez pas, vos amis et vous, dans West Village ? Ils seront ravis de vous servir tout ce que vous voudrez, espèces de pervers. »

Je vis Bastiaan trembler, essayant de garder son sang-froid pour ne pas soulever l'homme de sa chaise et le jeter par la fenêtre. Finalement, il reprit le contrôle de lui-même, tourna les talons et s'éloigna. Suivis des yeux par tous les clients du restaurant, nous sortîmes sur la 23e Rue, dans les lumières des bureaux d'angle du Flatiron.

« Connards, s'exclama Bastiaan, en nous emmenant en direction d'un bar où nous avions l'intention de nous saouler. Quelle bande de gros connards. Ils auraient un peu plus de pudeur si l'un d'eux tombait malade. Je le leur souhaite. À tous.

— Tu ne penses pas ce que tu dis, fis-je en l'enlaçant pour le serrer contre moi.

— Non, chuchota-t-il avec un soupir, la tête posée sur mon épaule. Non, je suppose que non. »

Le patient n° 563

Les rideaux étaient tirés dans la chambre 711 et d'une voix enrouée qui donnait l'impression de ne pas avoir émis un son depuis un moment, le jeune homme me demanda de ne pas les ouvrir. Néanmoins, ils laissaient filtrer suffisamment de lumière pour que je puisse distinguer sa silhouette dans le lit. Il avait une vingtaine d'années, mais il ne devait pas peser plus de quarante-cinq kilos. Ses bras, posés sur les draps, étaient fins comme des brindilles, ses longs doigts, décharnés, et ses coudes, complètement enflammés sous la blouse d'hôpital. Son visage était émacié ; il aurait pu être une de ces créatures tératologiques comme le monstre de Mary Shelley. Les lésions sur son cou et au-dessus de son œil droit – des hématomes noirs incrustés dans la peau – donnaient l'impression de vibrer comme si elles étaient vivantes.

Shaniqua m'avait dit que si je me sentais mal à l'aise, je devais partir : ce n'était pas juste pour le patient d'être confronté à mon embarras, mais je n'avais encore jamais agi ainsi. Ce jour-là, elle avait insisté pour que je porte une blouse et un masque, et j'avais suivi ses instructions bien que le lit du jeune homme fût entouré d'une grande bâche blanche en plastique qui me rappelait la scène à la fin de *E.T.*, quand la maison d'Elliott est mise en quarantaine par le gouvernement et que l'extraterrestre semble sur le point de mourir. Je me présentai au patient et lui expliquai la raison de ma présence. Il hocha la tête, ses yeux s'ouvrirent un peu tandis qu'il tentait de faire entrer un peu d'air dans son corps. Quand il essaya de parler, les mots sortirent avec peine à la suite d'une longue quinte de toux.

« C'est gentil à vous de venir. Je n'ai pas beaucoup de visites. Cela fait des semaines que je n'ai vu personne, en dehors de l'aumônier. Il vient tous les jours. Je lui ai dit que je n'étais pas croyant, mais il continue quand même.

— Voulez-vous qu'il arrête ? Parce que si c'est le cas…

— Non, s'empressa-t-il de répondre. Non, qu'il continue.

— D'accord. Comment vous sentez-vous aujourd'hui ?

— Comme quelqu'un dont la fin est proche », fit-il en riant un peu, ce qui déclencha une série de quintes de toux qui dura plus d'une minute et me donna des sueurs froides. Détends-toi, tu ne peux pas l'attraper, me répétai-je. Tu ne peux pas l'attraper juste en étant dans la pièce.

« Et si vous me disiez comment vous vous appelez ? Vous n'êtes pas obligé. Pour moi, vous êtes identifié comme le patient n° 563, pas autrement.

— Je m'appelle Philip. Philip Danley.

— Heureux de vous rencontrer, Philip. Est-ce qu'au moins on vous soulage ? Je suis tellement désolé que vous soyez malade. »

Il ferma les yeux et je crus un instant qu'il s'endormait, mais il les rouvrit très vite et se tourna vers moi. Il respirait si fort que je voyais sa poitrine monter et descendre sous la couverture. J'imaginais à quel point sa cage thoracique devait être saillante, sous sa peau.

« Êtes-vous de New York ?

— De Baltimore. Vous connaissez ?

— Je n'ai jamais été ailleurs aux États-Unis qu'à Manhattan, répondis-je.

— Autrefois, je pensais qu'il n'y avait aucun intérêt à aller ailleurs. J'ai toujours rêvé de venir ici. Depuis que je suis tout petit.

— Et quand êtes-vous arrivé ?

— Il y a deux ans. Je suis venu étudier la littérature à CCNY.

— Oh, fis-je, surpris. Je connais quelqu'un qui étudie la littérature là-bas.

— Qui ?

— Il s'appelle Ignac Križ ; il a probablement deux ou trois ans de plus que vous, ceci dit, alors peut-être que…

— Je connais Ignac, dit-il avec un sourire. Il est tchèque, c'est ça ?

— Slovène.

— Ah oui. Comment le connaissez-vous ?

— Je suis un de ses tuteurs. Pas au sens légal du terme, mais cela revient au même. Depuis sept ans. Il n'en a pas besoin, évidemment. Il a vingt-deux ans. Il vit avec mon compagnon et moi.

— Je crois qu'il sera un jour un écrivain célèbre.

— Peut-être. Mais je ne suis pas certain qu'il recherche la célébrité.

— Ce n'est pas ce que je voulais dire. Je pense qu'il va réussir. C'est un gars super. Et j'ai lu quelques-unes de ses histoires. Tout le monde trouve qu'il a beaucoup de talent.

— Est-ce que vous avez aimé étudier là-bas ? » Je me mordis la lèvre quand je me rendis compte que j'avais utilisé le passé, comme si cette partie de sa vie était terminée. Ce qui, effectivement, était le cas.

« J'ai adoré. C'était la première fois que je quittais le Maryland. Je suis toujours inscrit là-bas, j'imagine. Ou peut-être qu'ils m'ont rayé de leurs tablettes, je ne sais pas. Ça n'a plus d'importance, de toute façon. Mes parents ne voulaient pas que je vienne à New York. Ils disaient que je me ferais agresser dès ma première sortie en ville.

— Ils avaient raison ?

— En quelque sorte, oui. Et vous, qu'est-ce que vous faites ? demanda-t-il. Vous travaillez à l'hôpital ?

— Non, je suis bénévole.

— Et quand vous n'êtes pas ici, que faites-vous ?

— Pas grand-chose. Je suis une sorte de femme au foyer des années 1950. Je n'ai pas de visa de travail, alors je ne peux rien faire légalement. Je sers quelques soirs par semaine dans un bar près de l'endroit où nous habitons. Mon compagnon gagne assez pour nous faire vivre tous les deux, alors, on peut dire que je vis à ses crochets. Enfin, voilà pourquoi je viens ici bénévolement. Je veux utiliser mon temps de manière positive.

— Vous êtes homo, alors ?

— Oui. Et vous ?

— Oui. Comment croyez-vous que je me suis retrouvé dans cette situation ?

— Eh bien, pas parce que vous êtes homo. Vous ne pouvez pas penser que c'est la raison.

— Mais si, ça l'est.

— Non. Il y a plein de patients hétéros dans ce service.

— Si, c'est la raison », insista-t-il.

Je m'approchai de lui et m'assis sur une chaise. Malgré le traumatisme que la maladie avait infligé à son visage et à son corps, je voyais bien qu'il avait été joli garçon. Ses cheveux noirs, coupés très court, formaient un beau contraste avec ses yeux, d'un bleu vif qui ne pouvait être terni par la maladie.

« Tu te souviens, quand on était petit, dit-il enfin en se tournant à nouveau vers moi, la fois où on a monté la luge sur Ratchet Hill, le matin de Noël ? Tu as dit que si on se tenait aux côtés aussi fort qu'on pouvait, il ne nous arriverait rien. Mais tu es tombé, tu t'es tordu la cheville et maman m'a disputé et j'ai été privé de sorties pendant une semaine.

— Ce n'était pas moi, je crois, fis-je doucement. C'était votre frère, Philip ? Pensez-vous à votre frère ? »

Il tourna la tête, me dévisagea quelques instants et fronça les sourcils. « Ah oui, soupira-t-il en détournant les yeux. Je croyais que vous étiez James. Vous n'êtes pas James, c'est ça ?

— Non, je suis Cyril.

— Est-ce que ta cheville te fait toujours mal quand il fait froid ?

— Non, non, elle est guérie. Tout va bien, maintenant.

— Tant mieux. »

Une infirmière entra et sans nous adresser la parole, examina un écran de contrôle, puis changea la perfusion avant de repartir. Je jetai un coup d'œil sur la table de chevet et aperçus *Le Bruit et la Fureur* et *Catch-22* posés l'un sur l'autre.

« Vous lisez.

— Bien sûr. Je vous l'ai dit, j'étudie la littérature.

— Voulez-vous écrire ? Comme Ignac ?

— Non, je voulais enseigner. J'en ai toujours envie.

— Anne Tyler est originaire de Baltimore, n'est-ce pas ? » Il acquiesça. « J'ai lu quelques-uns de ses livres. Je les ai beaucoup aimés.

— Je l'ai rencontrée une fois. Je travaillais à temps partiel dans une librairie quand j'étais au lycée. Elle est venue acheter des cadeaux de Noël et j'ai piqué un fard en me retrouvant face à elle, je l'admirais tellement. »

Je souris, puis, épouvanté, aperçus des larmes qui commençaient à couler sur ses joues.

« Je suis désolé. Vous devriez y aller. Je ne veux pas que vous me voyiez me ridiculiser.

— Ce n'est rien. Et vous ne vous ridiculisez pas. Je ne peux pas imaginer ce que vous traversez. Est-ce que vous pouvez... » J'hésitai, ne sachant pas trop si je devais poser la question. « Voulez-vous me parler de ce qui vous a amené ici ?

— C'est vraiment ironique. On dit qu'on a plus de risques d'attraper le sida quand on multiplie les partenaires. Devinez avec combien de personnes j'ai couché ?

— Je n'en ai aucune idée.

— Une.

— Bon Dieu.

— Une. Et une seule fois. J'ai baisé une seule fois dans ma vie et voilà où ça m'a mené. »

Je ne répondis pas. Il n'y avait rien à dire.

« J'étais encore puceau quand je suis arrivé à New York. J'étais tellement timide. Au lycée, j'en pinçais pour presque tous les garçons que je connaissais, mais je ne me suis jamais manifesté, je n'ai jamais dit à personne que j'étais homo. Ils m'auraient tabassé, s'ils avaient su. Ils m'auraient tué. C'est pour ça que j'ai voulu venir étudier ici. Je me suis dit que je pourrais peut-être me construire un projet de vie. Mais ça n'a pas été facile. Les six premiers mois, je suis resté enfermé dans ma chambre universitaire, à me branler, j'avais trop peur d'aller dans un club ou un bar. Et un soir, je l'ai fait. J'ai pris ma décision. Et puis merde. Une fois là-bas, c'était tellement bien. J'avais l'impression d'être à ma place, pour la première fois de ma vie. Je n'oublierai jamais cette sensation. Comme il avait été difficile de franchir les portes ! Et comme il était facile d'évoluer à l'intérieur ! J'avais l'impression d'être exactement là où j'étais censé être. Puis un type m'a ramené chez lui, le premier qui m'a parlé. Il n'était même pas canon. Et il était vieux ! Il aurait pu être mon père. Je n'étais même pas attiré par lui. Mais j'étais tellement impatient de baiser, de perdre ma virginité. Et j'avais peur de rester dans un club dont je ne comprenais pas vraiment les usages. Alors, je suis allé avec lui et on a baisé. Ça a duré environ vingt minutes. Après, j'ai remis mes vêtements à toute vitesse et je suis rentré en courant. Je ne connaissais pas son nom. Et voilà. Voilà comment je l'ai attrapé. » Il prit une longue inspiration et secoua la tête. « C'est pas l'histoire la plus horrible que vous ayez entendue ?

— Je suis navré. » Je tendis le bras et glissai la main sous la bâche pour prendre la sienne. Sa peau était fine comme du papier et j'avais peur que ses doigts se brisent si je serrais trop fort. « Le monde est pourri.

— Tu diras à maman que je suis désolé, quand tu la verras ? demanda-t-il. Dis-lui que si je pouvais revenir en arrière, je ne le referais pas.

— Je ne suis pas James, murmurai-je en serrant sa main. Je suis Cyril.

— Tu promets que tu lui diras ?

— Je le promets.

— Bien. »

Je retirai ma main et il bougea dans son lit. « Êtes-vous fatigué ?

— Oui. Je crois que je vais dormir un peu. Est-ce que vous reviendrez me voir ?

— Oui. Je peux passer demain, si vous voulez ?

— J'ai cours le matin, dit-il, les yeux déjà mi-clos. Plutôt samedi.

— Je viendrai vous voir demain. » Je me levai et l'observai quelques minutes, alors qu'il s'endormait doucement.

Emily

Les bruits provenant de la chambre d'Ignac m'informèrent qu'Emily et lui étaient rentrés et mon moral s'enfonça comme le *Titanic* au fond de l'océan Atlantique. Je m'assurai de fermer la porte d'entrée avec autant de force que possible et je toussai deux ou trois fois pour les informer que j'étais là. Ma récompense fut une série de gloussements suivis d'un *chut* à mi-voix ; j'allai me réfugier à la cuisine.

Cinq minutes plus tard, assis à la table devant une tasse de café, occupé à feuilleter un exemplaire de *Rolling Stone* que Bastiaan avait laissé là, je levai les yeux pour voir Emily entrer, pieds nus, vêtue d'une chemise d'Ignac ouverte très bas sur la poitrine qui m'offrait une vue sur ses seins plus dégagée que nécessaire. Son short en jean était coupé très court et le bouton du haut n'était visiblement pas fermé. Ses cheveux, qu'elle portait normalement en chignon façon nid d'oiseau mal fini, lui tombaient sur les épaules.

« Bonjour Mr Avery, lança-t-elle d'une voix chantante tout en allant ouvrir le réfrigérateur.

— S'il vous plaît, appelez-moi Cyril.

— Je ne peux pas, dit-elle en agitant la main et en faisant une grimace comme si je lui avais fait une proposition cochonne. C'est un drôle de nom. Chaque fois que je l'entends, je pense à Cyril l'Écureuil. »

Je me retournai brusquement, me rappelant que Bridget Simpson avait insisté pour m'appeler comme ça vingt-huit ans auparavant, au Palace Bar sur Westmoreland Street. Bridget, Mary-Margaret et Behan étaient tous morts aujourd'hui. Et Julian ? Eh bien, je n'avais pas la moindre idée de l'endroit où il se trouvait.

« Quoi ? fit-elle en se retournant. On dirait que vous avez vu un fantôme. Vous n'êtes pas en train de me faire une espèce d'attaque, hein ? Ce n'est pas rare chez les hommes de votre âge.

— Ne soyez pas ridicule. Et cessez de m'appeler Mr Avery, d'accord ? Ça me donne l'impression d'être votre père. Ce qui serait très étrange, vu que je n'ai que dix ans de plus que vous.

— Une différence considérable, vous savez. Et je ne veux pas vous manquer de respect en me montrant trop familière.

— C'est exactement la même différence d'âge qu'entre Ignac et vous, lui fis-je remarquer. Et il ne vous appelle pas Miss Mitchell, si ? »

Elle sortit un pot de yaourt du réfrigérateur, ôta le couvercle et me regarda avec un amusement à peine dissimulé en passant sa langue sur l'intérieur de l'opercule ; de petits morceaux de fraise restèrent collés sur ses lèvres. « Il le fait lorsque je le lui dis. Et de toute façon, je n'ai pas dix ans de plus qu'Ignac, Mr Avery. Nous n'avons que neuf ans de différence. Et rappelez-moi, quel âge avait Ignac quand vous l'avez recueilli ? »

Avant que je puisse ouvrir la bouche, Ignac apparut et je n'eus pas d'autre choix que d'abandonner la partie. Il connaissait mon avis sur Emily et je savais qu'il n'aimait pas quand nous nous lancions des piques. Elle avait parfaitement choisi son moment.

« Salut Cyril, dit-il en branchant la bouilloire. Je ne t'ai pas entendu rentrer.

— Bien sûr que si, marmonnai-je.

— Tu étais occupé à autre chose, chéri, répliqua Emily sans lever les yeux.

— Comment étaient les cours aujourd'hui ? » J'aurais bien voulu qu'Emily aille dans l'autre pièce pour s'habiller, ou qu'elle parte. Ou alors qu'elle retourne fouiller dans le réfrigérateur, trébuche sur une dalle de lino mal collée et qu'elle tombe par la fenêtre au milieu de la 55e Rue.

« Assez bien. J'ai eu un A pour mon devoir sur Lewis Carroll. Et un autre pour mon essai sur Yeats.

— Bravo ! » J'étais heureux qu'Ignac s'intéresse à la littérature irlandaise, et de manière plus assidue qu'à la littérature néerlandaise ou slovène. Il progressait dans la lecture de la plupart des grands romans irlandais, même si pour une raison inconnue, il avait choisi d'éviter l'œuvre de Maude. J'avais envisagé de lui en acheter au Strand Bookstore – ils vendaient quelques premières éditions à des prix tout à fait décents – mais je ne voulais pas qu'il se sente obligé de les lire. Et je ne savais pas comment je le prendrais si, par hasard, il ne les appréciait pas. « Bravo, répétai-je. J'aimerais bien jeter un coup d'œil à celui sur Yeats.

— Il est très analytique, dit Emily, comme si j'étais totalement inculte. Pas du tout pour le non-initié.

— Je maîtrise assez bien les grands mots, rétorquai-je. Et si je coince, je peux toujours aller les chercher dans le dictionnaire.

— Ce n'est pas vraiment la signification d'analytique. Mais c'est pas grave, faites-vous plaisir.

— Vous enseignez quoi, déjà ? Rappelez-moi. Études féminines, c'est ça ?

— Non, Histoire russe. Même s'il y a un module sur les femmes russes. C'est peut-être à ça que vous pensez.

— Un pays intéressant, la Russie. Les tsars, les bolcheviques, le Palais d'Hiver, entre autres. Vous y êtes allée de nombreuses fois, je présume ?

— Non, répliqua-t-elle en secouant la tête. Non, jamais. Pas encore, du moins.

— Vous plaisantez.

— Pourquoi mentirais-je ?

— Je suis surpris, c'est tout. Si vous étiez si intéressée par un pays et son passé, j'aurais cru que vous voudriez vraiment y aller et en avoir une connaissance de première main. Je trouve cela très étrange.

— Eh bien, que puis-je vous dire ? Je suis une énigme.

— Mais vous parlez le russe, n'est-ce pas ?

— Non. Pourquoi ? Vous le parlez, vous ?

— Non, bien sûr que non. Mais en même temps, je n'enseigne pas le russe dans le supérieur.

— Moi non plus. J'enseigne l'histoire russe.

— Quand même, c'est très étrange.

— Ce n'est pas si inhabituel, quand on y pense. Ignac s'intéresse à la littérature irlandaise et il n'est jamais allé en Irlande, me fit-elle remarquer. Et il ne parle pas irlandais.

— Il se trouve que la plupart des textes littéraires irlandais sont écrits en anglais.

— Est-ce que votre pays réprime ses écrivains ?

— Non.

— Alors, personne n'écrit en langue irlandaise ?

— Je suis sûr que si, dis-je, de plus en plus troublé. Mais ces livres-là ne sont pas très connus.

— Vous voulez dire que ce ne sont pas de gros tirages. Je n'avais pas compris que vous étiez si populiste. Figurez-vous que j'ai lu un des livres de votre mère l'an dernier. Ils se vendent très bien, n'est-ce pas ?

— C'est ma mère adoptive.

— C'est pareil.

— Ça ne l'est pas, vraiment pas. Elle n'était pas exactement une présence maternelle.

— Avez-vous lu *Comme l'alouette* ?

— Bien sûr.

— Il est assez bon, non ?

— Je trouve qu'il est plus que “assez bon”.

— Mais l'enfant du livre est un tel monstre. L'un des plus grands menteurs et faux jetons de la littérature. Pas étonnant que la mère veuille le tuer. Était-ce autobiographique ?

— Tu sais qu'il y a un portrait de Maude affiché dans le département de littérature à CCNY ? interrompit Ignac, et je me tournai vers lui, surpris.

— Ah oui ?

— Oui, il y a quatre affiches devant le bureau de l'administration. Virginia Woolf, Henry James, F. Scott Fitzgerald et Maude Avery. Aucun ne regarde le photographe, sauf ta mère…

— Ma mère adoptive.

— Qui regarde droit dans l'objectif. Elle a l'air absolument furieuse.

— Ça lui ressemble parfaitement.

— Elle est assise à côté d'un bureau devant une fenêtre à croisillons, une cigarette à la main. Un cendrier est posé sur la table derrière elle et il déborde de mégots.

— C'était son bureau, à Dartmouth Square. Une pièce enfumée, dans le meilleur des cas. Elle n'aimait pas ouvrir les fenêtres. C'est la maison où j'ai grandi. Elle aurait été horrifiée si elle avait appris que son portrait était accroché sur le mur de ton université, même à côté d'écrivains de ce calibre. Elle n'a pas été publiée aux États-Unis de son vivant, tu sais.

— Certaines personnes ne connaissent le succès qu'une fois mortes, dit Emily. Et leur vie sur terre est un échec total. Est-ce que vous travaillez au bar ce soir, Mr Avery ?

— Non, fis-je en levant les yeux au ciel. Seulement ce week-end.

— Je demande juste parce qu'Ignac et moi envisageons de rester à la maison.

— Eh bien, vous pourriez aller au cinéma, peut-être. Ignac peut assister aux projections des films pour les plus de dix-huit ans, alors, ça vous fera de la compagnie. Vous pourriez essayer *Liaison fatale*.

— Allez, Cyril…, marmonna Ignac.

— Je plaisante. » J'étais déçu par l'empressement avec lequel il défendait son honneur plutôt que le mien.

« On devrait y aller un jour, déclara-t-il au bout d'un moment.

— Où ? Voir *Liaison fatale* ?

— Non, à Dublin. J'aimerais connaître l'endroit où tu as grandi. Et peut-être qu'on pourrait aller dans cette maison, je prendrais une photo de toi dans ce bureau.

— La maison n'est plus dans la famille.

— Que s'est-il passé ?

— Mon père adoptif l'a vendue. Il a été obligé quand il a été mis en prison pour fraude fiscale. Après, son avocat la lui a rachetée. À un prix bradé.

— C'est vraiment ironique, dit Emily.

— Ce n'est pas ironique du tout, répliquai-je. Ironique ne signifie pas du tout cela.

— Quel dommage, regretta Ignac. Mais peut-être que la personne qui y vit maintenant te permettrait d'entrer ? Ce serait chouette de revoir la maison de ton enfance, non ? Tu dois avoir tellement de souvenirs là-bas.

— Ça le serait si c'était de bons souvenirs. Mais il y en a eu si peu. Enfin, je ne crois pas être spécialement le bienvenu à Dartmouth Square. » En dehors des grandes lignes de mon très bref mariage, je ne m'étais jamais résolu à raconter à Ignac l'histoire complète de Julian, Alice et moi. Ce qui s'était passé entre nous remontait à tant d'années, et semblait avoir perdu toute pertinence. Malgré tout, pour la première fois depuis des années, je m'interrogeai sur cette maison et me demandai si Alice y vivait encore avec la personne qu'elle avait épousée après moi. J'espérais qu'elle avait une ribambelle d'enfants et un mari qui la désirait encore. Ou peut-être Julian avait-il récupéré la maison. C'était toujours possible, quoique peu probable – que Julian se soit rangé et ait fondé une famille.

« Depuis combien de temps avez-vous quitté Dublin, Mr Avery ? demanda Emily.

— Quatorze ans, Miss Mitchell. Et je n'ai pas le projet d'y retourner un jour.

— Mais pourquoi ? Votre pays ne vous manque pas ?

— Cyril n'en parle jamais, indiqua Ignac. Je crois qu'il aime garder le secret. Ça doit être à cause de tous ses ex-petits amis. Il ne veut pas qu'ils lui courent après. Il a dû laisser d'innombrables cœurs brisés quand il s'est installé à Amsterdam.

— J'ai beaucoup voyagé entre Dublin et Amsterdam, lui fis-je remarquer. Et je n'ai pas d'ex en Irlande, de toute façon. Bastiaan est le seul petit ami que j'aie jamais eu. Tu le sais.

— Ouais, c'est ce que tu dis. Mais je ne te crois pas.

— Crois ce que tu veux.

— Enfin, peut-être que quand nous serons là-bas, nous pourrons aller jeter un coup d'œil à la maison », ajouta Emily en se tournant vers Ignac. Elle lui prit la main et se mit à jouer avec ses doigts comme s'il était un petit enfant. « Et ensuite, tu pourras toujours envoyer une photo à Mr Avery pour la lui rappeler. »

Il me fallut quelques instants pour comprendre la portée de ce qu'elle venait de dire. « Quand *qui* sera *où* ? » demandai-je. Elle se leva, alla jusqu'au plan de travail prendre une pomme, puis, un pied contre le mur, se mit à croquer le fruit.

« Quand Ignac et moi serons à Dublin.

— Et pourquoi vous seriez à Dublin, Ignac et vous ?

— Emily... », fit Ignac doucement. Je me tournai vers lui et surpris ce qu'exprimait son visage ; il essayait de lui dire que ce n'était pas le moment d'aborder le sujet.

« Ignac ? Qu'est-ce qui se passe ? »

Il soupira et rougit un peu en me regardant.

Emily posa la pomme à moitié mangée sur la table et s'assit. « Oh, je suis désolée, j'étais censée ne rien dire ?

— C'est rien. Ça risque de ne pas marcher, de toute façon.

— Qu'est-ce qui risque de ne pas marcher ?

— Il y a un Master à Trinity College, expliqua-t-il les yeux baissés, grattant d'un geste machinal une trace sur la table. En littérature irlandaise. J'envisage de poser ma candidature pour l'année prochaine. Je n'ai pas encore tout à fait décidé. J'aurais besoin d'une bourse, pour commencer. C'est juste quelque chose auquel je réfléchis, c'est tout.

— D'accord. » Je pris calmement le temps de digérer cette information surprenante. « J'imagine que ce serait intéressant pour toi. Mais vous ne pensez pas y aller, aussi, Emily ? Quel rapport entre l'histoire russe et l'Irlande ?

— Il y a un département d'histoire à Trinity, soupira-t-elle, comme si elle essayait d'expliquer la théorie de la relativité à un crétin. Je pourrais postuler là-bas.

— À mon avis, en Irlande, ils ne verraient vraiment pas d'un bon œil une enseignante qui sort avec un étudiant. Vous seriez licenciée pour avoir abusé de votre position hiérarchique. Ou arrêtée car soupçonnée d'avoir un intérêt malsain pour les enfants.

— Je ne m'inquiète pas de ça. Je suis capable de m'occuper de mes affaires. Et puis, je serais plus près de la Russie si j'étais à Dublin, alors peut-être que je pourrais enfin y aller. Après tout, comme vous l'avez fait remarquer, il est temps. »

Je ne voulais pas vraiment qu'Emily aille où que ce soit avec Ignac mais pour le moment, j'étais plus inquiet à l'idée qu'il quitte New York. Le projet semblait sortir de nulle part, mais il avait un certain sens. Nous étions proches, lui et moi. Nous l'étions tous les trois, évidemment, car c'était Bastiaan qui était à l'origine de notre drôle de famille, sept ans plus tôt à Amsterdam. Mais depuis, Ignac avait manifesté beaucoup plus d'intérêt pour mon héritage que pour celui de Bastiaan, ou même le sien. Et vu sa passion pour l'écriture, on pouvait comprendre que la littérature irlandaise soit une spécialité qui l'attire.

« Est-ce que tu as parlé à Bastiaan de ton projet ? » Il acquiesça. « Un peu. Pas trop. C'est dans un an, nous avons le temps. »

Je fronçai les sourcils, blessé que personne n'ait pensé à m'en informer et irrité qu'Emily soit au courant avant moi. Il était évident qu'elle était contente d'avoir cette longueur d'avance.

« Eh bien, on en reparlera quand Bastiaan sera là.

— Nous sommes assez sûrs de nous, répliqua Emily. Vous n'avez aucune inquiétude à avoir. J'ai fait quelques recherches au sujet de l'université et...

— Je crois que c'est quelque chose que Bastiaan, Ignac et moi devons discuter ensemble, l'interrompis-je en me retournant pour lui lancer un regard incendiaire. En famille.

— En famille ? répéta-t-elle en levant un sourcil.

— Oui. En famille. C'est ce que nous sommes, une famille.

— Bien sûr, dit-elle avec un petit sourire. Nous sommes en 1987, n'est-ce pas. Je ne juge pas. » Elle se leva et sortit de la cuisine, partit en direction de la chambre, non sans ébouriffer les cheveux d'Ignac en passant. Elle aurait aussi bien pu lui pisser sur la jambe pour marquer son territoire.

« Bon sang, fis-je à mi-voix.

— Quoi ? demanda Ignac.

— “Je ne juge pas”, répétai-je. Qu’est-ce qu’elle entendait par là, à ton avis ?

— Rien, Cyril.

— Bien sûr que si. C’est juste que tu ne veux pas le voir.

— Pourquoi tu ne l’aimes pas ? » Ses yeux étaient pleins de tristesse, car il ne supportait ni les conflits ni les émotions négatives. Il était d’une gentillesse infinie.

« Parce qu’elle est assez âgée pour être ta mère, voilà pourquoi.

— Elle ne pourrait pas être ma mère, absolument pas.

— Pour être une sœur bien plus âgée, alors. Ou une jeune tante. Sans parler du fait qu’elle est ton professeur.

— Elle n’est pas mon professeur ! Elle travaille dans un département totalement différent.

— Je m’en fiche. C’est un comportement contraire à l’éthique de la profession.

— Elle me rend heureux.

— Elle te materne.

— Toi aussi.

— Eh bien, j’ai le droit. J’agis *in loco parentis*. »

Il sourit et secoua la tête. « Il y a un côté d’elle que tu ne vois pas.

— Le côté qui ne se balade pas dans l’université en séduisant ses étudiants ?

— Je te l’ai dit, je ne suis pas un de ses étudiants, protesta-t-il. Combien de fois… ? »

Je balayai la chose d’un revers de main. Il s’agissait de détails triviaux. Je savais ce que je voulais dire mais je ne savais pas si je serais capable de l’exprimer correctement. Je ne voulais pas qu’il se fâche contre moi.

« Tu n’as pas remarqué la manière dont elle nous regarde, Bastiaan et moi ? La manière dont elle nous parle ?

— Pas particulièrement. Pourquoi, qu’est-ce qu’elle a dit ?

— Rien de spécial.

— Donc, elle n’a rien dit ? Tu imagines des choses ?

— Elle ne respecte pas ce que nous avons construit tous les trois.

— Bien sûr que si. Elle sait tout ce que vous m’avez apporté, tous les deux. Et elle le respecte.

— Elle pense qu’il y a quelque chose de pas net dans le fait qu’on t’ait recueilli.

— Non, c'est faux.

— Elle me l'a pratiquement dit explicitement ! Qu'est-ce qu'elle sait de nous, d'abord ? De notre histoire ? »

Il haussa les épaules. « Elle sait tout.

— Pas tout ? demandai-je en me penchant vers lui, et mon cœur s'arrêta.

— Non, bien sûr que non, fit-il en secouant la tête. Pas... ça. » Les événements qui s'étaient produits vers la fin de notre séjour à Amsterdam ne furent jamais abordés par l'un ou l'autre d'entre nous. Ils appartenaient à notre histoire, nous y pensions peut-être tous en secret de temps en temps, sans jamais en discuter.

« Mais elle connaît mon passé. Ce que j'étais. Les choses que j'ai faites. Je n'ai honte de rien.

— Tu as bien raison. Mais tu devrais être prudent et ne pas parler à n'importe qui de cette époque. Quand les gens en savent trop sur ta vie, ils peuvent s'en servir contre toi.

— Je n'aime pas avoir des secrets.

— Il ne s'agit pas de secrets, insistai-je. Il s'agit de garder certaines choses pour toi. Une certaine réserve.

— Mais quel est l'intérêt ? Si je dois être proche de quelqu'un, Cyril, eh bien, ce quelqu'un a le droit de m'interroger sur ma vie, et ce temps-là en fait partie. Si ça le dérange, il peut passer son chemin, je m'en fiche. Mais je ne mentirai jamais sur la personne que je suis ni sur ce que j'ai fait. »

Il n'essayait pas de se montrer cruel, je le savais. Il connaissait très peu de choses de mon passé et des mensonges que j'avais racontés pendant mes années de jeunesse, sans parler des dégâts que j'avais causés autour de moi. Et je voulais qu'il continue à en être ainsi.

« Si tu tiens vraiment à aller à Dublin, à voir Trinity College et savoir si ce serait un bon endroit pour toi, peut-être que je pourrais t'y accompagner. » L'idée me terrifiait un peu mais je l'énonçai malgré tout. « Nous pourrions y aller tous les trois.

— Toi, moi et Emily ?

— Non, toi, moi et Bastiaan.

— Peut-être..., dit-il en détournant les yeux. Je ne sais pas. Aujourd'hui, ce n'est qu'une idée, c'est tout. Elle risque de ne pas aboutir. Peut-être que je continuerai aux États-Unis. Je ne suis pas obligé de décider tout de suite.

— D'accord. » Je ne voulais pas le bousculer. « Mais prends la décision toi-même, OK ? Sans que quiconque te mette la pression.

— Et d'ici là, est-ce que tu essaieras de t'entendre mieux avec Emily ?

— Je peux essayer, répondis-je, sceptique. Mais il faut qu'elle arrête de m'appeler Mr Avery. Ça me rend complètement dingue. »

La patiente n° 630

La patiente à laquelle j'avais le plus de plaisir à consacrer du temps était une dame de quatre-vingts ans appelée Eleanor DeWitt qui avait passé l'essentiel de sa vie à papillonner entre Manhattan et les antichambres des salons politiques à Washington D.C., sans oublier les étés à Monte-Carlo ou sur la côte amalfitaine. Hémophile depuis toujours, elle se retrouva infectée par le virus à la suite d'une transfusion de sang contaminé. Elle prenait cependant son malheur avec philosophie, sans se plaindre, et prétendait que si ça n'avait pas été le sida, ç'aurait été le cancer, une attaque ou une tumeur au cerveau. Ce qui était peut-être vrai, bien sûr, mais je ne suis pas certain qu'ils auraient été nombreux à partager son stoïcisme. Quand elle était jeune fille, son père s'était présenté deux fois sans succès aux élections pour devenir gouverneur de New York, et entre les campagnes, il avait fait fortune dans le bâtiment. Elle avait été débutante dans les années 1920 et avait fréquenté, me dit-elle, des gens vifs et spirituels : des écrivains, des artistes, des danseurs, des peintres et des acteurs.

« Bien sûr, la plupart d'entre eux étaient des tapettes, tout comme toi, chéri », me lança-t-elle un jour, alors que j'étais en train de lui donner des raisins, comme si elle était Elizabeth Taylor dans *Cléopâtre* et moi Richard Burton. Elle était allongée sur son lit d'hôpital. Sa peau anormalement fine, presque transparente, laissait voir le sang contaminé qui coulait dans ses veines. Elle portait une énorme perruque blonde pour cacher les plaies et blessures, qui s'étalaient en nombre sur le reste de son corps. « Je devrais le savoir, ajouta-t-elle. J'en ai épousé trois. »

Je me mis à rire, bien que j'aie connu la même chose. Elle était une de ces flamboyantes doyennes qu'on ne s'attendait pas à rencontrer ailleurs que dans un cinéma. Et l'idée qu'elle soit allée – trois fois – jusqu'à l'autel en robe de mariée pour rejoindre un mari homosexuel terrorisé était irrésistible.

« La première fois, me dit-elle en posant sa tête contre son oreiller, j'étais très jeune, à peine dix-sept ans. Mais j'étais une très belle fille, Cyril ! Si vous voyiez des photos de moi à cette époque, je vous promets que vous vous pâmeriez. Les gens disaient que j'étais la plus jolie fille de New York. Mon père, qui était dans le béton, voulait une alliance avec la famille O'Malley – les O'Malley de l'acier, pas ceux du textile – et il m'a pour ainsi dire vendue comme une esclave à un de ses amis qui avait un fils tellement idiot qu'il allait leur rester sur les bras. Lance O'Malley III, qu'il s'appelait. Dix-sept ans, comme moi. Du sang irlandais, comme vous. Le pauvre enfant savait à peine lire et il avait un petit pois à la place du cerveau. Mais il était très beau, je lui reconnais volontiers ça. Toutes les filles étaient dingues de lui, tant qu'il n'ouvrait pas la bouche. Son unique sujet de conversation tournait autour des hypothétiques extraterrestres qui vivaient dans l'espace. Ils n'ont pas besoin d'aller là-bas, je lui ai dit, il y en a déjà assez sur terre, mais il était trop bête pour comprendre. Le soir de notre mariage, après la réception, je l'ai emmené au lit et je n'ai pas honte de reconnaître que j'étais assez impatiente de voir ce qui allait se passer, mais quand j'ai enlevé ma culotte, le pauvre garçon s'est mis à pleurer. Je ne savais pas ce que j'avais fait de travers, alors je me suis mise à pleurer aussi. Et nous avons passé la nuit comme ça, tous les deux, à pleurnicher sur notre oreiller. Le matin suivant, j'ai attendu qu'il soit endormi, tout doucement, j'ai descendu son caleçon et j'ai grimpé sur lui mais il s'est réveillé et a eu tellement peur qu'il m'a mis son poing sur la figure et je suis tombée du lit. Lance était bouleversé – la violence lui était totalement étrangère – et lorsque nous sommes descendus prendre le petit déjeuner, les membres de nos deux familles ont fait comme s'ils ne voyaient pas que j'avais un œil au beurre noir. Ils ont dû croire que nous nous étions adonnés à des gesticulations échevelées pendant la nuit ! Je n'avais pas eu cette chance. Bref, Lance et moi sommes restés mariés un an, et pendant tout ce temps, il ne m'a jamais touchée. Un jour j'ai confié à mon père que le mariage n'avait jamais été consommé et qu'en fait, j'étais sur le point de me suicider tellement j'étais déprimée, et ce fut la fin de l'histoire. L'union a été annulée et je n'ai jamais revu Lance O'Malley III. Aux dernières nouvelles, il était entré dans la marine marchande. Cependant, on ne sait pas si c'est vrai ou non, alors n'en parlez pas autour de vous.

— Mais ça ne vous a pas découragée du mariage ?

— Bien sûr que non ! C'était comme ça, à l'époque. Si un mari ne s'avérait pas bon, on en prenait un autre. Peu importe le mari de qui. On continuait à chercher jusqu'à trouver un prétendant. Je suis sûre qu'il y a un jeu de cartes qui fonctionne de la même manière, si seulement j'arrivais à me rappeler son nom, mais cette saleté de maladie joue des tours terribles à ma mémoire. Mon deuxième mariage était de loin le plus heureux. Henry aimait les garçons et les filles ; il m'en a parlé franchement avant qu'on se retrouve au pied de l'autel. Nous avons convenu qu'il pouvait s'amuser un peu discrètement, si j'avais le droit aussi. Nous partagions même un jeune homme de temps en temps. Oh, ne prenez pas cet air offusqué, Cyril. On était dans les années 1930, les gens étaient beaucoup plus évolués qu'ils ne le sont aujourd'hui. Henry et moi, on aurait pu s'entendre à merveille tous les deux jusqu'à la fin des temps, mais il était vraiment cinglé. Il s'est jeté du Chrysler Building le jour de ses trente ans parce qu'il pensait que ses plus grands moments de bonheur étaient derrière lui. Il avait commencé à perdre ses cheveux, le pauvre chéri, et il ne pouvait supporter l'idée des autres indignités que risquait de lui apporter la trentaine. Quel drame ! J'aurais pu m'en passer. Même si, quand je me vois dans le miroir maintenant, je me demande s'il n'a pas eu raison.

— Et la troisième fois ? »

Elle tourna la tête lentement vers la fenêtre et son corps se mit à tressaillir de douleur. Quand elle me regarda à nouveau, son expression était plus sombre et je compris qu'elle n'était pas tout à fait certaine de savoir qui j'étais.

« Eleanor, est-ce que ça va ?

— Qui êtes-vous ?

— C'est moi, Cyril.

— Je ne vous connais pas, répondit-elle, en me renvoyant d'un geste. Où est George ?

— Il n'y a pas de George ici.

— Allez chercher George ! » cria-t-elle. Puis elle se mit à faire tant de tapage qu'une infirmière dut venir pour la calmer. Finalement, elle s'apaisa et je me demandais si je ne devrais pas la laisser jusqu'au lendemain quand elle se tourna vers moi avec un sourire joyeux, comme si rien de bizarre ne s'était passé.

« La troisième fois n'a pas été une réussite non plus. Ce mariage n'a duré que quelques mois. J'ai épousé un célèbre acteur d'Hollywood en secret, sur une plage de l'île Moustique. J'étais très éprise de lui, pour être honnête, mais je crois que c'était parce que j'avais l'habitude de le voir sur le grand écran. Il était plutôt bon amant, mais il s'est lassé de moi quelques jours après et il est parti retrouver ses garçons. Au studio, ils étaient tellement gênés qu'ils m'ont proposé un emploi fictif, mais j'avais trop d'estime de moi-même pour accepter et nous avons fini par divorcer aussi. Personne n'a jamais su que nous avions été mariés.

— Qui était-ce ? Quelqu'un de célèbre ?

— Quelqu'un de très célèbre, approuva-t-elle en me faisant signe de m'approcher. Venez là, je vais vous le dire à voix basse. »

Je me penchai en avant, mais peut-être bougeai-je trop lentement. Elle me repoussa vivement.

« Oh, vous êtes comme tous les autres, n'est-ce pas ? fit-elle d'un ton cassant. Vous prétendez être venu m'aider, mais vous avez tout aussi peur de moi que les autres. Quelle honte ! Oh, vous me décevez terriblement !

— Je suis désolé. Je ne voulais pas... »

Je me penchai à nouveau mais elle leva ses mains meurtries et les tendit face à moi. « Partez, dit-elle. Partez, partez. Laissez-moi souffrir seule. »

Je me levai, prêt à m'en aller, certain qu'à ma prochaine visite elle aurait complètement oublié l'incident. Je me dirigeai vers l'accueil. Shaniqua me dévisagea d'un air soupçonneux ; elle rangea son sac dans un tiroir qu'elle verrouilla avec soin. J'appelai Bastiaan dans son bureau pour savoir s'il finissait bientôt sa journée. Il me répondit qu'il en avait encore pour une heure, mais pouvais-je l'attendre ?

« Bien sûr. Je te retrouverai à l'accueil. »

Je raccrochai, puis je voulus bavarder un peu avec Shaniqua.

« Vous n'avez rien de mieux à faire que de rester là, à me tourner autour et à m'agacer ?

— J'attends le Dr Van den Bergh. J'ai du temps à tuer. Parlez-moi de vous, Shaniqua. D'où êtes-vous originaire ?

— Mais qu'est-ce que vous en avez à faire, d'où je suis originaire ?

— Je fais la conversation, c'est tout. Pourquoi portez-vous toujours du jaune ?

— Est-ce que ça vous dérange ?

— Non, pas du tout. Et il se trouve que je porte un boxer jaune aujourd'hui.

— Ça m'est bien égal.

— Shaniqua, dis-je en faisant claquer les syllabes. C'est un nom peu fréquent.

— Dixit Cyril.

— Bon, si vous voulez. Est-ce qu'il y a quelque chose à manger, ici ? »

Elle pivota sur sa chaise et me fusilla du regard. « Vous n'avez jamais été mis à la porte d'un hôpital par les agents de la sécurité ?

— Non.

— Vous ne tenez pas à ce que ça vous arrive ?

— Non.

— Alors, retournez auprès de la patiente n° 630. Je suis sûre qu'elle apprécierait de passer encore un peu de temps en votre compagnie. Pour ma part, je la trouve extrêmement stimulante. »

Je secouai la tête. « Elle est un peu nerveuse aujourd'hui. Je crois qu'il vaut mieux que je garde mes distances. Peut-être que j'irai voir Philip Danley. C'est un gentil garçon.

— Nous ne les appelons pas par leur nom. Vous devriez le savoir, depuis le temps.

— Mais il m'a dit son nom. Je peux l'appeler comme ça.

— Je ne veux pas le savoir. N'importe qui pourrait passer par là. Les journalistes sont toujours friands de familles à mettre dans l'embarras...

— Très bien, fis-je en me levant. Je vais voir le patient n° 563.

— Non, vous n'y allez pas. Il est mort mardi. »

Je me rassis, abasourdi par la façon dont elle m'avait annoncé la nouvelle. J'avais perdu des patients avant, bien sûr, mais j'avais rendu visite à Philip de nombreuses fois et je l'aimais bien. Je comprenais qu'elle devait prendre ses distances avec les émotions liées à son travail pour pouvoir y survivre ; mais de là à ne manifester aucune compassion…

« Est-ce que quelqu'un était présent ? demandai-je en essayant de masquer la colère dans ma voix. Quand il est mort ?

— J'étais là.

— Personne de sa famille ? »

Elle secoua la tête. « Non. Et ils n'ont pas voulu récupérer le corps non plus. Il est parti au crématorium. Enfin, dans le secteur sida ; vous savez qu'ils ne veulent plus mélanger les cadavres des victimes du sida avec ceux des autres personnes ?

— Mais merde, à la fin ! C'est ridicule. Quel mal peuvent-ils bien faire aux morts ? Et comment la famille de ce garçon a-t-elle pu ne pas venir quand il avait le plus besoin d'elle ?

— Vous croyez que c'est la première fois que ça arrive ?

— Non, j'imagine que non, mais c'est tellement cruel. »

Pendant quelques minutes, nous restâmes silencieux, puis elle tendit le bras pour attraper un dossier sur son bureau et le feuilleta. « Vous voulez aller voir quelqu'un d'autre ou pas ?

— Oui, autant que j'aille tenir compagnie à quelqu'un.

— Le patient n° 741. Chambre 703. »

Ces chiffres me rappelèrent quelque chose. Le patient n° 741. Le patient dont Bastiaan nous avait parlé ce soir-là au restaurant sur la 23e Rue. Hétérosexuel, furieux, et Irlandais. Pas nécessairement une combinaison à laquelle je souhaitais être confronté à ce moment-là.

« N'y a-t-il pas quelqu'un d'autre ? demandai-je. J'ai entendu dire qu'il était assez agressif.

— Non, vous n'avez pas le privilège de choisir. Le patient n° 741, chambre 703. À prendre ou à laisser. Mais qu'est-ce qui vous arrive, Cyril ? Cette personne est en train de mourir. Montrez donc un peu de compassion. »

Je levai les yeux au ciel et cédai. Je sortis de son bureau et commençai à remonter lentement le couloir. Pendant quelques instants, j'envisageai de ne pas y aller et de descendre à la cafétéria pour attendre Bastiaan là-bas. Mais Shaniqua était au courant de tout ce qui se passait au septième étage et, elle ne me laisserait probablement jamais revenir si je la décevais.

Je marquai une pause devant la porte de la chambre 703, et pris une grande inspiration, comme toujours avant de rencontrer de nouveaux patients. Je ne savais jamais à quel stade de la maladie ils ou elles se trouvaient ; ils pouvaient être frêles mais avoir la peau intacte, ou leur apparence pouvait choquer. Et je tenais à ce que l'expression de mon visage ne révèle pas trop cruellement ma réaction.

J'ouvris la porte lentement et jetai un coup d'œil à l'intérieur. Les rideaux étaient fermés et comme le jour tirait à sa fin, la pièce était assez sombre mais je parvins à distinguer l'homme allongé sur le lit et perçus sa respiration haletante, laborieuse.

« Bonjour…, fis-je à mi-voix. Êtes-vous réveillé ?

— Oui, murmura-t-il après une courte pause. Entrez. »

Je refermai la porte derrière moi. « Je n'ai aucune intention de vous déranger. Je suis l'un des bénévoles de l'hôpital. On m'a dit que vous étiez seul et je me demandais si vous aviez envie d'avoir de la visite. »

Il se tut quelques minutes, puis d'une voix anxieuse, me demanda : « Vous êtes irlandais ?

— Il y a longtemps, je l'étais. Je ne suis pas retourné en Irlande depuis des années. Vous êtes irlandais aussi, c'est ça ?

— Votre voix… » Il essaya de soulever un peu sa tête de l'oreiller, mais l'effort s'avéra trop pénible et il retomba avec un gémissement.

« Ne vous agitez pas. Est-ce que je peux entrouvrir les rideaux, pour faire entrer un peu de lumière ?

— Votre voix… », répéta-t-il. Je me demandai si la maladie n'avait pas atteint son cerveau et si je ne risquais pas de me retrouver confronté à un discours sans grande cohérence. Mais j'étais résolu à rester et à lui parler. Il ne me permit pas d'ouvrir les rideaux, sans pour autant me l'interdire, alors j'allai jusqu'à la fenêtre, les écartai et jetai un coup d'œil aux rues de New York en contrebas. Les taxis jaunes roulaient en tous sens à grand renfort de klaxon et la vue entre les gratte-ciel me retint une minute. Je n'étais jamais tombé amoureux de cette ville – même après sept ans, ma tête était toujours à Amsterdam et mon cœur à Dublin – mais à certains moments, comme celui-ci, je comprenais pourquoi d'autres l'adoraient.

Je me retournai vers le patient et nos regards se croisèrent. La surprise provoqua dans mon corps un soubresaut si puissant que je fus forcé de me cramponner au rebord de la fenêtre. Il n'était pas plus âgé que moi mais presque complètement chauve, quelques pauvres mèches de cheveux restaient collées sur son crâne. Ses joues étaient creuses, ainsi que ses orbites, et un hématome hideux d'un rouge violacé dessinait un ovale sur son menton et dans son cou. Une phrase me revint en mémoire, quelque chose que Hannah Arendt avait dit un jour à propos du poète Auden : la vie avait gravé les fureurs invisibles de son cœur sur son visage.

Il avait l'air d'avoir cent ans.

Il avait l'air d'être mort depuis plusieurs mois.

On aurait dit une âme suppliciée.

Mais je le reconnus. Malgré tous les changements que la maladie avait imprimés sur son visage et son corps, autrefois si beaux, je l'aurais reconnu entre tous.

« Julian. »

Qui est Liam ?

En passant, je demandai à Shaniqua d'informer Bastiaan que je le retrouverais à la maison plus tard, et m'enfuis de l'hôpital à toutes jambes, sans même m'arrêter pour prendre mon manteau. Je partis vers l'ouest, complètement hébété, et je finis assis sur un banc près de Central Park Lake. Il faisait froid et je sentais que les gens me regardaient avec curiosité, me croyant fou de me promener si peu couvert par un froid pareil, mais je ne pouvais pas y retourner. Pas encore. J'avais juste prononcé son nom, stupéfait, alors qu'il chuchotait le mien, avant de foncer vers l'ascenseur, certain que si je ne sortais pas prendre l'air rapidement, j'allais perdre connaissance. Quatorze ans s'étaient écoulés depuis qu'il avait appris que notre amitié était fondée sur une gigantesque tromperie, et nous nous retrouvions dans ces circonstances cruelles. À New York. Dans une chambre d'hôpital. Où mon plus vieil ami était en train de mourir du sida.

Je me rappelais maintenant sa désinvolture en matière sexuelle, depuis le début. La situation était très différente dans les années 1960 et 1970 de ce qu'elle était en 1987, mais Julian m'avait toujours semblé particulièrement inconséquent, comme s'il se croyait invincible. J'étais très surpris qu'il n'ait jamais mis une femme enceinte, ce qui était peut-être arrivé, sans que je l'aie su. Il était même peut-être père d'une ribambelle d'enfants. Malgré tout, je n'avais pas imaginé qu'un jour il attraperait une maladie qui non seulement mettrait sa vie en danger mais le condamnerait prématurément. Je ne pouvais pas le blâmer sans me confronter à ma propre hypocrisie. Après tout, dans ma jeunesse, j'aurais très bien pu être infecté par quelque chose. Si j'avais eu vingt ans de moins, si j'avais été dans la fleur de l'âge quand la crise du sida s'était déclarée, je me serais sans aucun doute exposé au danger, vu le nombre de situations périlleuses dans lesquelles je m'étais trouvé. Comment en étions-nous arrivés là ? me demandais-je. Nous avions tous les deux une quarantaine d'années, mais autrefois nous étions des adolescents insouciants, qui avaient finalement gâché tellement de choses. J'avais dilapidé mes jeunes années pour tenter lâchement de présenter au monde un visage usurpé et là, Julian avait perdu ce qui aurait pu être quarante autres années de vie, à cause de son imprudence.

Le regard rivé sur l'eau, je sentis les larmes se former et me souvins de ce que Bastiaan nous avait dit pendant le dîner. Que le patient n° 741 ne voulait pas que sa famille soit au courant de ce qu'il traversait à cause de la honte qui, en Irlande, était associée à cette maladie. Alice, qui adorait son grand frère, ne savait donc rien de son état.

Une femme s'approcha et me demanda si j'allais bien, ce qui était inhabituel pour New York, où on laissait le plus souvent les étrangers en pleurs se débrouiller seuls, mais j'étais absolument incapable de parler. Je me levai et m'éloignai. Je ne savais pas trop dans quelle direction je marchais, et sans que je comprenne comment, mes jambes me ramenèrent dans la 96e Rue, vers Mount Sinai Hospital. En sortant de l'ascenseur au septième étage, je m'estimai heureux quand je vis que Shaniqua ne se trouvait pas à son bureau. J'avais la liberté de retourner dans la chambre 703 sans avoir à m'expliquer.

Cette fois, je n'hésitai pas, je ne frappai pas. J'entrai directement et refermai la porte derrière moi. Les rideaux étaient encore ouverts, comme je les avais laissés, et la tête de Julian était tournée vers la fenêtre pour qu'il puisse contempler la vue très partielle qu'il avait depuis l'endroit où il était couché. Il bougea faiblement dans son lit et quand il me vit, je lus sur son visage une expression où se mêlaient l'angoisse, la honte et le soulagement. Je pris une chaise et m'assis à côté de lui, dos à la fenêtre. Pendant un long moment, je ne dis rien, je gardai les yeux baissés, espérant qu'il parlerait le premier.

« Je me demandais si tu reviendrais, finit-il par dire doucement, la voix chevrotante tant elle avait peu servi. Je savais que ça ne tarderait pas. Tu n'as jamais pu rester loin de moi bien longtemps.

— Ça fait tant d'années...

— J'espère que je n'ai rien perdu de mon charme, lâcha-t-il, et le demi-sourire sur son visage me tira un petit rire un peu forcé.

— Je suis désolé de m'être enfui comme ça. C'était un vrai choc. Te revoir après toutes ces années. Et ici, surtout. Je n'aurais pas dû...

— Tu es pourtant assez coutumier des disparitions intempestives. »

J'acquiesçai. Le sujet devait sortir inévitablement, mais je n'étais pas prêt. Pas encore.

« J'avais besoin de prendre un peu l'air. Je suis allé marcher.

— Sur la 96e ? Jusqu'où ?

— Je suis allé à Central Park. Ça ne t'ennuie pas que je sois revenu ?

— Pourquoi ça m'ennuierait ? » demanda-t-il avec un haussement d'épaules qui parut douloureux, et lorsque ses lèvres s'entrouvrirent, j'aperçus ses dents, qui autrefois étaient d'une blancheur éblouissante, aujourd'hui jaunes et déchaussées. Il en manquait au moins une en bas et ses gencives étaient d'un rose pâle presque blanc. « La vérité, c'est que j'ai été aussi choqué que toi. Je suis content d'avoir eu un peu de temps pour le digérer. Sauf que je ne peux pas m'enfuir aussi facilement que toi.

— Oh Julian... », dis-je, me laissant aller à mes émotions. J'enfouis mon visage dans mes mains pour qu'il ne remarque pas mon chagrin. « Que t'est-il arrivé ? Comment se fait-il que tu te retrouves ici ?

— À ton avis..., fit-il, sans animosité. Tu as toujours su comment j'étais. Je baisais à droite et à gauche. C'était devenu une vraie carrière. J'imagine que j'ai forniqué une fois de trop, et mes pratiques dégénérées ont finalement eu raison de moi.

— Je croyais que c'était moi, le dégénéré.

— Ouais, si tu veux. »

J'avais pensé à lui fréquemment pendant les quinze dernières années, parfois avec amour, d'autres fois avec colère, mais depuis que j'avais rencontré Bastiaan, il avait commencé à s'effacer de ma mémoire, alors que je n'avais jamais envisagé qu'une telle chose puisse arriver. Je m'étais finalement rendu compte que bien que je l'aie aimé, autrefois – véritablement aimé – cela n'avait rien de comparable avec l'amour que je vivais avec Bastiaan. J'avais laissé un béguin devenir une obsession. Je m'étais épris de l'idée de son amitié, de la conscience de sa beauté et de son pouvoir extraordinaire de subjuguer tous ceux qui l'entouraient. Mais Julian ne m'avait jamais aimé en retour. Il m'avait peut-être apprécié, il avait peut-être éprouvé de l'affection comme pour un frère, mais rien à voir avec un sentiment amoureux.

« Alors, tu vis à New York ? finit-il par dire, brisant le silence.

— Oui. Cela fait à peu près sept ans.

— Je ne t'aurais jamais imaginé ici. Je ne sais pas pourquoi, je t'ai toujours vu dans un petit village anglais endormi. Instituteur, ou quelque chose de ce genre.

— Tu as pensé à moi, alors ? Pendant toutes ces années ?

— Bien sûr. Je n'aurais pas pu t'oublier. Tu es médecin ? Sacré changement de vie.

— Non, pas du tout, le détrompai-je. Je suis bénévole à l'hôpital. Mon ami est médecin. Il travaille ici, au Mount Sinai. Quand nous nous sommes rencontrés, il était spécialiste des maladies transmissibles et j'imagine qu'il était la bonne personne au bon endroit au bon moment. Lorsque cette épidémie s'est déclarée, on a fait appel à lui. On connaît beaucoup d'homos ici et quand on a commencé à perdre des amis, j'ai été très affecté. Je me suis intéressé à ce qui se passait, je me suis demandé ce que je pouvais faire pour aider. Et j'ai découvert que beaucoup de victimes sont abandonnées par leurs familles parce qu'elles ont honte de ce qui leur est arrivé. C'est là que j'interviens.

— Tu es devenu un bon samaritain. Étrange, vu ton indécrottable égoïsme.

— Cela n'a rien à voir avec ça, dis-je sèchement. Un malade du cancer est rarement rejeté par sa famille, mais avec le sida, ça arrive tout le temps. Je viens deux ou trois fois par semaine pour rendre visite aux patients. Parfois je vais à la bibliothèque, je leur rapporte des livres s'ils le demandent. Ça me permet de me sentir utile.

— Et ton petit ami... » Le mot resta un peu coincé dans sa gorge, s'il avait eu plus d'énergie il aurait sans doute levé les mains pour mimer les guillemets avec ses doigts. « Tu as fini par trouver un petit ami ?

— Bien sûr. Je n'étais pas si peu aimable, après tout.

— Personne n'a dit que tu l'étais. Si je me souviens bien, tu étais très aimé quand tu as quitté Dublin. Par beaucoup de gens, y compris moi.

— Ouais... Je n'en suis pas si sûr.

— Moi, si. Ça fait combien de temps que vous êtes ensemble, tous les deux ?

— Douze ans.

— Impressionnant. Je ne pense pas que je sois resté avec la même fille douze semaines. Tu le supportes comment ?

— Ce n'est pas difficile, puisque je l'aime. Et qu'il m'aime.

— Mais tu ne te lasses pas de lui ?

— Non. Ça te paraît si étrange ?

— Oui, je t'avouerais. » Il me regarda fixement quelques instants, il devait essayer de comprendre, et pour finir, il se contenta de soupirer, comme s'il renonçait. « Comment s'appelle-t-il ?

— Bastiaan. Il est néerlandais. J'ai vécu à Amsterdam et c'est là que nous nous sommes rencontrés.

— Tu es heureux ?

— Oui. Très heureux.

— Eh bien, tant mieux », grogna-t-il avec amertume, et je vis son visage devenir plus sombre, tout à coup. Il jeta un coup d'œil vers le meuble où était posée une bouteille d'eau, avec une paille enfoncée dans le bouchon. « J'ai soif. Tu veux bien me passer l'eau ? »

Je pris la bouteille et la tins près de ses lèvres. Il déploya une force prodigieuse pour boire. Je fus attristé en voyant l'ampleur des efforts qui lui furent nécessaires. Après deux ou trois gorgées, il s'écroula sur son oreiller, épuisé, le souffle court.

« Julian, dis-je en posant la bouteille pour prendre sa main dans la mienne, mais il la retira rapidement.

— Je ne suis pas homo. Ce n'est pas un homme qui m'a contaminé.

— Je sais bien, fis-je, étonné que, même à cet instant, il soit si important pour lui d'affirmer son hétérosexualité. Je le sais probablement mieux que personne. Mais quelle importance ?

— C'est important, insista-t-il. Je ne veux pas qu'on pense que je baisais des hommes en cachette. C'est déjà affreux que j'aie attrapé ta maladie…

— *Ma* maladie ?

— Tu comprends ce que je veux dire.

— Non, je ne comprends pas.

— Si les gens, au pays, apprenaient ce que j'ai, ils ne me regarderaient plus jamais de la même façon.

— Qu'est-ce que tu en as à faire, de ce que les autres pensent de toi ? Ça n'a jamais été important pour toi.

— Là, c'est différent. Je me foutais bien de ce que les gens faisaient. Ils pouvaient baiser avec un hérisson, si ça leur plaisait. Parce que ça ne m'affectait pas. Jusqu'à maintenant.

— Écoute, c'est une épidémie. Qui va toucher des gens partout dans le monde. Si on ne trouve pas un traitement rapidement, je ne sais pas ce qui va se passer.

— Eh bien, je ne serai plus là pour le voir.

— Ne dis pas ça.

— Regarde-moi, putain, Cyril. Je n'ai plus beaucoup de temps à vivre. Je sens la vie quitter mon corps heure après heure. Les médecins me l'ont dit, de toute façon. Il me reste au maximum une semaine. Probablement moins. »

Je me sentis à nouveau prêt à fondre en larmes mais j'inspirai profondément. Je ne voulais pas avoir l'air pitoyable devant lui et j'avais le sentiment qu'il serait fâché si je montrais trop d'émotion.

« Ils ne savent pas tout. Parfois, les malades tiennent beaucoup plus longtemps…

— Tu as dû en rencontrer pas mal.

— Pas mal de quoi ?

— De patients avec cette… ce truc.

— Pas mal, oui, admis-je. Tout l'étage de cet hôpital est consacré aux patients atteints du sida. »

Il tressaillit en entendant le mot.

« Je suis surpris que vous ne passiez pas les Village People par haut-parleurs à longueur de journée. Tout le monde se sentirait en terrain connu.

— Oh, arrête tes conneries, Julian. » À ma grande surprise, j'éclatai de rire. Il me lança un regard anxieux, comme s'il était inquiet que je puisse partir une nouvelle fois. « Désolé, fis-je enfin. Mais tu ne peux vraiment pas parler comme ça. Pas ici.

— Je parle comme je veux. Je suis dans un hôpital plein de pédés en train de mourir d'une maladie de pédé et quelqu'un a oublié de dire au bon Dieu que j'étais hétéro.

— Dans mon souvenir, tu n'avais pas beaucoup de temps à consacrer à Dieu quand on était jeunes. Et arrête de dire pédé. Je sais que tu ne le dis pas sérieusement, en réalité.

— Voilà le problème d'avoir un très bon ami qui me connaît aussi bien. Je ne peux même pas parler avec amertume sans que tu me rappelles à l'ordre. En même temps, New York, c'est pas le pire endroit pour passer l'arme à gauche. Je préfère être ici qu'à Dublin.

— Dublin me manque. » La phrase était sortie avant que j'aie le temps de réfléchir si c'était vraiment le cas ou pas.

« Qu'est-ce que tu fais ici, alors ? Qu'est-ce qui t'a amené aux États-Unis ?

— Le travail de Bastiaan.

— J'aurais cru que tu préférerais Miami. Ou San Francisco. C'est là que se retrouvent tous les pédés, non ? Enfin, c'est ce qu'on m'a dit.

— Continue à m'insulter si tu crois que tu te sentiras mieux après, énonçai-je d'une voix douce. Mais je ne suis pas certain que ça te fasse du bien.

— Je t'emmerde, fit-il, sans beaucoup d'enthousiasme. Et arrête de me prendre de haut, petit merdeux.

— Je ne te prends pas de haut.

— Écoute, tu peux rien pour moi, de toute façon. Qu'est-ce que tu fais avec les autres patients à qui tu rends visite ? Tu les aides à trouver la paix intérieure avant qu'ils rejoignent leur créateur ? Tu les serres dans tes bras, tu prends leur main dans la tienne, avant de leur chanter une petite berceuse quand ils perdent conscience ? Eh bien, prends ma main si tu veux. Soulage-moi. Qu'est-ce qui t'en empêche ? »

Je regardai sa main gauche, posée sur le lit à côté de moi. Une perfusion était fichée dans la veine centrale, couverte d'un grand pansement blanc. La peau tout autour était grise, et entre son pouce et son index, j'aperçus une marque rouge vif, comme s'il s'était brûlé. Ses ongles étaient presque complètement rongés et ce qui restait était noirci. Je tendis la main quand même mais lorsque ma peau toucha la sienne, il la retira.

« Ne fais pas ça. Je ne le souhaite pas à mes pires ennemis. Dont tu fais partie.

— Mais bon sang, Julian, je ne peux pas l'attraper en te prenant la main.

— Ne me touche pas.

— Nous sommes donc ennemis, si je comprends bien.

— Nous ne sommes pas amis, en tout cas.

— Nous l'étions, autrefois. »

Il me regarda et plissa les yeux. Il lui était de plus en plus difficile de parler. Sa colère l'épuisait.

« Mais non, nous n'étions pas amis. Pas vraiment. Tout, dans notre amitié, était un mensonge.

— Ce n'est pas vrai, protestai-je.

— Si. Tu étais mon meilleur ami, Cyril. Je croyais que nous serions amis pour la vie. J'avais tellement d'admiration pour toi.

— Je ne te crois pas, fis-je, surpris. C'est moi qui t'admirais. Tu étais tout ce que je voulais être.

— Toi aussi. Tu étais gentil, attentionné, courtois. Tu étais mon ami. Du moins, c'est ce que je pensais. Je n'ai pas passé tout ce temps avec toi pendant quatorze ans parce que je voulais avoir un petit chien constamment dans mes pattes. J'aimais bien être avec toi.

— Mon amitié était réelle. Je ne pouvais pas m'empêcher de ressentir ce que je ressentais. Si je t'avais dit...

— Ce jour-là, dans l'église, quand tu as essayé de me sauter dessus...

— Je n'ai pas essayé de te sauter dessus.

— Bien sûr que si. Et tu as affirmé que tu étais amoureux de moi depuis que nous étions enfants.

— Je racontais n'importe quoi. J'étais jeune, inexpérimenté. Et j'avais peur de l'engrenage dans lequel j'étais en train de m'enfermer.

— Alors, tu prétends que tu as tout inventé ? Que tu n'éprouvais pas ces sentiments pour moi ?

— Non, bien sûr que non. J'avais bien ces sentiments pour toi. Je les ai toujours. Mais ce n'était pas la raison pour laquelle j'étais ami avec toi. J'étais ami avec toi parce que ça me rendait heureux.

— Et parce que tu voulais me baiser. Je parie que tu n'as plus envie de me baiser, je me trompe ? »

Je tressaillis en entendant son ton grinçant, et surtout, parce que c'était la vérité, bien sûr. Combien de fois, pendant mon adolescence et après, avais-je fantasmé sur lui, imaginé comment ce serait si nous pouvions être ensemble, si je parvenais à l'attirer chez moi, à le saouler en espérant qu'il ait un mouvement vers moi, dans un moment de faiblesse où il n'y aurait pas de fille dans le secteur pour satisfaire ses besoins. Des centaines de fois, probablement. Des milliers. Il m'était difficile de nier qu'une grande part de notre amitié était, du moins pour moi, fondée sur un mensonge.

« Je ne pouvais pas m'empêcher de ressentir ça, répétai-je.

— Tu aurais pu m'en parler. Beaucoup plus tôt. J'aurais compris.

— Non, tu n'aurais pas compris. Je le sais. Personne ne comprenait, à cette époque-là. En Irlande, du moins. Même aujourd'hui, c'est encore illégal d'être homo en Irlande, tu t'en rends compte ? Et nous sommes en 1987, pas en 1940. Tu n'aurais pas compris. Tu dis ça aujourd'hui, parce que c'est aujourd'hui. À ce moment-là, tu n'aurais pas compris.

— Je suis allé dans un de tes groupes, tu sais, dit-il en levant une main pour me faire taire. Quand le premier diagnostic de VIH a été posé. J'ai participé à une réunion à Brooklyn, organisée par un prêtre. Il y avait huit ou neuf types dans la pièce, tous à différents stades de la maladie, et chacun avait l'air plus près de la mort que son voisin. Ils se tenaient par la main et échangeaient des histoires de baise avec des étrangers dans des bains publics, des saunas, sur des bateaux de croisière. J'ai regardé autour de moi et tu sais quoi ? Ça m'a rendu complètement malade de me rendre compte que je me retrouvais là, que j'avais quelque chose en commun avec ces dégénérés.

— En quoi es-tu si différent ? Tu sautais sur toutes les filles qui passaient.

— C'est totalement différent.

— Pourquoi ? Explique-moi.

— Parce que c'est normal.

— Oh, arrête avec le normal. Je te croyais un peu plus original que ça. Tu n'étais pas censé être du genre rebelle ?

— Je n'ai jamais prétendu l'être, fit-il en essayant de se redresser. J'aimais les filles, c'est tout. Mais tu ne peux pas comprendre.

— Tu as baisé beaucoup de filles, j'ai baisé beaucoup de garçons. Quelle différence ?

— C'est totalement différent, répéta-t-il en crachant presque les mots.

— Calme-toi, l'avertis-je en levant les yeux vers un écran relié à son corps. Ta pression sanguine monte trop.

— J'emmerde ma pression sanguine. Peut-être qu'elle pourrait me tuer avant cette maladie. Bref. J'étais là, à Brooklyn, pendant que le prêtre déversait ses platitudes, et nous disait qu'on devait faire la paix avec le monde et avec Dieu tant qu'on était en vie. J'ai regardé les autres personnes du groupe et tu sais quoi, c'était comme s'ils étaient heureux de mourir. Ils étaient là, à sourire bêtement en se montrant leurs marques, leurs hématomes, leurs décolorations, ils parlaient des gars qu'ils avaient baisés dans les toilettes des clubs de pédés, et je n'avais qu'une envie, les écraser contre le mur, l'un après l'autre, leur écrabouiller leur putain de figure. Les délivrer de leur malheur pour toujours. Je n'y suis jamais retourné. J'aurais voulu déposer une bombe dans ce local de merde. » Il se tut, longuement. Il donna l'impression de lutter pour reprendre le contrôle de ses émotions.

« Est-ce que tu perçois l'ironie de la situation ?

— Quoi ? dis-je. Où est l'ironie ?

— Eh bien, *a priori*, ça devrait être l'inverse, non ? Tu devrais être couché dans ce lit en train de pourrir de l'intérieur et je devrais être assis là, à te regarder avec des yeux de chien battu et à me demander où je vais aller dîner quand je pourrai enfin me barrer.

— Ce n'est pas ce que je pense.

— Bien sûr que si.

— Non, je t'assure que non.

— Eh bien, à quoi tu penses ? Parce que je sais ce que j'aurais en tête, si j'étais à ta place.

— J'aimerais tant qu'on puisse retourner en arrière, toi et moi, et faire les choses mieux, ou différemment. On a tous les deux été victimes de notre nature, tu ne le vois pas ? Sérieux, Julian, parfois j'aurais préféré être un putain d'eunuque. Ça m'aurait rendu la vie bien plus facile. Et si tu ne veux pas que je reste, eh bien, fais venir quelqu'un que tu aimes. Où est ta famille ? Pourquoi tu ne leur dis rien ?

— Parce que je ne veux pas qu'ils sachent. Il n'y a presque plus personne, de toute façon. Ma mère est décédée il y a longtemps. Max, il y a quelques années.

— Non ! Comment ?

— Crise cardiaque. Il ne reste qu'Alice et Liam, et je ne veux pas que ma sœur apprenne quoi que ce soit.

— Je me demandais quand son nom arriverait dans la conversation, fis-je timidement. Peut-on parler d'elle ? »

Il eut un sourire amer. « On peut. Mais fais attention à ce que tu dis. Je suis peut-être couché sur un lit d'hôpital, mais elle est toujours la personne que j'aime le plus sur cette planète.

— Ce que j'ai fait, il y a toutes ces années, était terrible. Tu n'as pas besoin de me le dire. J'ai été obligé de vivre avec. Et je me déteste de m'être comporté ainsi.

— Faux. Ce ne sont que des paroles.

— Si, je t'assure.

— Enfin, au moins, tu t'es excusé. Tu lui as écrit, après, tu l'as suppliée de te pardonner de l'avoir humiliée devant trois cents personnes, y compris le président d'Irlande, sans parler du fait que tu as détruit sa vie. Le *deuxième* gars qui lui faisait ça en quelques années. Oh non, attends, je me trompe, non ? Tu ne lui as jamais écrit. Tu l'as plantée là, c'est tout. Tu n'as jamais eu le cran de lui dire que tu étais désolé. Et tu savais ce qu'elle avait vécu avant, quand elle avait été abandonnée devant l'autel par ce salopard de Fergus. Tu savais très bien. Sauf que cette fois, elle est allée jusqu'à l'autel, mais pas jusqu'à la fin de la réception. Bon sang, comment as-tu pu faire une chose pareille ? Tu n'as donc aucune morale, Cyril ?

— C'est toi qui m'as obligé.

— Non, c'est faux. Qu'est-ce que tu racontes ?

— Ce jour-là, dans la sacristie, quand… quand je t'ai avoué ce que je ressentais. Tu m'as obligé à aller jusqu'au bout.

J'aurais pu tout arrêter à ce moment-là – nous aurions pu tout arrêter – mais tu m'as forcé...

— Tu es en train de dire que c'est ma faute ? Tu te fous de moi ?

— Non, c'est la mienne. Je le sais. Je n'aurais jamais dû laisser la situation aller aussi loin. Je n'aurais jamais dû commencer quoi que ce soit avec Alice. Mais je l'ai fait, et je ne peux rien y changer maintenant. » Je pris une longue inspiration, me rappelant la personne que j'étais à cette époque-là. « J'ai envisagé d'écrire, marmonnai-je, en me mettant à trembler. Je t'assure. Vraiment. Mais j'étais dans un état épouvantable. J'étais à deux doigts du suicide, Julian. Essaie de comprendre. Je devais m'en aller, laisser tout le monde derrière moi. Redémarrer à zéro. L'idée même de communiquer avec Alice... je n'aurais pas pu.

— C'est parce que tu es un salopard de lâche, Cyril. Et un menteur. Tu l'as toujours été et je parie que tu l'es toujours.

— Non, je ne le suis plus. Je ne suis plus obligé de l'être. Parce que je ne vis pas en Irlande. Je peux être exactement ce que je veux, maintenant que je ne suis plus dans ce pays.

— Va-t'en, ordonna-t-il en détournant la tête. Tu ne peux pas me laisser mourir en paix ? Tu as gagné, d'accord. Tu te retrouves du côté de la vie, moi, du côté de la mort.

— Je n'ai rien gagné.

— Tu as gagné, répéta-t-il doucement. Alors, arrête de jubiler.

— Comment va-t-elle ? demandai-je, refusant de partir. Alice. Elle s'en est sortie, après ? Est-ce qu'elle est heureuse, aujourd'hui ?

— Qu'est-ce que tu imagines ? Elle n'a plus jamais été la même. Elle t'aimait, Cyril. Est-ce que tu es capable de comprendre ça ? Toi qui sembles attacher tant d'importance à cette notion. Et elle croyait que tu l'aimais aussi. Comme tu l'épousais, elle avait cette impression, en tout cas.

— C'était il y a tellement longtemps, fis-je en secouant la tête. Je ne pense plus jamais à cette époque. Elle m'a probablement complètement oublié maintenant, alors, pourquoi rouvrir d'anciennes blessures ? »

Julian me regarda comme s'il aurait aimé sortir de son lit et m'étrangler de ses mains. « Je te l'ai dit, tu as complètement détruit sa vie. Impossible de t'oublier. »

Je me rembrunis ; oui, cela avait dû être difficile et gênant pour elle, à l'époque. J'acceptais ça volontiers. Mais il s'était écoulé beaucoup de temps. Je n'étais pas si exceptionnel ; elle s'en était sûrement remise. Dans le cas contraire, c'était sa faute. Elle était adulte, après tout. Je voulais bien admettre que je l'avais fait souffrir, mais de là à détruire sa vie.

« Elle ne s'est pas remariée ? J'en étais certain. Elle était jeune et jolie et...

— Comment pouvait-elle se remarier ? Elle était ta femme, tu ne te souviens pas ? Tu ne l'as pas abandonnée devant l'autel, Cyril, mais à la putain de réception au beau milieu du Shelbourne Hotel ! Les vœux avaient déjà été échangés.

— Oui, mais elle a dû faire annuler le mariage, dis-je, sentant l'angoisse monter. Une fois qu'il a été clair que je ne reviendrais pas, elle a dû entamer les démarches.

— Elle n'a pas fait annuler le mariage, lâcha-t-il à mi-voix.

— Mais pourquoi ? Elle voulait jouer les Miss Havisham jusqu'à la fin de sa vie ? Écoute, Julian, je suis prêt à reconnaître ma part de responsabilité dans tout ça. J'ai fait subir quelque chose de terrible à Alice et elle ne le méritait pas. Je suis un lâche. Un salopard de première. Mais je suis parti pendant la réception ; nous ne sommes jamais arrivés à la suite nuptiale. Elle aurait pu facilement demander l'annulation du mariage si elle l'avait voulu. Et si elle ne l'a pas fait, je ne peux pas être tenu pour responsable. C'était sa décision. »

Il me regarda comme si j'étais complètement fou et ouvrit la bouche, prêt à dire quelque chose.

« Quoi ?

— Rien.

— Quoi ? répétai-je en le dévisageant, certain qu'il me cachait quelque chose.

— Écoute, Cyril, tu ne crois pas qu'il est temps d'arrêter les conneries ? Tu n'es peut-être pas allé jusqu'à la suite nuptiale, mais tu avais trouvé un endroit pour coucher avec elle avant de l'épouser. »

Je réfléchis, troublé par ce que je venais d'entendre. Puis je me souvins de cette nuit-là, quelques semaines avant le mariage. « Je crois que tu devrais venir, Cyril. Viens dîner, on se servira dans les meilleurs vins de Max et on passera la nuit ensemble. » Une nuit à laquelle je n'avais jamais repensé.

Il me fallut même un effort pour m'en souvenir presque quinze ans plus tard.

Tout à coup, une idée se forma brusquement dans mon cerveau et je sentis un frisson me parcourir des pieds à la tête.

« Qui est Liam ?

— Quoi ? fit Julian, qui s'était détourné et regardait par la fenêtre un ciel de plus en plus couvert à mesure que le soir tombait.

— Tu as dit qu'il ne restait pas grand monde de ta famille. Que ton père était décédé et qu'il n'y avait plus qu'Alice et Liam. Qui est Liam ?

— Liam est la raison pour laquelle Alice ne pouvait pas faire annuler le mariage. La raison pour laquelle elle a dû rester mariée à toi sans pouvoir rencontrer quelqu'un d'autre. Sans trouver le bonheur avec un mari qui soit vraiment un homme. Liam est son fils, mon neveu. Liam est ton cadeau d'adieu. Et je suppose que tu vas maintenant m'affirmer que tu n'aurais jamais cru qu'une telle chose était possible ? »

Je me levai lentement, sentant mes jambes faiblir. De toutes mes forces, j'aurais voulu le traiter de menteur, lui dire que je n'en croyais pas un mot, mais je ne voyais aucune raison pour laquelle il mentirait. J'avais quitté Alice enceinte. Elle avait tenté de me parler à la réception, elle n'avait cessé d'insister pour me voir en tête à tête, mais j'avais refusé de l'écouter. Elle devait le savoir, ou l'avoir deviné, et elle voulait m'en parler. Mais ensuite, je m'étais enfui en Europe et je n'avais jamais recontacté personne. Elle avait dû supporter cette disgrâce dans l'Irlande de 1973, où une fille enceinte qui n'était pas mariée était considérée à peu de chose près comme une putain et traitée comme telle par tout le monde. J'avais toujours supposé que ma mère, ma mère biologique, n'était pas mariée et m'avait abandonné à cause de la difficulté d'élever un enfant seule dans les années 1940. Mais rien n'avait vraiment changé. Avais-je imposé à Alice ce que mon propre père avait imposé à ma mère ?

Alice n'était pas célibataire, et c'était peut-être encore pire, parce que sans une bague à son doigt, elle aurait pu rencontrer un homme, un homme qui aurait accepté la situation et aurait élevé l'enfant comme le sien. Avec l'alliance, c'était impossible. Surtout en ce temps-là. Surtout en Irlande.

« Je n'en savais absolument rien. Je te jure, je n'y ai même jamais pensé.

— Eh bien, maintenant, tu sais, fit-il, sa colère moins vive. Je n'aurais probablement rien dû te dire. Je n'ai plus toute ma tête, voilà le problème. Mais laisse tomber, Cyril, OK ? Ils se passent très bien de toi, et depuis des années. Ils n'ont pas besoin de toi maintenant. Il est trop tard pour que tu débarques dans leur vie. »

Je le regardai fixement, ne sachant pas trop quoi répondre. J'avais un fils. Il devait avoir quatorze ans aujourd'hui. Je me levai et me dirigeai à pas lents vers la porte mais avant que je puisse la franchir, j'entendis la voix de mon vieil ami, étranglée, effrayée, terrorisée devant la fin qui approchait.

« Cyril, je t'en prie, ne pars pas...

— Si elle avait voulu que je le sache, l'interrompis-je en réfléchissant posément avant de parler, elle aurait pu trouver un moyen de me retrouver.

— Alors c'est sa faute, c'est ça ?

— Non, j'essaie seulement de dire que...

— Tire-toi d'ici tout de suite ! rugit-il, changeant radicalement d'humeur. Tu l'as traitée comme une merde et tu as passé ta vie à me mentir. Je ne sais même pas pourquoi je t'accorde la moindre considération alors qu'il me reste si peu de temps à vivre. Fous le camp.

— Julian...

— Va-t'en ! hurla-t-il. Fous le camp ! »

La dernière nuit

Le soir du 11 mai 1987, l'orage était violent, la pluie fouettait les vitres de notre appartement. J'étais assis dans mon fauteuil favori à lire un article du *New York Times* sur Klaus Barbie, le boucher de Lyon, dont le procès venait de s'ouvrir en Europe. En face de moi, sur le canapé, Emily faisait tout son possible pour me mettre mal à l'aise. Elle massait les pieds d'Ignac et parfois, se penchait pour mordiller l'oreille du pauvre garçon pendant qu'il relisait « Araby », son passage préféré de *Gens de Dublin*. Comment pouvait-il supporter la manière dont elle le pelotait ? On aurait dit une souris affamée qui grignotait un morceau de fromage.

« Je ne comprends pas pourquoi on continue à s'intéresser à ces trucs, dit-elle en entendant un commentaire que je venais de faire sur l'avocat embauché pour défendre l'ancien capitaine de la Gestapo. C'était il y a si longtemps.

— Pas si longtemps. Et vous êtes censée être historienne, non ? Comment pouvez-vous ne pas trouver ça intéressant ?

— Peut-être que si j'avais vécu pendant la guerre, comme vous, je m'y intéresserais. Mais ce n'est pas le cas.

— Je n'ai pas vécu pendant la guerre, rétorquai-je en levant les yeux au ciel. Comme vous le savez, je suis né en août 1945.

— Eh bien, je n'étais pas loin. Qu'est-ce qu'il a fait, ce type ? C'est un vieux monsieur aujourd'hui, non ?

— Oui, mais ce n'est pas une raison pour qu'il ne rende pas des comptes sur ce qu'il a fait dans le passé. Dois-je comprendre que vous ignorez qui il est ?

— Je crois que j'ai entendu le nom mais…

— Il a sorti de force quarante-quatre enfants d'un orphelinat à Izieu, rapporta Ignac sans quitter son livre des yeux. Et les a fait déporter à Auschwitz. Où, comme tu le sais, ils sont morts. La plupart des gens intelligents savent ça.

— OK », dit Emily, qui ne voulait pas se disputer avec lui comme elle aurait été prête à le faire avec moi. J'étais heureux d'entendre une pointe de mécontentement dans sa voix. « Est-ce que je peux jeter un coup d'œil à cet article ?

— Non, je n'ai pas fini de le lire. »

Elle poussa un profond soupir, comme si la raison même de mon existence sur terre était de la tourmenter. « Au fait, Mr Avery, reprit-elle au bout d'un moment. Est-ce qu'Ignac vous a annoncé la nouvelle ?

— Quelle nouvelle ? demandai-je en posant mon journal et en levant les yeux vers lui.

— Plus tard, s'empressa d'ajouter Ignac en la fusillant du regard. Quand Bastiaan sera rentré.

— Quelle nouvelle ? » répétai-je. Je priai pour qu'ils ne m'annoncent pas qu'ils allaient se marier, avoir un enfant ou faire quoi que ce soit d'autre qui lierait Ignac à cette femme épouvantable jusqu'à la fin de sa vie.

« Ignac a été accepté.

— Où ?

— À Trinity College. Nous déménageons à Dublin à l'automne.

— Oh », fis-je. Je ressentis une bouffée d'excitation et d'angoisse mêlées en entendant le nom de ma ville. À ma grande surprise, ma première pensée fut : Est-ce que cela signifie que je peux enfin rentrer chez moi aussi ? « Je ne savais pas que tu avais pris la décision de déposer ta candidature.

— J'hésitais encore, c'est vrai. Je leur ai écrit une lettre et ils m'ont recontacté, nous nous sommes parlé plusieurs fois au téléphone et ils ont dit qu'il y avait une place pour moi en octobre si je souhaitais venir. Je ne suis pas encore complètement sûr. Je voulais en parler avec Bastiaan et toi. En privé.

— Nous avons décidé, intervint Emily en lui donnant une tape sur le genou. C'est ce que nous voulons, tous les deux, tu te souviens ?

— Je ne veux pas me précipiter dans quelque chose que je pourrais regretter par la suite.

— Est-ce que tu t'es renseigné sur les bourses ?

— Oh, ne vous inquiétez pas, répliqua Emily, qui sentait peut-être poindre chez son petit ami le même agacement que chez moi, et se vengeait sur moi. Personne ne vous demande d'argent.

— Ce n'est pas ce que je voulais dire.

— Bien sûr que non, fit Ignac. Et oui, je me suis renseigné. Apparemment, il y a différentes possibilités.

— Eh bien, c'est une très bonne nouvelle. Si tu es certain que c'est ce que tu veux.

— C'est ce que nous voulons tous les deux, insista Emily. Et Ignac n'est plus un enfant. Ce serait mieux pour lui de vivre avec des gens de son âge.

— Alors, il ne vivra pas avec vous, si je comprends bien ? demandai-je.

— Avec des gens qui sont plus proches de lui en âge, corrigea-t-elle avec un demi-sourire.

— J'aurais préféré en parler à Cyril et Bastiaan ensemble, indiqua Ignac doucement. Tous les trois. En famille.

— Eh bien, ils allaient forcément le découvrir à un moment ou à un autre, dit Emily. Et le Dr Van den Bergh n'est presque jamais là. Il est tout le temps à l'hôpital.

— Il n'est pas tout le temps à l'hôpital, signalai-je. Il rentre tous les soirs. Vous l'avez vu encore ce matin.

— Non, c'est faux.

— Emily, nous avons pris le petit déjeuner tous ensemble.

— Oh, le matin, je ne vois rien. Je remarque à peine votre présence, à l'un ou à l'autre.

— Eh bien, il vous faut plus de sommeil. C'est ce qui arrive quand on vieillit. »

Le téléphone sonna et Ignac bondit, heureux de pouvoir s'éloigner de notre prise de bec. Il ne se mêlait presque jamais de nos disputes, et j'aimais à penser que c'était parce qu'il n'était pas totalement de son côté. Quelques instants plus tard, il revint et passa la tête dans le salon. « C'est Bastiaan, pour toi. »

Je me levai pour aller dans le couloir en lui prenant le combiné des mains.

« Je suis content que tu appelles. Tu n'imagineras jamais ce que je viens d'apprendre.

— Cyril..., commença Bastiaan, et le ton sérieux de sa voix me fit craindre le pire.

— Qu'est-ce qui se passe ? Dis-moi.

— Je crois que tu devrais venir.

— C'est Julian ?

— Ça prend une mauvaise tournure. Il ne lui reste plus guère de temps. Si tu veux le voir, il faut que tu viennes tout de suite. »

Je m'assis sur une chaise avant que mes jambes cèdent. J'avais évidemment révélé à Bastiaan ma relation avec le patient n° 741 et il se souvenait que je lui avais parlé de Julian, plus de dix ans auparavant, quand nous nous étions rencontrés. Mais depuis, je n'avais jamais mentionné son nom, alors il n'avait pas fait le lien quand Julian était devenu son patient.

« J'arrive. S'il te plaît, reste avec lui jusqu'à ce que j'arrive. »

Je raccrochai et allai chercher ma veste au moment où Ignac apparut sur le pas de la porte. « Qu'est-ce qui se passe ? C'est ton ami ? »

J'acquiesçai. « Bastiaan m'assure que la fin est proche. Il faut que je le voie avant qu'il meure.

— Tu veux que je vienne avec toi ? »

Je réfléchis quelques instants. J'appréciais son geste, mais je secouai la tête. « C'est inutile. Tu serais dehors, à attendre, les bras ballants. Et Bastiaan sera là. Reste ici avec Emily. Ou, mieux, dis-lui de rentrer chez elle et attends-nous. »

Je me dirigeai vers la porte et il me suivit. « Rien n'est définitif, tu sais. À propos de Dublin. La proposition est là, c'est tout. Emily veut y aller mais je n'ai pas encore pris ma décision.

— On en reparlera plus tard, il faut que je parte. »

Il acquiesça et je courus, hélai un taxi et moins d'un quart d'heure plus tard, je sortais de l'ascenseur au septième étage et je retrouvai Bastiaan qui guettait mon arrivée. Il leva les yeux dès que j'entrai.

« Comment va-t-il ? »

Il m'emmena vers les sièges dans la salle d'attente et nous nous assîmes. Il posa sa main sur la mienne. « La fin est proche. Son taux de CD4 est très bas, je n'ai jamais vu si bas. Il a une pneumonie et ses organes internes sont en train de lâcher. On a fait tout notre possible pour qu'il ne souffre pas, mais on ne peut plus rien. Ce n'est qu'une question de temps. Je n'étais même pas sûr qu'il tiendrait jusqu'à ton arrivée. »

Je sentis un énorme chagrin monter en moi et luttai pour contenir mes émotions. Je savais depuis quelques jours que ce moment arriverait, mais j'avais eu si peu de temps pour me préparer.

« Est-ce que je peux appeler Alice ? Lui apporter le téléphone ?

— Non. Je lui ai posé la question et il ne veut pas.

— Mais peut-être que s'il entend sa voix...

— Cyril, non. C'est sa vie. C'est sa mort. Son choix.

— D'accord. Est-ce qu'il y a quelqu'un avec lui, en ce moment ?

— Shaniqua. Elle restera auprès de lui jusqu'à ce que tu sois là. »

Je me dirigeai vers la chambre 703 et tapotai trois coups brefs à la porte avant d'ouvrir. Julian était allongé sur le dos, il respirait difficilement, et lorsque Shaniqua me vit, elle se leva.

« Il perd conscience à tout moment, m'avisa-t-elle à voix basse. Voulez-vous que je reste jusqu'à la fin ?

— Non, répondis-je. Je préférerais être seul avec lui. Mais merci... »

Elle hocha la tête et partit en fermant la porte tout doucement derrière elle. Je m'assis sur la chaise à côté du lit et le regardai ; son souffle sortait par petits coups saccadés. Il était tellement maigre que c'en était presque effrayant, mais quelque part sous ce visage éprouvé se trouvait le garçon que j'avais connu, le garçon que j'avais aimé, celui qui s'était assis sur la fameuse chaise de Dartmouth Square, celui dont j'avais trahi l'amitié. Je tendis le bras, pris sa main dans la mienne et la sensation de sa peau fine comme du papier, froide et tendre contre ma paume, me troubla. Il marmonna deux oux trois mots et quelques instants plus tard, ouvrit les yeux et sourit.

« Cyril. Tu avais oublié quelque chose ?

— Comment ça ?

— Tu étais là, il y a deux minutes. Puis tu es parti. »

Je secouai la tête. « C'était il y a quelques jours, Julian. Je suis revenu te voir.

— Oh, je croyais que c'était tout à l'heure. Tu as vu Behan ?

— Qui ?

— Brendan Behan. Il est là-bas, au bar. On devrait lui offrir une pinte. »

Je me détournai quelques instants, le temps de reprendre le contrôle de mes émotions.

« On n'est plus au Palace Bar, dis-je doucement. On n'est pas à Dublin. Mais à New York. Tu es à l'hôpital.

— C'est vrai, admit-il comme pour me faire plaisir.

— Est-ce que je peux faire quelque chose pour toi ? Pour t'aider ? »

Il cligna des yeux deux ou trois fois et m'observa avec un peu plus d'acuité dans le regard. « Qu'est-ce que je racontais ? Est-ce que je racontais n'importe quoi ?

— Tu es désorienté, c'est tout.

— J'ai des moments de lucidité et des moments où je ne comprends pas ce qui se passe. C'est étrange de savoir qu'on est en train de vivre sa dernière heure sur terre.

— Ne dis pas ça...

— Mais c'est vrai. Je le sens. Et le Dr Van den Bergh me l'a confirmé, tout à l'heure. C'est lui, ton petit ami ? »

Je hochai la tête, heureux d'entendre qu'il ne mettait pas de guillemets autour de l'expression, cette fois. « C'est bien lui. Bastiaan. Il est là, si tu as besoin de lui.

— Je n'ai pas besoin de lui. Il a fait tout ce qu'il pouvait. C'est un homme bien, on dirait.

— C'est le cas.

— Trop bien pour toi.

— Probablement. »

Il essaya de rire mais l'effort le fit souffrir terriblement, et je vis la douleur déformer ses traits.

« Doucement. Détends-toi.

— Je suis couché dans ce lit depuis des semaines. Je ne peux guère être plus détendu ?

— Tu ne devrais pas parler.

— C'est tout ce qui me reste, tu ne vas pas me l'enlever. Je suis content que tu sois venu. Très content. Est-ce que je t'ai insulté la dernière fois ?

— Je le méritais.

— Certainement. Mais je suis content que tu sois revenu. Il y a quelque chose que tu dois faire pour moi. Une fois que je serai parti.

— Bien sûr. Tout ce que tu voudras.

— Il faut que tu le dises à Alice. »

Je fermai les yeux. Mon cœur se serra dans ma poitrine. C'était la seule et unique chose que je ne voulais pas qu'il me demande.

« Il te reste du temps. Pour lui parler, toi.

— Je ne veux pas. Je veux que tu lui dises. Une fois que ce sera fini.

— Tu crois que je suis la personne la mieux placée ? Cela fait quatorze ans. Tu imagines, la première fois que je lui reparle depuis le jour de notre mariage, c'est pour lui annoncer au téléphone que... lui dire que...

— Il faut que quelqu'un le fasse, insista-t-il. Ce sera ta pénitence. Dis-lui que je ne voulais pas qu'elle me voie comme ça, mais que tu étais à mes côtés à la fin et que je pensais à elle. Il y a un carnet dans le tiroir de la table de nuit. Tu trouveras son numéro dedans.

— Je ne sais pas si je pourrai, soufflai-je en sentant les larmes couler sur mes joues.

— Si ce n'est pas toi, ce sera un Garda qui viendra frapper à sa porte, et je ne veux pas que ça se passe comme ça. Et toi non plus, tu ne le veux pas. Il ne pourra pas lui expliquer comment ça s'est terminé, ce que je ressentais pour elle, mais toi, si. Il faut que tu lui dises qu'elle était la meilleure personne que j'aie jamais connue. Et que tu dises à Liam que ma vie aurait été bien plus insignifiante s'il n'avait pas été là. Que je les aimais tous les deux et que je suis désolé pour tout ça. Est-ce que tu feras ça pour moi, Cyril ? Je t'en prie. Je ne t'ai jamais rien demandé. Et tu ne peux pas refuser de satisfaire le dernier souhait d'un mourant.

— D'accord. Si c'est ce que tu veux.

— Oui.

— Alors, je te promets que je le ferai. »

Nous restâmes silencieux un long moment, ponctué seulement par des signes de souffrance de Julian qui bougeait dans son lit, cherchant une position plus confortable.

« Parle-moi de lui, dis-je enfin.

— De qui ?

— De Liam. De mon fils.

— Ce n'est pas ton fils, protesta-t-il, en secouant la tête. Biologiquement, oui. Mais c'est tout.

— À qui ressemble-t-il ?

— À sa mère. Même si tout le monde dit qu'il me ressemble, à moi. Mais sa personnalité est très différente. Il est timide. Secret. Il est plutôt comme toi, de ce point de vue.

— Tu étais proche de lui ?

— Presque aussi proche qu'un père, dit-il en se mettant à pleurer. Quelle ironie, vraiment.

— Est-il heureux ? A-t-il des aventures comme nous à son âge ?

— On en a eu quelques-unes, hein ? fit-il en souriant.

— Oui.

— Tu te souviens quand tu as été enlevé par l'IRA ? Drôle d'après-midi... »

Je secouai la tête. « Non, Julian. Ce n'était pas moi, c'était toi.

— Moi ?

— Oui.

— J'ai été kidnappé ?

— Oui.

— Pourquoi ? Qu'est-ce que je leur avais fait ?

— Toi, rien. Ils détestaient ton père. Ils voulaient qu'il paye une rançon.

— Il l'a payée ?

— Non.

— Typique de Max. Ils m'ont coupé l'oreille, se souvint-il en portant une main à sa tête, mais l'effort était trop important et il la reposa sur le drap.

— Oui. De vraies brutes.

— Je me souviens maintenant. Ils étaient très gentils avec moi, la plupart du temps. Sauf quand ils me tailladaient un morceau. Je leur ai dit que j'aimais bien les Mars et l'un d'eux est parti m'en chercher une boîte pleine. Il les a mis au réfrigérateur pour qu'ils restent au frais. J'ai fini par bien m'entendre avec lui, je crois. Je ne me rappelle plus son nom.

— Tu lui rendais visite en prison. Je te trouvais cinglé de faire ça.

— Est-ce que je t'ai raconté qu'ils ont failli me couper la queue ?

— Non. » Je ne savais pas trop si ça s'était vraiment passé ou s'il ne se rappelait pas bien, dans son délire.

« C'est vrai. La nuit juste avant que les Gardaí me trouvent. Ils m'ont donné le choix : soit ils m'arrachaient un œil, soit ils me coupaient la queue. C'était à moi de choisir.

— Bon Dieu.

— J'aurais choisi mon œil, bien sûr. Probablement de l'autre côté de l'oreille coupée, juste pour que ce soit bien réparti. Mais tu imagines, s'ils m'avaient coupé la queue ? Je ne serais pas allongé ici. Rien de tout ça ne serait arrivé.

— C'est une façon de voir les choses.

— Ils m'auraient sauvé la vie.

— Peut-être.

— Non, tu as raison. Je serais déjà mort, je me serais suicidé, s'ils m'avaient coupé la bite. Je n'aurais jamais pu vivre sans bite. C'est étonnant, comme une petite partie de notre anatomie contrôle complètement notre vie, non ?

— Petite ? fis-je en levant un sourcil. Parle pour toi. »

Il rit et hocha la tête. « La première fois qu'on s'est rencontrés, tu m'as emmené dans ta chambre et tu m'as demandé de voir ma queue. Tu te souviens ? J'aurais dû m'en douter, à ce moment-là. J'aurais dû deviner ton vilain petit secret.

— Ce n'est pas vrai. Toutes ces années, tu as répété ça, mais c'est toi qui as voulu voir la mienne.

— Non, impossible. Elle ne m'intéressait pas.

— Tu étais obsédé par le sexe, depuis tout petit.

— C'est vrai. Ta mère me plaisait, tu sais.
— Tu n'as pas connu ma mère. Moi non plus.
— Bien sûr que si. Maude.
— C'est ma mère adoptive.
— Oh, c'est vrai, dit-il en agitant la main. Tu as toujours insisté sur ce détail.
— C'est eux qui l'exigeaient. Depuis le jour où ils m'ont ramené chez eux. Et rassure-moi, elle ne te plaisait pas pour de vrai ? Elle était assez âgée pour être ta mère adoptive, à toi aussi.
— Si. Les femmes plus âgées, ça n'a jamais été mon truc, mais Maude, c'était autre chose. Et je lui plaisais moi aussi. Elle m'a affirmé un jour que j'étais le plus joli garçon qu'elle ait jamais vu de sa vie.
— C'est faux. Elle n'aurait jamais dit une chose pareille.
— Ne le crois pas, si tu préfères.
— Tu avais sept ans !
— Je te jure que c'est vrai.
— Putain, fis-je en secouant la tête. Parfois je me dis que ma vie aurait été bien meilleure si je n'avais jamais ressenti de désir sexuel.
— Tu ne peux pas vivre comme un eunuque. Personne ne peut. Si l'IRA m'avait coupé la bite, je me serais mis une balle dans la tête. Tu crois que ça, c'est une punition pour ce que j'ai fait ?
— Pas une seconde.
— Je regardais les informations l'autre jour. Il y avait des types, des élus au Congrès, qui déclaraient que les gens qui tombaient malades du sida étaient…
— Ne fais pas attention à ces connards. Des salauds ignares. Tu n'as pas eu de chance, c'est tout. Tous ceux qui passent par cet étage ont manqué de chance. Il n'y a rien d'autre à dire.
— Je suppose, oui, soupira-t-il, avant de laisser échapper un cri de douleur.
— Julian ! dis-je en me levant d'un bond.
— Ça va. »
Mais avant qu'il puisse se détendre, il laissa échapper un autre cri. Je sursautai et m'élançai vers la porte pour aller chercher Bastiaan.
« Non, ne me laisse pas, Cyril, s'il te plaît.

— Mais j'appelle un médecin...

— Ils ne peuvent rien faire. Ne me laisse pas. »

J'acquiesçai, revins m'asseoir et je repris sa main dans la mienne.

« Je suis désolé. Pour tout ce que je t'ai fait, ce que j'ai fait à Alice, tous ces moments où je vous ai trahis. Je suis vraiment désolé. Si je pouvais retourner en arrière, être l'homme que je suis aujourd'hui, mais jeune à nouveau...

— C'est du passé. » Ses yeux commencèrent à se fermer. « Et ça lui aurait apporté quoi, à Alice, d'être mariée à toi ? Au moins, elle s'est envoyée en l'air quelques fois, ces dernières années. »

Je souris.

« Je pars, chuchota-t-il au bout d'un moment. Cyril, je m'en vais. Je me sens partir. »

Je faillis dire *Ne pars pas, bats-toi, reste*, mais je gardai le silence. La maladie l'emportait.

« Je t'aimais tant, dis-je en me penchant sur lui. Tu étais mon meilleur ami.

— Je t'aimais aussi, murmura-t-il dans un souffle, puis son visage prit une expression surprise. Je ne te vois pas.

— Je suis là.

— Je ne te vois pas. Il fait noir.

— Je suis là, Julian. Je suis là. Tu m'entends ?

— Je t'entends, mais je ne te vois pas. Serre-moi fort. »

J'avais déjà sa main dans la mienne et je la serrai un peu pour qu'il sente ma présence.

« Non, prends-moi dans tes bras. Je veux être enlacé. Une dernière fois. »

J'hésitai, ne comprenant pas trop ce qu'il demandait, puis je lâchai sa main, fis le tour du lit, m'allongeai contre lui et mes bras entourèrent son corps décharné, tremblant. Combien de fois dans ma jeunesse avais-je rêvé d'un moment pareil et maintenant, tout ce que je pouvais faire, c'était enfouir mon visage contre son dos et pleurer.

« Cyril...

— Laisse aller, soufflai-je tout doucement.

— Alice... » Il se détendit dans mes bras. Je le tins serré pendant ce qui me sembla très long, bien que cela ne durât que deux ou trois minutes. Sa respiration ralentit, puis s'arrêta. Je l'étreignis jusqu'à ce que Bastiaan entre dans la chambre. Il consulta le moniteur et me dit que c'était terminé, que Julian était parti. Je le serrai encore quelques minutes, puis me levai et laissai les infirmières faire leur travail. Nous descendîmes jusqu'au rez-de-chaussée pour sortir de l'hôpital. Bastiaan leva le bras pour héler un taxi et, à cet instant-là, je fis la plus grosse erreur de ma vie.

« Non, dis-je. Il ne pleut plus. Marchons. J'ai besoin d'air. »

Et nous partîmes à pied vers notre appartement.

Central Park

Nous traversâmes les avenues en silence et entrâmes dans Central Park.

Je m'arrêtai au milieu d'une des allées bordées d'arbres.

« J'ai oublié son carnet. Je l'ai laissé dans sa table de nuit.

— Tu en as besoin ? demanda Bastiaan.

— J'ai promis que j'appellerais Alice. Sa sœur. Il faut que je lui dise.

— Tu pourras le récupérer demain. On rassemblera ses effets personnels dans un sac.

— Non, fis-je en secouant la tête. Il faut que je lui téléphone ce soir. On doit y retourner.

— Il est tard. Et tu n'es pas bien. Attends demain. »

Je commençai à trembler dans le froid, et tout à coup, je me mis à sangloter violemment.

« Hé, dit Bastiaan en me prenant dans ses bras pour me serrer contre lui. Ne pleure pas. Je suis là. Je serai toujours là pour toi. Je t'aime. »

Puis nous entendîmes une voix s'écrier : « Eh, les pédés ! »

Je me retournai et aperçus trois hommes en train d'accourir vers nous.

Après cela, je ne me souviens plus de rien.

III.

PAIX

1994

Pères et fils

Quand on en est

Au début des années 1950, quand Charles, mon père adoptif, avait été invité par le gouvernement irlandais à passer un certain temps au pénitencier de Mountjoy, je n'avais jamais eu le droit d'aller lui rendre visite. Je n'étais qu'un enfant à l'époque, et Maude n'avait aucune envie que nous nous exhibions tous les trois lors de retrouvailles embarrassantes ou cathartiques derrière les murs de la prison. Mais l'idée de pénétrer dans un lieu de ce genre m'intriguait depuis que Julian, à l'âge de sept ans, m'avait révélé que Max l'avait autorisé à venir lors d'un entretien avec un client qui avait assassiné sa femme. Pour autant que je sache, Maude n'allait jamais le voir non plus, malgré le permis de visite qu'elle recevait chaque semaine. Plutôt que de les jeter, elle mettait un point d'honneur à les garder tous, en une pile parfaitement rangée, posée à côté du téléphone près de la porte d'entrée de notre petit appartement. Lorsqu'un jour je lui demandai si elle avait l'intention de se servir d'un de ces précieux documents, elle répondit en enlevant d'un geste lent la cigarette de sa bouche et en l'enfonçant au milieu de la pile.

« Est-ce que je réponds à ta question ? fit-elle, se tournant vers moi, un demi-sourire aux lèvres.

— Eh bien, peut-être que moi, je pourrais aller le voir », avançai-je. Elle fronça les sourcils tout en ouvrant son étui pour y prendre la soixante-quatrième cigarette de la journée.

« Quelle idée étrange. Pourquoi voudrais-tu faire une chose aussi dépravante ?

— Parce que Charles est mon père. Et peut-être qu'un peu de compagnie lui ferait plaisir.

— Charles n'est pas ton père, insista-t-elle. Il est ton père adoptif. Nous te l'avons souvent dit. Ne te fais pas d'idées, Cyril.

— Malgré tout, un visage amical…

— Je ne trouve pas que tu aies un visage amical. Pour être honnête, j'ai toujours pensé que tu avais l'air assez revêche. C'est peut-être quelque chose que tu devrais corriger.

— Une personne qu'il connaisse, alors.

— Je suis certaine qu'il rencontre plein de gens, affirma-t-elle en allumant sa cigarette. J'ai cru comprendre qu'il y a un grand sens de la communauté dans les prisons. Un homme comme Charles est probablement très à l'aise dans ce genre d'environnement. Et il n'a jamais eu de difficulté à se faire bien voir des étrangers. Non, c'est hors de question. Je ne le permettrai pas. »

Ainsi, je n'y étais jamais allé. Mais cette fois, lors de la seconde expérience de Charles derrière les barreaux, j'étais un homme de presque cinquante ans, et je n'avais besoin de l'autorisation de personne. Et quand arriva le permis de visite, je ressentis une certaine excitation à l'idée de voir comment on traitait les criminels.

C'était une belle matinée et bien que je ne puisse plus faire de longues promenades dans Dublin à cause de ma jambe, quelques kilomètres ne me feraient pas de mal et j'attrapai ma béquille. Je descendis Pearse Street pour traverser la Liffey par O'Connell Street Bridge. Je restai sur le côté gauche de la rue, comme toujours, pour éviter les abords du grand magasin Clerys, où j'avais causé, sans le vouloir, la mort de Mary-Margaret Muffet et d'un membre consciencieux, certes homophobe, de An Garda Síochána. La colonne Nelson avait disparu depuis longtemps. Après que l'IRA avait fait tomber l'amiral de son piédestal, la structure restante avait été détruite lors d'une démolition tellement mal conçue qu'elle avait soufflé les vitrines de la moitié des magasins d'O'Connell Street, provoquant des dégâts s'élevant à plusieurs milliers de livres. Mais les souvenirs demeuraient, et je n'avais aucune envie de les raviver.

Au bout de la rue, je passai devant l'Irish Writers' Centre où, quelques semaines auparavant, j'avais assisté à la soirée de lancement du quatrième livre d'Ignac, le dernier de sa série extrêmement populaire sur un garçon slovène qui voyageait dans le temps. Ses textes avaient séduit l'imagination d'enfants (et de nombreux adultes) partout dans le monde. Tous les écrivains dublinois étaient présents et, lorsque la rumeur s'était mise à circuler sur l'identité de ma mère adoptive, plusieurs d'entre eux étaient venus me poser des questions sur ses romans, des questions auxquelles j'étais totalement incapable de répondre. Un éditeur vint même me demander si je serais prêt à écrire la préface d'une édition anniversaire de *Comme l'alouette*, mais je déclinai la proposition, même quand il m'annonça que cela me rapporterait deux cents livres si mon texte était bon. Un journaliste que j'avais vu plusieurs fois à l'émission *The Late Late Show* m'informa que Maude était l'écrivain irlandais le plus surestimé, que les femmes ne réussissaient jamais dans la forme du roman. Il m'abreuva d'explications pendant dix minutes, jusqu'à ce que Rebecca, la femme d'Ignac, vienne à ma rescousse ; je lui vouai une reconnaissance éternelle.

En descendant Dorset Street avant de prendre à gauche vers le Mater Misericordiae University Hospital, et même en approchant de la prison, je me sentis curieusement de très bonne humeur. C'était un de ces matins magnifiques où on est simplement heureux d'être en vie. Sept années s'étaient écoulées depuis cette nuit terrible à New York où j'avais perdu en moins d'une heure les deux seuls hommes que j'aie jamais aimés, six années depuis le procès, cinq depuis que j'avais quitté les États-Unis pour toujours après avoir subi une demi-douzaine d'opérations à la jambe, quatre depuis mon arrivée en Europe, trois depuis mon retour à Dublin, deux depuis l'arrestation de Charles pour fraude et évasion fiscale, et une depuis qu'il s'était retrouvé à nouveau en prison et qu'il avait fini par entrer en contact avec moi dans l'espoir de trouver un peu d'aide filiale.

Au début, l'idée de retourner en Irlande me fit terriblement hésiter. Pendant toutes mes années d'exil, j'avais souvent espéré pouvoir explorer les rues de mon enfance, mais le rêve m'avait toujours paru impossible à réaliser.

Finalement, j'étais incroyablement heureux d'être revenu et assez content que mes années de voyages soient derrière moi. J'avais même trouvé un emploi dans l'un de mes lieux favoris d'autrefois, à la bibliothèque du Dáil Éireann sur Kildare Street, une salle d'étude calme rarement fréquentée par les TD eux-mêmes, plus souvent peuplée d'assistants parlementaires et de fonctionnaires à la recherche de réponses à des interrogations auxquelles leurs ministres risquaient d'être confrontés lors des débats.

Et c'est là que je croisai une figure de mon passé, Miss Anna Ambrosia, du ministère de l'Éducation, à côté de qui j'avais travaillé pendant une brève période au milieu des années 1960. Miss Ambrosia avait fini par épouser son petit ami juif dont le nom n'était pas juif, Peadar O'Múrchú, et avait mis au monde une demi-douzaine de filles, toutes plus difficiles à contrôler les unes que les autres. Entre-temps elle avait été promue et, à cinquante-trois ans, elle occupait le poste autrefois tenu par Miss Joyce, devenant ainsi la doyenne du ministère. Nous nous reconnûmes immédiatement le matin où elle vint à la bibliothèque et convînmes de nous retrouver pendant ma pause déjeuner. Nous montâmes au salon de thé pour bavarder.

« Devinez combien de ministres successifs j'ai dû supporter depuis que je suis au ministère ?

— Je ne sais pas. Huit ? Neuf ?

— Dix-sept. Tous des abrutis, sans exception. La moitié était analphabète, l'autre moitié, incapable de faire une division non abrégée. Vous ne trouvez pas ça ironique que le membre du gouvernement le moins intelligent prétende toujours au poste de ministre de l'Éducation. Et vous savez qui doit se débrouiller pour qu'il ait l'air bon, n'est-ce pas ? Ma pomme. Qui était le ministre quand vous avez travaillé ici, vous vous souvenez ? »

Je lui donnai le nom de l'homme en question et elle leva les yeux au ciel. « Ce cinglé... Il a perdu son siège à la dernière élection. Il vous avait mis son poing dans la figure, le jour où il avait été surpris le pantalon aux chevilles, non ?

— Non, c'était l'attaché de presse. Quels bons souvenirs.

— Je ne sais pas pourquoi je suis depuis si longtemps ici, lâcha-t-elle dans un accès de mélancolie. Peut-être que j'aurais dû voyager, comme vous. Vous avez dû vivre de très belles choses.

— Il y a eu de bons moments et d'autres, moins bons. Vous n'avez jamais envisagé de quitter cet emploi ?

— Si, mais vous savez ce que c'est, Cyril, quand on est fonctionnaire. On commence à grimper les échelons et on y est pour la vie. Et une fois qu'ils ont changé les règles en autorisant les femmes mariées à continuer, j'ai eu envie de rester, juste pour leur montrer qu'ils avaient eu raison. De toute façon, avec six enfants, Peadar et moi, nous avons besoin de deux salaires. Je ne me plains pas. La plupart du temps, je suis heureuse ici. Sauf quand j'ai été archi-malheureuse. »

Du coin de l'œil, je vis une jeune serveuse entrer en courant et lever les yeux vers la pendule, affolée – elle était toute rouge, probablement en retard – et tandis qu'elle approchait du comptoir, un autre visage familier, celui de la directrice du salon de thé, apparut à la porte de la cuisine. Elle la réprimanda.

« Je suis désolée, Mrs Goggin. C'est les bus, ils sont toujours tellement imprévisibles...

— Si tel est le cas, Jacinta, vous êtes peut-être un autobus. Vous êtes aussi imprévisible que le bus numéro 16 et c'est insupportable. »

Miss Ambrosia, enfin Anna, observa la scène et fit la grimace. « Il ne faut pas la contrarier, cette femme. Elle dirige cet endroit d'une main de fer. Même Charlie Haughey avait peur d'elle. Un jour, elle l'a fichu à la porte parce qu'il avait mis la main aux fesses à une serveuse.

— Il est entré à la bibliothèque l'autre jour. Je ne l'avais jamais vu là auparavant. Il a regardé autour de lui, ébahi, et a lancé : "Je crois que j'ai dû prendre un mauvais virage quelque part."

— Quelqu'un devrait noter cette phrase, s'amusa Anna. Pour la mettre sur sa pierre tombale.

— Mrs Goggin doit être là depuis des lustres. Je me rappelle l'avoir vue ici, je n'étais qu'un gamin.

— Elle va bientôt prendre sa retraite. Enfin, d'après la rumeur. Elle aura soixante-cinq ans dans quelques semaines. Bon, parlez-moi plutôt de vous. Ce que j'ai entendu dire est-il vrai ? Vous êtes-vous enfui le jour de votre mariage avant d'avoir dit oui ?

— Où avez-vous entendu dire ça ?

— Oh, je ne me rappelle plus. Les potins circulent vite ici, vous savez.

— C'est à moitié vrai, reconnus-je. J'ai dit oui. Mais j'ai attendu la réception pour détaler.

— Jésus, Marie, Joseph, fit-elle en secouant la tête ; elle avait du mal à ne pas éclater de rire. Vous êtes un vrai crétin.

— C'est ce qu'on m'a raconté.

— Pourquoi avez-vous fait ça ?

— C'est une longue histoire.

— Vous ne vous êtes jamais remarié ?

— Non. Mais racontez-moi, m'empressai-je. Qu'est-il arrivé aux deux autres avec qui nous travaillions, Miss Joyce et Mr Denby-Denby ? Êtes-vous encore en contact avec eux ? »

Elle posa sa tasse et se pencha en avant. « Eh bien, c'est toute une histoire. Miss Joyce a perdu son emploi après avoir eu une liaison avec le ministre de la Défense.

— Non ! m'exclamai-je incrédule. Elle qui avait toujours l'air tellement collet monté !

— Oh, mais ce sont les pires. Bref, elle était folle du bonhomme, mais bien entendu, il était marié. Quand elle est devenue un peu trop collante et a commencé à vouloir plus qu'il n'était prêt à donner, il s'est arrangé pour qu'elle soit licenciée. Elle était furieuse, je vous assure, mais elle n'y pouvait absolument rien. Les ministres faisaient la pluie et le beau temps, à cette époque-là. C'est toujours le cas, d'ailleurs. Elle a essayé de vendre son histoire aux journaux, qui n'ont pas voulu causer du tort au pauvre homme, il avait une famille. L'archevêque est intervenu auprès du rédacteur en chef de l'*Irish Press*.

— Et qu'est devenue Miss Joyce après ?

— Aux dernières nouvelles, elle est partie s'installer à Enniscorthy et a ouvert une librairie. Ensuite, j'ai appris qu'elle avait écrit une chanson qui a failli être sélectionnée pour l'Eurovision. Depuis, plus rien.

— Et Mr Denby-Denby ? Il doit être à la retraite.

— C'est une bien triste histoire. » Elle baissa les yeux tout à coup, la mine grave. « Ah bon ? Que s'est-il passé ?

— J'imagine que vous n'avez pas continué à lire les journaux irlandais quand vous étiez à l'étranger ?

— Non, pas très souvent. Pourquoi ?

— Oh, cette affaire a été épouvantable. » Elle frissonna et secoua la tête. « Il a tout simplement été assassiné.

— Assassiné ? » Je dus parler un peu trop fort, car je remarquai le regard que me lança Mrs Goggin. Cependant, dès que je la regardai à mon tour, elle détourna les yeux.

« C'est exact, assassiné, répéta Anna. Bien évidemment, vous savez qu'il en était, n'est-ce pas ?

— Qu'il en était ? demandai-je innocemment.

— Qu'il était un...

— Un quoi ?

— Un homo.

— Ah d'accord. Oui, enfin, j'ai toujours pensé qu'il l'était malgré ses références constantes à la légendaire Mrs Denby-Denby et à tous les petits Denby-Denby. Les avait-il inventés ?

— Oh non, ils existaient. Mais à cette époque-là, le pays était plein de Mrs Denby-Denby qui n'avaient aucune idée de ce que manigançait leur mari dans leur dos. Enfin, vous le savez mieux que quiconque, j'imagine. Ai-je raison de penser que vous en êtes, vous aussi ?

— Oui.

— Je l'ai toujours su. Je me souviens, quand nous travaillions ensemble, vous ne paraissiez pas du tout intéressé par moi et un jour j'en ai parlé à Miss Joyce, mais elle m'a répondu, non, vous étiez bien trop gentil pour ça.

— Je suis sûr qu'il y a un compliment quelque part.

— C'est très à la mode, aujourd'hui, non ?

— Qu'est-ce qui est à la mode ?

— D'en être.

— Je ne sais pas. Vous croyez ?

— Oh oui. Il y a Boy George et David Norris. Et la moitié des gens qui travaillent ici, évidemment, même s'ils ne le disent pas ouvertement. La femme qui habite à côté de chez moi, son plus jeune fils en est. » Elle haussa les épaules et renifla bruyamment. « C'est une honte, pour elle, bien sûr, mais je ne dis rien. Je n'ai jamais porté des jugements comme ça, à l'emporte-pièce. Et il y a deux femmes qui ont un magasin de fleurs près de chez nous, elles vivent ensemble dans l'appartement à l'étage et Peadar m'affirme qu'elles en sont...

— Elles aussi ?

— Oui. Je ne pensais pas qu'une femme pouvait en être. Ce n'est pas tellement dérangeant chez un homme, mais chez une femme, c'est vraiment bizarre. Vous ne trouvez pas ?

— Je n'y ai jamais vraiment réfléchi. Mais j'imagine qu'il n'y a pas grande différence.

— Oh, vous êtes devenu très moderne, Cyril. C'est d'avoir vécu à l'étranger, j'imagine. Ma deuxième fille, Louise, veut aller aux États-Unis avec un visa J-1 accompagnée de ses amis. Je fais tout mon possible pour l'en empêcher parce qu'ils sont terriblement en avance, là-bas. Je sais que si elle va en Amérique, elle finira violée par un Noir et devra avorter.

— Mon Dieu, fis-je en recrachant mon thé. Mais enfin, Anna, vous ne pouvez pas dire des choses pareilles.

— Pourquoi pas ? C'est vrai.

— Ce n'est pas vrai du tout. Et en prétendant ça, vous vous montrez bien étroite d'esprit.

— Je ne suis pas raciste, si c'est ce que vous laissez entendre. Rappelez-vous, mon mari est juif.

— Quand même... » Je me demandai si je parviendrais à partir avant qu'elle ouvre à nouveau la bouche.

« Louise affirme qu'elle va y aller, même si nous sommes contre, son père ou moi. À tes risques et périls, lui ai-je dit, mais elle ne nous écoute pas. Pensez-vous que nous étions pareils quand nous avions cet âge ? Avez-vous causé autant de chagrin à vos parents ?

— Eh bien... j'ai eu une éducation assez peu conventionnelle.

— Ah oui, c'est vrai. Je me rappelle de vous en train de m'en parler, autrefois. Qui est votre mère ? Edna O'Brien, c'est ça ?

— Maude Avery. Et c'est ma mère adoptive.

— C'est ça, Maude Avery. On pourrait croire qu'elle est du calibre de Tolstoï, vu ce qu'on dit d'elle...

— Et Mr Denby-Denby, l'interrompis-je avant qu'elle ne se perde sur cette voie-là. Vous me racontiez comment il avait été assassiné.

— C'était affreux, commença-t-elle en se penchant pour poursuivre à voix basse. Mr Denby-Denby avait loué un appartement bon marché sur Gardiner Street, en cachette de sa femme, et de temps en temps, il descendait au bord du canal à la recherche d'un jeune gars qu'il ramenait là-bas pour une petite partie de vous-savez-quoi. Apparemment, il faisait ça depuis des années. Un soir, ça a dû déraper ; les voisins ont rapporté qu'ils sentaient une odeur épouvantable provenant de son appartement et il a été découvert, deux semaines plus tard, un poignet enchaîné au radiateur, une demi-orange dans la bouche et le pantalon aux chevilles.

— Nom de Dieu, dis-je en frémissant. Et ont-ils arrêté l'assassin ?

— Oui. Il a pris perpétuité.

— Pauvre Mr Denby-Denby. Quelle manière affreuse de partir !

— Je suppose que vous étiez au courant, dans le temps.

— Au courant de quoi ?

— Des frasques de Mr Denby-Denby. Est-ce que vous et lui... ?

— Bien sûr que non, fis-je, effaré par cette hypothèse. Il avait l'âge d'être mon père. »

Anna me regarda comme si elle n'était pas complètement convaincue. « Il faut que vous fassiez très attention avec ces garçons, Cyril. Les jeunes prostitués qui traînent près des canaux. Déjà, imaginez toutes les maladies qu'ils ont. Ils ont tous le sida. Et ils seraient capables de vous égorger en un rien de temps. J'espère que vous ne vous amusez pas à ça. »

Je ne sus si je devais rire ou m'offusquer. En vérité, je n'avais pas échangé un baiser avec un homme depuis sept ans et je n'avais plus aucune envie de le faire. Il était hors de question que je descende traîner au bord du Grand Canal au milieu de la nuit à la recherche d'une passe.

« Voudriez-vous une autre théière ? » demanda la serveuse, Jacinta, en s'approchant de nous. Avant que je puisse répondre, Anna secoua la tête.

« Je ne peux pas rester, il faut que je retourne au bureau. Les mémos ne vont pas s'écrire tout seuls cet après-midi. Mais j'étais ravie de vous voir, Cyril, déclara-t-elle en se levant. Je vous croiserai certainement à la bibliothèque en bas. Vous y êtes tous les jours ?

— Tous les jours sauf le vendredi. Et seulement quand le Dáil est en session.

— Super. Nous aurons d'autres occasions de nous parler, alors. N'oubliez pas ce que je vous ai dit et faites bien attention à vous. Je ne veux pas avoir à revivre une histoire comme celle de Mr Denby-Denby. »

J'acquiesçai. Une fois qu'elle fut partie, je me tournai vers la serveuse et lui demandai un autre thé. Quelques minutes plus tard, ce fut Mrs Goggin en personne qui me l'apporta.

« Ça ne vous ennuie pas si je m'assois quelques instants ? Vous êtes Mr Avery, n'est-ce pas ?

— Oui. Cyril. Je vous en prie, asseyez-vous.

— Je m'appelle Catherine Goggin. Je ne sais pas si vous vous souvenez de moi mais...

— Bien sûr que je me souviens. Je suis heureux de vous revoir.

— Et vous travaillez à nouveau dans ces murs ?

— Oui, c'est ma pénitence. À la bibliothèque. Cela ne fait que deux semaines, mais ça me plaît.

— On devient esclave de cet endroit, n'est-ce pas ? fit-elle en souriant. On ne peut jamais le quitter. Pour ma part, je suis contente de vous y revoir. Il me semble avoir entendu dire que vous étiez aux États-Unis.

— Pendant un certain temps, oui. Et en Europe.

— Et votre jambe ? Est-ce récent ? » Elle désigna ma béquille d'un mouvement du menton. « Non, ça remonte à sept ans. Je vivais à New York. Mon ami et moi traversions Central Park à pied un soir et nous avons été agressés.

— Oh mon Dieu. C'est terrible. Et votre ami, comment va-t-il ?

— Il est mort. Très rapidement. Avant même l'arrivée de l'ambulance.

— Et a-t-on retrouvé les hommes qui ont fait ça ? »

Je secouai la tête. « Non. Mais je crois qu'ils n'ont pas été très activement recherchés.

— Je suis tellement triste d'apprendre ça. Je n'aurais pas dû vous poser de questions. Cela ne me regarde pas.

— Ne vous inquiétez pas.

— C'est juste que je me souviens de vous, quand vous étiez ici, autrefois. Vous m'avez toujours rappelé quelqu'un que j'ai connu il y a des années. Vous lui ressemblez.

— Quelqu'un qui vous était proche ?

— Pas vraiment, fit-elle en détournant le regard. Un de mes oncles, c'est tout. Il y a longtemps.

— Et votre fils ? Qu'est-il devenu ?

— Mon fils ? réagit-elle en fronçant les sourcils. Que voulez-vous dire ?

— Vous avez un fils, n'est-ce pas ? Je vous ai rencontrés tous les deux un jour, il y a plus de vingt ans. Vous avez certainement oublié. C'était le jour de mon mariage, alors, il est resté gravé dans ma mémoire. Je crains d'avoir oublié son nom…

— Jonathan.

— Oh oui. C'était un petit garçon très précoce, si je me rappelle bien. »

Elle sourit. « Il est médecin, aujourd'hui. Psychiatre. Il s'est marié lui aussi, il y a quelques semaines seulement, avec une jeune fille charmante, Melanie. Ils se connaissent depuis qu'ils sont enfants.

— En avez-vous d'autres ?

— D'autres quoi ?

— D'autres enfants ? »

Elle marqua une pause et secoua la tête. « Non. Et vous ?

— J'ai un fils. Liam. Il a vingt ans.

— Ce doit être un grand bonheur. »

Je haussai un peu les épaules, tout en me demandant pourquoi je lui faisais tant de confidences. « Nous ne sommes pas très proches. Je n'étais pas là pour lui quand il a grandi et il m'en veut d'avoir été absent. C'est compréhensible, mais j'ai l'impression que je n'arrive pas à combler le fossé qui nous sépare, malgré tous mes efforts.

— Eh bien, il faut en faire encore plus. Gardez-le dans votre vie, coûte que coûte. C'est tout ce qui importe. Ne le perdez jamais de vue. »

Les portes s'ouvrirent et un groupe de TD bruyants entra, pleins d'arrogance et de morgue. Elle se leva en soupirant.

« Bon, je ferais bien de retourner travailler. Je suis certaine que je vous verrai ici régulièrement, maintenant que vous êtes de retour parmi nous. »

Je la regardai s'éloigner.

Pour une raison que je ne compris pas, notre conversation me revenait, alors que j'arrivais devant les portes de la prison. Je montrai mon passeport et mon permis de visite au gardien. Il les examina attentivement avant de me dire d'enlever ma veste et mes chaussures pour passer dans un détecteur à métaux. Mais je ne cessai de penser à Mrs Goggin et à la manière dont elle m'avait regardé. Je ressentis une envie étrange de reprendre cette conversation avec elle un autre jour.

Au pénitencier

La salle d'attente d'un pénitencier pouvait être un lieu de nivellement remarquable, où étaient rassemblés les parents et amis de prisonniers de toutes classes sociales, chacun à un degré différent d'indignation, de honte et de crânerie. Je pris place vers le fond sur un fauteuil en plastique blanc cloué au sol et essayai d'ignorer l'odeur d'antiseptique qui emplissait l'air. Une inscription gravée sur l'accoudoir droit m'informait que « Deano » était « un homme mort » tandis que le gauche ajoutait que ce même Deano « suce les bites ». Sur le mur face à moi, une affiche montrait un policier joyeux, un jeune homme jovial et une dame plus âgée presque hilare alignés sous le slogan *Nous pouvons tous traverser ça ensemble !* Cette affiche illustrait sans doute un constat ironique sur l'expérience carcérale.

En regardant autour de moi, je remarquai une jeune femme en survêtement qui bataillait avec un petit enfant dont les cheveux étaient coupés en crête. Les pointes étaient teintes en vert pour rappeler la série d'anneaux couleur vert avocat qui traversaient le lobe de son oreille gauche. Ne parvenant pas à le contrôler, elle reporta son attention sur un bébé qui miaulait comme un chat possédé dans le landau à côté d'elle.

« Vous avez fort à faire, dites-moi », fis-je en lui adressant un regard compatissant tandis que le gamin sautait d'un fauteuil à l'autre. Il s'arrêtait devant différentes personnes, pour se transformer en carabine humaine et se défouler sur ses innocentes victimes, un tour qu'il avait dû apprendre de son père le prisonnier.

« Casse-toi, vieux pédophile », lâcha la femme avec désinvolture.

Visiblement elle et moi n'allions pas nous lier, et je déménageai dans un autre coin de la salle, à côté d'une femme qui avait à peu près mon âge et qui avait l'air absolument terrifiée de se trouver dans un endroit si horrible. Elle tenait son sac à main bien serré sur ses genoux et elle parcourait la salle du regard comme si elle n'avait jamais vu des spécimens humains aussi affreux.

« C'est la première fois que vous venez ? demandai-je et elle acquiesça.

— Bien sûr. Je viens de Blackrock. » Elle me lança un regard plein de sous-entendus. « Il y a eu une terrible méprise, reprit-elle au bout de quelques instants. C'est une erreur judiciaire. Je ne devrais pas être ici, et mon fils Anthony non plus.

— Personne n'a envie de se retrouver ici.

— Non, j'ai dit que je ne devrais pas être ici. Ils ont enfermé mon fils mais il n'a rien fait du tout. Il a toujours été un jeune homme très bien.

— Est-ce que je peux vous demander de quoi on l'accuse ?

— De meurtre.

— Meurtre ?

— Oui, mais ce n'est pas lui, alors ce n'est pas la peine d'avoir l'air aussi choqué.

— Qui a-t-il soi-disant tué ?

— Sa femme. Mais il n'y avait pas de véritable preuve, rien d'autre que des empreintes digitales, de l'ADN et un témoin oculaire. Et puis, soit dit en passant, ma belle-fille était horrible et elle l'a bien cherché, si vous voulez mon avis. Je ne suis pas du tout triste qu'elle ne soit plus là. Elle n'était pas de Blackrock et j'avais prévenu Anthony qu'il ferait mieux de se marier avec une fille de chez nous.

— Je vois, fis-je tout en me demandant si je ne devrais pas me déplacer à nouveau. Il est en préventive ?

— Non, il est condamné à perpétuité. Le procès a eu lieu il y a quelques mois. Je vais parler à mon TD et discuter de ce qu'on peut faire. Je suis sûre que si j'explique la situation, ils comprendront leur erreur et le laisseront partir. Et vous, qu'est-ce qui vous amène ici ?

— Mon père adoptif purge une peine pour fraude fiscale.

— Quel déshonneur. » Elle se redressa brusquement, l'air tout à fait consterné. Elle serra son sac encore plus près comme s'il y avait un risque que je puisse le voler. « Évidemment que nous devons tous payer nos impôts, vous ne le savez pas ? Vous devriez avoir honte.

— Pourquoi ? protestai-je. Cela n'a rien à voir avec moi. Je paie les miens.

— Et vous voulez quoi, une médaille ? À mon avis, la prison, c'est encore trop léger pour les fraudeurs. Ils devraient être pendus haut et court.

— Et les meurtriers ? demandai-je. Qu'est-ce qu'on devrait leur faire ? »

Elle secoua la tête, agacée, et se tourna. Soulagé, je vis arriver un jeune et beau gardien qui appela nos noms, inscrits sur son bloc-notes, et nous indiqua un couloir menant à une salle sans cloisons où nous prîmes place à de petites tables. Quelques minutes plus tard, une porte s'ouvrit et un groupe d'hommes vêtus de pulls en laine et de pantalons gris arriva au petit trot et balaya la salle du regard à la recherche de leurs proches. Je fus surpris de voir Charles agiter la main avec un enthousiasme débridé, et encore plus, lorsque je me levai pour lui serrer la main, de me retrouver dans ses bras.

« Assis, Avery, dit un agent un peu âgé qui se dirigea droit sur nous ; nous fûmes assaillis par l'odeur d'une sueur vieille de quatre jours. Pas de contact physique.

— Mais cet homme est mon fils ! s'écria Charles, atterré. Quel genre de pays sommes-nous devenus, si un homme ne peut pas étreindre son fils unique en public ? Est-ce bien le pays où Robert Emmet est mort ? Et James Connolly ? Et Pádhraic Pearse ?

— Asseyez-vous ou retournez dans votre cellule, ordonna l'agent qui visiblement n'était pas d'humeur à discuter. Vous choisissez.

— Très bien, je m'assois, céda Charles en grommelant tandis que je prenais place en face de lui. Honnêtement, Cyril, je suis traité comme un délinquant ici. C'est vraiment intolérable. »

Depuis la dernière fois que je l'avais vu, il était devenu un vieillard – il avait plus de soixante-quinze ans – mais il portait bien son âge. Il avait toujours été bel homme, évidemment, et son charme avait perduré, comme c'est souvent le cas des hommes peu méritants. La seule chose qui me surprit était la courte barbe grise qui ombrait son menton et ses joues. Depuis que je le connaissais, il s'était toujours montré très scrupuleux sur son rasage, traitant les hommes avec barbe ou moustache de socialistes, hippies ou reporters, et je fus étonné qu'il ne garde pas sa routine matinale en prison. Il sentait un peu aussi et ses dents paraissaient plus jaunes que dans mon souvenir.

« Comment vas-tu ? demanda-t-il avec un sourire. Je suis content de te voir enfin.

— Je vais bien, Charles. Je serais venu avant si vous me l'aviez demandé.

— Pas besoin de t'excuser. Je ne reçois pas beaucoup de permis de visite et quand j'en ai, je préfère les envoyer à des vieux amis et des jeunes femmes. Mais on dirait qu'ils meurent les uns après les autres. Les vieux amis, j'entends ; les jeunes femmes ne me rendent pas visite. Un jour, ton nom m'est revenu, et je me suis dit *Pourquoi pas ?*

— Je suis touché. » Je ne l'avais vu que deux ou trois fois depuis mon retour à Dublin trois ans auparavant. Nous n'étions pas vraiment proches. Je l'avais rencontré par hasard chez Brown Thomas sur Grafton Street et quand j'étais allé le voir pour le saluer, il m'avait pris pour un vendeur et m'avait demandé où se trouvait le rayon des mouchoirs. Je lui avais indiqué l'endroit et il était parti. La seconde fois, c'était à son procès, il voulait que je lui apporte du cirage pour ses chaussures et un Cornetto le lendemain matin dans sa cellule de garde à vue.

« Alors, comment est la vie en prison ? Est-ce que tout va bien ?

— Je n'ai pas été violé par une bande de pilleurs de banques multi-ethniques, si c'est ce que tu veux dire.

— J'avais autre chose en tête.

— Ce n'est pas trop mal, tout bien considéré. Il se trouve que je connaissais l'endroit, et les conditions se sont bien améliorées depuis la dernière fois. J'ai mon propre poste de télé, ce qui est formidable, parce que je me suis pris de passion pour les feuilletons australiens et je n'aurais pas voulu perdre le fil.

— Je suis heureux d'apprendre que vous passez votre temps de manière utile.

— Je crois que j'irai peut-être à Melbourne quand je sortirai d'ici. Ça a l'air beau. Plein de drames, de belles plages et de jolies filles. Est-ce que tu regardes *Neighbours*, Cyril ?

— Eh bien, j'en ai vu quelques épisodes, avouai-je, mais je n'irais pas jusqu'à dire que je le suis assidûment.

— Tu devrais. C'est magnifique. Les personnages sont très shakespeariens.

— Je ne suis pas sûr que l'Australie autorise des criminels à entrer sur son territoire.

— Si je suis obligé, je peux toujours donner aux gens du service de l'immigration un petit dessous-de-table, me fit-il avec un clin d'œil. Tout le monde a un prix. J'en ai assez de ce pays. Il est temps de repartir de zéro quelque part. »

Je secouai la tête, incrédule. « On dirait que vous n'avez rien retenu de votre premier séjour ici. Et vous n'apprenez rien cette fois-ci non plus.

— De quoi tu parles ? Qu'est-ce que j'aurais dû apprendre ?

— Qu'on a un truc appelé impôt sur le revenu, dans ce pays. Et que vous êtes obligé de le payer. Sinon, ils vous enferment.

— Eh bien, il se trouve que..., commença-t-il, dédaigneux, que je sais tout sur les lois fiscales et, cette fois-ci, je crois bien que je n'ai rien fait de mal. La dernière fois, j'admets qu'ils avaient le droit de me mettre derrière les barreaux. Je gagnais beaucoup d'argent dans les années 1940 et 1950. J'en planquais une grande partie sans donner le moindre sou au gouvernement. Tous des sales fascistes, de toute façon, qui font leur pelote de fascistes. Mais si tu veux mon avis, on pourrait parfaitement juger que Max Woodbead était le vrai coupable, à ce moment-là. C'est lui qui a étudié la situation sous toutes les coutures et m'a donné de mauvais conseils. Comment va-t-il, ce vieux Max ? As-tu de ses nouvelles ? Je lui ai envoyé un permis de visite il y a quelques semaines mais je n'ai pas encore eu de réponse. Tu crois qu'il m'en veut toujours à cause de toute cette affaire avec Elizabeth ?

— J'en doute. Max est mort depuis presque dix ans, alors j'imagine qu'il s'en fiche pas mal. Vous ne le saviez pas ? »

Il se gratta la tempe ; il avait l'air perplexe. Je me demandai s'il ne commençait pas à perdre un peu la tête. « Ah oui, lâcha-t-il. Maintenant que tu le dis, je crois que j'ai appris qu'il était mort. Pauvre Max. Ce n'était pas un mauvais bougre. Il avait pris femme dans la classe au-dessus, comme tout homme intelligent. Je l'ai fait plusieurs fois. Et une fois ou deux, dans une classe comparable. Puis dans une classe inférieure. Je n'ai jamais réussi à trouver le bon niveau. Peut-être que j'aurais dû chercher une femme dans une classe située en diagonale, ou un peu en biais. Mais Elizabeth était d'une grande beauté, c'est certain. Elle avait tout : la distinction, l'argent, l'éducation et une belle paire de jambes.

— Je me souviens. » C'était assurément de sa mère que Julian avait hérité sa beauté. « Vous avez eu une liaison avec elle.

— Nous n'avons pas eu une *liaison.* » Dans sa bouche, le mot résonna comme une grossièreté. « Nous avons juste couché quelques fois, c'est tout. Une liaison, ça implique de l'émotion et il n'y en avait pas. Pas de ma part, en tout cas. Je ne peux pas parler à sa place. Je suppose qu'elle est décédée, elle aussi ?

— Oui.

— Tout le monde est mort, soupira-t-il avant de s'adosser et de se mettre à contempler le plafond. Pauvre Max, répéta-t-il. C'est dommage qu'il soit mort avant d'avoir eu l'occasion de me présenter ses excuses. Je suis sûr qu'il aurait aimé le faire.

— Ses excuses pour quoi ?

— Pour m'avoir amené ici, la première fois. Et pour m'avoir mis son poing dans la figure alors que j'étais au milieu d'un dîner pour corrompre un jury. Ça n'a pas vraiment joué en ma faveur. Si je me souviens bien, son fils était un type comme toi, n'est-ce pas ?

— Un type comme moi ? demandai-je en fronçant le sourcil. Que voulez-vous dire ?

— Un gay.

— Julian ? » Je faillis éclater de rire devant cette absurdité. « Non, il ne l'était pas. Il était cent pour cent hétéro.

— Ce n'est pas ce qu'on m'a dit. N'est-ce pas qu'il a attrapé… tu vois bien… » Il se pencha vers moi et chuchota : « Un sida.

— On dit le sida, pas un sida. Et vous n'avez pas besoin de dire *un* gay.

— Bref, appelle-le comme tu veux. Il est bien mort de ça, non ?

— Oui.

— Alors, j'avais raison, conclut-il avec un sourire satisfait. Il était un gay.

— Non, insistai-je en imaginant dans quelle fureur Julian serait s'il pouvait entendre cette conversation. N'importe qui peut attraper le sida, quelle que soit son orientation sexuelle. De toute manière, ça n'a plus d'importance. Il est mort aussi.

— Il y a deux gars ici qui ont le VIH, me glissa Charles en regardant autour de lui avant de baisser la voix. Ils sont à l'écart, en isolement, bien sûr, mais de temps en temps, on les laisse sortir pour qu'ils fassent une partie de tennis de table entre eux pendant que nous, nous restons confinés. Après, les gardiens nettoient les raquettes avec du désinfectant. Ne dis rien à personne, surtout.

— Je n'en dirai pas un mot. Mais nous parlions d'impôts, vous vous souvenez ? Et de votre incapacité à les payer.

— Je trouve vraiment que c'est très injuste, ce qu'ils m'ont fait, déclara-t-il, le sourcil froncé. Après tout, cette fois-ci, j'ai commis ces erreurs en toute bonne foi.

— Avoisinant quand même les deux millions, fis-je observer.

— Oui, quelque chose comme ça. Mais dis-moi si je me trompe, il y a, en Irlande, une disposition appelée l'exonération des artistes. Les écrivains ne sont pas obligés de payer des impôts sur leurs revenus. Merci, Mr Haughey, vous, le généreux mécène.

— C'est vrai. » Cette loi avait été une aubaine pour Ignac depuis que ses romans avaient du succès. « Mais Charles, vous n'êtes pas écrivain.

— Non, mais la plupart de mes revenus proviennent de gains artistiques. Tu sais combien de livres Maude a vendus dans le monde ?

— La dernière fois qu'on me l'a dit, ça tournait autour de vingt millions.

— Vingt-deux millions ! s'exclama-t-il, triomphant. Non, ne me félicite pas ! Et elle rapporte encore presque un million par an, que Dieu la bénisse.

— Mais ce n'est pas parce que ses droits vous reviennent que vous pouvez prétendre à l'exonération fiscale pour vous. On vous l'a expliqué au procès, même si cela me semblait évident depuis le début.

— Mais c'est outrageusement injuste, tu ne trouves pas ? L'Homme du fisc a toujours été jaloux de mon succès.

— Ce n'est pas votre succès, insistai-je. C'est celui de Maude. Et vous aviez d'excellents revenus sans être obligé de frauder. »

Il haussa les épaules. « Enfin… Ça n'a pas beaucoup d'importance, j'imagine. J'ai remboursé ce que je devais et j'ai toujours une fortune à la banque, qui continue à grossir. Peut-être que je paierai un peu d'impôts l'an prochain. Je verrai si j'en ai envie. Quelle aubaine que les universités ! On dirait que toutes se sont mises à proposer des cours sur ses livres. Sauf les Canadiens. Pourquoi, à ton avis ? Pourquoi les Canadiens n'aiment-ils pas ses livres ?

— Je n'en ai aucune idée.

— Ils sont drôles, ces gens. Essaie de trouver l'explication, s'il te plaît. Tu travailles toujours au ministère de l'Éducation, non ? Il doit bien y avoir une espèce de groupe interculturel... ou... » Il laissa sa phrase en suspens, ne sachant pas comment la terminer.

« Charles, cela fait presque trente ans que je ne suis plus fonctionnaire, signalai-je, un peu inquiet pour lui maintenant.

— Ah bon ? C'est un très bon poste, pourtant. Avec une retraite à la clé. Je suis sûr que si tu y retournais, ils te donneraient une seconde chance. Qu'est-ce que tu as fait de mal ? Tu t'es fait prendre la main dans le sac ? Quelques galipettes avec ta secrétaire derrière la porte fermée de ton bureau ? »

Je soupirai et jetai un coup d'œil par la fenêtre. Un groupe d'hommes jouait au foot tandis que d'autres étaient debout en bordure du terrain, en train de fumer et de bavarder. Je les observai, m'attendant à voir éclater une bagarre comme dans les films, mais rien de fâcheux ne se produisit. Tout le monde semblait profiter du soleil. C'était très décevant.

« Il vous reste combien de temps à faire ? demandai-je enfin.

— Seulement six mois. Ce n'est pas si mal, ici, tu sais. La nourriture est assez bonne. Et mon compagnon de cellule, Denzel, est un type bien. Il a braqué trois bureaux de poste dans le pays, mais tu devrais entendre les histoires qu'il raconte ! » Il rit en se souvenant. « Tu pourrais les mettre dans un de tes livres, sauf qu'il te poursuivrait pour avoir volé sa propriété intellectuelle. Tu sais comment ils sont, ces prisonniers. Ils préparent tous des diplômes de droit pendant leur temps libre.

— Charles, je ne suis pas écrivain. Je travaille à la bibliothèque du Dáil.

— Bien sûr que tu écris des livres. Des livres pour enfants sur un garçon croate qui voyage dans le temps, non ?

— Il est slovène. Et non, ce n'est pas moi qui les écris. C'est Ignac.

— Qui est Ignac ?

— C'est... disons qu'il est un peu comme mon fils. Presque.

— Je croyais que ton fils s'appelait Colm ?

— Non, c'est Liam.

— Et il écrit des livres ?

— Non, soupirai-je. C'est Ignac qui écrit des livres. Liam est étudiant.

— A-t-il écrit ce fameux livre sur la femme qui détestait tellement son mari qu'elle allait chaque jour sur sa tombe et pissait sur la pierre tombale ?

— Non, ça, c'est Maude, rectifiai-je, me souvenant d'une des scènes les plus mélodramatiques de *Comme l'alouette*.

— Ah oui, Maude. » Il réfléchit quelques instants. « Cette bonne vieille Maude. Elle aurait détesté voir à quel point sa popularité a grandi.

— C'est certain. Mais elle est partie depuis longtemps maintenant. Elle n'a pas eu à souffrir cette indignité.

— Comment disait-elle, déjà ? La popularité, c'est vulgaire ?

— Oui.

— Il vaut bien mieux qu'elle soit partie, alors. Même si elle me manque encore parfois. Nous ne nous sommes jamais bien entendus mais, malgré tout, elle n'était pas une mauvaise femme. Elle fumait comme une cheminée, certes, et je n'ai jamais tellement apprécié ça chez une femme. Elle n'était pas ta vraie mère, tu sais. Oh attends, tu le savais ? Peut-être que je n'aurais pas dû te le dire.

— Non, je le savais. Je n'ai jamais eu le moindre doute sur ce point.

— Oh tant mieux. Parce que tu n'es pas un vrai Avery. Ne l'oublie pas.

— Je savais cela aussi, dis-je en souriant.

— Mais je suis content que nous t'ayons adopté. Tu es un bon garçon. Un gentil garçon. Tu l'as toujours été. »

Je pris conscience d'une curieuse sensation à l'intérieur. Je fus incapable de l'identifier sur-le-champ, puis je compris que j'étais un peu ému. C'était probablement la chose la plus gentille qu'il m'ait jamais dite depuis quarante-neuf ans.

« Et vous n'étiez pas un mauvais père, mentis-je. Dans l'ensemble.

— Oh, je crois que nous savons tous les deux que ce n'est pas vrai. J'étais épouvantable. Je ne te témoignais aucun intérêt. Mais j'étais comme ça. Je ne pouvais pas m'en empêcher. Enfin, je t'ai fourni un toit, c'est déjà quelque chose. Certains hommes ne font même pas ça pour leurs enfants. Est-ce que tu y vis toujours, Colm ?

— Moi, c'est Cyril. Et non, si vous parlez de la maison de Dartmouth Square. Vous l'avez perdue quand vous êtes allé en prison la première fois, vous vous souvenez ? C'est Max qui l'a achetée.

— Ah oui, c'est vrai. Je suppose que son fils y vit maintenant, avec son – il mima des guillemets – compagnon.

— Non, Julian n'y vit pas. Je vous l'ai dit, Julian est décédé.

— Non ! s'écria-t-il. C'est terrible ! Attends, je me souviens. Il a été agressé, c'est ça ? Par une bande de voyous. Ils l'ont tabassé et laissé pour mort. »

Je me redressai sur ma chaise et fermai les yeux. Combien d'autres phrases de ce genre allais-je devoir supporter. « Non. Ce n'était pas Julian. C'était Bastiaan.

— Max m'a dit qu'il était mort avant même d'arriver à l'hôpital.

— Ce n'est pas Max qui vous l'a dit. C'est moi. Et de toute façon, il ne s'agissait pas de Julian, mais de Bastiaan.

— Qui est Bastiaan ?

— Peu importe », renonçai-je, même si cela importait. Et beaucoup. « Écoutez Charles, je commence à m'inquiéter un peu pour vous. Avez-vous vu un médecin récemment ?

— Non, pas récemment. Pourquoi tu poses la question ?

— Vous avez l'air d'être un peu… désorienté, c'est tout.

— Je ne suis pas démentiel, si tu veux savoir.

— Vous ne souffrez pas de démence. Est-ce cela que vous essayez de dire ?

— Je ne suis pas démentiel, répéta-t-il en brandissant un index courroucé sous mon nez.

— D'accord. Vous n'êtes pas démentiel. Mais je crois que ce serait bien qu'un médecin vous examine.

— Seulement si je peux aller jusqu'à lui. Ou elle. J'ai entendu dire qu'il y avait de merveilleuses femmes médecins de nos jours. Mais où va-t-on ? ajouta-t-il en riant. Bientôt elles conduiront des bus et auront le droit de vote si personne ne fait rien pour les arrêter !

— L'administration pénitentiaire ne vous donnera pas une autorisation de sortie pour voir un médecin. Elle va exiger que la consultation ait lieu ici. À moins que vous n'ayez besoin de faire des examens. Et c'est possible, vous savez. C'est très possible.

— Fais donc pour le mieux. La seule chose qui soit vraiment importante pour moi, c'est qu'une fois sorti d'ici, je puisse rentrer chez moi.

— Mais où est-ce, chez vous ? » Je n'en avais pas la moindre idée. Depuis son dernier divorce – le troisième, si mon compte était bon, à la suite de son cinquième mariage – il avait mené une existence plutôt nomade.

« À ton avis ? À Dartmouth Square. La maison où j'ai toujours habité. J'adore cette maison. Je n'en sortirai que les pieds devant.

— Probablement pas. Parce que vous n'y habitez plus. Depuis que vous l'avez vendue, il y a plusieurs dizaines d'années.

— Ce n'est pas parce que je n'y habite pas que je ne peux pas y mourir. Sers-toi donc de ton imagination ! Quel drôle d'écrivain tu fais !

— Un écrivain qui n'écrit pas...

— Je refuse de mourir en prison comme Oscar Wilde ou Lester Piggott.

— Qui ne sont pas morts en prison, ni l'un ni l'autre.

— Ils le seraient, si les fascistes avaient pu agir à leur guise.

— Écoutez, laissez-moi réfléchir, d'accord ? Je vais trouver une solution. Nous avons six mois, après tout.

— À moins que je sorte plus tôt pour bonne conduite.

— Rendez-moi service, Charles. Essayez de ne pas trop bien vous conduire, vous voulez bien ? Purgez votre peine. Cela me simplifiera grandement la tâche.

— D'accord. Je veux bien. Je ferai un scandale au petit déjeuner un matin et ils me garderont jusqu'au bout.

— Merci. J'apprécie.

— Aucun problème. Bon, où allons-nous aujourd'hui ?

— Vous allez probablement rester ici. Vous n'avez pas de cours de dessin le mardi après-midi ?

— Je n'y vais plus, répondit-il avec une expression de dégoût. Nous faisions du dessin d'après modèle, et notre modèle était un faussaire obèse de cent quarante kilos avec des tatouages partout sur le corps qui posait à poil. Il avait même le mot *Mère* tatoué sur son pénis. Freud s'en serait donné à cœur joie. Je n'en pouvais plus, de voir ça – quelle laideur. Tu aurais probablement adoré, toi. Ou le fils de Max, Julian. Il aurait été aux anges.

— Eh bien, retournez dans votre cellule. Et faites une sieste, peut-être. Vous vous sentirez mieux après.

— Oui, je vais faire ça. Je n'ai pas bien dormi la nuit dernière. Et toi, que vas-tu faire ?

— Je ne sais pas. Peut-être que j'irai au cinéma. Je devais voir Liam mais il a annulé. À nouveau.

— Qui est Liam ?

— Mon fils.

— Je croyais que ton fils s'appelait Inky, ou un truc comme ça ?

— Vous pensez à Ignac. C'est un autre fils.

— Eh ben, tu es vraiment amateur de femmes, on dirait ! fit-il en souriant de toutes ses dents. Le portrait craché de son père ! Combien d'enfants as-tu de combien de femmes différentes ? »

Je souris et me levai. Je lui tendis la main. Il la prit mais sa poigne était bien moins ferme qu'autrefois.

« Je ne suis pas démentiel, me répéta-t-il encore, plus calmement, et son expression devint tout à coup suppliante. C'est juste que je m'emmêle un peu les crayons par moments, c'est tout. C'est la vieillesse. On en arrive tous là. Toi aussi, j'en suis sûr. »

Sans rien dire, je m'éloignai en songeant à quel point il avait tort. Maude n'était jamais devenue vieille. Ni Julian. Ni Bastiaan. Ni les centaines de jeunes hommes et femmes à qui j'avais rendu visite à New York au plus fort de l'épidémie. Tout le monde ne devenait pas vieux. Loin de là. Et je ne savais pas si ce serait mon cas.

D'un pub à l'autre

Ma télévision était en panne, alors je remontai Baggot Street jusqu'au Doheny & Nesbitt's pour aller voir le match. Évidemment, il déchaînait les foules. Une fois de plus, le pays perdait la boule, et les joueurs anglais, qui étaient traînés dans la boue quand ils jouaient pour Arsenal ou Liverpool, étaient maintenant adulés parce qu'ils avaient sur le dos un maillot aux couleurs de l'Irlande, grâce à des grands-parents qui avaient fui le pays cinquante ans plus tôt.

Le bar était bondé, comme je m'y attendais, mais après avoir commandé une pinte, je découvris une table dans un coin d'où je voyais bien l'écran. Je posai ma béquille contre le mur et puisque j'avais un peu de temps à tuer avant le coup d'envoi, je sortis de ma poche le dernier roman d'Ignac et repris les aventures de Floriak Ansen là où je les avais laissées la veille au soir. Dans ce volume, notre héros voyageur dans le temps était retourné à l'âge de glace et semait la pagaille chez les Eskimos, qui lui enseignaient comment creuser des trous dans la banquise pour pêcher des poissons, ce dont il se fichait pas mal puisqu'il était strictement végétarien. Je n'avais lu que quelques pages lorsque le volume du son monta soudain et toutes les têtes se tournèrent vers l'écran géant. Les équipes sortaient des vestiaires. Tandis que les hymnes résonnaient, on voyait les joueurs plisser les yeux sous le soleil du Giants Stadium et le commentateur fit quelques remarques sur la chaleur et le fait qu'elle constituerait certainement un avantage pour les Italiens plutôt que pour les Irlandais, qui n'étaient pas habitués à des conditions si privilégiées.

Jetant un coup d'œil du côté du bar, je remarquai deux jeunes gens qui, après avoir payé leurs pintes, balayaient la salle du regard à la recherche d'un endroit où s'installer. Je croisai le regard de l'un, qui m'identifia, et je n'eus pas d'autre choix que de désigner les places libres à ma table. Il chuchota trois mots à l'oreille de son ami. Quelques instants plus tard, ils approchaient et s'asseyaient.

« En voilà une surprise, dis-je, m'appliquant à les accueillir amicalement. Je ne m'attendais pas à te voir ici.

— Moi non plus, fit Liam. Je ne pensais pas que tu t'intéressais au foot.

— Tout le monde s'y intéresse, là, tout de suite. Tu es considéré comme un traître si le lendemain, au travail, tu n'es pas capable de discuter de tous les tacles que tu as vus la veille au soir. »

Il but une gorgée de bière en levant les yeux vers l'écran. « Jimmy, je te présente Cyril », énonça-t-il au bout d'un moment à son ami, qui devait avoir le même âge que lui à peu près – une vingtaine d'années – mais de constitution plus imposante, une véritable armoire à glace que j'imaginais volontiers foncer dans la mêlée à Donnybrook avec la plus pure détermination, avant de descendre dix pintes de

Guinness chez Kielys sans ciller. « C'est mon... » Il eut l'air d'avoir du mal à énoncer le mot, bien qu'il n'y eût qu'une seule manière légitime de terminer sa phrase. « C'est mon père, concéda-t-il enfin.

— Ton paternel ? dit Jimmy en cognant son verre contre le mien et en me regardant avec une franche gaieté. Content de vous rencontrer, Mr Woodbead.

— En réalité, je m'appelle Avery. Mais appelle-moi Cyril. Personne ne m'appelle Mr Avery.

— Cyril ? On n'en rencontre plus beaucoup, aujourd'hui. C'est un vieux prénom, c'est ça ?

— J'imagine, oui. Je suis très vieux.

— Quel âge avez-vous ?

— Quarante-neuf ans.

— Oh là là, c'est énorme !

— Je ne te le fais pas dire.

— J'imagine même pas avoir cet âge-là. C'est pour ça que vous avez la béquille ? Vos genoux, ils sont foutus ?

— La ferme, Jimmy, intervint Liam.

— Hé Liam, s'écria Jimmy en mettant un coup de coude dans les côtes de son ami. Ton père, il a le même âge que ma mère. Vous êtes marié, Cyril, ou vous êtes libre ? Ma mère, elle s'est séparée de son jules il y a environ un mois et depuis, c'est l'enfer à la maison, je vous jure. Vous n'auriez pas envie de la sortir un soir ? Pour manger une pizza et boire quelques bières, vous voyez ? Elle est pas difficile.

— Probablement pas, déclinai-je.

— Pourquoi pas ? fit-il l'air offensé. Elle a encore beaucoup de charme, vous savez. Pour une vieille.

— Je n'en doute pas une seconde, mais je ne crois pas que ça pourrait marcher entre nous.

— Vous êtes seulement branché par les jeunes, c'est ça ? Tant mieux pour vous si vous arrivez encore à les emballer.

— Il ne s'intéresse pas aux femmes, intervint Liam.

— Comment c'est possible ? Il est vivant, non ? Il a un pouls ? Ses vieux genoux sont peut-être fichus mais l'essentiel fonctionne encore, non ?

— Il ne s'intéresse pas aux femmes, répéta Liam. À aucune femme. Réfléchis. »

Il réfléchit.

« Tu veux dire qu'il est pédé, c'est ça ? » Il se tourna vers moi et leva les mains. « Ne le prenez pas mal, Cyril.

— Pas de souci.

— J'ai aucun problème avec les homos. Qu'ils le soient tous, je m'en fiche pas mal. D'autant plus de nanas pour moi. »

Je ris et bus une gorgée de bière. Même Liam se tourna vers moi avec un sourire à peine esquissé – je n'avais jamais droit à plus.

« Il y a un gars qui habite trois maisons après la mienne, poursuivit Jimmy. C'en est un. Il s'appelle Alan Delaney. Vous le connaissez ?

— Non.

— Il est grand. Cheveux noirs. Il a une coquetterie dans l'œil.

— Non, ça ne me dit rien. Mais vous savez, on ne se réunit pas en congrès.

— Pourquoi pas ? Ça serait un bon moyen de rencontrer quelqu'un. »

J'y réfléchis ; ce n'était pas une idée totalement stupide.

« Il est sympa, Alan. Un peu coureur, aussi. On ne sait jamais qui on va voir entrer ou sortir de chez lui, le matin. Quel genre de types vous aimez, si ça vous ennuie pas que je vous demande ?

— Je ne cherche pas vraiment quelqu'un en ce moment. J'aime bien être seul.

— Ah, c'est pas possible ! Vous êtes vieux mais pas à ce point. Est-ce que vous voulez que je vous présente Alan ? »

Je regardai du côté de Liam en espérant qu'il m'accorderait un peu de soutien, mais il paraissait trouver l'échange et mon inconfort assez amusants, et préférer qu'ils durent.

« Donnez-moi votre numéro, Cyril, insista Jimmy. Notez-le sur un sous-verre et je m'arrangerai pour lui faire passer.

— Vraiment, ce n'est pas…

— Donnez-moi votre numéro, répéta-t-il. Je suis bon pour ce genre de trucs. Jouer les entremetteurs, tout ça. »

Je pris un sous-verre et écrivis un numéro totalement inventé avant de le lui donner. C'était le moyen le plus simple de mettre fin à cette discussion.

« Et si vous finissez par consommer avec Alan Delaney, vous pourrez me remercier, Cyril, dit-il en le rangeant dans sa poche. Et vous me payerez une bière un de ces jours.

— Avec plaisir.
— Alors, ça a toujours été les gars, pour vous ? demanda-t-il.
— Putain, fit Liam en secouant la tête. Est-ce que ça va durer toute la soirée ?
— Je pose juste la question. Je m'intéresse beaucoup à la sexualité humaine.
— Sans bouger ton cul, lâcha Liam.
— Oui. Ça a toujours été les hommes, dis-je.
— Malgré tout, vous avez dû essayer l'autre façon au moins une fois. Pour produire ce beau spécimen de masculinité ici présent.
— Laisse tomber, tu veux ? reprit Liam. Regarde le match.
— Il n'a pas encore commencé.
— Alors, regarde les pubs et tais-toi.
— Les pubs sont là pour qu'on ait le temps de parler, tout le monde le sait. » Il fit une pause d'une minute ou deux, puis reposa une nouvelle question. « Alors, est-ce que la mère de Liam a été la seule femme avec qui vous l'avez fait ? »

Liam jeta un coup d'œil de notre côté, comme s'il était lui aussi intéressé par ma réponse.

« Oui, répondis-je, sans trop savoir pourquoi je me confiais autant à un parfait étranger, en dehors du fait que ses questions semblaient complètement candides. La seule.
— Putain de merde, jura Jimmy. J'arrive pas à imaginer. J'en suis presque à un nombre à deux chiffres.
— Cinq, c'est loin d'être un nombre à deux chiffres, objecta Liam.
— Je t'emmerde ! rugit Jimmy. C'est six !
— Les pipes, ça compte pas.
— Bien sûr que si. En tout cas, cinq, c'est deux de plus que toi, le gringalet. »

Je détournai les yeux. Je voulais en apprendre plus sur mon fils, mais pas nécessairement autant que ça.

« Alors, comment se fait-il que vous deux, vous n'ayez pas le même nom de famille ? demanda Jimmy après une pause, une fois que j'eus réussi à croiser le regard du barman et que trois pintes supplémentaires fussent arrivées à notre table.
— Comment ? fis-je.
— Liam et vous. Lui, c'est un Woodbead et vous êtes un Avery. Je pige pas.
— Ah oui. Liam porte le nom de sa mère, expliquai-je.

— Celui de mon oncle, en fait, ajouta Liam. Mon oncle Julian a été comme un père pour moi pendant toute mon enfance. »

Je reçus le coup avec la force avec laquelle il avait été porté et me tus. Jimmy nous regardait, l'un puis l'autre, avec un large sourire, et semblait se demander si c'était un jeu auquel nous nous adonnions pour nous amuser ou si c'était plus sérieux.

« Est-ce que ce Julian était votre frère ? demanda Jimmy, en me regardant.

— Non, c'était le frère aîné de la mère de Liam. Il est mort il y a plusieurs années maintenant.

— Ah..., fit-il à mi-voix. Je suis désolé.

— Je l'aimais beaucoup, insista Liam dans un élan d'émotion inhabituel de sa part, clairement adressé à moi, plutôt qu'à son ami.

— Coup d'envoi », annonça Jimmy en désignant l'écran d'un mouvement du menton. Le ballon avait été mis en jeu et les deux équipes évoluaient sur le terrain, non sans hésitation. Quelques clients hurlaient des encouragements aux joueurs quoiqu'il fût un peu tôt pour manifester un tel enthousiasme, et quelques minutes plus tard, ils se calmèrent.

« Alors, comment vous êtes-vous rencontrés, vous deux ? » demandai-je. Liam secoua la tête comme s'il refusait de se donner la peine de répondre à une question aussi ennuyeuse, laissant Jimmy parler.

« Nous sommes ensemble à Trinity.

— Tu étudies l'histoire de l'art, toi aussi ?

— Certainement pas. J'étudie le commerce. Certains jeunes veulent gagner de l'argent, Cyril. Je veux une grande maison, une voiture de sport et un jacuzzi où défilent des foules de luxe.

— Tu veux dire des poules de luxe ?

— Ah ouais. C'est ça. Vous voulez savoir ce que c'est, mon grand but, dans la vie ?

— Attends, tu vas voir, me prévint Liam.

— Vas-y.

— Je veux acheter une maison sur Vico Road, à côté de chez Bono.

— Pourquoi ?

— Pourquoi pas ? Vous imaginez les fêtes qu'on ferait ? Je passerais ma tête par-dessus la clôture et je lui dirais "Salut, Bono, eh mec, pourquoi Madonna, Bruce, Kylie et toi, vous venez pas ici essayer mon jacuzzi ? On va bien se marrer." Et Bono, genre, il répondra : "Donne-nous cinq minutes, on arrive." Vous savez que Salman Rushdie habitait dans la petite maison au fond du jardin chez Bono ?

— Je l'ignorais. Vraiment ?

— C'est ce que j'ai entendu dire. Pendant la... comment on l'appelle, déjà ?

— La fatwa ?

— C'est ça. Le vieux Salman était dans la cabane, il écrivait ses livres à côté de la tondeuse, et l'ami Bono était dans la maison et astiquait ses lunettes de soleil. J'imagine qu'ils se retrouvaient de temps en temps pour faire une partie d'échecs, par exemple. »

Les Italiens eurent une belle occasion et tous les clients rugirent, consternés, puis soulagés quand le ballon rebondit sur la transversale. Tout en regardant les deux garçons réagir exactement de la même manière que tous les clients du pub, je me demandai s'il était possible qu'ils aient plus en commun que ce que je percevais. Je ne les connaissais pas depuis longtemps, mais ils me semblaient totalement différents.

« Je n'aurais pas cru qu'il y aurait une telle proximité entre les étudiants en commerce et en histoire de l'art, dis-je enfin.

— Pourquoi pas ? demanda Liam, en me regardant comme s'il ne pouvait pas imaginer une remarque plus idiote.

— Ce sont généralement des gens très différents.

— Je ne vois pas pourquoi ça te paraît bizarre.

— Nous sommes potes seulement parce que votre fils m'a piqué une petite amie, et ensuite, un connard du département de sociologie la lui a piquée, expliqua Jimmy. Et ça nous a rapprochés, de partager la même indignation.

— D'accord, dis-je en riant.

— Les types en sociologie sont les pires, poursuivit-il. Une bande de tête de nœuds. Quel crétin veut devenir sociologue, je vous le demande ? Ça ne veut rien dire. Qu'est-ce qu'on peut bien foutre avec un diplôme de sociologie ?

— Il ne me l'a pas piquée, grogna Liam, et je ne te l'ai pas piquée. C'est une femme de vingt ans, pas une tête de bétail.

— C'est une petite salope, voilà, conclut Jimmy en secouant la tête. Une sale petite salope qui a vraiment le feu au cul. » Il semblait plus énervé par la rupture que Liam et je me demandai si c'était la manière dont mon fils gérait les filles. Je ne voulais pas qu'il soit aussi mauvais dans les relations humaines que je l'étais au même âge, mais pas non plus aussi cavalier que son oncle. Comme modèles, j'avais le sentiment que Julian et moi l'avions déçu l'un autant que l'autre.

Je n'avais pas rencontré Liam tout de suite après la mort de Julian, ce qui aurait probablement dû être le moment approprié. Et bien qu'on ne puisse pas m'en tenir rigueur, compte tenu des circonstances, je regrettais de n'avoir pas pu honorer le dernier souhait que son oncle avait formulé – que ce soit moi qui appelle Alice pour lui annoncer la mort de son frère. Je l'aurais fait dès notre retour à l'appartement ce soir-là, mais Bastiaan et moi n'y arrivâmes jamais et au moment où on m'emmenait au plus vite au bloc opératoire, un policier crispé frappait à la porte de la maison de Dartmouth Square. Lorsque je sortis du coma quelques semaines plus tard, je découvris Ignac à mon chevet. C'est lui qui m'apprit la mort de Bastiaan, et le reste. Son corps avait été renvoyé aux Pays-Bas, où Arjan et Edda l'avaient enterré dans l'intimité, sans moi. Je ne pus guère accorder la moindre pensée à la promesse que j'avais faite, tant j'étais écrasé par le chagrin et la douleur. C'est pendant la même période, ironie du sort, qu'Ignac se sépara d'Emily, dont l'absence de compassion devant une tragédie familiale de cette ampleur avait suffi à le détourner d'elle une bonne fois pour toutes. À toute chose, malheur etc., comme on dit.

J'attendis finalement plusieurs années, le temps que je récupère, que le procès soit terminé, que je puisse revenir à Dublin. Je contactai Alice par le biais d'une longue lettre dans laquelle j'expliquais à quel point j'étais désolé pour la manière dont je l'avais traitée toutes ces années auparavant. Je lui racontais comment Julian et moi nous étions retrouvés à New York pendant les dernières semaines de sa vie, et lui confiai que j'étais avec lui quand il était mort. Je ne savais pas si elle y trouverait du réconfort mais j'espérais que ce serait le cas. Et je terminais en lui disant que Julian avait laissé échapper, peut-être involontairement, l'information sur l'existence de l'enfant né suite à notre unique nuit d'intimité.

Si je comprenais qu'elle ne me l'ait jamais dit, je serais heureux de rencontrer notre fils, avec son accord.

Comme je pouvais m'y attendre, il lui fallut plusieurs semaines pour répondre. La lettre que je reçus finalement donnait l'impression d'avoir été écrite et réécrite de nombreuses fois avant qu'Alice se résolve à l'envoyer. Son ton exprimait le détachement le plus complet, on aurait cru qu'elle se rappelait qui j'étais au prix d'efforts surhumains, ce qui, bien entendu, était impossible, étant donné qu'officiellement nous étions toujours mariés et que nous avions un enfant ensemble. Elle me confia que Liam l'avait interrogée sur son père, qu'il avait manifesté un intérêt normal pour connaître mon identité et qu'elle lui avait dit la vérité : que je l'avais quittée le jour de notre mariage, en l'humiliant devant toute sa famille et tous ses amis. Elle n'avait pas mentionné ce qu'elle appelait mes « tendances ». « Je ne voulais pas lui infliger ça, écrivait-elle. C'était déjà assez difficile pour lui de grandir sans père sans avoir à gérer ça en plus. »

Elle ajoutait qu'elle ne savait pas trop ce qu'elle devait penser de ma demande de rencontrer Liam et qu'elle préférait que nous en discutions de vive voix. Un mercredi soir après le travail, anxieux et inquiet sur l'issue de notre rendez-vous, je retrouvai au Duke celle qui était ma femme depuis presque vingt ans et pour la première fois depuis le jour de nos noces, je posai les yeux sur elle.

« Enfin, te voici, dit-elle lorsqu'elle arriva, un quart d'heure en retard, et me trouva assis dans un coin avec une pinte de bière et l'*Irish Times* du jour. Je croyais t'avoir entendu dire que tu redescendais quelques minutes plus tard ? »

Je souris. C'était une bonne réplique. Alice était une très belle femme, avec ses longs cheveux noirs aux épaules, ses yeux brillants d'intelligence et d'esprit, comme toujours.

« Désolé, j'ai un peu dévié de ma route, répondis-je. Puis-je t'offrir un verre, Alice ?

— Un verre de vin blanc. Un grand.

— Un vin en particulier ?

— Le plus cher de la carte. »

Je me dirigeai vers le bar. Lorsque je le rapportai à notre table, je constatai qu'elle avait pris ma place pour avoir la vue sur la salle et m'avait relégué sur le tabouret en face d'elle. Mon verre et mon journal avaient aussi été bougés.

« Tu as les cheveux bien moins épais qu'autrefois, observa-t-elle en buvant une gorgée de vin sans accepter de trinquer avec moi. Tu ne t'es pas complètement décati mais tu devrais perdre quelques kilos. Est-ce que tu fais du sport ?

— Ce n'est pas très facile, dis-je en désignant d'un mouvement de tête ma béquille, qu'elle n'avait pas dû voir, et elle eut le bon goût de paraître un peu décontenancée.

— Nous aurions dû aller au Horseshoe Bar, tu ne crois pas ? Reprendre les choses là où on les avait laissées. La dernière fois que je t'ai vu, c'était là-bas. Tu paraissais plus heureux que jamais.

— Ah bon ? fis-je dubitatif. Vraiment ?

— Oui, je t'assure.

— D'accord.

— Puis, je ne t'ai plus jamais revu. »

Un long silence s'installa.

« Enfin, au moins, je suis allée jusqu'à l'autel ce jour-là, reprit-elle enfin. La fois précédente, je n'étais pas arrivée jusque-là. J'aime à penser que c'était un progrès. J'espère que la prochaine fois, j'atteindrai la fin de la lune de miel.

— Je ne sais pas quoi dire, Alice. » J'étais incapable de la regarder. « Vraiment. J'ai affreusement honte de ce que je t'ai fait. C'était lâche, cruel et sans cœur.

— Tu es très en dessous de la vérité. »

Je choisis mes mots avec soin. « L'homme à qui tu parles aujourd'hui n'est pas l'homme qui est parti du Shelbourne il y a toutes ces années.

— Ah bon ? En tout cas, il lui ressemble beaucoup. En moins beau. Et tu n'es pas parti, tu t'es enfui.

— Je n'ai aucune excuse. Et je ne peux pas réparer le mal que je t'ai fait, mais aujourd'hui, je suis capable de repenser à mon passé, toutes ces années après, et de voir que ma vie tendait vers ce moment où j'aurais été obligé de me confronter à ce que j'étais. Ce que je suis. Bien entendu, j'aurais dû le faire bien avant, et je n'aurais certainement pas dû t'entraîner dans mes problèmes, mais je n'ai eu ni le courage ni la maturité d'être honnête avec moi-même, et encore moins avec le reste du monde. Mais d'un autre côté, ma vie est ce qu'elle est. Et je suis ce que je suis à cause de ce que j'ai vécu à ce moment-là. Je n'aurais pas pu me comporter différemment, même si je l'avais voulu.

— Sais-tu, lâcha-t-elle d'un ton plus dur, que je ne pensais jamais te revoir un jour, Cyril. Vraiment. Et si je suis honnête, j'espérais que ça n'arriverait jamais.

— Je suppose qu'il n'y a rien que je puisse dire pour arranger un peu les choses ?

— Tu supposes bien.

— Il faut que tu comprennes que...

— Arrête, trancha-t-elle en posant bruyamment son verre sur la table. Arrête, d'accord ? Je ne suis pas ici pour rediscuter du passé. Je l'ai mis derrière moi. Ce n'est pas le sujet de la conversation d'aujourd'hui.

— C'est toi qui as commencé, fis-je, irrité.

— Est-ce que tu peux m'en vouloir ? Je crois que j'ai le droit d'être un peu en colère.

— J'essaie juste d'expliquer, c'est tout. Si tu savais ce que c'était, d'être un jeune homo en Irlande dans les années 1950 et 1960...

— Ça ne m'intéresse absolument pas, m'interrompit Alice en balayant mes paroles d'un revers de main. La politique ne m'intéresse pas.

— Il ne s'agit pas de politique. Il s'agit de la société, de la bigoterie et...

— Tu penses que tu as terriblement souffert, c'est ça ?

— Oui, je le pense.

— Et pourtant, si seulement tu avais été honnête avec tout le monde dès le début - avec Julian, avec moi - eh bien, tous ces ennuis, tous ces chagrins auraient pu être évités. Pas uniquement les miens, mais les tiens aussi. Je suis sûre que tu as vécu des choses difficiles, Cyril. Je suis sûre que tu as souffert des injustices liées à ton problème...

— Ce n'est pas un problème...

— Mais mon frère était ton meilleur ami. N'est-ce pas le rôle d'un meilleur ami ? De recueillir des confidences ?

— Il n'aurait pas compris.

— Il aurait compris si tu lui en avais parlé.

— Mais je lui en ai parlé !

— Cinq minutes avant de m'épouser ! dit-elle dans un éclat de rire. Pas pour lui avouer. Pour saboter le mariage et avoir la permission de t'en aller. Ce que tu aurais pu faire à ce moment-là, quand même, d'ailleurs. Tu aurais pu prendre tes jambes à ton cou, comme Fergus.

— Comment aurais-je pu faire une chose pareille ? protestai-je sans conviction. L'histoire qui se répétait…

— Tu penses que ce que tu as fait était moins mal ?

— Non, bien sûr que non.

— C'était pire, et de loin. Écoute, j'ai haï Fergus pour ce qu'il m'a fait mais au moins, il a eu le cran de ne pas aller au bout de quelque chose qu'il ne pensait pas bon pour lui. Tu n'as même pas été capable de ça.

— Alors, je suis pire que lui ? demandai-je, surpris, car j'avais eu l'arrogance de croire qu'il s'était mal comporté tandis que moi, j'avais des raisons d'agir comme je l'avais fait.

— Oui, tu l'es. Parce que je t'avais offert une porte de sortie.

— Ah bon ? fis-je en fronçant les sourcils.

— Tu ne peux pas avoir oublié. Nous étions allés prendre un verre et je voyais que quelque chose clochait, mais je ne savais pas quoi. J'étais trop naïve pour le deviner. Aujourd'hui, cela aurait été évident, j'imagine. "Peu importe ce que c'est, parle" – voilà ce que je t'ai dit. "Je promets que tout se passera bien." Si tu m'avais avoué…

— J'ai essayé. Plusieurs fois. Le soir où on s'est rencontrés, à l'âge adulte, j'ai cru pouvoir te le dire.

— Quoi ? fit-elle interloquée. Quand ?

— Le soir où Julian fêtait son départ en voyage avec les jumelles finnoises. J'étais sur le point de t'en parler et…

— Mais qu'est-ce que tu racontes ? s'écria-t-elle. C'était avant même qu'on commence à sortir ensemble.

— J'allais te le dire, répétai-je. Mais on a été interrompus par ton frère. Une autre fois, on dînait ensemble, la phrase a failli sortir mais quelque chose en moi l'en a empêché. Et même quelques semaines avant le mariage, on était dans un bar et un homme est venu te demander ton numéro de téléphone. J'étais sur le point de te le dire et soudain, il était là, en train de te parler, et quand il a eu fini, le moment propice était passé et…

— Bon sang, t'es vraiment un connard, tu le sais, ça ? Tu étais un connard à cette époque-là et apparemment, tu es toujours un connard fini. Un connard égoïste, arrogant, prétentieux qui pense que le monde t'a tellement fait souffrir que tu as le droit de te venger. Peu importe qui tu blesses au passage. Et tu te demandes pourquoi je ne t'ai pas parlé de Liam ?

— Si cela peut te consoler, ma vie après mon départ n'a pas été facile. Pendant un temps, ça allait mieux, mais pour finir…

— Cyril, m'interrompit-elle. Je suis désolée, mais je m'en fiche. Je n'ai aucun problème avec ton mode de vie, je t'assure. Et il se trouve que j'ai plusieurs amis gays.

— Eh bien, je t'en félicite, dis-je d'un ton acerbe.

— Tout ceci n'a rien à voir avec le fait que tu sois gay, m'assura-t-elle en se penchant en avant et en me regardant droit dans les yeux. Mais avec le fait que tu sois malhonnête. Tu ne le vois donc pas ? Ça ne m'intéresse pas du tout de discuter de ça avec toi. Je ne veux pas savoir ce que tu as eu à vivre depuis que tu as quitté Dublin, ni avec qui, ni comment. Je ne veux rien savoir du tout. Je veux juste savoir ce que tu attends de moi.

— Je n'attends rien de toi, dis-je sans élever la voix pour lui montrer que je ne cherchais pas le conflit. Mais maintenant que tu le dis, je suppose que je suis un peu surpris que tu aies eu un enfant de moi et que tu ne te sois jamais donné la peine de m'en informer.

— Tu ne peux pas me reprocher de ne pas avoir essayé. Cet après-midi-là, au Shelbourne, je t'ai dit et répété plusieurs fois qu'il fallait que je te parle en tête à tête. Je t'ai même appelé au téléphone quand tu étais dans la chambre et je t'ai dit de m'attendre là-haut.

— Comment étais-je censé savoir de quoi tu voulais me parler ? Non, après mon départ, tu aurais pu…

— Et comment aurais-je pu te contacter, même si je l'avais voulu ? Je ne me souviens pas que tu aies laissé une adresse à la réception quand tu es parti en courant comme un dératé.

— D'accord. Mais il y avait plein de gens qui auraient probablement pu retrouver ma trace si tu l'avais vraiment voulu. Charles, par exemple. »

Elle s'adoucit un peu en entendant son nom. « Ce cher Charles, murmura-t-elle, le visage soudain attendri.

— Pardon ?

— Charles a été très gentil avec moi. Juste après.

— Non, je parle de mon père adoptif, Charles. De qui parles-tu ?

— De lui, ton père adoptif.

— Charles a été gentil avec toi ? Charles Avery ? C'est une plaisanterie ?

— Non. Le pauvre a été absolument mortifié par tes agissements. Il ne cessait de présenter ses excuses à tout le monde et me répétait constamment que tu n'étais pas un vrai Avery ; je m'en fichais pas mal à ce moment-là. Mais même après, les semaines et les mois suivants, il est resté en relation avec moi et s'est toujours assuré que je ne manquais de rien. »

Après un long silence, le temps que je digère l'information, je repris : « Je suis abasourdi. Je n'ai pas de problèmes avec lui, mais il ne m'a jamais manifesté la moindre compassion, la moindre considération de toute ma vie.

— Et en as-tu manifesté à son égard ?

— J'étais juste un enfant. Maude et lui remarquaient à peine ma présence. »

Elle rit amèrement et secoua la tête. « Tu me pardonneras si je trouve cela assez difficile à croire. Enfin, j'ai été triste d'apprendre par les journaux qu'il était à nouveau en prison. Cela fait des années que je ne lui ai pas parlé, mais si tu es en contact avec lui, s'il te plaît, transmets-lui mes amitiés. Je lui saurai toujours gré de s'être comporté aussi gentiment pendant les années qui ont suivi ton numéro de roi de l'évasion.

— Je l'ai vu il n'y a pas très longtemps. Il ne lui reste que quelques mois à tirer à Mountjoy. Dans peu de temps, il pourra recommencer à tromper l'Homme du fisc.

— Il est trop âgé pour être enfermé. Ils devraient le laisser sortir, par compassion. Un homme si plein de bonté mérite mieux. »

Je ne relevai pas, et commandai deux autres verres. Il m'était impossible de réconcilier le Charles que j'avais côtoyé enfant avec le personnage qu'elle décrivait.

« Enfin, tu dois avoir raison, finit-elle par dire. J'aurais pu te trouver si j'avais voulu. Mais à quoi cela aurait-il servi ? Julian m'a raconté ce qui s'est passé dans la sacristie, ce matin-là. Il m'a dit ce que tu étais, tout ce que tu avais fait, tous les hommes avec qui tu avais été. À quoi bon me mettre à ta recherche ? Pour vivre un simulacre de mariage avec un homo ? J'aime croire que je vaux mieux que ça.

— Bien sûr que oui. Je ne sais pas quoi dire d'autre.

— Si tu m'en avais parlé... Si tu avais juste été honnête...

— J'étais très jeune, Alice. Je ne savais pas ce que je faisais.

— Nous étions tous jeunes, rétorqua-t-elle. Mais nous ne sommes plus si jeunes, n'est-ce pas ? Tu marches avec une béquille, bon sang. Comment c'est arrivé ? »

Je secouai la tête, ne voulant pas aborder ce sujet avec elle. « J'ai eu un accident. Ma jambe n'a jamais guéri. Est-ce que tu as rencontré quelqu'un d'autre ? J'espère que oui.

— Oh, c'est très gentil de ta part.

— Je suis sincère.

— Bien sûr que j'ai rencontré des hommes. Je ne suis pas une nonne. Tu crois que je suis restée tous les soirs à la maison, à broyer du noir en repensant à toi ?

— Eh bien, je suis heureux de l'entendre.

— Je ne m'enthousiasmerais pas trop, si j'étais toi. Ça n'a jamais rien donné. Comment ça aurait été possible ? J'étais une femme mariée avec un enfant et un mari disparu. Et impossible d'obtenir le divorce dans ce pays d'arriérés. Aucun homme ne voulait rester avec moi. En même temps, comme je ne pouvais pas lui offrir une famille, je comprends. Tu m'as volé toute cette partie-là de ma vie, Cyril. J'espère que tu t'en rends compte.

— Oh oui, je m'en rends compte... Et si c'était possible de remonter dans le temps et de changer les choses, je le ferais.

— Arrêtons de parler de ça. Nous savons tous les deux ce qu'il faut en penser. J'ai besoin de te demander quelque chose. » Elle se mit à hésiter et l'expression de son visage devint plus angoissée que furieuse. « Quand Julian était à l'agonie, pourquoi ne m'as-tu pas contactée ? Pourquoi ne me l'as-tu pas dit ? Je serais venue à New York immédiatement. »

Je baissai les yeux et ramassai un sous-verre, que j'essayai de faire tenir en équilibre sur un coin, réfléchissant à la réponse que j'allais lui donner. « D'abord, il ne restait pas beaucoup de temps. J'ai découvert qu'il se trouvait à l'hôpital quelques jours seulement avant sa mort. C'était la première fois que je le revoyais. Et la deuxième fois, c'est la nuit où il est décédé.

— Mais ça n'a pas de sens. Qu'est-ce que tu faisais là-bas ?

— Mon compagnon était médecin au Mount Sinai. Il soignait Julian. J'étais bénévole. Je rendais visite aux patients qui n'avaient pas de famille.

— Julian avait une famille.

— Je veux dire, les patients qui, pour une raison ou une autre, n'avaient pas de proches auprès d'eux. Certains étaient reniés par leur famille. Et d'autres ne voulaient pas que leur famille soit présente. Julian était de ceux-là.

— Mais pourquoi ? Pourquoi ne voulait-il pas que je sois auprès de lui ? Et Liam ? Ils étaient si proches...

— Parce qu'il avait honte. Il n'avait aucune raison, mais il avait honte de la maladie qu'il avait attrapée.

— Honte du sida ?

— Oui, du sida. Pour quelqu'un comme Julian, qui se définissait presque exclusivement par son hétérosexualité, c'était une insulte à l'esprit et au corps. Ce n'était pas le souvenir qu'il voulait vous laisser, à Liam et à toi.

— Tu as dit dans ta lettre que tu étais avec lui cette dernière nuit.

— Oui.

— Il a souffert ? »

Je secouai la tête. « Pas à ce stade. Il perdait progressivement conscience. On lui administrait de grosses doses de morphine. Je ne crois pas qu'il ait souffert à la fin. Je le tenais serré contre moi quand il est mort. »

Elle me regarda, surprise, et plaqua une main sur sa bouche.

« Il a dit ton nom, Alice. Ton nom, c'est le dernier mot qu'il a prononcé.

— Je l'aimais tellement, énonça-t-elle doucement, en détournant les yeux. Depuis notre plus tendre enfance, il faisait attention à moi. Il était le meilleur ami que j'aie jamais eu. Et je ne dis pas ça pour être cruelle, Cyril, mais il était si gentil avec Liam. Notre fils n'aurait pas pu avoir meilleure figure paternelle. Il ne s'en est pas remis, tu sais. Moi non plus, je ne m'en remettrai jamais. Mais Liam souffre beaucoup.

— Pouvons-nous..., commençai-je, sans trop savoir quelle était la meilleure façon de formuler ma question. Pouvons-nous parler de Liam ?

— Nous sommes bien obligés. C'est la raison pour laquelle nous sommes là, après tout.

— Pas la seule.

— Non.

— As-tu une photo de lui ? »

Elle réfléchit quelques instants puis fouilla dans son sac, prit une photo dans une poche latérale et me la tendit.

« Il lui ressemble, n'est-ce pas ? » demanda-t-elle à mi-voix.

J'acquiesçai.

« Il ressemble à Julian adolescent. C'est vrai que c'est frappant. Mais il y a quelqu'un d'autre aussi.

— Qui ? »

Je fronçai les sourcils et secouai la tête. « Je ne sais pas trop. Quelque chose dans son visage me rappelle quelqu'un, mais j'ai beau chercher, je n'arrive pas à retrouver qui.

— Il n'a pas le même tempérament que Julian. Liam est beaucoup plus discret. Plus réservé. Presque timide.

— Tu penses que ça l'intéresserait de me rencontrer ? Est-ce que tu le permettrais ?

— Non, rétorqua-t-elle d'un ton ferme. Pas avant qu'il ait dix-huit ans. Et je te demanderai de respecter mon souhait. Dans peu de temps, il passe ses examens et je ne veux pas d'autre traumatisme dans sa vie en ce moment. Il aura dix-huit ans dans un an, tu pourras le voir à ce moment-là.

— Mais...

— S'il te plaît, ne discute pas, Cyril.

— Mais je veux le voir.

— Tu pourras. Quand il aura dix-huit ans. Mais pas un jour avant. Promets-moi que tu n'enfreindras pas cette règle dans mon dos. Tu me dois au moins ça. »

Je pris une profonde inspiration. Elle avait raison, bien entendu. « D'accord.

— Et il y a autre chose.

— Vas-y.

— Quand tu le verras, à la première minute où tu lui parleras, tu dois être complètement honnête avec lui. Pas de mensonges. Tu dois lui dire qui tu es. Tu dois tout lui dire sur toi. »

J'obéis en tous points. Un an plus tard, dix jours après son dix-huitième anniversaire, quand Alice nous présenta l'un à l'autre, nous partîmes faire une promenade sur la jetée de Dun Laoghaire. Je lui racontai l'histoire de ma vie depuis le jour où j'étais descendu au rez-de-chaussée de la maison sur Dartmouth Square, la maison dans laquelle il habitait maintenant, pour trouver son oncle Julian assis dans le hall, jusqu'au monde qui s'était lentement déployé devant moi et aux découvertes que j'avais faites sur moi-même. Je lui parlai des raisons pour lesquelles j'avais épousé sa mère, de celles pour lesquelles je l'avais quittée et je lui dis à quel point je me sentais mal de ce que j'avais fait. Je lui racontai ma vie à Amsterdam et New York, j'évoquai Ignac et Bastiaan. Sa mort sous les coups d'une bande de voyous qui nous avaient vus enlacés dans Central Park, et le fait que depuis plus rien n'avait semblé beau à mes yeux. Il écouta d'un bout à l'autre, parla rarement, parut choqué par moments, gêné à d'autres. À la fin, lorsque nous nous séparâmes, je lui tendis la main mais il refusa de la serrer, et il partit prendre le métro.

Au cours des deux années qui s'étaient écoulées ensuite, il s'était un peu détendu et nous nous voyions de temps en temps, mais il n'y avait encore rien qui ressemblât à de l'affection ou de l'amour que j'imaginais devoir exister entre un père et un fils. Même s'il ne souhaitait visiblement pas que je sorte de sa vie – il ne chercha pas le conflit, par exemple, et ne me reprocha jamais de n'avoir pas été présent pendant son enfance – il paraissait peu enclin à ce que je m'implique davantage dans son existence. Lors des rares et distantes occasions où nous nous rencontrâmes, il se montrait toujours méfiant.

En même temps, pensais-je, je l'avais bien cherché. Je ne pouvais en vouloir à personne.

« But ! » rugirent Jimmy et Liam d'une seule voix à la onzième minute. Le tir de Ray Houghton était passé au-dessus de la tête de Pagliuca et le ballon était rentré dans la lucarne en haut à droite. Tous les clients du Doheny & Nesbitt's se mirent à acclamer nos joueurs, la bière coula à flots et tout le monde se mit à s'embrasser et à danser en tous sens. Les deux garçons, au comble de la joie, s'étreignirent, mais je restai où je me trouvais, sans cesser de sourire et d'applaudir, incapable de bouger et de me comporter comme les autres, et pas seulement parce que j'aurais eu l'air ridicule avec ma béquille.

« On va gagner ce match, s'emballa Jimmy, si excité qu'il lévitait presque au-dessus de son tabouret. Les Italiens sont beaucoup trop confiants.

— Vous irez fêter la victoire si on l'emporte ? demandai-je, et Liam se tourna vers moi.

— Oui. Mais tu ne peux pas venir avec nous. On sort avec nos copains de la fac.

— Je ne projetais pas de venir. Je posais juste la question.

— Et moi je répondais, juste.

— D'accord. »

Nous reportâmes notre attention sur l'écran. Les joueurs s'approchaient des lignes extérieures pour demander des bouteilles d'eau. La chaleur était trop forte pour eux. C'était la guerre sur le terrain, Jack Charlton se précipita pour se plaindre auprès de l'arbitre, les remplaçants trépignaient, fébriles, sur le banc de touche. Apparemment, la partie allait mal finir pour tout le monde.

Soir de rancard

Je n'avais pas envisagé une seconde une histoire d'amour depuis la mort de Bastiaan et lorsque je fus invité à sortir, j'en fus très surpris. L'homme en question – qui avait quinze ans de moins que moi, et était assez beau, ce qui ne faisait pas de mal à mon ego – était un TD du Dáil Éireann. Il fréquentait assidûment la bibliothèque, contrairement à la plupart de ses collègues, qui envoyaient leurs assistants pour faire les basses besognes à leur place. Il avait toujours été assez bavard et amical mais j'avais mis cela sur le compte d'un tempérament affable, jusqu'à l'après-midi où il me demanda si j'étais libre jeudi soir.

« Je ne crois pas, non. Pourquoi ? Vous avez besoin d'avoir accès à la bibliothèque dans la soirée ?

— Oh mon Dieu, non, s'exclama-t-il en secouant la tête et en me regardant comme si j'avais perdu la raison. Pas du tout. Je me demandais juste si je pouvais vous convaincre de venir boire un verre, c'est tout.

— Un verre ? fis-je, n'en croyant pas mes oreilles. Que voulez-vous dire ?

— Vous savez, deux personnes qui s'assoient dans un bar, boivent une ou deux pintes et discutent. Vous buvez de la bière, n'est-ce pas ?

— Oui… Enfin, sans excès mais…

— Alors ?

— Vous voulez dire, juste nous deux ?

— Bon sang, Cyril, j'ai l'impression de négocier un traité européen. Oui, juste nous deux.

— Oh. Bon, d'accord. Quel endroit aviez-vous en tête ?

— Un endroit discret.

— Qu'est-ce que ça signifie ? » À cet indice, j'aurais dû me douter que cette soirée ne finirait pas bien.

« Connaissez-vous le Yellow House à Rathfarnham ?

— Oui. Je n'y suis pas allé depuis des années. Mais un bar du centre ne serait pas plus facile ?

— Allons au Yellow House. Jeudi soir. 20 heures.

— Non, c'est le soir où a lieu la fête de départ à la retraite de Mrs Goggin.

— Qui ?

— Mrs Goggin, la dame du salon de thé. Elle prend sa retraite après avoir travaillé presque cinquante ans ici. »

Il eut l'air de ne pas comprendre. « Et alors ? Vous n'avez pas prévu d'y aller, si ?

— Bien sûr que si.

— Pourquoi ?

— Parce que, comme je viens de vous le dire, elle part à la retraite après presque…

— Ouais, d'accord. » Il réfléchit quelques instants. « Pensez-vous que je devrais y aller, moi aussi ?

— Je ne comprends pas…

— Eh bien, pensez-vous que ça serait important pour elle que j'y fasse une apparition ? »

Je scrutai son visage, essayant de percer la signification de sa question. « Parce que vous êtes un TD ? C'est ça que vous voulez dire ?

— Oui. »

Je secouai la tête. « Je pense honnêtement qu'elle s'en fiche.

— Je n'en suis pas persuadé, fit-il l'air un peu offensé.

— En tout cas, moi, j'y vais, alors, jeudi, ce n'est pas possible.

— D'accord, soupira-t-il, comme un adolescent frustré, non pas comme un adulte. Vendredi soir, donc. Non, attendez, je ne peux pas vendredi soir. Dîner de la circonscription. Les week-ends sont exclus, pour des raisons évidentes. Et lundi ?

— Lundi, c'est bien, dis-je, sans vraiment identifier les raisons évidentes. Nous partirons d'ici en fin de journée ? Quand je ferme la bibliothèque ?

— Non, retrouvons-nous là-bas.

— Au Yellow House ?

— Oui.

— Mais si nous sommes tous deux dans le Dáil, ce serait aussi facile que nous…

— Je ne sais pas à quoi va ressembler la journée de lundi. C'est aussi simple que nous nous retrouvions là-bas.

— D'accord. »

En attendant que ce jour arrive, je réfléchis intensément à ce que je pourrais bien porter. Je ne savais pas trop dans quelle affaire je m'embarquais. J'avais deviné depuis longtemps que cet homme était homo, mais il était tellement plus jeune que moi que j'avais du mal à croire qu'il s'intéresse à quelqu'un de mon âge. À sa soirée, je confiai mon dilemme à Mrs Goggin. Mon embarras parut l'enchanter.

« C'est bien ! fit-elle. Je suis très contente pour vous, Cyril. Vous êtes bien trop jeune pour renoncer à rencontrer quelqu'un.

— Je ne vois pas vraiment les choses comme ça… Et je ne me sens pas seul. Je sais, c'est ce que les gens esseulés disent généralement, mais je vous assure. Je suis heureux dans ma vie telle qu'elle est.

— Qui est-ce ? Quel TD ? »

Je lui donnai son nom.

« Oh. » Son visage s'assombrit tout à coup. « Quoi ?

— Rien.

— Non, allez, dites-moi.

— Je ne veux pas vous décourager.

— Je ne suis pas particulièrement enthousiaste. C'est juste un verre.

— Eh bien, je le trouve un peu sournois, ce garçon. Il entre ici comme s'il était chez lui et essaye de s'asseoir aux tables des ministres sans me demander mon avis. Il se prend visiblement pour le nombril du monde, ce blanc-bec. J'ai envisagé plus d'une fois de le mettre à la porte. Il y a longtemps, Mrs Hennessy, la dame qui m'a embauchée dans les années 1940, m'a appris que si je ne faisais pas acte d'autorité avec les TD dès le début, ils ne se gêneraient pas pour me piétiner. Et depuis j'ai pris soin d'appliquer scrupuleusement ce conseil.

— Vous meniez la barque d'une main ferme, c'est certain.

— Je n'avais pas le choix. On voit ici plus de comportements répréhensibles que dans une école maternelle.

— Alors, vous pensez que je ne devrais pas y aller ?

— Je n'ai pas dit ça. Soyez prudent, voilà ce que je vous conseille. Je me souviens que vous avez perdu votre... votre ami, il y a quelques années.

— C'est exact. Bastiaan. Et pour être honnête, depuis que c'est arrivé, il y a sept ans, je n'ai jamais eu vraiment envie de sexe ni d'un compagnon. Oh, pardon, ça ne vous ennuie pas que je sois aussi direct ?

— Pas du tout ! Rappelez-vous, j'ai monté son thé à Charlie Haughey pendant trente ans, alors j'ai vu et entendu bien pire.

— J'ai l'impression que cette facette de ma vie n'existe plus depuis longtemps.

— Et c'est ce que vous voulez ? »

Je dus y réfléchir. « Je ne sais pas. Dans ce domaine, je n'ai connu que souffrances. Enfin, jusqu'à ma rencontre avec Bastiaan. Je ne pense pas pouvoir recommencer une histoire avec quelqu'un. Mais peut-être qu'il y a encore une petite flamme en moi. C'est la raison pour laquelle je me tracasse autant. Enfin. Je ne devrais pas parler de ça maintenant. C'est votre soirée. Et il y a foule. »

Nous tournâmes la tête pour parcourir la salle des yeux. Presque toutes les personnes qui travaillaient au Dáil étaient venues et le Taoiseach, Albert Reynolds, avait prononcé un beau discours. Mon ami TD avait fait une apparition d'une vingtaine de minutes ; bien qu'il se fût trouvé assez près de moi à un moment, il m'avait complètement ignoré, même quand je l'avais salué.

« Effectivement, dit-elle, contente. Cet endroit va me manquer. Savez-vous que je n'ai pas eu un jour de congé maladie en quarante-neuf ans ?

— Albert l'a mentionné tout à l'heure. J'ai cru qu'il l'avait inventé.

— C'est aussi vrai que ma présence à côté de vous.

— Alors, qu'allez-vous faire ? Y a-t-il un Mr Goggin quelque part qui sera heureux de vous avoir à la maison, pour une fois ? »

Elle secoua la tête. « Non. Il n'y a jamais eu de Mr Goggin. Il y a longtemps, un curé de West Cork m'a dit devant toute la paroisse que je ne trouverais jamais de mari. J'ai cru que ce n'était rien que le discours d'un vieux moralisateur puritain, mais il s'avère qu'il avait raison. J'ai même été obligée de raconter que j'étais veuve pour obtenir cet emploi.

— Pourquoi ?

— C'était une autre époque. » Elle prit une profonde inspiration et vérifia que personne ne pouvait nous entendre avant de poursuivre. « J'étais sur le point d'avoir un bébé, voyez-vous. Alors j'ai dit que mon mari avait été tué à la guerre. Mrs Hennessy savait la vérité, mais si n'importe qui d'autre l'avait découvert, j'aurais été mise à la porte vite fait.

— Charmants, les curés, n'est-ce pas ?

— Je ne les ai jamais appréciés. Depuis ce jour-là. Enfin, je me suis très bien passée de mari, toutes ces années.

— Et votre fils ? demandai-je. Comment va-t-il ?

— Mon fils ? » Son sourire se ternit.

« Jonathan, je crois.

— Oh, Jonathan. Pardon, je... Oui, il va très bien. Enfin, il était un peu malade cette dernière année, mais il va mieux. Il a deux enfants, alors je pourrai aider un peu plus, maintenant que je vais avoir tout mon temps pour moi. Cette perspective me réjouit. »

Avant qu'elle puisse ajouter quoi que ce soit, une des filles du salon de thé approcha et nous interrompit pour demander à Mrs Goggin de venir faire une photo.

« Oh, je suis toujours affreuse sur les photos. Je finis toujours par avoir l'air renfrogné.

— Il nous en faut une pour le mur, insista la jeune fille. Après toutes vos années de service. Allez, Mrs Goggin, on y sera toutes avec vous. »

Elle soupira et se leva. « D'accord, un dernier devoir avant la liberté. Vous devriez aller à ce rendez-vous, Cyril, insista-t-elle en se tournant vers moi. Mais faites attention, c'est tout.

— C'est promis. Et bonne chance à vous, profitez bien de votre retraite, si je ne vous revois pas avant la fin de la soirée. »

À ma grande surprise, elle se pencha et déposa un baiser sur ma joue. Elle me lança un regard bizarre avant que la jeune fille ne l'entraîne avec elle.

Quelques jours plus tard, j'arrivai comme prévu au Yellow House et trouvai le jeune homme assis dans un coin, de dos, comme s'il ne voulait pas qu'on le remarque.

« Andrew, fis-je en m'asseyant de l'autre côté, face à lui et à la salle. J'ai failli ne pas vous voir. On dirait que vous vous cachez.

— Pas du tout, répondit-il en riant avant de me commander une pinte à un des serveurs qui passait. Comment allez-vous, Cyril ? Comment s'est passée votre journée ?

— Très bien. » Il y eut ensuite l'échange habituel d'amabilités avant que je me décide à aborder le fond.

« Est-ce que je peux vous poser une question ? Et pardonnez-moi si j'ai l'air ridicule, mais j'ai été un peu surpris quand vous m'avez invité à sortir. S'agit-il juste d'une amitié ou d'autre chose ?

— Ça peut être ce que nous voulons, me répondit-il en haussant les épaules. Nous sommes des hommes adultes, après tout. Et nous nous sommes toujours bien entendus, non ?

— C'est vrai. Vous savez que je suis gay, n'est-ce pas ?

— Bien sûr que je le sais. Sinon, je ne vous aurais pas demandé de sortir avec moi.

— D'accord. Alors vous êtes gay, vous aussi ? Je n'en étais pas sûr. Je le pensais mais...

— Le truc, Cyril, m'interrompit-il en se penchant un peu vers moi. C'est que je ne suis pas très à l'aise avec les étiquettes, vous voyez ? Elles sont tellement définitoires.

— Oui, d'accord. C'est pourtant le rôle des étiquettes, par nature, elles définissent les choses.

— Exactement. Mais nous sommes en 1994, pas dans les années 1950. On devrait avoir dépassé ce genre de choses, aujourd'hui.

— Peut-être... Que voulez-vous dire ? Quel genre de choses ?

— Les étiquettes.

— Oh d'accord. OK.

— Enfin, parlez-moi de vous. Vous êtes marié ?

— Non, répliquai-je, tout en décidant de ne pas entrer dans les détails techniques d'une réponse totalement honnête. Pourquoi serais-je marié ? Je vous le rappelle, je suis homo.

— Ça ne veut rien dire. Vous travaillez au Dáil, bon sang. Vous savez bien que l'un n'empêche pas l'autre.

— Il m'est arrivé d'entendre des rumeurs, admis-je.

— Alors, si vous n'êtes pas marié, sortez-vous avec quelqu'un en ce moment ?

— Non, je ne fréquente absolument personne. Et c'est le cas depuis longtemps. J'ai passé de nombreuses années avec quelqu'un, mais il est décédé en 1987.

— Ah d'accord, fit-il, un peu refroidi. Je suis désolé. Est-ce que ça vous ennuie si je vous demande comment il est mort ?

— Nous nous sommes fait agresser dans Central Park. J'ai survécu. Pas lui. Il me reste une béquille.

— Je suis désolé, répéta-t-il avant de se pencher à nouveau vers moi, une attitude parfaitement claire pour moi.

— Ce n'est pas grave. Il me manque, bien sûr. Beaucoup. Nous avions ensemble un long avenir qui nous a été arraché. Mais j'ai fini par admettre sa mort. La vie, la mort... Vous savez quoi ? ajoutai-je au moment où une pensée prenait forme dans ma tête. Je viens de me rendre compte que j'ai quarante-neuf ans et que c'est la première fois que je sors un soir en Irlande avec un homme. »

Il fronça les sourcils et but une longue gorgée de bière. « Vous avez cinquante ans ? Je croyais que vous étiez plus jeune que ça. »

Je le regardai fixement, me demandant s'il n'était pas un peu dur de la feuille. « Non, j'ai quarante-neuf ans, comme je viens de le dire.

— Oui, mais ce n'est pas vrai, si ?

— Je ne comprends pas.

— Bon sang, ça fait un moment que vous ne sortez plus. La plupart des hommes qui cherchent d'autres hommes prétendent être plus jeunes. Surtout les hommes d'un certain âge. Si vous rencontrez un homme par les petites annonces, il prétend qu'il a trente et quelques années, ce qui veut dire qu'il n'est pas loin de cinquante et qu'il pense qu'on peut encore lui donner trente-neuf ans. Il se trompe, le plus souvent, mais vous voyez le truc. Bref. Quand vous avez dit que vous aviez quarante-neuf ans, j'ai supposé que cela signifiait que vous aviez en réalité entre cinquante-cinq et soixante ans.

— Non, j'ai bien quarante-neuf ans. Je suis né quelques mois après la fin de la guerre.

— Quelle guerre ?

— La Seconde Guerre mondiale.

— Oh, celle-là.

— Euh oui... pas la première.

— Non, évidemment. Vous auriez quelque chose comme cent ans.

— Pas tout à fait.

— Pas loin.

— Avez-vous rencontré beaucoup de gens par les petites annonces ? demandai-je en m'interrogeant sur ses performances en histoire à l'école.

— Quelques-uns. J'ai rencontré un gars il y a deux ou trois semaines, il a déclaré qu'il avait dix-neuf ans, mais quand il s'est pointé, il avait presque mon âge. Il portait un T-shirt avec Blondie, vous vous rendez compte ?

— J'en avais un, moi aussi. Mais pourquoi vouliez-vous rencontrer quelqu'un de dix-neuf ans ?

— Pourquoi pas ? dit-il en riant. Je ne suis pas trop vieux pour quelqu'un de dix-neuf ans.

— Je suppose que c'est une question de point de vue. Mais qu'auriez-vous eu de commun avec un garçon de cet âge ?

— Nous n'avons pas besoin d'avoir quoi que ce soit en commun. Je n'étais pas intéressé par sa conversation. »

J'opinai, un peu mal à l'aise. « Enfin, cela me paraît quand même surprenant. Si vous êtes attiré par les hommes plus jeunes, alors, pourquoi m'avez-vous demandé de venir ?

— Parce que je suis attiré par vous aussi. Je suis attiré par beaucoup de gens.

— OK. » J'essayai de comprendre, regrettant de tout mon cœur que ce ne soit pas Bastiaan assis en face de moi avec une bière, plutôt que ce connard.

« Alors, quel âge avez-vous ? demandai-je enfin.

— Trente-quatre ans.

— Mais vous avez vraiment trente-quatre ans ?

— Oui. J'ai vingt-huit ans quand je vais à un rancard.

— C'est un rancard en ce moment, non ?

— Oui, mais c'est différent. Vous êtes plus âgé. Alors je peux avouer mon âge réel.

— D'accord. Avez-vous eu beaucoup de relations ?

— Des relations ? Non, ça n'a pas été au centre de mes préoccupations ces dix dernières années.

— C'était quoi, le centre de vos préoccupations, alors ?

— Je suis un gars normal, Cyril. J'aime bien m'envoyer en l'air.

— J'imagine.

— Vous n'aimez pas vous envoyer en l'air ?

— Si, bien sûr. Enfin, avant. Autrefois.

— C'était quand, la dernière fois ?

— Il y a sept ans. »

Il posa son verre et me dévisagea, les yeux écarquillés. « Vous vous foutez de moi ?

— Je vous l'ai dit, il y a sept ans que Bastiaan est mort.

— Ouais mais... vous êtes en train de me dire que vous n'avez pas couché depuis ?

— C'est si étrange ?

— C'est vachement bizarre, voilà ce que c'est. »

Je restai silencieux. Je me demandai s'il se rendait compte à quel point il était grossier.

« Vous devez en avoir une putain d'envie », lâcha-t-il, un peu plus fort, et je remarquai qu'un couple assis à la table voisine nous regardait d'un air dégoûté. Certaines choses ne changeraient donc jamais.

« Pas vraiment, murmurai-je.

— Si, forcément.

— Non, c'est faux.

— Si vous avez vraiment quarante-neuf ans, eh bien, vous êtes bien trop jeune pour fermer boutique.

— J'ai bien quarante-neuf ans, insistai-je. Et c'est drôle, vous êtes la deuxième personne à me dire quelque chose de ce genre, ces derniers jours.

— Qui était la première ?

— Mrs Goggin.

— Qui est Mrs Goggin ? »

Je levai les yeux au ciel. « Je vous l'ai déjà dit. La dame du salon de thé.

— Quel salon de thé ?

— Au Dáil Éireann.

— Ah oui, vous m'avez déjà parlé d'elle. Elle prenait sa retraite, c'est ça ?

— Oui. Vous êtes même venu à sa soirée !

— Oh, c'est exact. Je me souviens maintenant. Je crois que mon apparition l'a comblée de bonheur, mais je ne pouvais pas rester.

— Je vous ai dit bonsoir et vous m'avez ignoré.

— Je ne vous ai pas vu. Est-ce qu'elle l'a fait, finalement ?

— Fait quoi ?

— Prendre sa retraite.

— Oui, bien sûr. Pourquoi aurait-elle fait une soirée pour son départ ?

— Je ne sais pas. Des tas de gens disent qu'ils partent à la retraite mais ils ne le font pas. Regardez Frank Sinatra.

— Eh bien, elle l'a fait. » Je commençai à fatiguer sérieusement de cette conversation. « Bref. Je suppose que vous êtes célibataire ?

— Qu'est-ce qui vous fait penser ça ?

— Le fait que vous m'avez demandé de sortir avec vous.

— Ah d'accord. On peut dire ça.

— Qu'est-ce que ça veut dire ?

— Que je suis ouvert aux propositions, répondit-il avec un grand sourire. Si quelqu'un m'en fait une.

— Je reviens dans une minute. » Je filai aux toilettes histoire d'avoir quelques instants de paix. Lorsque je revins, deux autres bières étaient posées sur la table et je me résignai à rester un peu plus longtemps.

« Tout a bien changé, dis-je en m'asseyant, dans l'espoir de lancer une conversation sensée avec lui. Pour les homos en Irlande. Quand j'étais jeune, c'était presque impossible. Nous avions la vie dure, pour être honnête. C'est plus facile, maintenant, j'imagine.

— Ça ne l'est pas, s'empressa-t-il d'objecter. La loi est toujours contre nous. On ne peut toujours pas marcher dans la rue en tenant un homme par la main sans risquer de se faire fracasser la tête. Il doit y avoir quelques autres bars en plus du George, et notre vie n'est plus aussi clandestine qu'autrefois, mais non, je ne crois pas que ce soit plus facile. C'est peut-être plus facile de rencontrer des gens. On trouve des petites choses en ligne parfois, un forum de discussion ou un site de rencontres.

— En quoi ?

— En ligne.

— Qu'est-ce que ça signifie ? Sur quelle ligne ?

— Le World Wide Web. Vous n'en avez jamais entendu parler ?

— Un peu.

— C'est l'avenir. Un jour on sera tous en ligne.

— Et on y fera quoi ?

— Je ne sais pas. On ira voir des trucs.

— Ça a l'air bien. Je meurs d'impatience.

— Ce que je veux dire, c'est que ce n'est pas beaucoup mieux qu'autrefois mais peut-être qu'on y arrivera un jour. Il faut modifier le droit de manière importante, mais ça prendra du temps.

— Si seulement nous connaissions quelqu'un dans le monde politique. Quelqu'un qui pourrait prendre position et déclencher le changement.

— J'espère que vous ne pensez pas à moi, là. C'est la meilleure façon de perdre une élection. Je ne toucherais pas à un sujet comme celui-là même avec des gants. De toute manière, les gamins sont beaucoup mieux dans leurs baskets de nos jours. Ils se dévoilent aux autres, ce qui est très typique des années 1990, à mon avis. Est-ce que vous en aviez parlé à vos parents ?

— Je n'ai pas connu mes parents. J'ai été adopté.

— Eh bien, à vos parents adoptifs, alors ?

— Ma mère adoptive est décédée lorsque je n'étais qu'un enfant. Je n'ai jamais vraiment dit à mon père adoptif que j'étais homo, toutefois, grâce à un certain nombre de circonstances, il a découvert la chose quand j'avais vingt-huit ans. À vrai dire, il s'en est toujours moqué. C'est un original, il n'a pas la moindre once de bigoterie en lui. Et vous ?

— Ma mère est morte aussi. Et mon père a Alzheimer, alors, ce n'est même pas la peine de le lui dire.

— OK. Et à vos frères et sœurs ? Vous leur en avez parlé ?

— Non. Je crois qu'ils ne comprendraient pas.

— Sont-ils plus âgés ou plus jeunes que vous ?

— J'ai un frère aîné et une petite sœur.

— Mais cette génération, votre génération, se fiche pas mal de ce genre de choses, non ? Pourquoi vous ne leur dites pas ? »

Il haussa les épaules. « C'est compliqué. Je préfère ne pas m'étendre.

— D'accord.

— Vous voulez un autre verre ?

— Allons-y. »

Pendant qu'il était au bar, je l'observai, incapable de savoir si ma présence ici était une bonne ou une mauvaise idée. Je le trouvais un peu énervant, pourtant je ne pouvais nier que physiquement, il était séduisant. Je commençai à me rendre compte que la petite étincelle en moi n'était pas totalement morte, malgré tous mes efforts pour l'éteindre. J'avais été flatté qu'il fût assez intéressé par moi. Il n'était devenu TD qu'à la dernière élection mais d'après les bruits de couloir il était un potentiel futur Premier ministre ; il avait fait quelques bons discours, impressionné les dirigeants de son parti et il apparaissait régulièrement dans les émissions d'actualités. Au prochain remaniement ministériel, il était presque assuré d'avoir, au moins, un secrétariat d'État. Et ce serait une première, pensai-je. Un homosexuel gravissant les échelons dans le monde politique irlandais. De Valera allait se retourner dans sa tombe. Et avec toutes ces perspectives qui s'ouvraient à lui, il m'avait invité à prendre un verre.

« Pourquoi avez-vous choisi le Yellow House ? demandai-je lorsqu'il revint s'asseoir. Vous habitez dans le Northside, n'est-ce pas ?

— Oui.

— Alors, pourquoi ici ?

— Je pensais que ce serait plus pratique pour vous.

— C'est sûr, j'habite Pembroke Road. Nous aurions pu aller au Waterloo par exemple.

— Je n'aime pas aller boire dans ma propre circonscription. Les gens viennent me voir tout le temps pour me parler des nids-de-poules, des factures d'électricité et me demander si je viendrai à la journée des sports à l'école de leurs gosses pour distribuer les médailles, et vous savez, vraiment, j'en ai rien à cirer de ces trucs-là.

— Mais c'est le travail d'un TD ?

— Ça en fait partie, reconnut-il. Mais ce n'est pas la partie qui m'intéresse.

— Alors, quelle partie vous intéresse ?

— Gravir les échelons. Jusqu'au plus haut niveau que je puisse atteindre.

— Pour y faire quoi ?

— Que voulez-vous dire ?

— Une fois que vous serez en haut de l'échelle, qu'est-ce que vous ferez ? Je suppose que vous ne voulez pas avoir du pouvoir juste pour en avoir.

— Pourquoi pas ? Je voudrais devenir Taoiseach. Et je suis presque sûr que je peux y arriver. J'ai l'intelligence, la compétence et le soutien du parti.

— Mais pourquoi ? Que voulez-vous vraiment accomplir dans la vie politique ? »

Il secoua la tête. « Écoutez Cyril. Ne vous méprenez pas. Je veux agir pour le bien de mes électeurs et de mon pays. Ce serait génial, je suppose. Mais d'après vous y a-t-il une autre profession pour laquelle vous poseriez cette question ? Si je démarrais comme enseignant dans une école et que j'annonçais que je voudrais devenir principal un jour, vous diriez juste : “Je vous félicite.” Si j'étais facteur et que j'annonçais que je voudrais un jour diriger An Post, vous diriez que vous admirez mon ambition. Pourquoi ça ne serait pas la même chose en politique ? Pourquoi ne puis-je pas chercher à progresser dans la hiérarchie pour essayer d'atteindre le sommet, et une fois que j'y suis, si je peux en faire quelque chose de positif, ce sera génial, et si je ne peux pas, je profiterai du plaisir d'être là où je suis. »

Je réfléchis. D'un côté, son argument paraissait ridicule, mais de l'autre, il était difficile d'y trouver des failles.

« Vous vous rendez compte que ça va être difficile, n'est-ce pas ? Parce que vous êtes homo, je veux dire. Je ne sais pas si l'Irlande est prête à avoir un ministre gay, alors, un Taoiseach gay...

— Comme je vous l'ai expliqué, je ne me mets pas d'étiquette. Et bien sûr, il y a des moyens de contourner ces choses-là. »

J'opinai. Je ne savais pas trop si j'avais vraiment envie de rester plus longtemps en sa compagnie. Tout à coup, une pensée prit forme dans mon cerveau. Comme une illumination. « Est-ce que je peux vous poser une question ?

— Bien sûr.

— Vous n'auriez pas une petite amie, par hasard ? »

Il recula un peu et parut surpris. « Bien sûr que j'en ai une. Pourquoi n'en aurais-je pas ? Je suis un homme séduisant avec une carrière déjà exceptionnelle à un âge très jeune. »

Je secouai la tête. « Vous avez une petite amie. Alors, je présume qu'elle se fiche aussi de votre absence d'étiquette ?

— Que voulez-vous dire ?

— Pense-t-elle que vous êtes hétéro ?

— C'est une question bien personnelle, non ?

— Eh bien, vous m'avez invité ce soir, Andrew. Nous sommes ensemble dans un bar. Alors, je ne crois pas déraisonnable de le soulever. »

Il réfléchit quelques instants et haussa les épaules. « Eh bien, elle n'a jamais posé de questions. Et ce qu'on ignore ne peut pas faire de mal.

— Oh, c'est pas vrai, lâchai-je.

— Qu'est-ce qu'il y a ?

— Et bientôt vous allez me dire que vous avez prévu de vous marier.

— Effectivement, en juillet prochain. Je crois que je pourrai convaincre Albert et Kathleen de venir à la réception, si je la joue finement. »

Je me mis à rire. « Vous êtes un drôle d'opportuniste. Pourquoi diable épousez-vous cette pauvre fille si vous êtes homo ?

— Je vous l'ai dit, je ne suis pas pour…

— Les étiquettes, je sais. Mais utilisons-les juste quelques instants. Pourquoi l'épousez-vous, si vous êtes gay ?

— Parce qu'il me faut une épouse. Mes électeurs attendent ça de moi. Le parti aussi. Je ne pourrai aller nulle part si je n'ai ni femme ni enfants.

— Et elle ? » J'avais conscience de l'hypocrisie de ma sortie, mais à ma décharge, vingt et un ans s'étaient écoulés depuis le jour de mon mariage et, depuis lors, je n'avais menti à personne sur ma sexualité.

« Quoi, elle ? Que voulez-vous dire ?

— Vous allez détruire la vie d'une pauvre fille parce que vous n'avez pas le cran de lui dire la vérité ?

— Comment ça, détruire sa vie ? fit-il, l'air sincèrement dérouté. Si j'atteins le sommet, nous irons en visite officielle à Buckingham Palace, à la Maison Blanche, dans toutes sortes d'endroits. Seriez-vous en train de dire que c'est une vie gâchée ?

— Oui, si la personne avec qui vous la partagez ne vous aime pas.

— Mais je l'aime. C'est quelqu'un de formidable. Et elle m'aime aussi.

— D'accord. Je vous crois sur parole.

— Je ne sais pas ce qui vous inquiète tant. Personne ne vous demande de l'épouser.

— C'est vrai, dis-je. Écoutez, chacun ses goûts. Faites ce qui vous rend heureux. Finissons nos verres et partons d'ici. »

Il sourit et hocha la tête. « Bien dit. Mais on ne peut pas aller chez moi. Vous vivez seul, non ?

— Oui. Pourquoi ?
— On va chez vous ?
— Pourquoi chez moi ?
— À votre avis ? »

Je le dévisageai. « Sérieusement, vous ne vous attendez pas à ce qu'on passe la nuit ensemble, quand même ?

— Non, bien sûr que non. Pas toute la nuit, c'est sûr. Deux ou trois heures, tout au plus.

— Non merci, dis-je en secouant la tête.

— Vous plaisantez, là ? » Il avait l'air complètement désorienté. « Non, pas du tout.

— Mais pourquoi ?

— D'abord, parce que nous nous connaissons à peine…

— Oh, comme si c'était important.

— Non, peut-être que ça ne l'est pas. Mais vous avez une petite amie. Pardon, une fiancée.

— Qui n'a pas besoin d'être au courant de tout ceci.

— Je ne fais pas ce genre de choses, Andrew. Je ne les fais plus.

— Faire quoi ?

— Ça ne m'intéresse pas de cautionner une tromperie. J'ai passé suffisamment d'années de ma vie à mentir aux gens et à me dissimuler. Je ne reprendrai pas ce chemin.

— Cyril, dit-il avec un sourire, persuadé de l'efficacité imparable de son charme. Pour être tout à fait franc, vous prétendez avoir quarante-neuf ans, je n'en ai que trente-quatre, et je vous offre une occasion en or sur un plateau. Vous êtes en train de me dire que vous allez la refuser ?

— Je le crains. Désolé. »

Il y eut un long silence pendant lequel il encaissa, puis il secoua la tête et éclata de rire. « D'accord, fit-il en se levant. Je vous laisse libre de votre choix. Quel gâchis, cette soirée, du début à la fin. Vous vous plantez en beauté, mon ami, voilà tout. Et juste pour enfoncer le clou, faut que je vous dise que j'ai une queue énorme.

— Je suis content pour vous.

— Vous êtes sûr que vous ne voulez pas changer d'avis ?

— Croyez-moi, je suis complètement sûr.

— Tant pis pour vous. Mais je vous préviens – il se pencha et me regarda droit dans les yeux – si vous parlez à qui que ce soit de cette conversation, non seulement je nierai tout en bloc, mais je vous poursuivrai pour diffamation et calomnie.

— Vous savez, ce ne serait ni l'un ni l'autre, puisque ce serait la vérité.

— Je t'emmerde. Ne me cherche pas, d'accord ? Rappelle-toi, je connais des gens très puissants. Tu pourrais facilement te retrouver sans boulot.

— Partez, et restons-en là, marmonnai-je d'une voix lasse. Je n'ai pas la moindre intention d'en parler à qui que ce soit. Ne vous inquiétez pas. Tout ceci est juste extrêmement gênant.

— Très bien, dit-il en enfilant son manteau. En tout cas, je vous aurai prévenu.

— Partez. »

Et il partit.

Je commandai un autre verre et restai assis tranquillement dans le coin du bar, en regardant les couples et groupes d'amis profiter de leur soirée. Rien ne change, me dis-je. Rien ne change jamais. En Irlande.

Un vrai Avery

Un mois avant la fin officielle de sa peine, Charles apprit qu'il avait une tumeur au cerveau inopérable et fut libéré de manière anticipée. Il n'avait aucun désir de retourner dans son appartement sous les toits à Ballsbridge, et me supplia de lui permettre de passer les dernières semaines de sa vie dans la maison de Dartmouth Square où, prétendait-il, il avait vécu les jours les plus heureux de son existence, même si j'avais du mal à le croire. J'eus beau lui expliquer que je n'y habitais plus depuis quarante ans, il semblait croire que je ne cherchais qu'à le contrarier. Je finis par téléphoner à Alice pour lui confier mon embarras. Trois ans après nos retrouvailles délicates au Duke, nous nous entendions un peu mieux et, pour mon plus grand plaisir, elle accepta immédiatement. Quelle formidable occasion de me rappeler à quel point Charles s'était montré attentionné avec elle après ma fuite le jour de notre mariage, après que je l'avais humiliée devant toute sa famille et ses amis, que je l'avais laissée élever seule notre enfant et que j'avais totalement détruit sa vie.

« Je suis content que tu ne m'en veuilles pas.
— La ferme, Cyril.
— Non, vraiment. Tu es tellement facile à vivre. Comment se fait-il qu'aucun homme ne se soit jeté sur toi il y a des années ?
— C'est une plaisanterie ?
— Oui, je l'admets. Quand les mots sont sortis de ma bouche, ils ont paru moins amusants que je ne l'avais imaginé.
— Certaines personnes ne devraient pas essayer d'être drôles.
— Bon, plaisanterie mise à part, j'apprécie beaucoup ce que tu fais.
— Je crois que c'est le moins que ma famille puisse faire pour lui. Max a racheté la maison pour une somme dérisoire quand Charles a été emprisonné, la première fois. Et admettons-le, sa condamnation était en partie la faute de Max. Mais la maison reviendra à Liam et il est le petit-fils de Charles autant que celui de Max. J'ai juste une chose à ajouter. Est-ce que Liam t'a dit que j'ai fait quelques changements dans ma vie ?
— Non. Il ne répond pas à mes appels en ce moment.
— Pourquoi ?
— Aucune idée. Il a l'air de me détester à nouveau.
— Pourquoi, qu'as-tu fait ?
— Rien dont j'ai conscience. Il est possible qu'il ait mal pris une remarque qui m'a échappé sur sa petite amie.
— Quelle remarque ? Et quelle petite amie ?
— Une certaine Julia. J'ai demandé si c'était à la mode pour les filles de ne plus se raser les jambes ni les aisselles.
— Oh, Cyril… ! En même temps, tu as raison. On dirait un gorille. Alors, qu'est-ce qu'il t'a répondu ?
— Que seuls les vieux utilisaient l'expression *à la mode*.
— Il a raison. Le terme correct est *branché*.
— Je ne crois pas, non.
— Cyril, j'enseigne à l'université. Je fréquente des jeunes gens toute la journée. Je crois que je maîtrise leur idiome.
— Quand même, affirmai-je, peu convaincu. *Branché* ne semble pas plus branché que *à la mode*. Et je crois qu'on n'emploie pas souvent *idiome* non plus. Bref, pour une raison inconnue, Liam en a semblé offusqué. Je ne comprends pas pourquoi. Je n'avais pas conscience que j'étais grossier.

— Oh, je ne m'inquiéterais pas trop à ta place. Il s'en remettra. Il s'offusque de tout en ce moment. Quand je lui ai demandé ce qu'il voulait pour son anniversaire la semaine dernière, il a ricané et m'a répondu un nouvel ours en peluche.

— Trouve-lui un ours très très poilu. Visiblement, ça lui plaît.

— À mon avis, je n'étais pas censée le prendre au pied de la lettre.

— Il est possible que si. Beaucoup d'hommes adultes ont un nounours. Je connais un type qui se promène partout avec une peluche Winnie l'Ourson et il lui met les costumes appropriés les jours de fête. C'est un genre de doudou.

— Crois-moi, ce n'était pas sérieux. Il voulait juste être désobligeant.

— Tu as dit que tu avais fait des changements dans ta vie, rappelai-je pour que nous revenions au sujet premier. Quel genre de changements ?

— Ah oui. Quelqu'un est installé chez moi. Un homme.

— Quel genre d'homme ?

— Comment ça, quel genre d'homme ? C'est quoi, cette question ?

— Serais-tu en train de m'annoncer que c'est un petit ami ?

— Oui. Ça pose un problème ?

— Ai-je besoin de te rappeler que tu es toujours mariée avec moi ?

— C'est une autre de tes plaisanteries ?

— Oui. Écoute, je suis très heureux pour toi, Alice. Il est grand temps que tu t'installes avec quelqu'un. Comment s'appelle-t-il, cet homme, et ses intentions à ton égard elles sont honorables ?

— Tu promets que tu ne vas pas éclater de rire ?

— Pourquoi je rirais ?

— Il s'appelle Cyril. »

Je ne pus m'en empêcher.

« C'est une blague ! Il n'y a que deux hommes à Dublin qui s'appellent Cyril et tu te retrouves avec les deux.

— Je ne me suis pas retrouvée avec toi, Cyril, me fit-elle remarquer. Je t'avais à peine trouvé que tu t'envolais, tu te souviens ? Ce n'est qu'une affreuse coïncidence, alors, je t'en prie, n'en fais pas toute une histoire. C'est déjà assez gênant comme ça. Tous mes amis pensent qu'il est homosexuel.

— Ce n'est pas le prénom qui est gay, tu sais.

— Non, ils pensent que Cyril, c'est toi, et que nous nous sommes remis ensemble.

— C'est ce que tu voudrais ?

— Je préférerais avoir à creuser un trou avec ma langue jusqu'au centre de la terre. Pourquoi, tu le voudrais, toi ?

— Beaucoup. Ton corps me manque.

— Oh la ferme. Mais si Charles s'installe ici, tu n'auras pas le droit de te moquer de Cyril.

— Je serai probablement obligé. L'occasion est trop belle pour que je la laisse passer. Alors, que fait Cyril II ?

— Ne l'appelle pas comme ça. Il joue du violon dans l'orchestre symphonique de la RTÉ.

— Très classe. A-t-il un âge conforme ?

— Pas vraiment. Il vient juste d'avoir quarante ans.

— Sept ans de moins que toi. Bien joué. Et depuis combien de temps vit-il au domicile conjugal, depuis combien de temps suis-je cocu ?

— Ce n'est pas le domicile conjugal. Cela aurait pu l'être si tu ne t'étais pas enfui à l'aéroport de Dublin en criant comme une fille. Et il vit ici depuis un peu plus de deux mois.

— Est-ce que Liam l'aime bien ?

— Oui.

— Il l'a affirmé ou tu le dis pour me contrarier ?

— Un peu des deux.

— Eh bien, vois-tu, je suis surpris, parce qu'à mon avis, Liam n'aime personne.

— Il aime Cyril.

— Tant mieux pour Cyril. Je suis impatient de faire sa connaissance.

— Je crois que ce ne sera pas nécessaire.

— Est-ce que ça le dérangera que ton beau-père s'installe à la maison ? Un coucou qui colonise le nid, en quelque sorte.

— Ce n'est pas un nid, c'est une maison. Et cesse d'appeler Charles mon beau-père, c'est agaçant. Et non, ça ne dérangera pas Cyril. Il est très facile à vivre. Pour un violoniste. »

Quelques jours plus tard, mon père adoptif retourna s'installer dans la chambre du premier étage qui était la sienne quand j'étais enfant, même si, au lieu d'arpenter la ville pour faire la bringue avec des femmes jusqu'au petit matin, il gardait le lit pour accomplir la dernière grande ambition de sa vie : lire tous les romans de Maude dans l'ordre chronologique.

« Je n'en ai lu qu'un seul quand elle était en vie, me confia-t-il un après-midi, pendant l'un de ses moments de grande lucidité, qui semblaient de plus en plus brefs et rares. Et je me souviens qu'à ce moment-là, je l'avais trouvé vraiment bon. Je lui avais dit que c'était le genre de livre qui pourrait être adapté au cinéma s'il tombait entre les mains d'un David Lean ou d'un George Cukor, et elle avait répondu que si je déclarais à nouveau quelque chose d'aussi vulgaire sur son travail, elle mettrait de l'arsenic dans mon thé. Je n'ai jamais vraiment été cultivé dans le domaine de la littérature, tu sais, mais je sentais bien qu'elle avait quelque chose.

— La plupart des gens ont l'air de le penser.

— Grâce à elle, j'ai eu les moyens de vivre très confortablement, je dois le reconnaître. Bientôt, tout ça sera à toi. »

Je le regardai, surpris. « Qu'est-ce que vous venez de dire ?

— Eh bien, tu es mon descendant direct, n'est-ce pas ? Du point de vue légal. Je t'ai tout laissé, y compris les droits des livres de Maude.

— C'est pas vrai ! Mais il s'agit de millions de livres !

— Je peux changer, si tu veux. J'ai encore le temps. Je pourrais tout donner à des bonnes œuvres pour les sans-abri. Ou à Bono, je suis sûr qu'il saura quoi en faire.

— Non, non, m'empressai-je de répondre. Ne prenez aucune décision hâtive. Je m'occuperai des bonnes œuvres le moment venu. Et Bono a probablement tout ce qu'il lui faut.

— Sacrée vieille Maude, lâcha-t-il avec un sourire. Qui aurait cru qu'un écrivain pouvait gagner autant d'argent ? Et on répète que le monde est plein d'incultes. Ta femme a écrit sa thèse sur elle ?

— Oui, confirmai-je. Elle en a même fait un livre. Mais il vaut probablement mieux ne pas appeler Alice ma femme. Elle n'aime pas ça du tout.

— Il faut que j'aie une conversation avec elle sur les romans, parce que maintenant que je les lis, l'un après l'autre, je comprends enfin pourquoi on en fait toute une histoire. La seule chose que je dirais à Maude, si elle était là, c'est qu'elle court le risque de paraître parfois anti-homme. Tu ne trouves pas ? Dans ses romans tous les maris sont stupides, insensibles, infidèles, ils ont un passé glauque, une tête vide, un micropénis et une morale douteuse. Mais je suppose qu'elle avait une grande imagination, comme tous les écrivains, forcément, et elle inventait des tas de choses. Je crois me rappeler qu'elle n'avait pas une très bonne relation avec son père. Peut-être que ça a joué.

— Ça doit être ça. Je ne vois pas du tout où elle aurait pu trouver des idées pareilles.

— Est-ce que ta femme en a parlé un peu dans sa biographie ?

— Oui, sans s'étendre.

— Est-ce qu'elle a parlé de moi ?

— Bien sûr.

— Comment me décrit-elle ?

— Pas en très bons termes. Mais peut-être un peu mieux qu'on aurait pu s'y attendre.

— D'accord. Et toi ? Apparais-tu ?

— Oui.

— Comment te décrit-elle ?

— Pas en très bons termes. Peut-être un peu moins bien qu'on aurait pu s'y attendre.

— C'est la vie. Au fait, je ne voudrais pas être indélicat, mais je trouve difficile de dormir avec les bruits constants provenant de ta chambre. La nuit dernière, j'ai été réveillé par ta femme qui criait ton nom d'une voix passionnée, avec la frénésie d'une jeune nymphomane lâchée dans les vestiaires d'une équipe de joueurs de foot de dix-sept ans. Tant mieux, mon fils, surtout après toutes ces années. J'admire ton ardeur ! Mais si vous pouviez baisser un peu le son, j'apprécierais. Je suis mourant, j'ai besoin de dormir.

— Mais je ne crois pas qu'elle criait mon nom.

— Oh si, j'en suis sûr, insista-t-il. Je l'ai entendu un certain nombre de fois. "Oh mon Dieu, Cyril ! Oui, Cyril ! Là, c'est bien, Cyril ! Ne t'inquiète pas, ça arrive à tout le monde parfois, Cyril !"

— Ce n'est pas moi. C'est Cyril II. Le petit ami. Je ne l'ai pas rencontré, mais je suppose que vous, si.

— Cette espèce de grand échalas morose ?

— Je ne sais pas, mais supposons.

— Oui, je l'ai rencontré. Il passe me voir de temps en temps et il hurle comme si j'étais sourd, comme le font les Anglais avec les étrangers parce qu'ils pensent qu'ils comprendront mieux. Il m'a informé qu'il jouait *La Esmeralda* de Cesare Pugni toute la semaine au National Concert Hall. Je lui ai serré la main et j'ai dit : "Tant mieux pour vous." »

Une infirmière venait un matin sur deux pour voir comment il allait et le plus souvent, l'après-midi, Alice l'emmenait faire une promenade sur Dartmouth Square. Lorsqu'il apparut clairement qu'il approchait de la fin, je demandai à Alice si je pouvais m'installer chez elle pour être avec lui quand il quitterait ce monde pour le suivant.

« Quoi ? fit-elle en me regardant, ahurie – comment osais-je demander une chose pareille ?

— Le truc, c'est que si tout à coup, la situation se dégradait, tu serais obligée de me téléphoner et le temps que j'arrive, il pourrait être parti. En étant ici, ça ne risquerait pas de se produire. Et il y a un autre avantage : je pourrais t'aider à t'occuper de lui. Tu en as déjà tant fait. Tu dois être épuisée. Entre ton boulot, l'attention que tu dois porter à Liam et tes nuits tapageuses avec Cyril II… »

Elle regarda par la fenêtre comme si elle essayait de trouver une bonne raison de dire non. « Mais où est-ce que je te mettrais ?

— Eh bien, la maison n'est pas franchement exiguë. Je pourrais prendre la chambre tout en haut, celle qui était la mienne quand j'étais petit.

— Oh non. Je ne suis pas montée là-haut depuis une éternité. Il y a probablement des tonnes de poussière. Je considère que cette partie de la maison est fermée.

— Eh bien, je pourrais la rouvrir. Et je ferais volontiers le ménage. Écoute, si tu préfères que je ne vienne pas, ce n'est pas grave. Si tu ne veux pas que Charles passe ses derniers instants avec son fils…

— Son fils adoptif.

— Je ne peux pas t'en vouloir. Ce serait totalement compréhensible. Mais ça me ferait très plaisir.

— Et Cyril ?

— C'est moi, Cyril. Rassure-moi, tu n'as pas de tumeur au cerveau ?

— Mon Cyril.

— Je croyais que c'était moi, ton Cyril.

— Tu vois, c'est pour ça que ça ne marchera jamais.

— Tu parles de Cyril II, c'est ça ?

— Arrête de l'appeler comme ça.

— Eh bien, il faudrait qu'il manque vraiment d'assurance pour se sentir menacé par moi. Comme c'est clairement établi à ce stade, je suis loin d'être un homme à femmes. Écoute, je sais que l'arrangement serait assez peu conventionnel, mais il ne durera pas. Je me tiendrai à carreaux, je le promets.

— Mais bien sûr. Comme toujours. C'est dans ta nature. Et je ne sais pas ce que Liam en pensera.

— Il serait probablement très content d'avoir sa maman et son papa ensemble sous le même toit, enfin.

— Tu vois ? Je n'ai même pas encore dit oui et tu commences déjà. Avec tes petites blagues.

— Je veux juste être avec lui, murmurai-je. Avec Charles, je veux dire. J'ai foiré la plupart des relations que j'ai eues dans ma vie et celle que nous avons, lui et moi, est assez étrange, mais je voudrais qu'elle se termine bien, si possible.

— D'accord, fit-elle en levant les bras au ciel. Mais ce ne sera pas du long terme. J'espère que tu le comprends. Une fois qu'il sera parti, tu t'en iras aussi.

— Je demanderai à l'employé des pompes funèbres de me déposer quand il partira avec le cercueil. Promis. »

Ce soir-là, quand Liam rentra à la maison, il parut déboussolé en trouvant ses deux parents en train de dîner ensemble devant *Coronation Street*.

« C'est quoi, ça ? fit-il en s'arrêtant au milieu de la cuisine pour nous dévisager. Qu'est-ce qui se passe ?

— Tout a changé, lui dis-je. Nous nous remettons ensemble. Nous envisageons même d'avoir un autre enfant. Tu aimerais bien un petit frère ou une petite sœur, non ?

— La ferme, Cyril. Ne t'inquiète pas, Liam. Ton père plaisante.

— Ne l'appelle pas comme ça, répondit Liam.

— Cyril te taquine, c'est tout. Il vient s'installer ici tant que ton grand-père est encore avec nous.

— Oh, d'accord. Mais pourquoi ?

— Pour aider.

— Je peux aider, affirma-t-il.

— Tu peux, mais tu ne le fais pas, fit remarquer Alice.

— Cela ne durera pas longtemps, intervins-je. Et c'est mon père, après tout.

— Ton père adoptif, rectifia Liam.

— Oui. Mais quand même, c'est le seul père que j'aie connu.

— Et Cyril ? demanda-t-il.

— Comment ça ?

— Pas toi, l'autre Cyril.

— Cyril II.

— Arrête de l'appeler comme ça, intervint Alice. Cyril n'y voit pas d'inconvénient. Il ne va pas tarder à rentrer et je ferai les présentations. »

Liam hocha la tête, alla ouvrir le réfrigérateur et se prépara un sandwich gigantesque. « Je ne sais pas quoi penser. Pendant des années, il n'y avait que nous deux, ici. Et maintenant la maison est pleine d'hommes.

— Pleine de Cyril, dis-je.

— Pleine d'hommes, tu exagères, fit Alice. Il n'y en a que deux.

— Trois, corrigea Liam. Tu oublies Charles.

— Ah oui, pardon.

— Quatre, si tu t'inclus aussi, lui signalai-je. Le nombre ne cesse d'augmenter, n'est-ce pas ?

— Il n'est pas question que tu t'approches de ma chambre, compris ? me dit-il, en me lançant un regard furieux.

— J'essaierai de résister à la tentation irrésistible de le faire. »

Deux ou trois heures plus tard, Cyril II rentra et nous échangeâmes une poignée de mains. Debout entre nous, Alice paraissait très troublée. Un type assez agréable, peut-être un peu fade. Au bout de cinq minutes, il me demandait si j'avais une symphonie préférée et si c'était le cas, aurais-je envie qu'il me la joue pour m'accueillir à Dartmouth Square. Je lui répondis que non, mais je le remerciai pour cette attention. Je n'entendis plus le son de sa voix de toute la soirée, sauf quand il me demanda si je connaissais un remède contre les oignons aux pieds.

Une semaine plus tard, en montant jusqu'à ma chambre avec une tasse de lait chaud, à presque minuit, j'entendis des pleurs provenant de la chambre de Charles. J'écoutai à la porte quelques instants avant de frapper doucement, puis j'entrai. Il était assis dans son lit avec le dernier roman de Maude posé à côté de lui et il s'essuyait les yeux.

« Ça ne va pas ?

— Je suis très triste, m'avoua-t-il, désignant le livre. C'est le dernier, vois-tu. Je les ai tous lus, alors je crois que je vais partir bientôt. Il ne reste rien. Je regrette de ne pas m'être rendu compte à l'époque de l'immensité de son talent. De ne pas l'avoir plus complimentée. Et de n'avoir pas été un meilleur mari. À la fin, elle était si lasse de la vie. Et lasse de moi. Je ne l'ai pas assez choyée. Tu ne la connaissais pas dans les années 1930, bien entendu, mais quand elle était jeune, elle était tellement gaie. Fougueuse, c'était comme ça qu'on disait à l'époque. Du genre à sauter par-dessus les ruisseaux sans se préoccuper des conséquences. À se promener avec une flasque dans son sac et à la sortir pour boire une bonne rasade si le sermon du dimanche durait un peu. »

Je souris. Je trouvai difficile d'imaginer Maude faisant une chose pareille.

« Savez-vous qu'elle a agressé l'Homme du fisc après votre première incarcération ?

— Ah bon ? Pourquoi ?

— Elle a dit qu'il avait tellement œuvré à vous poursuivre que son nom à elle se retrouvait dans tous les journaux et *Parmi les anges* s'était hissé en quatrième position dans le classement des meilleures ventes. Elle l'a giflé au beau milieu des Four Courts.

— Effectivement, elle a très mal pris la chose, confirma-t-il avec un hochement de tête. Je me souviens qu'elle en était fort contrariée. Elle m'a écrit une lettre, ensuite, une lettre peu agréable, même si elle était incroyablement bien écrite. Est-elle en haut, Cyril ? Pourquoi ne pas lui demander de descendre et je tâcherai de me faire pardonner avant de dormir.

— Non, Charles. Non, elle n'est pas en haut.

— Si. Forcément. S'il te plaît, je veux lui dire que je suis désolé. »

Je tendis la main et écartai une mèche de cheveux blancs qui était tombée sur son front. Sa peau était froide et humide. Il s'allongea et ferma les yeux. Je restai auprès de lui jusqu'à ce qu'il s'endorme, puis j'allai me coucher dans le lit une place, d'où je contemplais les étoiles au firmament, ces mêmes étoiles que j'avais regardées longuement plus de quarante ans auparavant, en rêvant de Julian Woodbead et des choses que je voulais lui faire, et je compris enfin pourquoi Charles avait voulu revenir ici. Pour la première fois de ma vie, je commençai à penser à ma propre mort. Si je tombais ou si j'avais une crise cardiaque, je pourrais rester sur le carrelage de ma cuisine et me décomposer pendant des semaines avant que quiconque pense à venir à ma recherche. Je n'avais même pas un chat qui me mangerait.

Charles tint encore quatre jours et avec un timing impeccable, il rendit son dernier soupir alors qu'Alice, Liam, Cyril II et moi étions tous à la maison. Il divaguait depuis le matin, il ne lui restait pas beaucoup de temps à vivre, même si nous ne nous attendions pas à ce qu'il parte si vite. Alice et moi étions en bas en train de préparer le dîner lorsque nous entendîmes Liam nous appeler.

« Maman ! Cyril ! Venez vite ! »

Nous montâmes tous les deux l'escalier en vitesse et arrivâmes dans la chambre. Charles était allongé, les yeux fermés, la respiration de plus en plus lente. Nous pouvions entendre l'effort qui lui était nécessaire à chaque inspiration.

« Qu'est-ce qui se passe ? » demanda Liam. Mon fils n'avait manifesté pratiquement aucune émotion depuis que je le connaissais. Je fus abasourdi de le voir au bord des larmes, alors qu'il n'avait rencontré son grand-père que quelques semaines auparavant.

« Il s'en va. » Je m'assis et lui pris une main tandis qu'Alice prenait l'autre. J'entendis le son d'un violon pleurnicheur nous parvenir depuis le hall et je levai les yeux au ciel.

« C'est vraiment nécessaire ?

— La ferme, Cyril, coupa Alice. Il essaie d'être gentil.

— Alors, il pourrait au moins jouer quelque chose de plus gai ? Une gigue par exemple ?

— Dis-lui que ce n'était pas ma faute, marmonna Charles et je me penchai pour approcher ma tête de sa bouche.

— Qu'est-ce qui n'était pas votre faute ? » demandai-je. Il secoua la tête.

« Cyril.

— Quoi ?

— Viens plus près.

— Je ne peux pas venir plus près. Vous avez les lèvres presque collées à mon oreille. »

Il se redressa un peu et jeta un regard autour de lui, son visage livide était déformé par l'effroi, avant de m'attraper par la nuque et de m'attirer tout près de lui. « Tu n'as jamais été un vrai Avery, lâcha-t-il dans un sifflement. Tu le sais, ça ?

— Oui.

— Mais nom d'un petit bonhomme, il s'en est fallu de peu que t'en sois un, je te jure. »

Là-dessus, il me lâcha et retomba sur son oreiller, ne dit plus un mot et nous restâmes, là, tandis que sa respiration ralentissait pour finalement s'arrêter. Étrangement, je me sentis entièrement détaché de la scène à ce moment-là, comme si mon âme sortait de mon corps et montait vers le ciel. D'en haut, je nous voyais tous, ma femme, mon fils et moi, veillant le corps de mon père adoptif, et je pensai : dans quelle étrange famille ai-je grandi, et quelle étrange famille vais-je laisser derrière moi.

Deux jours plus tard, nous l'enterrâmes dans le cimetière de l'église de Ranelagh. À notre retour à Dartmouth Square, Alice me fit asseoir en face d'elle et me dit qu'elle était contente que j'aie été présent les derniers jours et heureuse d'avoir pu aider, mais que c'était tout, elle ne voulait pas de malentendus entre nous, et maintenant, j'allais devoir rentrer chez moi.

« Mais je n'ai même pas de chat.

— Quel est le rapport ?

— Il n'y en a aucun, dis-je. Bien sûr que je dois partir. Vous avez été très gentils avec moi, Cyril II et toi.

— Ne...

— Désolé. »

Je dormis une dernière nuit et tôt le lendemain matin, j'emballai les quelques effets personnels que j'avais apportés et quittai la maison pour de bon, pendant que mon fils, ma femme et son amant étaient encore endormis. Je déposai ma clé sur la petite table à côté de la porte d'entrée, en face du fauteuil où Julian s'était assis, quand il avait sept ans, et je sortis dans le froid matin d'automne pour trouver Dartmouth Square envahi d'un brouillard gris qui effaçait presque l'allée conduisant à la rue.

2001

La douleur fantôme

Maribor

Pendant l'été 2001, peu de temps après mon cinquante-sixième anniversaire, Ignac m'invita à venir à Ljubljana pour un festival de littérature. Généralement, sa femme Rebecca l'accompagnait pendant les tournées de promotion, mais elle avait récemment donné naissance à des jumelles – après deux garçons jumeaux nés seulement quatorze mois avant – et elle ne voulait pas quitter Dublin. Alors il me proposa de partir avec lui.

« Ce voyage le stresse beaucoup », me confia Rebecca tandis qu'elle manœuvrait une énorme poussette à deux étages dans Dáil Éireann un beau matin, un peu éberluée de voir à nouveau la lumière du jour. Elle s'écroula dans un fauteuil face à moi ; elle semblait pouvoir s'endormir pour des semaines si on lui en donnait l'occasion. « Je crois qu'il regrette d'avoir accepté cette invitation. » L'un des bébés du niveau supérieur vomit inopinément sur un des bébés du niveau inférieur, ce qui provoqua un regard courroucé de la part d'un secrétaire parlementaire, et une salve de cris tonitruants s'éleva, la plupart émis par Rebecca.

« Pourquoi serait-il stressé ? lui demandai-je une fois que les enfants furent tous propres. Il a participé à des centaines de festivals ces dernières années. Ça ne doit plus lui poser de problème.

— Oui, mais ce sera la première fois qu'il retourne en Slovénie depuis qu'il est parti.

— Depuis qu'il a été chassé, tu veux dire ?

— Ah bon ?

— C'est ce qui est arrivé, n'est-ce pas ? »

Elle haussa les épaules et détourna le regard. « C'est compliqué. »

Je fronçai les sourcils, sans bien comprendre. Ignac avait toujours dit que sa grand-mère l'avait expédié à son père à Amsterdam tout de suite après la mort de sa mère, arguant qu'elle n'avait aucune envie d'élever un autre enfant. Je n'en savais pas plus.

« Je crains qu'il trouve cette expérience déstabilisante, poursuivit-elle. Il est plus silencieux que d'habitude. Et il ne dort pas.

— N'est-ce pas ton cas aussi ? demandai-je en jetant un coup d'œil du côté de la poussette.

— Maintenant que vous le dites, je crois que ma dernière nuit de sommeil ininterrompu remonte à mars. J'espère qu'il y en aura une autre l'année prochaine, enfin, si j'ai de la chance. Je me dis que ce voyage risque d'être difficile, c'est tout. Il est tellement connu là-bas.

— Il est connu partout.

— Je sais, mais...

— Écoute, je pourrais m'occuper des enfants quelques jours, proposai-je. Et tu irais en Slovénie avec Ignac.

— Vraiment ? Vous voulez vraiment vous occuper de quatre bébés pendant cinq jours ?

— Eh bien, non, pas vraiment. Mais je le ferai. Ça ne peut pas être si difficile que ça. »

Elle rit et secoua la tête. « Oh, ce n'est pas difficile du tout ! C'est du gâteau !

— Allez, je peux le faire ! Et j'ai l'impression que ça te ferait le plus grand bien de souffler un peu.

— Pourquoi ? » Elle écarquilla les yeux, atterrée. « J'ai une mine épouvantable, c'est ça ? Je dois ressembler à ces femmes, vous savez, celles qui ont toujours une tête de déterrée. Est-ce que je suis comme elles ?

— Tu es plus belle que jamais », la rassurai-je. Ce qui était vrai. Malgré son immense fatigue, et quel que soit le nombre de bébés qu'elle enfantait, Rebecca était toujours resplendissante.

« Je me sens comme la vieille dame de *Titanic*, marmonna-t-elle en se prenant la tête à deux mains. En moins baisable. Vu à quoi ressemble mon corps en ce moment, Mère Teresa serait plus canon que moi en maillot de bain.

— Je suis certain qu'Ignac n'est pas de cet avis, dis-je m'efforçant de chasser cette image de mon esprit.

— J'espère que si. Qu'il s'approche encore de moi en ayant dégainé et je la lui coupe. Quatre bébés en un an et demi, ça suffit. De toute façon, même si l'idée de partir et de vous les laisser me séduit, ce ne serait pas possible.

— Et pourquoi pas ?

— Parce que je crois que je serai plus à même de les nourrir au sein que vous.

— Ah oui. Bien vu… D'accord. »

C'est ainsi que j'embarquai à bord d'un avion qui m'emporta dans le sillage du plus célèbre expatrié slovène et de son retour chaotique, vingt ans après, dans son pays d'origine. À ma grande surprise, une foule de photographes et d'équipes de télévision était rassemblée à l'aéroport pour attendre son arrivée. À peine avions-nous franchi la porte de sortie qu'ils collaient leurs micros dans la figure d'Ignac en rugissant des questions incompréhensibles. Les hordes d'enfants étaient si nombreuses et si bruyantes qu'on aurait pu croire que nous étions un *boys band* venu donner un concert. Leur enthousiasme était explicable – le huitième volume de la série Floriak Ansen venait d'être publié, et Ignac eut la gentillesse de passer plus d'une heure à l'aéroport à dédicacer des livres pendant que je l'attendais devant une tasse de café. Puis nous partîmes en limousine vers le centre-ville pour une rencontre copieusement arrosée de champagne avec son éditeur, avant un événement à guichets fermés dans un théâtre.

Pendant toute sa carrière d'écrivain, Maude n'avait donné qu'une seule lecture publique. Cette soirée désastreuse avait été fort bien décrite dans la biographie[1] écrite par Alice, qui n'y avait pas assisté, alors que moi j'étais présent. Elle avait eu lieu dans une librairie du centre de Dublin, où s'étaient massées des dizaines de personnes, et tandis qu'un journaliste du *Sunday Press* présentait Maude, en énonçant les titres des différents romans qu'elle avait publiés, ma mère adoptive était tranquillement assise dans un coin, vêtue intégralement de

1. *Hymns at Heaven's Gate : A Life of Maude Avery*, by Alice Woodbead, pp. 102-4 (Faber & Faber, 1986).

noir, fumant cigarette sur cigarette et levant les yeux au ciel chaque fois qu'il formulait un soi-disant compliment. (« Elle peut rivaliser avec n'importe quel écrivain de sexe masculin », était une de ses phrases favorites. Ainsi que : « Ses phrases sont magnifiques mais ses jambes le sont encore plus. » Sans parler de : « Je ne sais pas du tout comment elle réussit à écrire ses romans tout en s'occupant d'un mari et d'un enfant. J'espère qu'elle ne néglige pas ses devoirs pour autant ! ») Lorsqu'il eut terminé, elle se leva, s'approcha du micro, et sans le moindre préambule, commença à lire le premier chapitre de *Parmi les anges*, publié dans l'indifférence générale quelques mois plus tôt. Peut-être n'avait-elle jamais assisté à une soirée littéraire, ou peut-être avait-elle simplement mal compris la nature d'une lecture, en tout cas, après qu'elle eut terminé le premier chapitre, qui dura quarante interminables minutes, les gens se mirent à applaudir frénétiquement. Elle les fusilla du regard et leur dit « Fermez-la, bon sang, je n'ai pas fini », avant de se lancer dans la lecture du deuxième. Puis du troisième. C'est seulement lorsque la dernière personne de l'assistance se fut éclipsée, deux bonnes heures plus tard, qu'elle s'arrêta. Elle ferma le livre avec un claquement sec, m'attrapa par la main et sortit comme une furie pour héler un taxi qui nous ramènerait à Dartmouth Square.

« Quelle affreuse perte de temps, se plaignit-elle, tandis que la voiture se frayait un passage dans la circulation. S'ils n'aimaient pas mon travail, pourquoi diable étaient-ils venus m'écouter ?

— Je crois qu'ils s'attendaient à ce que vous lisiez seulement quelques minutes. Et ensuite, que vous répondiez peut-être à certaines de leurs questions.

— Le roman fait quatre cent trente-quatre pages, répondit-elle, en secouant la tête. S'ils veulent le comprendre, ils doivent l'entendre en entier. Ou mieux, le lire en entier. Comment peuvent-ils se faire une idée en dix minutes ? Le temps qu'il faut pour fumer trois cigarettes ! Philistins ! Barbares ! Goujats ! Jamais plus, Cyril, je te le promets. Jamais plus. » Et sur ce point, elle ne revint jamais sur sa parole.

À Ljubljana, Ignac ne commit pas de telles erreurs. À ce stade, il avait l'expérience des prestations publiques, il savait exactement combien de temps l'assemblée était prête à écouter et il était passé maître dans l'art d'insérer, au cours de l'interview qui suivait, quelques traits d'esprit bien choisis, pleins d'autodérision. Son éditeur avait organisé un nombre invraisemblable d'entretiens avec journaux, radios et télévisions, et lorsque ses responsabilités professionnelles furent terminées, le troisième après-midi, Ignac proposa que nous allions à Maribor, dans le nord-est du pays, le jour suivant.

« Qu'y a-t-il à Maribor ? demandai-je après avoir consulté le guide auquel je m'étais cramponné les jours précédents aussi fermement que Lucy Honeychurch à son *Baedeker*.

— C'est là que je suis né. L'endroit d'où vient ma famille.

— Ah bon ? » J'étais surpris, car je ne l'avais jamais entendu citer ce nom auparavant. « Tu es sûr que tu veux y retourner ?

— Pas complètement, fit-il en haussant les épaules. Mais je crois que ça pourrait être bénéfique.

— Pourquoi ? »

Il choisit ses mots. « Ce ne sera pas mon seul voyage en Slovénie. Je reviendrai, mais probablement pour peu de temps. Et pas avant que les enfants soient assez grands pour m'accompagner. Et quand ce jour arrivera, je ne veux pas être empêtré dans mon passé. Je crois que je devrais aller à Maribor maintenant, avec toi, puis tourner la page définitivement. »

Nous louâmes une voiture et partîmes vers le nord, où nous nous retrouvâmes dans les rues froides, délabrées où il avait passé son enfance et son adolescence. Plutôt avare de commentaires, il me conduisit à travers la ville. Les raccourcis et les ruelles lui revenaient sans la moindre difficulté, tout comme les magasins et les maisons des amis de son enfance. Nous passâmes devant une école désaffectée, dont la façade était couverte de graffitis indéchiffrables, et une autre qui avait été construite plus récemment mais qui donnait l'impression de menacer de s'écrouler à la première bourrasque. Nous déjeunâmes dans un restaurant où les gens nous regardèrent fixement, reconnaissant leur enfant le plus célèbre, qu'ils avaient vu dans les journaux et à la télévision, mais ils semblaient méfiants, craignant de l'approcher, comme s'ils redoutaient sa réaction. Seule une personne osa, un garçon de neuf ans qui était assis avec son père et lisait un roman de la série Floriak Ansen. Ignac et lui eurent un échange puis Ignac signa son livre. Toute la conversation avait eu lieu en slovène, je n'en avais pas compris un seul mot. Il m'emmena ensuite au bout d'une petite rue pavée jusqu'à une minuscule bicoque abandonnée dont les fenêtres étaient murées et le toit s'écroulait. Il posa sa main à plat sur la porte d'entrée, ferma les yeux et respira profondément, comme s'il essayait de retrouver son sang-froid ou d'empêcher les larmes de couler.

« Qu'est-ce qu'il y a ? demandai-je. Où sommes-nous ?

— C'est ici. C'est la maison où je suis né. Où j'ai grandi. »

Je la regardai. Elle était si petite que j'avais du mal à imaginer qu'une personne puisse y vivre, sans parler de deux adultes et un enfant.

« Il n'y avait que deux pièces, expliqua-t-il, devinant mes pensées. Quand j'étais enfant, je dormais dans le même lit que mes parents. Ensuite, après le départ de mon père, ma mère a installé pour moi une couche par terre. Les toilettes se trouvaient dehors, derrière. Pas de point d'eau. »

Je me tournai vers lui, ne sachant que dire. Nous n'avions jamais reparlé de son père depuis cette nuit-là à Amsterdam, vingt et un ans auparavant, quand Jack Smoot l'avait poignardé dans le dos.

« Tu veux entrer ? On peut arracher quelques-unes de ces planches...

— Non, s'empressa-t-il de répondre. Non, je ne veux pas. Ça me suffit de la voir.

— Et tes voisins ? demandai-je en regardant autour de nous. Te souviens-tu d'eux ?

— De certains. Beaucoup doivent être morts aujourd'hui.

— Et tes amis ?

— Je n'en avais pas beaucoup. Et je ne vais pas frapper aux portes.

— Alors, partons. Tu l'as vue, allons-y.

— D'accord. Tu veux qu'on retourne à l'hôtel ?

— Non, allons boire une bière, dis-je. On devrait se saouler, qu'est-ce que tu en penses ? »

Il sourit. « C'est exactement ce dont j'ai envie. »

Je lui proposai d'aller vers le centre-ville, où j'avais remarqué quelques pubs qui avaient l'air correct, mais il refusa et me dit qu'il y avait un bar tout près. Je fus surpris ; il était très ordinaire, juste quelques tables posées sur le trottoir devant une épicerie. Nous nous assîmes et commandâmes deux bières slovènes. Ignac paraissait heureux d'être là. Cependant, l'atmosphère entre nous était étrange, et je ne savais pas trop s'il avait envie que je le laisse en paix avec ses pensées ou s'il préférait parler.

« Tu te rappelles la première fois où nous nous sommes rencontrés ? lui demandai-je enfin, me souvenant du soir où Bastiaan et moi l'avions découvert couché devant la porte de notre appartement. Quand on t'a soulevé en te tirant par les bras, on a eu l'impression de ramasser un chiot terrorisé qui ne savait pas si on allait le nourrir ou le battre.

— Vous aviez compris que j'avais prévu de vous dévaliser ? demanda-t-il avec un petit sourire.

— Tu ne l'avais pas seulement prévu. Tu l'as fait. Tu as emporté mon portefeuille le lendemain matin, tu te souviens ?

— Ah oui, c'est vrai. J'avais oublié.

— Y a-t-il une chance que je revoie cet argent un jour ?

— Probablement aucune, fit en souriant. Mais je t'invite à dîner tout à l'heure, si tu veux.

— J'avais peur que tu entres dans notre chambre et que tu nous tues dans notre sommeil.

— Je n'aurais jamais fait une chose pareille, s'offusqua-t-il. Mais je pensais que si je revendais certaines de vos affaires, je pourrais peut-être sortir de la rue. M'éloigner de mon père. Ce n'est qu'après m'être enfui le lendemain matin que j'ai eu un autre projet, bien meilleur. Je t'ai rapporté ton portefeuille en espérant que vous alliez me proposer de rester.

— C'est Bastiaan qu'il faut remercier pour ça. » Je bus une gorgée de bière et sentis cette douleur qui se formait dans ma poitrine à chaque rappel de ces temps heureux que nous avions vécus tous les deux, des temps qui paraissaient si lointains. Il était mort depuis quatorze ans. C'était difficile à croire. « Je le trouvais très fou, de suggérer une chose pareille, repris-je.

— Mais tu as quand même accepté.

— Il m'a convaincu, admis-je.

— J'en suis heureux. Je ne sais pas ce que je serais devenu sans vous.

— Ne sous-estime pas tes propres forces, lui dis-je. Je crois que tu aurais fini par t'en sortir.

— Peut-être.

— J'aimerais tant qu'il soit là, murmurai-je après un silence.

— Moi aussi, lâcha Ignac. Le monde est pourri.

— C'est vrai.

— Mais ça ne te manque pas, de ne pas avoir quelqu'un dans ta vie ?

— Bien sûr que si.

— Je ne veux pas parler de Bastiaan. De quelqu'un d'autre. »

Je secouai la tête. « Non. Je fais partie de cette génération d'hommes gay qui ont eu la chance de rencontrer quelqu'un une fois dans leur vie. Ça ne m'intéresse pas du tout de me lancer dans une nouvelle relation. Pour moi, c'était Bastiaan ou personne.

— Pas même Julian ?

— Julian, c'était différent. Julian a toujours été un impossible. Mais Bastiaan était la réalité. Bastiaan a été l'amour de ma vie, pas Julian. Julian n'était qu'une obsession ; je l'aimais et il me manque toujours. Nous avons approché l'apaisement à la fin, sans y parvenir vraiment. » Je secouai la tête et soupirai. « Tu sais, Ignac, quand je repense à ma vie, je n'en comprends pas grand-chose. J'ai aujourd'hui l'impression que ça aurait été si simple d'être honnête avec tout le monde, surtout avec Julian. Mais, sur le moment, je n'ai pas perçu les choses comme ça. Tout était si différent, à cette époque-là.

— Liam dit que Julian était du même avis. Qu'il ne savait pas pourquoi tu ne lui avais pas parlé de tes sentiments quand vous étiez adolescents. »

Je me tournai vers lui, surpris. « Tu as parlé de nous avec Liam ?

— Il se trouve que le sujet est venu dans la conversation. Ça ne t'ennuie pas, dis-moi ?

— Non. Je ne crois pas. Je suis content que vous soyez amis.

— Bien sûr que nous sommes amis. C'est mon frère.

— Les deux choses ne vont pas forcément de soi.

— Dans notre cas, si.

— Eh bien, j'en suis heureux. » Liam était le parrain des premiers jumeaux d'Ignac et Rebecca et parfois, leur relation provoquait en moi une pointe d'envie. Ils étaient l'un pour l'autre le frère qu'ils avaient toujours souhaité, liés par une sorte de père qui avait été présent pour l'un, et pas pour l'autre.

« Et si quelqu'un débarquait maintenant ?

— Quelqu'un... ?

— Quelqu'un à aimer. »

Je secouai la tête. « Je ne sais pas. Peut-être. Probablement pas.

— OK.

— Est-ce que je peux te poser une question ? dis-je, m'apprêtant à aborder un sujet que nous n'avions jamais évoqué en plus de vingt ans.

— Bien sûr.

— C'est juste parce que nous sommes ici, en Slovénie. Et du coup, je me rends compte que nous n'avons jamais parlé d'Amsterdam... Pas de la ville, mais de ce qui s'est passé là-bas.

— Non, c'est vrai.

— Parfois, je me dis que quelque chose cloche chez moi, commençai-je en baissant la voix, bien qu'il n'y eût personne autour de nous. Parce que je ne ressens absolument aucun remords. Aucune culpabilité.

— Pourquoi tu te sentirais coupable ?

— Parce que j'ai tué un homme.

— Tu ne l'as pas tué, protesta-t-il en secouant la tête. C'est Jack Smoot qui l'a tué.

— Non, nous l'avons tous tué. Nous étions tous là. Et j'y suis mêlé autant que les autres.

— Mon père a eu ce qu'il méritait, insista Ignac. Si Jack Smoot ne l'avait pas poignardé, Dieu seul sait ce qui se serait passé. Rappelle-toi, je le connaissais. Pas toi. Il ne m'aurait jamais laissé libre. Jamais.

— Je le sais. Et je ne regrette absolument rien.

— Tu y penses beaucoup ?

— Pas beaucoup, non. Mais parfois. Pourquoi, toi, tu n'y penses jamais ?

— Non, jamais.

— OK.

— Je n'ai aucun regret, si c'est ce que tu veux savoir.

— Moi non plus, fis-je. Il ne t'aurait jamais laissé tranquille, c'était évident. Mais je dois admettre, je me suis souvent demandé ce que Smoot avait fait du corps. Vingt ans à croire que la police pourrait peut-être nous retrouver.

— Ils ne pourront pas. Le corps a disparu depuis longtemps.

— Comment peux-tu en être sûr ?

— Je le suis, c'est tout. »

Je le regardai, étonné. « Tu sais ce qu'il est devenu ?
— Oui.
— Comment ?
— Smoot me l'a dit.
— Je ne savais pas que vous vous parliez.
— Seulement de temps en temps.
— J'ai toujours été nerveux à l'idée de reprendre contact avec lui. Je pensais devoir garder une distance entre nous, juste au cas où. Mais en l'occurrence, j'ai eu de ses nouvelles après la mort de Bastiaan. Il m'a écrit une lettre. Je me suis toujours demandé comment il savait, peut-être qu'Arjan ou Edda était allé au bar et lui avait dit.
— Tu lui as répondu ?
— Oui. Mais depuis, plus rien. Peut-être que je devrais lui réécrire un jour. En supposant qu'il soit toujours vivant.
— Oh, il est toujours là, affirma Ignac. Je l'ai vu la dernière fois que je suis allé à Amsterdam.
— Tu es allé au MacIntyre's ?
— Bien sûr. J'y vais chaque fois que je suis dans le coin, ce qui est assez fréquent, car mon éditeur néerlandais me fait venir dès qu'un livre sort. Rien n'a changé. Jack a vieilli, évidemment. Mais le bar est toujours aussi fréquenté. Et Jack a l'air assez heureux. La dernière fois que j'y étais, j'ai même rencontré la femme de la photo.
— Quelle photo ?
— Tu te souviens, la photographie sur le mur à côté de ta table favorite ? Où Bastiaan et toi vous vous installiez tout le temps ?
— Celle de Smoot et son petit ami d'autrefois ?
— Oui, mais il y avait une jeune femme à côté d'eux, à moitié coupée.
— Ah oui, fis-je. Elle avait été prise sur Chatham Street.
— Nous étions censés la rencontrer ce soir-là, tu te rappelles ? Elle était en vacances à Amsterdam. C'est d'ailleurs elle qui a aidé Smoot à se débarrasser du corps. Alors, nous devons la remercier, elle aussi. »

Je revis Smoot en train de mettre le corps dans le coffre d'une voiture de location avant de s'asseoir à côté d'une femme, qui démarra. Sa visiteuse venue de Dublin. Sa vieille amie. La femme qui lui avait sauvé la vie quand son amant avait été tué.

« Et vous en avez parlé ? » demandai-je, en espérant que ce n'était pas le cas. Des années étaient peut-être passées mais je continuais à trouver imprudent de discuter des événements de cette nuit-là avec des étrangers.

« Non, pas un mot. Smoot m'en a parlé après, c'est tout.

— Alors, qu'a-t-il fait ? Comment s'en est-il débarrassé ? »

Il sourit et secoua la tête. « Tu n'as pas besoin de le savoir.

— Si, je veux savoir. »

Avec un soupir et un haussement d'épaules, il se mit à parler. « Tu te souviens que les gens d'Amsterdam, au XVIIe siècle, attachaient des meules en pierre autour du cou des personnes reconnues coupables d'homosexualité avant de les jeter dans les canaux pour les noyer ?

— Oui.

— Eh bien, c'est ce qu'il a fait. Le corps a coulé à pic et n'est jamais remonté à la surface.

— Bon Dieu… » Un frisson me parcourut l'échine. « Je ne sais pas quoi dire.

— Ce n'est que justice, à mes yeux. Ce n'est que… »

Il s'arrêta brusquement et je vis son visage pâlir dans le soleil de l'après-midi. Je suivis son regard et repérai une vieille dame qui marchait dans la rue, tirant un chariot derrière elle, suivie d'un chien gris foncé au pedigree incertain. La femme était si petite, et son visage, si profondément ridé, qu'un photographe aurait adoré l'immortaliser. Ignac posa son verre et lorsqu'elle arriva au bar, elle s'arrêta à côté de la porte et cria quelque chose que je ne compris pas. Quelques instants plus tard, le serveur sortit, lui donna un verre de bière et posa une gamelle d'eau par terre pour le chien. Elle s'assit, examina les alentours. Son regard s'arrêta un instant sur nous avant de se détourner ; elle laissa échapper un profond soupir, comme si le poids du monde reposait sur ses épaules.

« Le célèbre écrivain, lâcha-t-elle, son anglais marqué par un fort accent slovène.

— On dirait, oui.

— J'ai vu ta photo dans le journal. Je me demandais quand tu viendrais par ici. »

Ignac ne répondit pas mais jamais je n'avais vu l'expression qui se peignit sur son visage : un mélange de désarroi, de mépris et de peur.

« Et vous, qui êtes-vous ? demanda-t-elle, en se penchant pour me regarder d'un air méprisant.

— Je suis son père, dis-je, une réponse que j'avais donnée à certaines personnes parce qu'elle paraissait plus facile que la vérité et sa complexité technique.

— Vous mentez », fit-elle en secouant la tête. Lorsqu'elle rit de mon audace, je vis le nombre de dents qui lui manquaient. « Pourquoi vous dites ça ?

— Son père adoptif », rectifiai-je. Même si je n'utilisais jamais cette expression en parlant d'Ignac, que je considérais comme mon fils plus que mon propre fils.

« Vous n'êtes pas son père, répéta-t-elle.

— Et comment le savez-vous ? rétorquai-je agacé.

— Parce que son père était mon fils. Et je le reconnaîtrais s'il était assis à côté de moi. »

Ignac ferma les yeux et je vis sa main trembler en prenant son verre. Je les regardai attentivement, l'un et l'autre, et bien que je ne puisse constater aucune ressemblance, je supposai que l'absence de protestation d'Ignac signifiait qu'elle avait raison.

« Quand j'étais enfant tu avais un chien comme celui-là, dit-il en désignant le bâtard qui était couché par terre et faisait la sieste.

— C'est son petit. Ou le petit de son petit. Je ne me rappelle plus.

— Ignac, tu préfères que je vous laisse ? Si vous voulez parler.

— Non », s'empressa-t-il de répondre en se tournant vers moi. Et je lus la panique sur son visage. Comme c'est étrange, songeai-je. Il a plus de trente-cinq ans, il est marié avec quatre enfants, il a réussi, et pourtant, il a encore peur d'être laissé seul avec cette vieille femme.

« Je reste, alors, murmurai-je.

— Vous l'avez adopté ? questionna la femme tout en avalant sa bière.

— Oui.

— Je vous plains.

— Je suis heureux de l'avoir fait.

— Mais il est tellement dégoûtant, fit-elle en crachant par terre. Tellement sale. »

Ignac se tourna et lui lança un regard noir. Elle soutint son regard, tendit la main pour lui toucher le visage, mais il eut un mouvement de recul, comme si elle essayait d'approcher une flamme de sa peau.

« Tout cet argent, et il n'envoie jamais un centime à sa grand-mère, accusa-t-elle avant de se prendre la tête dans les mains et de se mettre à pleurer si brusquement que les larmes paraissaient totalement fausses.

— La grand-mère qui l'a chassé, vous voulez dire ? » demandai-je.

Ignac se mit à fouiller dans sa poche de pantalon, sortit son portefeuille, le vida de tous ses billets – vingt ou trente mille tolars – et lui donna le tout. Elle lui arracha l'argent des mains comme si c'était son droit et se dépêcha de ranger la liasse sous son manteau.

« Tout cet argent, et je n'ai rien d'autre que ça. »

Là-dessus, elle se leva, le chien bondit sur ses pieds et elle poursuivit son chemin, traînant le chariot derrière elle. Je ne la quittai pas des yeux, tandis qu'Ignac regardait dans la direction opposée.

« Eh bien, en voilà une rencontre inattendue, dis-je enfin. Est-ce que ça va ? Tu savais que tu risquais de la croiser ?

— Je savais que ça pouvait arriver. C'est une femme d'habitudes. Elle passe par ici tous les jours. Enfin, elle le faisait, autrefois. » Il marqua une pause. « Je ne t'ai jamais dit pourquoi j'avais quitté la Slovénie, si ?

— Tu as dit qu'après la mort de ta mère, ta grand-mère n'a plus voulu s'occuper de toi.

— Ce n'était qu'en partie vrai. Ma grand-mère m'a gardé auprès d'elle pendant quelques mois.

— Alors pourquoi tu n'es pas resté ?

— Parce qu'elle était exactement comme mon père. Elle voulait se faire de l'argent avec moi.

— Comment ?

— De la même manière. Il y avait beaucoup d'hommes ici, qui s'étaient lassés de leur femme et cherchaient des sensations différentes. Ma grand-mère a compris. Un après-midi, elle est rentrée et a surpris un homme qui me violentait. J'étais un gamin à l'époque, et quand elle a vu ce qui se passait, elle a refermé la porte, elle est retournée à la cuisine, et elle s'est mise à faire du raffut avec ses casseroles. Voilà l'étendue de sa colère. Voilà ce qu'elle a fait pour me sauver. Après, elle m'a fouetté et m'a répété que j'étais dégoûtant, vraiment une pourriture sans nom. Mais elle a vu ce que je pouvais lui rapporter. J'étais plutôt mignon. Elle m'a dit que si je laissais des hommes me faire ça, elle se chargerait d'organiser les choses. Et l'argent serait pour elle.

— Mon Dieu...

— Il n'y avait pas que moi. Il y en avait d'autres. Un de mes camarades de classe, elle le prostituait aussi, mais il s'est enfui et s'est noyé dans la Drave. Son corps a été repêché et à l'église, tous les hommes qui nous avaient baisés étaient présents et pleuraient pour son âme perdue. À la fin de la messe, ils sont tous allés présenter leurs condoléances à sa mère comme s'ils n'étaient responsables de rien. Peu de temps après, j'ai décidé moi aussi de m'enfuir, sauf que je savais que je n'allais pas me jeter dans la rivière. J'ai volé l'argent pour me payer un billet de train. J'ai réussi à aller jusqu'à Prague. À partir de là, j'ai fait la seule chose que je savais faire pour survivre. Au moins, l'argent était pour moi. Ensuite, je suis allé à Amsterdam. Je n'avais pas prévu de m'y arrêter ; je n'avais pas de destination finale en tête. Je savais juste que mon père vivait là et j'ai dû penser qu'il pourrait s'occuper de moi. Qu'il m'aiderait à changer de vie. Mais il était exactement comme ma grand-mère. Finalement, tout ce que je voulais, c'était continuer à avancer, à voyager, m'éloigner le plus possible de Maribor. J'ai réussi, finalement. J'ai tout laissé derrière moi. Et regarde-moi aujourd'hui. Tout ça, c'est grâce à Bastiaan et grâce à toi. »

Nous restâmes là un long moment, sans rien dire, à boire, et finalement, nous nous levâmes et repartîmes vers Ljubljana pour remonter dans l'avion qui nous ramènerait à Dublin.

Les avions

À Dublin, un mois plus tard, une TD de Fianna Fáil m'approcha un jour où je prenais mon déjeuner au salon de thé du Dáil. Cette fonctionnaire de petite envergure qui ne m'avait jamais adressé la parole auparavant me prit par surprise. Elle s'assit en face de moi, le visage fendu d'un grand sourire, comme si nous étions de vieux amis, et posa son bipeur sur la table. Elle ne cessait de jeter des coups d'œil à l'appareil dans le fol espoir qu'il se mettrait à vibrer pour qu'elle puisse exhiber son importance.

« Comment allez-vous, Cecil ?

— Mon nom, c'est Cyril.

— Je pensais que vous vous appeliez Cecil.

— Non.

— Faites-vous exprès de me contrarier ?

— Je peux vous sortir mon badge si vous voulez.

— Non, ça ira. Je vous crois, dit-elle et sa main s'agita avec désinvolture. Cyril, donc, si vous préférez. Qu'est-ce que vous lisez ? »

Je retournai mon livre et lui montrai la couverture : *Histoire de la nuit*, de Colm Tóibín. Je l'avais depuis des années mais je ne m'étais jamais décidé à l'ouvrir.

« Tiens, je ne le connais pas, celui-là, admit-elle en le saisissant pour examiner la couverture. C'est bien ? Devrais-je le lire ?

— Eh bien, c'est vous qui voyez.

— Peut-être que j'essaierai. Connaissez-vous Jeffrey Archer ?

— De nom seulement, reconnus-je.

— Oh, il est merveilleux. Il raconte des histoires, et voilà ce que j'aime. Est-ce que ce bouquin raconte une histoire ? Il ne passe pas vingt pages à décrire la couleur du ciel ?

— Jusqu'à maintenant, non.

— Tant mieux. Jeffrey Archer ne parle jamais de la couleur du ciel et j'aime ça, chez un écrivain. Je dirais que Jeffrey Archer n'a même jamais regardé le ciel de toute sa vie.

— Surtout maintenant qu'il est en prison, suggérai-je.

— Le ciel est bleu, déclara-t-elle. Point final.

— Eh bien, il n'est pas toujours bleu.

— Mais si, ne soyez pas idiot.

— Il n'est pas bleu la nuit.

— Arrêtez, ça suffit.

— D'accord. » Je commençai à croire qu'elle me prenait pour quelqu'un d'autre, un de ses nouveaux collègues du parti, peut-être. Si elle se mettait à parler de voix ou de prises de pouvoir en interne, il faudrait que je la détrompe.

« Bon, Cyril. Soyez gentil, posez donc ce livre. Je suis contente d'avoir réussi à vous croiser. J'ai de bonnes nouvelles pour vous : c'est votre jour de chance.

— Ah bon ? Qu'est-ce qui vous fait dire ça ?

— Êtes-vous prêt à ce que je change votre vie ? »

Je m'installai confortablement et croisai les bras. Peut-être allait-elle me demander si j'avais accepté Jésus Christ comme Sauveur.

« Ma vie n'est pas si mal comme elle est.

— Mais elle pourrait être plus belle, n'est-ce pas ? Notre vie à tous pourrait être plus belle. La mienne, par exemple. Je pourrais être moins accro au travail ! Je pourrais me préoccuper moins de mes électeurs !

— J'imagine que je pourrais cesser de perdre mes cheveux. Ce serait quelque chose. Et il y a deux ou trois ans, j'ai été obligé de mettre des lunettes pour lire.

— Je ne peux rien faire pour ces deux choses-là. Avez-vous parlé au ministre de la Santé ?

— Non, mais c'était une plaisanterie.

— C'est plutôt son rayon que le mien. Non, je pense à quelque chose d'un peu plus intime. »

Mon Dieu, pensai-je. Elle me fait des avances.

« Quand vous dites intime, j'espère que vous ne voulez pas dire...

— Soyez gentil, attendez une minute, exigea-t-elle en se retournant pour chercher des yeux une serveuse. Je meurs de soif. » Quand elle ne vit personne apparaître immédiatement, elle commença à claquer des doigts ; les TD de différents partis nous fixèrent avec le plus grand mépris.

« Vous ne devriez pas faire ça. C'est terriblement grossier.

— C'est la seule manière d'attirer son attention. Depuis que Mrs Goggin a pris sa retraite, cet endroit se dégrade. »

Quelques instants plus tard, une serveuse approcha.

« Avez-vous un problème avec vos doigts ? demanda-t-elle, l'air terriblement las. Ils font un boucan affreux.

— Je suis tellement désolé, m'excusai-je auprès de la femme qui, d'après son badge, s'appelait Jacinta.

— Soyez mignonne, dit ma compagne en lui touchant le bras, apportez-nous donc deux thés. Bien chauds, n'est-ce pas.

— Vous pouvez vous servir toute seule, répondit Jacinta. Vous savez où ça se passe. Vous venez d'arriver dans la maison ?

— Pas du tout, rétorqua la TD, ulcérée. C'est mon deuxième mandat.

— Eh bien vous devriez savoir comment ça marche. Et qu'est-ce que vous faites assise ici ? Qui vous a mise là ?

— Que voulez-vous dire, qui m'a mise là ? demanda-t-elle, à la fois furieuse et insultée. Je n'ai pas le droit de m'asseoir où je veux ?

— Vous vous asseyez là où on vous le dit. Retournez aux places de Fianna Fáil et cessez de vous donner en spectacle.

— Certainement pas, petite effrontée. Mrs Goggin ne vous laisserait jamais me parler comme ça si elle était ici.

— Je suis Mrs Goggin, dit Jacinta. La nouvelle Mrs Goggin. Alors, vous pouvez aller vous servir un thé là-bas, si vous le souhaitez. N'attendez pas qu'on vous l'apporte. La prochaine fois, asseyez-vous où vous êtes censée vous asseoir ou ne mettez plus les pieds ici. »

Là-dessus, elle s'éloigna à grands pas. Ma nouvelle amie TD était mortifiée.

« Eh bien, je suis soufflée ! Quelle grossièreté ! Quand je pense que je trime toute la journée pour essayer d'améliorer la vie de gens de la classe ouvrière comme elle. Vous avez vu le discours que j'ai fait, tout à l'heure ?

— On ne voit pas un discours. On ne peut que l'entendre.

— Oh, ne soyez pas si pédant. Vous avez compris ce que je veux dire. »

Je soupirai. « Puis-je vous aider en quoi que ce soit ? demandai-je. S'agit-il d'un problème de bibliothèque ? Si c'est le cas, j'y serai à 14 heures. D'ici là... » Je repris mon livre de Tóibín, espérant pouvoir m'y replonger. J'étais arrivé à un passage un peu cochon et je ne voulais pas m'interrompre en si bon chemin.

« Vous pouvez, Cecil.

— Cyril.

— Cyril, répéta-t-elle en agitant la tête. Il va falloir que je me mette ça dans le crâne. Cyril. Cyril l'Écureuil. »

Je levai les yeux au ciel. « Je vous en prie...

— Ai-je raison de penser que vous êtes veuf ? s'enquit-elle avec le même sourire que le chat du Cheshire.

— Non, vous vous trompez. Je suis divorcé.

— Oh, fit-elle, un peu dépitée. J'avais espéré que votre femme soit morte.

— Navré de vous décevoir. Mais non, Alice est vivante, elle va bien, elle vit toujours à Dartmouth Square.

— Elle n'est pas morte ?

— Elle ne l'était pas la dernière fois que je l'ai rencontrée. Nous avons déjeuné ensemble dimanche et elle était en pleine forme. Des insultes plein la bouche.

— Vous avez fait quoi ?

— Nous avons déjeuné ensemble.

— Mais pourquoi ça ? »

Je la regardai fixement, me demandant bien où allait mener cette conversation. « Nous nous retrouvons souvent le dimanche. C'est bien agréable.

— Ah d'accord. Juste vous deux ?

— Non, elle et son mari, Cyril II.

— Cyril II ?

— Pardon, Cyril.

— Vous avez déjeuné avec votre ex-femme et son nouveau mari, qui a le même nom que vous. C'est ça que vous me dites ?

— Je crois que vous avez compris.

— Eh bien, si vous voulez mon avis, c'est très bizarre.

— Ah bon ? Je ne vois pas pourquoi.

— Ça vous ennuie si je vous demande quand vous avez divorcé ?

— Ça ne m'ennuie pas du tout.

— Alors, quand était-ce ?

— Oh, il y a quelques années maintenant. Quand la législation a été votée. Pour tout dire, Alice s'est empressée de se débarrasser de moi. D'après ce que j'ai compris, nous avons été l'un des premiers couples à profiter de cette nouvelle loi.

— Ce n'est pas bon signe. Votre mariage a dû être très malheureux.

— Pas particulièrement.

— Alors, pourquoi avez-vous divorcé ?

— Vous savez, je crois que ce ne sont pas vos affaires.

— Oh, pas la peine de vous sentir agressé, nous sommes tous amis ici.

— Nous ne le sommes pas, il me semble.

— Nous le serons quand je changerai votre vie.

— Peut-être que cette conversation était une mauvaise idée.

— Non, pas du tout. Ne vous inquiétez pas, Cecil. Cyril. Bon, vous êtes divorcé. Je ne le retiendrai pas contre vous.

— C'est très gentil de votre part.

— Ça vous ennuie que je vous demande si vous voyez quelqu'un en ce moment ?

— Ça ne m'ennuie pas du tout.

— Alors ? demanda-t-elle.

— Alors quoi ?

— Vous voyez quelqu'un ?

— Dans le sens romantique ?

— Oui.

— Pourquoi, vous avez le béguin pour moi ?

— Oh là là, vous ne doutez de rien, vous ! fit-elle en éclatant de rire. Je suis une TD de Fianna Fáil, et vous êtes juste bibliothécaire ! En plus, j'ai un mari à la maison et trois enfants qui font des études pour devenir médecin, avocat et professeur d'éducation physique. Enfin, un de chaque, si vous voyez ce que je veux dire.

— Je vois.

— Alors ?

— Alors quoi ?

— Voyez-vous quelqu'un ?

— Non.

— C'est bien ce que je pensais.

— Pour quelle raison ?

— Quoi, pour quelle raison ?

— Y a-t-il une raison pour laquelle vous pensiez que je ne voyais personne ?

— Eh bien, je ne vous vois jamais accompagné.

— Non. Mais en même temps, je suis sur mon lieu de travail. Il y a peu de chances que j'amène quelqu'un pour un petit intermède coquin caché entre deux bibliothèques.

— Vraiment, vous ne doutez de rien, dit-elle, riant comme si j'avais fait la plaisanterie la plus drôle du monde. Vous êtes un homme épouvantable !

— Ici, nous sommes tous amis, rétorquai-je.

— Oui. Maintenant, écoutez-moi, Cecil.

— Cyril.

— Je vais vous dire pourquoi je vous pose la question. J'ai une sœur. Une femme délicieuse.

— Le contraire m'eût étonné.

— Son mari a été renversé par un bus il y a quelques années. Il est mort.

— Ah. Je suis désolé de l'apprendre.

— Non, s'empressa-t-elle d'ajouter en secouant la tête. Ne vous méprenez pas. Ce n'était pas un bus de la CIÉ. C'était un bus privé.

— Bien entendu.

— Il est mort sur le coup.

— Pauvre homme.

— Il se plaignait depuis toujours de ses problèmes de santé et aucun de nous ne lui accordait la moindre attention. Comme quoi...

— Comme vous dites.

— Bref. Après l'enterrement, on est allés au Shelbourne.

— Je me suis marié au Shelbourne.

— Ne parlons pas de ça. Votre passé, c'est vos affaires.

— J'apprécie votre discrétion.

— Donc, ma sœur est veuve et elle est à la recherche d'un homme gentil. Elle ne supporte pas d'être seule. Elle est venue ici me voir il y a quelques semaines ; elle vous a aperçu dans la bibliothèque et elle a trouvé que vous étiez diablement charmant. Elle m'a dit : “Angela, Angela, qui est cet homme diablement charmant, là-bas ?” »

Je la regardai, sceptique. « Vraiment ? Je n'entends pas ce genre de compliments souvent, ces temps-ci. J'ai cinquante-six ans, vous savez. Vous êtes sûre qu'elle ne parlait pas de quelqu'un d'autre ?

— Oh non, c'était bien vous, parce que je me suis retournée et je n'arrivais pas à croire qu'il s'agissait de vous, alors je lui ai demandé de me montrer du doigt. Et c'était bien vous.

— Je suis flatté.

— Oh, mais que ça ne vous monte pas à la tête. Ma sœur ferait rêver tous les hommes du monde. Et je lui ai tout raconté sur vous. Vous iriez parfaitement bien ensemble.

— Je ne suis pas si sûr.

— Cyril. Cecil. Cyril. Je vais jouer cartes sur table.

— Allez-y.

— Quand Peter – mon beau-frère – est décédé, il a laissé ma sœur bien pourvue. Elle est propriétaire de sa maison à Blackrock, qui n'a pas d'hypothèque. Et elle a un appartement à Florence où elle se rend tous les cinq ou six mois, le reste du temps, elle le loue.

— Tant mieux pour elle.

— Et je sais tout de vous.

— Que savez-vous ? Parce que quelque chose me dit que vous ne savez pas tout.

— Je sais que vous êtes multimillionnaire.

— Ah.

— Vous êtes le fils de Maude Avery, n'est-ce pas ?

— Son fils adoptif.

— Mais vous avez hérité de tous ses biens ? Et de ses droits d'auteur.

— Oui, admis-je. Je suppose que tout le monde le sait.

— Alors, vous êtes riche. Vous n'êtes pas obligé de travailler. Et pourtant, vous venez tous les jours et vous travaillez quand même.

— C'est exact.

— Ça vous ennuie si je vous demande pourquoi ?

— Ça ne m'ennuie pas du tout.

— Alors, pourquoi ?

— Parce que j'aime ça. Ça me sort de chez moi. Je ne veux pas rester enfermé entre quatre murs à regarder la télévision vingt-quatre heures sur vingt-quatre.

— C'est exactement ce que je voulais dire. Vous êtes travailleur. Vous n'avez pas besoin d'argent. Vous n'avez assurément pas besoin de son argent. Voilà pourquoi je pense que vous iriez parfaitement bien ensemble.

— Je n'en suis pas sûr, répétai-je.

— Soyez gentil, attendez, vous allez voir, ne dites pas un mot de plus avant d'avoir vu sa photo. » Elle plongea la main dans son sac et sortit la photo d'une femme qui lui ressemblait vraiment beaucoup. Je me demandai si elles n'étaient pas jumelles, tant elles étaient semblables. « Je vous présente Brenda. N'est-elle pas belle ?

— Magnifique, concédai-je.

— Alors, je vous donne son numéro de téléphone ?

— Je ne crois pas, non.

— Pourquoi ? fit-elle avec un mouvement de recul, prête à s'offusquer. Ne vous ai-je pas assuré que vous seriez parfaitement assortis ?

— Je ne doute pas que votre sœur soit très gentille. Mais pour être honnête, je ne cherche pas de petite amie en ce moment. Ni à un autre moment, en réalité.

— Oh. Vous êtes toujours entiché de votre ex-femme, c'est ça ?

— Non, certainement pas.

— Votre ex-femme est passée à un autre Cecil.

— Cyril. Et je suis content pour elle. Nous sommes bons amis, tous les trois.

— Mais vous essayez de la reconquérir ?

— Non, pas du tout.

— Qu'y a-t-il, alors ? Vous ne pouvez pas me dire que vous ne trouvez pas Brenda séduisante.

— Non, je ne peux pas. Désolé. Elle n'est pas mon genre, c'est tout. »

À ce moment-là, j'entendis un cri provenant d'une des tables de Fine Gael et me retournai. J'aperçus un petit groupe de TD, qui tout à l'heure bavardaient en prenant leur chou à la crème et leur café, la tête levée vers l'écran de télévision accroché sur le mur dans un coin du salon de thé. Le son était coupé mais je le regardai aussi, et plus les gens étaient nombreux à s'intéresser à l'écran, plus les conversations cessaient.

« Montez le son, voulez-vous ? » demanda l'un des hommes et Jacinta attrapa la télécommande. Nous vîmes un avion s'enfoncer au cœur du World Trade Center, encore et encore, la même séquence, en boucle.

« Jésus Marie Joseph, fit le TD. Qu'est-ce qui se passe, à votre avis ?

— C'est New York.

— Impossible.

— Si. C'est le World Trade Center. Les Tours jumelles. »

Je me levai et me dirigeai à pas lents vers l'écran, imité par les TD qui nous entouraient. Lorsque nous vîmes un deuxième avion approcher de la seconde tour et s'écraser contre le gratte-ciel, nous laissâmes échapper un gémissement horrifié et échangeâmes des regards affolés, sans comprendre ce qui était en train de se passer.

« Je ferais mieux de retourner à mon bureau, dit-elle en ramassant son pager muet. Le Taoiseach risque d'avoir besoin de moi.

— J'en doute fort.

— Je vous reparlerai de Brenda une autre fois. N'oubliez pas, vous êtes parfaits l'un pour l'autre.

— Très bien. » Je l'écoutais à peine. Les commentateurs sur *Sky News* parlaient d'un accident épouvantable puis l'un des invités demanda comment cela pouvait être un accident quand le même arrivait deux fois. C'était forcément des pirates de l'air, avança quelqu'un. Ou des terroristes. Je voyais passer des TD qui couraient en tous sens pour retourner à leur bureau ou chercher une télévision. Bientôt, le salon de thé fut envahi.

« Je n'ai jamais pris l'avion de ma vie, dit Jacinta en s'approchant de moi. Et je ne le prendrai jamais. »

Je me tournai vers elle, surpris. « Vous avez peur de l'avion ?

— Pas vous ? Après avoir vu ça ? »

Je regardai à nouveau l'écran. Des informations commençaient à arriver : un troisième avion se serait écrasé sur le Pentagone à Washington et il y avait déjà des caméras partout dans la capitale, de la Maison Blanche au Sénat, du Mall jusqu'au Lincoln Memorial. Quelques minutes plus tard, on nous montra des images des rues de New York. Les gens couraient dans Manhattan, on aurait dit une scène d'un film catastrophe hollywoodien très kitsch.

Autre plan, autre présentateur, celui-là à Central Park, exactement à l'endroit où Bastiaan et moi avions été agressés quatorze ans auparavant. Un cri involontaire s'échappa de ma bouche – je n'avais pas été sur les lieux et je ne l'avais pas revu depuis cette nuit atroce – et Jacinta posa sa main sur mon épaule.

« Est-ce que ça va ?

— Cet endroit..., balbutiai-je en désignant l'écran. Je le connais. Mon... mon meilleur ami a été assassiné juste là.

— Arrêtez de regarder. » Elle m'entraîna à l'écart. « Pourquoi vous n'emportez pas une tasse de thé avec vous à la bibliothèque, vous la boirez en paix. À mon avis, vous n'y verrez personne jusqu'à ce soir. Ils seront tous devant la télévision. »

Je hochai la tête et repartis vers le comptoir tandis qu'elle préparait le thé. J'étais ému qu'elle manifeste autant de gentillesse à mon égard. Elle avait été bien formée par Mrs Goggin, pensai-je.

« Ce n'est pas facile, de perdre quelqu'un. Ça ne disparaît jamais, n'est-ce pas ?

— On appelle ça la douleur fantôme. Comme celle qu'éprouvent les amputés qui sentent toujours leur membre malgré son absence.

— Je m'en doute. » Elle étouffa une exclamation et je me retournai à nouveau vers l'écran. Une série de points noirs semblaient tomber des fenêtres des immeubles. Rapidement, l'image montra le studio, où les deux présentateurs paraissaient bouleversés.

« Est-ce que c'était bien ce que je crois ? demandai-je. Des gens qui sautaient par les fenêtres ?

— Je vais éteindre, lança-t-elle à tous ceux qui étaient rassemblés sous le poste, la tête levée.

— Non ! s'écrièrent-ils en chœur, fascinés par le drame.

— La directrice, c'est moi. Dans ce salon de thé, c'est moi qui décide. Je l'éteins, et si vous voulez continuer à regarder, vous pouvez trouver une autre télé ailleurs. » Là-dessus, elle attrapa la télécommande, appuya sur le bouton rouge en haut à droite et l'écran devint noir. Un grognement contrarié se fit entendre, mais les gens s'empressèrent de repartir dans leurs bureaux ou au pub du coin.

« Des vampires, souffla-t-elle en les regardant filer. Du genre à ralentir quand ils voient un accident sur l'autoroute. Je refuse qu'on vienne ici pour contempler le malheur des autres. »

J'étais d'accord avec elle mais je voulais malgré tout trouver une retransmission. Je commençai à me demander au bout de combien de temps je pourrais décemment m'éclipser.

« Allez-y, dit-elle enfin, me lançant un regard lourd de reproche. Je sais que l'envie de partir vous démange. »

Les innommables

Le matin de Noël. Les accès au centre-ville étaient presque déserts et la neige annoncée n'était pas apparue. Le chauffeur de taxi, étonnamment joyeux alors qu'il était au volant de sa voiture au lieu d'être chez lui en train d'ouvrir des paquets en sirotant du Baileys avec sa famille, passait d'une station de radio à l'autre.

« Rien de grave, j'espère ? me demanda-t-il, et je surpris son regard dans le rétroviseur.

— Comment ?

— La raison pour laquelle vous allez à l'hôpital. Rien de grave ? »

Je secouai la tête. « Non, c'est une bonne raison. Mon fils et sa femme vont avoir un bébé.

— Ah, en voilà une bonne nouvelle. Leur premier ?

— Le deuxième. Ils ont un fils qui a trois ans, George. »

À un feu rouge, je jetai un coup d'œil dehors. Une petite fille essayait un vélo flambant neuf ; elle avait un grand sourire et un casque bleu rutilant sur la tête. Son père trottait à côté d'elle, en lui criant des encouragements. Quoique vacillante, elle réussissait à garder une trajectoire relativement rectiligne et la fierté qu'on lisait sur le visage de son père faisait plaisir à voir. J'aurais peut-être été un bon père. J'aurais peut-être été un repère positif dans la vie de Liam. Mais au moins, j'avais les petits-enfants, les quatre d'Ignac et celui de Liam. Et un autre sur le point d'arriver.

« Ils devraient appeler le bébé Jésus, suggéra le chauffeur.

— Pardon ?

— Votre fils et sa femme. Ils devraient l'appeler Jésus, leur enfant. Vu le jour où il est né.

— Ouais. Enfin, peut-être pas.

— J'ai dix petits-enfants, poursuivit-il. Et trois d'entre eux sont au Joy. Le meilleur endroit, pour eux. Des petits salopards, tous les trois. C'est la faute des parents. »

Je me mis à regarder mes chaussures, espérant le décourager de poursuivre la conversation. Bientôt, nous arrivâmes à l'hôpital. Une fois dans le hall, je cherchai des yeux un visage familier, et ne voyant personne, je pris mon portable et appelai Alice.

« Tu es dans l'hôpital ? demandai-je.

— Oui. Et toi, où es-tu ?

— Dans le hall. Tu veux bien descendre me chercher ?

— Tu as perdu l'usage de tes jambes ?

— Non, mais je vais me perdre dans les couloirs si j'essaie de te trouver. Je ne sais pas du tout où aller. »

Quelques minutes plus tard, les portes de l'ascenseur s'ouvrirent. Alice, très élégante dans son tailleur de Noël, me fit signe de la rejoindre. Je me penchai pour l'embrasser et un effluve de son parfum, de lavande et de rose, me parvint et me ramena instantanément à l'époque des rendez-vous, des fêtes de fiançailles, des mariages. « Tu ne vas pas t'enfuir de l'hôpital en courant avant la naissance du bébé, hein ?

— Hilarant. Elle ne s'use jamais, cette plaisanterie, on dirait.

— Pour moi, non.

— Comment ça va ? Du nouveau ?

— Pas encore. On attend.

— Il y a qui, là-haut ?

— Juste les parents de Laura.

— Où est Liam ?

— Avec Laura, bien sûr. » Les portes s'ouvrirent et nous sortîmes dans le couloir. Un bruit sur ma gauche me fit tourner la tête ; j'aperçus une femme d'une quarantaine d'années, écrasée par le chagrin, les joues couvertes de larmes, serrant contre elle deux petits enfants. Nos regards se croisèrent un instant, puis je détournai les yeux.

« Pauvre femme. Tu crois qu'elle a perdu son mari ?

— Qu'est-ce qui te fait penser ça ?

— Je ne sais pas. Ça me paraît être l'hypothèse la plus plausible.

— Peut-être bien.

— Le jour de Noël. Quelle horreur.

— Arrête de les regarder comme ça, dit Alice.

— Je ne les regarde pas.

— Si. Allez, viens, c'est par là. »

Dans un couloir presque désert, un couple de personnes de nos âges était assis dans un coin. Ils se levèrent à notre approche et je tendis la main quand Alice nous présenta.

« Cyril, tu te souviens de Peter et Ruth, n'est-ce pas ?

— Bien sûr. Joyeux Noël. Heureux de vous revoir.

— Joyeux Noël à vous, répondit Peter, un homme d'une taille colossale qui tenait à peine dans sa chemise XXL. Et que Jésus Christ notre Seigneur et Sauveur vous bénisse en ce jour historique.

— Merci. Bonjour Ruth.

— Bonjour Cyril. Cela fait longtemps. Alice parlait justement de vous.

— En mauvais termes, je suppose.

— Oh non, elle était tout à fait flatteuse.

— Ne fais pas attention, dit Alice. Je n'ai pratiquement pas parlé de toi. Et si je l'ai fait, je suis sûre que ce n'était pas en bien.

— C'est une bien belle façon d'occuper la matinée de Noël, déclarai-je en souriant tandis que nous nous asseyions. J'espérais rester chez moi devant des tartelettes aux fruits secs.

— Je ne les supporte pas, avoua Peter. Elles me donnent des gaz terribles.

— C'est dommage.

— Même si je dois reconnaître que j'en ai avalé quatre avant de quitter la maison tout à l'heure.

— Ah bon, fis-je en m'écartant un peu.

— Je mets les tartelettes sous clé, signala Ruth avec un sourire. Mais il arrive toujours à les trouver. On dirait un cochon truffier !

— Peut-être qu'il vaudrait mieux ne pas en acheter du tout, suggérai-je. Comme ça, il n'y aurait aucun risque.

— Oh non, ce ne serait pas gentil pour Peter !

— Ah bon, répétai-je en jetant un coup d'œil à ma montre.

— Si vous avez besoin d'une messe, dit Peter, il y en a une à la chapelle à 11 heures.

— Non, merci, ça va aller.

— L'office est très beau, ici. Ils y mettent beaucoup de cœur, parce que c'est le dernier pour un grand nombre de patients.

— Nous sommes allés à la messe hier soir, indiqua Ruth. De ce côté-là, nous sommes à jour. Je n'aurais pas pu reporter à aujourd'hui.

— Pour tout dire, je ne vais pas à l'église assidûment. Ne le prenez pas mal.

— Oh. » Elle eut un mouvement de recul et fit la moue.

« Je vous avoue que je n'ai pas mis les pieds dans une église depuis qu'Alice et moi nous sommes mariés.

— Eh bien, il n'y a pas de quoi se vanter, remarqua Peter. Aucune fierté à en tirer.

— Je ne me vantais pas, je vous informais, c'est tout.

— Si tu avais su que c'était la dernière fois que tu allais dans une église, tu en aurais profité au maximum, hein, Cyril ? persifla Alice en me souriant et je lui rendis son sourire.

— Peut-être.

— Où vous êtes-vous mariés ? demanda Ruth.

— À Ranelagh, dit Alice.
— La journée était-elle belle ?
— La matinée était splendide. Ça s'est dégradé un peu, après.
— Enfin, le plus important, c'est la cérémonie. Et où avez-vous donné la réception ?
— Au Shelbourne. Et vous ?
— Au Gresham.
— C'est beau.
— Ne parlons plus de religion, déclarai-je. Ni de mariages.
— D'accord, fit Ruth. De quoi allons-nous parler, alors ?
— De ce que vous voulez.
— Je ne vois pas, reprit-elle avec angoisse.
— Tu crois que je devrais montrer mon éruption de boutons pendant que je suis ici ? interrogea Peter.
— Pardon ? fis-je.
— J'ai plein de boutons sur mon innommable, dit Peter. Il y a un tas de médecins ici. Peut-être que je devrais demander à l'un d'eux d'y jeter un œil.
— Pas aujourd'hui, répondit Ruth.
— Ça empire.
— Pas aujourd'hui ! répéta-t-elle, plus sèchement. Peter et son innommable ! Une source d'éternelles souffrances.
— Finalement, il n'a pas neigé, tentai-je, essayant désespérément de changer de sujet de conversation.
— À votre place, je ne croirais pas les prévisionnistes de la météo. Comme tous les types de la télé, ils ne roulent que pour eux.
— Ah bon.
— Il vous a fallu du temps pour arriver jusqu'ici ? demanda Ruth en me regardant.
— Pas tellement, non. Les rues étaient désertes. Il n'y a pas beaucoup de monde dehors, le matin de Noël. Avons-nous des nouvelles récentes ?
— Pas récentes, non. Mais cela fait quelques heures que le travail a commencé, alors je suppose que bientôt nous en saurons plus. C'est excitant, vous ne trouvez pas ? Un autre petit-enfant.
— Oui, je suis très impatient. Combien en avez-vous maintenant ?
— Onze, dit Ruth.

— C'est beaucoup.

— Eh bien, nous avons six enfants. Peter en aurait volontiers eu plus si je l'avais laissé faire. Mais j'ai dit non. J'ai fermé boutique après Diarmaid.

— C'est bien vrai. Elle a baissé le rideau de fer et elle ne l'a jamais remonté depuis.

— Arrête, Peter.

— Elle aurait aussi bien pu accrocher un panneau devant son innommable avec la mention : *Partie déjeuner. Ne reviendrai jamais*.

— Peter ! Vous ne trouvez pas que la peinture est d'une drôle de couleur ? demanda Alice en regardant autour d'elle.

— Qui a chanté cette chanson intitulée "Unchained Melody" ? interrogeai-je.

— Cyril et moi allons peut-être essayer d'aller en France cet été, annonça Alice.

— J'ai une douleur persistante dans mon genou gauche qui n'a pas l'air de s'atténuer, fis-je.

— J'ai toujours voulu une grande famille, poursuivit Peter en haussant les épaules, ignorant nos efforts désespérés pour parler d'autre chose que de leurs parties intimes.

— Six, c'était beaucoup, insista Ruth.

— Six, c'est plus que beaucoup, approuva Alice. J'ai trouvé qu'un seul, c'était déjà assez difficile.

— En même temps, nous étions deux pour nous en occuper, souligna Peter. Vous n'avez pas eu droit à ce luxe, n'est-ce pas, Alice ?

— Non, fit-elle après une courte hésitation, se demandant peut-être si elle devrait me défendre devant des étrangers. Mais l'oncle de Liam était très présent. Il m'a beaucoup aidée les premières années. »

Je la fusillai du regard. Nous aimions bien nous taquiner, mais nos plaisanteries impliquaient rarement Julian, voire jamais.

« Liam et vous êtes très proches, n'est-ce pas ? me dit Ruth.

— Oui, nous nous entendons bien.

— Le pauvre garçon a besoin d'une figure paternelle forte, d'après ce que j'ai compris.

— Que voulez-vous dire ?

— Eh bien, après ce que son père biologique a fait. Alice a eu de la chance de rencontrer un vrai homme, pour finir.

— Ah, fis-je.
— Je préfère les hommes vraiment masculins, pas vous Alice ?
— Oui, dit Alice.
— Moi aussi, lançai-je.
— Il faut en avoir, pour accepter l'enfant d'un autre homme, dit Peter en claquant une main sur son genou. Surtout le fils d'un homosexuel gay. Ne le prenez pas mal, Alice. Je parlais de votre ex-mari. Non, je vous admire, Cyril. Vraiment. Je ne crois pas que j'aurais pu faire ce que vous avez fait.
— Je ne le prends pas mal, soutint Alice, avec un sourire fendu d'une oreille à l'autre.
— Finalement, c'est bien que Liam ne s'avère pas être comme son père, continua Peter. Vous croyez que ce genre de choses, c'est dans les familles ?
— Les cheveux roux, ça l'est, fit Ruth. Alors, c'est une possibilité.
— Tu leur dis ou je leur dis ? marmonnai-je, me tournant vers Alice.
— Oh, je crois qu'on ne devrait rien dire, ni toi ni moi. Écoutons la suite. Je m'amuse bien.
— Qu'est-ce qu'il y a ? demanda Ruth.
— Alice nous a dit que vous étiez un merveilleux violoniste, dit Peter. Moi, je joue de l'ukulélé. Vous en avez déjà joué ?
— Non, avouai-je. Ni du violon, d'ailleurs.
— Oh, Alice, je croyais. Serait-ce le violoncelle, alors ?
— Non, c'est bien le violon, corrigea Alice. Mais vous parlez de mon mari, Cyril, qui est musicien à l'orchestre symphonique de la RTÉ. Ce n'est pas lui. Ici, c'est Cyril, mon ex-mari. Vous ne vous souvenez pas de lui ? Je croyais que vous l'aviez compris. Enfin, quelques années ont passé.
— Cyril I, déclarai-je pour clarifier les choses. Où est Cyril II, d'ailleurs ? demandai-je à Alice.
— Ne l'appelle pas comme ça. Il est à la maison, il commence les préparatifs pour le déjeuner.
— Un travail de femme, lançai-je. Je préfère les hommes vraiment masculins.
— La ferme, Cyril.
— Je suis toujours invité ?
— Si tu promets de ne pas t'enfuir avant qu'on serve le repas.

— Attendez voir, reprit Peter en nous regardant l'un après l'autre. C'est votre ex-mari, c'est ça ?

— Exact. L'homosexuel gay.

— Oh, mais vous auriez dû nous prévenir ! s'étonna Ruth. Nous n'aurions jamais dit des choses pareilles si nous avions su que c'était vous, l'homosexuel gay. Nous pensions que vous étiez le deuxième mari d'Alice. Vous vous ressemblez beaucoup, tous les deux.

— Ils ne se ressemblent pas du tout ! s'écria Alice. Cyril II est bien plus jeune, déjà, et beaucoup plus beau.

— Et totalement hétérosexuel, ajoutai-je.

— Eh bien, il ne nous reste plus qu'à nous excuser. Nous ne lancerions jamais à quelqu'un des choses pareilles en pleine figure, n'est-ce pas Peter ?

— Non, bien sûr que non. Sans rancune, hein. On oublie tout.

— D'accord, dis-je.

— Bien sûr, j'aurais dû comprendre, fit Ruth en éclatant de rire. Maintenant que je regarde ce pull-over que vous portez, je suppose que j'aurais dû deviner.

— Merci, dis-je en examinant mes vêtements, sans trop comprendre le lien entre mon pull et ma sexualité. On se croirait à Noël, avec tous ces compliments. Oh, mais nous sommes le jour de Noël.

— Vous travaillez au Dáil, je ne me trompe pas ? demanda Ruth.

— C'est exact. À la bibliothèque.

— Ça doit être tout à fait intéressant. Est-ce qu'il vous arrive de voir des TD ou des ministres ?

— Oui, bien sûr. C'est leur lieu de travail, après tout. Je les vois, le plus souvent, en train d'errer dans les couloirs à la recherche de compagnons de boisson.

— Et Bertie ? Est-ce qu'il vous arrive de le voir ?

— Oui, assez souvent.

— Comment est-il ?

— Eh bien, je ne le connais pas vraiment. On se dit bonjour, rien de plus. Mais il semble très gentil. J'ai bu un verre au bar avec lui deux ou trois fois ; il n'est jamais à court de sujets de conversation.

— J'adore Bertie, confia Ruth, en posant une main sur sa poitrine comme si elle cherchait à contrôler ses palpitations.

— Ah bon ?

— Oui. Ça m'est complètement égal qu'il soit divorcé.

— Vous êtes bien gentille.

— Je dis toujours qu'il est bel homme. Je le répète tout le temps, hein, Peter.

— *Ad nauseam* », confirma son mari. Il se pencha et ramassa le livre qu'il avait posé sur la table entre nous, le dernier roman de John Grisham. Je me demandai s'il projetait de reprendre sa lecture. « Vous devriez l'entendre, Cyril. Toute la journée, c'est Bertie par-ci, Bertie par-là. Elle s'enfuirait avec Bertie, si elle pouvait. Chaque fois qu'elle le voit à la télévision, on dirait une adolescente à un concert des Boyzone.

— Oh, ne sois pas ridicule. Bertie est beaucoup plus beau que ces garçons. Le truc, Cyril, c'est que Peter n'aime pas les hommes politiques. Fianna Fáil. Fine Gael. Labour. Du pareil au même, pour Peter. Tous des escrocs.

— Des ordures, confirma Peter.

— Vous allez peut-être un peu loin, dis-je.

— Non, pas assez loin, tonna-t-il. Je les pendrais tous haut et court si je pouvais. Il ne vous prend jamais l'envie d'apporter une mitraillette au travail et de canarder tous ces hommes politiques ? »

Je le dévisageai, me demandant s'il plaisantait ou pas. « Non. Jamais. L'idée ne m'a pas traversé l'esprit, je vous le garantis.

— Eh bien, vous devriez y penser. C'est ce que je ferais, moi, si je travaillais là-bas.

— Cyril doit être en train de mettre la dinde au four, à l'heure qu'il est, dit Alice.

— Cyril II, fis-je pour clarifier les choses.

— Ne l'appelle pas comme ça.

— Nous allons chez notre fils aîné pour dîner, déclara Ruth. Joseph. Il travaille pour une entreprise de dessins d'animation, incroyable non ? Enfin ça nous est égal. Il faut de tout pour faire un monde. Mais ses pommes de terre au four sont délicieuses, n'est-ce pas, Peter ? Il n'est pas encore marié, alors qu'il a trente-cinq ans. Je crois qu'il est très spécial. »

Son mari la regarda et fronça les sourcils, on aurait dit que c'était un problème qui méritait une réflexion approfondie. « Ses pommes de terre sont dignes d'un chef étoilé du Michelin. Je ne sais pas quel est son secret. Il ne vient pas de moi, ça c'est sûr.

— La graisse d'oie, glissa Alice. Voilà l'ingrédient magique.

— Peter ne serait même pas capable de cuire un œuf, dit Ruth.

— Je n'ai jamais eu à le faire, se défendit-il. Tu étais là. »

Tournée vers Alice, Ruth leva les yeux au ciel comme pour dire : « Ah les hommes ! » Mais Alice refusa d'entrer dans son jeu et jeta un coup d'œil à sa montre. Il était presque midi.

« Vous pouvez être fiers de votre fille, dis-je en changeant de sujet. C'est une mère formidable pour le petit George.

— Nous l'avons bien élevée, oui. »

Une porte sur notre droite s'ouvrit sur une infirmière. Nous tournâmes tous la tête, prêts à l'écouter, mais elle s'éloigna et partit vers le poste des infirmières, où elle laissa échapper un bâillement avant de s'affaler pour feuilleter un exemplaire du *RTÉ Guide*.

« Je me demande ce qui peut conduire un homme à devenir gynécologue », dit Peter d'une voix pensive. Ruth lui lança un regard menaçant.

« Tais-toi, Peter.

— Quand même. Le gynécologue de Laura est un homme et je trouve que c'est un drôle de métier. Examiner des innommables toute la journée. Un garçon de quatorze ans pourrait trouver que c'est amusant, mais moi... Je n'ai jamais été très enthousiaste à l'idée de regarder les innommables des femmes.

— Vous êtes psychiatre, Alice ou je me trompe ? demanda Ruth.

— Pas du tout. Qu'est-ce qui vous fait croire ça ?

— Mais vous êtes bien docteur ?

— Oui, mais docteur en lettres. J'enseigne la littérature à Trinity College. Je ne suis pas docteur en médecine.

— Oh, je croyais que vous étiez psychiatre.

— Non, répondit Alice en secouant la tête.

— J'ai envisagé à un moment la cardiologie, signala Peter. Comme spécialisation.

— Oh, vous êtes médecin ? lui demandai-je.

— Non, fit-il le sourcil froncé. Je suis dans le bâtiment. Qu'est-ce qui vous fait penser une chose pareille ? »

Je le dévisageai. Je n'avais pas de réponse à sa question.

« Peter et moi, nous nous sommes rencontrés dans un hôpital, en fait, expliqua Ruth. Pas l'endroit le plus romantique du monde, j'imagine. Il était brancardier et moi je venais pour me faire enlever l'appendice.

— Je l'ai descendue au bloc opératoire. Et en la regardant, couchée sous le drap, je me suis dit qu'il y avait quelque chose de très séduisant chez elle. Une fois qu'ils l'ont endormie, je suis resté pour assister à l'opération. Quand ils ont retiré le drap, j'ai regardé son corps et j'ai pensé : C'est la femme que je vais épouser.

— Ah bon, dis-je, en me répétant de surtout ne pas me tourner vers Alice, au cas où son expression me donnerait envie de rire.

— Et vous deux ? demanda Ruth – et là, nous échangeâmes un regard. Comment vous êtes-vous rencontrés ?

— Nous nous connaissions depuis tout petits.

— Pas tout à fait, rectifia Alice. Nous nous sommes vus quand nous étions enfants. Une fois. Je me suis enfuie en hurlant de la maison de Cyril. Et ce jour-là, nous n'avons pas vraiment fait connaissance. Cyril m'a aperçue, c'est tout.

— Mais pourquoi ? Il avait fait quelque chose qui vous avait contrariée ? s'enquit Peter.

— Non. Sa mère m'avait fait peur. C'est la seule fois que je l'ai vue, et c'est bien malheureux, car elle a fini par devenir mon sujet d'études préféré. La mère de Cyril était une romancière brillante, voyez-vous.

— Ma mère adoptive, corrigeai-je.

— Enfin, nous nous sommes revus un peu après, nous étions plus âgés.

— Le frère d'Alice était un de mes amis, dis-je prudemment.

— S'agit-il du frère qui vous a aidée avec Liam ? demanda-t-elle.

— Oui, je n'avais qu'un frère.

— C'est lui qui est mort aux États-Unis, c'est ça ? » Alice se tourna vers Peter et acquiesça sobrement. À l'évidence, il connaissait toute l'histoire.

« Grands dieux, vous n'avez pas eu la vie facile, dites-moi, fit-il. Vous l'avez pris des deux côtés.

— Pris quoi ? demanda Alice froidement.

— Eh bien, vous savez, votre frère et votre... » Il me désigna d'un mouvement du menton. « Votre mari. Votre ex-mari, pardon.

— Pris quoi ? répéta-t-elle. Je ne comprends pas ce que vous voulez dire.

— Ne faites pas attention à Peter, insista Ruth en tendant le bras pour poser sa main sur celle d'Alice, dans un geste qui tenait autant de la caresse que de la tape. Il parle sans réfléchir.

— Me voilà mal parti, à nouveau. » Peter me regarda avec un sourire. Je commençai à me demander s'il essayait d'être insultant ou s'il était idiot, tout simplement. Il y eut un autre silence interminable. Je jetai un coup d'œil à son livre.

« Comment est-il ? fis-je en désignant le roman de John Grisham.

— Pas mal. Les gens comme vous lisent beaucoup, c'est ça ?

— Les gens comme moi ?

— Les gens comme vous.

— Vous voulez dire, les Irlandais ? Pardon, je croyais que vous étiez irlandais aussi.

— Je le suis, dit-il d'un air ahuri.

— Ah d'accord. Vous vouliez parler des homosexuels gays ?

— N'est-ce pas affreux de voir comment ce mot a été récupéré pour servir les arrière-pensées des progressistes ? demanda Ruth. C'est de la faute de Boy George.

— Oui, confirma Peter. C'est ce que je voulais dire.

— D'accord. Eh bien, je suppose que certains lisent, d'autres non. Comme tout le monde.

— Allez, fit Peter en se penchant vers moi avec un grand sourire. Bertie ou John Major ? Lequel préféreriez-vous comme petit ami ? Ou alors Clinton ? Je parie que ça serait Clinton ! J'ai raison, hein ?

— Je ne cherche pas de petit ami. Et si c'était le cas, ce ne serait aucun de ces hommes-là.

— Ça me fait toujours rire quand j'entends des hommes utiliser ce mot, souffla Ruth, et joignant le geste à la parole, elle éclata de rire. Petit ami !

— Ça va être quelque chose de nouveau pour vous, reprit Peter. Un bébé, je veux dire.

— Oui.

— La famille traditionnelle.

— Si on veut, dis-je.

— Ah, vous savez bien, renchérit Peter. Une maman, un papa et quelques enfants. Écoutez, Cyril, ne vous méprenez pas, je n'ai rien contre les gens comme vous. Je n'ai aucun préjugé.

— C'est vrai, ajouta Ruth. Il n'en a jamais eu. Il avait déjà une ribambelle de nègres qui travaillaient pour lui dans les années 1980, avant que ce soit la mode. Et il les payait presque autant que les travailleurs irlandais. Nous en avons même eu un chez nous, une fois. » Elle se pencha en avant et baissa la voix. « À dîner. Ça ne m'a pas dérangée.

— C'est vrai, confirma Peter avec fierté. Je suis l'ami de tout le monde, noir, blanc ou jaune, gay, hétéro ou homo. Vivre et laisser vivre, voilà ma devise. Même si je dois admettre que les gars comme vous me déconcertent.

— Pourquoi donc ?

— C'est difficile à expliquer. Je n'ai jamais compris comment vous pouvez faire les choses que vous faites. Je ne pourrais pas.

— Mais personne ne voudrait que vous les fassiez, dis-je.

— Oh, je ne dirais pas ça, intervint Alice en me plantant un index dans les côtes. Peter est séduisant pour son âge. À mon avis, ils se battraient à sa porte. Vous ressemblez à Bertie Ahern, je trouve.

— Il ne ressemble pas du tout à Bertie, regretta Ruth d'un air mélancolique.

— Merci Alice, dit Peter, en se rengorgeant.

— Vous n'avez pas d'enfants gay, donc ? » demandai-je. Ils se redressèrent d'un bond, choqués, tous les deux, comme si j'avais sorti un bâton et que je m'étais mis à taper furieusement sur l'un des deux.

« Noooon, dirent-ils d'une même voix.

— Ça ne serait pas notre genre, ajouta Ruth.

— Qu'est-ce qui serait votre genre ?

— Je n'ai pas été élevée de cette manière. Ni Peter.

— Mais votre fils Joseph fait de délicieuses pommes au four, c'est ça ?

— Quel est le rapport ?

— Rien, je disais ça comme ça. Je commence à avoir faim, c'est tout.

— Puis-je vous demander, poursuivit Ruth. Est-ce que vous avez un… comment dites-vous… un partenaire ? »

Je secouai la tête. « Non. Je n'en ai pas.

— Vous avez toujours été seul ?

— Non. Il y a eu quelqu'un. Autrefois. Il y a longtemps. Mais il est décédé.

— Ça ne vous ennuie pas que je vous demande… ? C'était le sida ? »

Je levai les yeux au ciel. « Non. Il a été assassiné.

— Assassiné ? répéta Peter.

— Oui. Par un groupe de voyous.

— C'est encore pire, c'est sûr.

— Vraiment ? fit Alice. Comment donc ?

— Eh bien, peut-être que ce n'est pas pire, mais quand on se fait assassiner, on ne l'a pas cherché.

— Quand on attrape le sida, on ne l'a pas cherché non plus, dis-je.

— Eh bien, personne ne demande spécifiquement à l'attraper, mais quand on roule du mauvais côté de la chaussée, faut s'attendre à se faire renverser, non ?

— Non, vous avez complètement tort, trancha Alice d'un ton sec. Et si vous me permettez, ce que vous dites témoigne d'une grande ignorance.

— Je le permets volontiers, Alice, fit Peter. Dites ce que vous voulez et je ferai pareil. Comme ça, nous resterons amis.

— Ce sont des attitudes comme la vôtre qui provoquent tant de mal dans le monde, ajouta-t-elle.

— Nous pourrions toujours manger à la cantine de l'hôpital, je suppose, l'interrompit Ruth.

— Quoi ?

— Si nous avons faim. Nous pourrions manger à la cantine.

— La nourriture doit être encore pire que l'horreur qu'ils servent aux patients, maugréa Peter. On ferait mieux d'aller chez Joseph, déjeuner là-bas, et revenir quand on nous appellera, non ? On devrait manger ses pommes au four tout de suite. Et tu sais qu'il voulait qu'on regarde tous ensemble *La Mélodie du bonheur* cet après-midi. C'est le film préféré de Steven.

— Qui est Steven ? demandai-je.

— Son colocataire, répondit Peter. Ils sont très amis. Cela fait des années qu'ils partagent un appartement.

— Ah bon, fis-je.

— Non, ce n'est pas une bonne idée, protesta Ruth. Tu ne pourrais plus conduire, pour commencer.

— Pourquoi donc ?

— Je te connais, Peter Richmond. Tu attaqueras au vin rouge et on ne pourra plus t'en décoller. Ce sera impossible d'obtenir quoi que ce soit de sensé de ta part et il n'y aura pas un seul taxi dans les rues, cet après-midi. Ils seront tous chez eux avec leur famille. » Elle marqua une courte pause puis posa un doigt sur sa bouche. « Ça doit être terrible, de se faire assassiner, dit-elle en se tournant vers moi. Je détesterais ça. »

La porte s'ouvrit à nouveau et Liam apparut, dans une tenue bleue identique à celle que portait l'infirmière. Il se tourna vers nous, nous vit tous là, en train d'attendre. Nous nous levâmes comme un seul homme. Il sourit et tendit les bras.

« Je suis papa ! À nouveau ! »

Nous applaudîmes et l'enlaçâmes. Je fus ému lorsqu'il passa ses bras autour de mon cou et me serra très, très fort. Il s'écarta, me regarda droit dans les yeux et sourit.

« Comment va Laura ? demanda Ruth, anxieuse. Est-ce qu'elle va bien ?

— Parfaitement bien. Ils vont la remonter dans sa chambre d'ici une demi-heure et vous pourrez la voir.

— Et le bébé ? l'interrogea Alice.

— Un petit garçon.

— La prochaine fois, il faudra essayer de faire une fille, dit Ruth.

— Doucement, fit Liam. Laissez-nous souffler.

— Est-ce que je peux le voir ? demandai-je enfin. J'adorerais prendre mon petit-fils dans mes bras. »

Liam leva les yeux et me fit un sourire où se lisait tout le bonheur du monde. « Bien sûr que tu peux, papa. Bien sûr. »

Julian II

Les parents de Laura furent les premiers à partir, impatients de savourer les pommes de terre au four de Joseph et les commentaires enthousiastes de Steven sur *La Mélodie du bonheur*. Alice s'en alla peu de temps après ; je lui dis que je restais un peu avec Liam et que je prendrais un taxi pour les rejoindre à Dartmouth Square. J'y serais avant que Cyril II ne commence à découper la dinde.

« Tu ne vas pas nous poser un lapin, n'est-ce pas ? demanda-t-elle, en me regardant droit dans les yeux avec la froideur d'un tueur professionnel.

— Pourquoi est-ce que je ferais une chose pareille ?

— Tu n'es pas novice en la matière, Cyril.

— Tu es injuste. Je viens toujours. Disons que je ne reste pas toujours jusqu'à la fin.

— Cyril…

— Alice, je serai là. Je te le promets.

— Tu as intérêt. Parce que si tu ne viens pas, Ignac, Rebecca et les enfants seront très déçus. Et moi aussi. C'est Noël. Je ne veux pas que tu te terres à Ballsbridge tout seul. Toute la famille devrait être réunie. Et j'ai acheté une énorme boîte de Quality Street.

— Eh bien, voilà l'argument décisif.

— Et des Pringles à toutes sortes de goûts.

— Je déteste les Pringles.

— Et je prévois d'organiser une partie de *Qui veut gagner des millions ?* dans l'après-midi. J'ai même acheté un livre.

— Je viendrai quand même. Tant que je peux être le maître de jeu.

— Non, Cyril II veut être le maître de jeu.

— Ne l'appelle pas comme ça.

— Oh, la ferme, Cyril.

— J'ai juste envie de passer un peu plus de temps avec Liam, c'est tout. Et ce serait bien, pour ton jeune homme et toi, que vous ayez une heure ensemble avant que j'arrive. Vous pourrez vous embrasser et faire tous ces trucs cochons d'hétéros.

— Oh, pour l'amour du ciel !

— Tu pourras astiquer son instrument.

— Cyril !

— Tendre son archet.

— Dans une seconde, tu vas prendre mon poing dans la figure.

— Au fait, j'ai envisagé de me bourrer la gueule ce soir et de rester dormir. J'espère que ça ne pose pas de problème.

— Si ça ne t'ennuie pas de dormir dans ton ancienne chambre d'enfant et d'entendre ton ex-femme s'envoyer en l'air avec un homme qui a cinq ans de moins que toi pendant que cinq petits enfants hurlent à pleins poumons, eh bien, ça ne me pose aucun problème.

— Ça fait envie. Je serai là à 16 heures. Promis. »

Je passai encore une demi-heure avec mon fils et sa femme, et avant de partir, j'emmenai Liam à la cafétéria de l'hôpital. Nous prîmes deux bières et bûmes à la santé du dernier arrivé dans notre famille si peu conventionnelle.

« C'était très gentil de ta part », dis-je, étreint par l'émotion. J'étais à nouveau grand-père, nous étions le jour de Noël, et je me réjouissais de la soirée qui m'attendait. « De m'inviter le premier à voir le bébé. Je ne suis pas sûr que je mérite ce privilège. J'aurais cru que ta mère ou les parents de Laura...

— Je me fiche de tout ça, maintenant, s'empressa-t-il de déclarer. J'ai tourné la page.

— Ça fait plaisir à entendre. Mais quand même.

— Écoute, Cyril. Papa. Peu importe, d'accord ? Je sais que je n'étais pas la personne la plus facile à vivre, quand on s'est rencontrés, la première fois, mais c'est différent aujourd'hui. Depuis ce jour-là, tu as tout fait pour que je t'aime. Malgré tous mes efforts pour te faire échouer. Et c'était assez agaçant, parce que j'étais déterminé à te haïr.

— Et moi tout aussi déterminé à t'aimer.

— Tu sais que je ne pouvais pas faire autrement, hein ? ajouta-t-il enfin.

— De quoi tu parles ?

— Son nom. Le nom de mon fils.

— Je pensais bien que tu le ferais. Je l'espérais.

— Ce n'est pas du tout contre toi.

— Je n'ai jamais pensé que c'était le cas. Ton oncle et toi aviez une relation forte, vous vous aimiez profondément. Je le respecte. Et ma relation avec lui était aussi forte que la vôtre, mais différemment. Je l'aimais aussi beaucoup. Notre relation était compliquée et je n'en suis pas sorti couvert de gloire, en même temps, lui non plus. Malgré tout, nous avons été ensemble dès le début, nous avons traversé beaucoup de choses ensemble et nous étions ensemble à la fin. »

À ma grande surprise, Liam enfouit son visage dans ses mains et se mit à pleurer.

« Qu'est-ce qu'il y a ? Qu'est-ce qui ne va pas ?

— Il me manque encore tellement. Si seulement il était là. »

Je hochai la tête. Et au fond de moi, je m'autorisai à ressentir un peu d'envie, sachant que mon fils ne m'aimerait jamais autant qu'il avait aimé Julian.

« Est-ce qu'il a parlé de moi ? Quand il était mourant. Est-ce qu'il a dit mon nom ? »

Je sentis mes yeux se remplir de larmes. « Tu en doutes ? Liam, tu étais le fils qu'il n'a jamais eu. Il parlait de toi tout le temps, à la fin. Il aurait voulu que tu sois là mais il refusait que tu le voies comme ça. Il t'aimait tant. Tu étais la personne la plus importante de sa vie. »

Il leva sa bouteille. « À Julian », fit-il en souriant.

Il me fallut quelques instants, mais je levai la mienne aussi. « À Julian », murmurai-je.

Et jusqu'à ce jour, je ne sais pas à quel Julian nous portions ce toast, à l'oncle adoré de Liam ou à son fils nouveau-né.

Une sœur rédemptoriste bossue

En descendant au rez-de-chaussée, j'entendis mon portable sonner. Je jetai un coup d'œil à l'écran et découvris sans surprise le nom du correspondant. Alice.

« Tu as une heure, dit-elle sans préambule dès que je décrochai.

— Je pars maintenant.

— Dans une heure, je ferme les portes à clé.

— Je sors de l'hôpital en ce moment même.

— Les jumeaux ne cessent de demander où tu es.

— Quels jumeaux ?

— Les quatre.

— Impossible. Deux d'entre eux sont des bébés. Ils ne parlent pas, ils peuvent encore moins s'interroger sur mon absence.

— Arrive, m'ordonna Alice. Et arrête de m'embêter.

— Comment va Cyril II ? Est-ce qu'il résiste à la pression de devoir cuisiner pour autant de monde ?

— Plus que cinquante-huit minutes.

— Je suis en route. »

Je raccrochai et me dirigeais vers la sortie quand je fus arrêté par un bruit de sanglots provenant d'une pièce sur ma gauche. Je jetai un coup d'œil vers les portes entrouvertes de la chapelle. Ce lieu semblait si différent du reste de l'hôpital – le blanc clinique des murs avait été remplacé par une teinte plus chaleureuse, plus accueillante – que j'eus envie d'aller voir.

Il n'y avait qu'une seule personne à l'intérieur, une femme âgée assise au bout d'une rangée, au milieu de la chapelle. On entendait une musique classique en sourdine, un morceau qu'il me sembla reconnaître, et la porte de l'un des confessionnaux était ouverte. Je regardai la femme quelques instants, sans trop savoir si je devais la laisser à son chagrin ou lui proposer mon aide. Finalement, mes pieds prirent la décision à ma place et lorsque je m'approchai, j'écarquillai les yeux en la reconnaissant.

« Mrs Goggin. C'est bien vous, Mrs Goggin ? »

Elle me regarda comme si elle se réveillait tout juste d'un rêve et me fixa le visage très pâle. « Kenneth ?

— Non, je suis Cyril Avery, Mrs Goggin. De la bibliothèque du Dáil.

— Oh... Cyril. » Elle hocha la tête et mit sa main sur sa poitrine comme si elle craignait d'avoir une crise cardiaque. « Bien sûr, je suis désolée. Je vous ai pris pour quelqu'un d'autre. Comment allez-vous, mon cher ?

— Je vais bien. Cela fait des années que je ne vous ai pas vue.

— Tant que ça ?

— Oui, la dernière fois, c'était à la fête de votre départ à la retraite.

— Ah oui, dit-elle doucement.

— Mais qu'est-ce qui se passe ? Vous allez bien ?

— Non, répondit-elle. Pas vraiment.

— Est-ce que je peux faire quelque chose pour vous ? »

Elle haussa les épaules. « Je ne crois pas. Mais merci quand même. »

Je jetai un coup d'œil autour de nous, espérant qu'un membre de sa famille passe par là et vienne nous rejoindre, mais la chapelle était silencieuse et les portes s'étaient refermées derrière moi.

« Cela vous ennuie si je m'assois quelques minutes ? »

Il lui fallut un long moment pour décider, mais finalement, elle me fit signe que non, et glissa sur le banc pour me faire une place.

« Que s'est-il passé, Mrs Goggin ? Qu'est-ce qui vous met dans cet état ?

— Mon fils est mort.

— Oh non… Jonathan ?

— Il y a quelques heures. Depuis, je suis assise ici.

— Mrs Goggin, je suis tellement désolé.

— Nous savions que ça allait arriver, me dit-elle en soupirant. Mais ça ne rend pas les choses plus faciles.

— Il était malade depuis longtemps ? » Je tendis le bras et pris sa main dans la mienne. Sa peau semblait fine comme du papier bible et ses doigts étaient parcourus de veines bleu foncé.

« De manière irrégulière. Il avait un cancer, voyez-vous. Ça a commencé il y a quinze ans, mais il l'a vaincu. Malheureusement, la maladie est revenue en fin d'année dernière. Il y a six mois, les médecins nous ont dit qu'ils ne pouvaient plus rien faire pour lui. Et ça s'est passé aujourd'hui.

— J'espère qu'il n'a pas trop souffert.

— Si. Mais il a été très endurant. C'est ceux qui restent qui vont devoir souffrir maintenant.

— Voulez-vous que je vous laisse seule, ou y a-t-il quelqu'un que je puisse appeler pour vous ? »

Elle réfléchit et tamponna les coins de ses yeux avec son mouchoir. « Non, dit-elle. Vous pouvez rester un peu ? Si ça ne vous ennuie pas…

— Ça ne m'ennuie pas du tout.

— Vous n'êtes pas attendu quelque part ?

— Si. Ce n'est pas grave si j'arrive quelques minutes en retard. Mais il n'y a personne de votre famille pour prendre soin de vous ? Vous n'êtes pas seule au monde, quand même ?

— Je n'ai pas besoin qu'on s'occupe de moi, déclara t-elle d'un air de défi. J'ai beau avoir un certain âge, vous n'avez pas idée de la force que peut déployer ce corps.

— Je n'ai aucun doute. Vous ne rentrez pas pour trouver une maison vide, dites-moi ?

— Non, ma belle-fille était ici tout à l'heure avec mes petits-enfants. Ils sont rentrés maintenant. Je vais les rejoindre d'ici peu.

— Très bien, dis-je, en me souvenant de la femme et des deux petites filles que j'avais vues s'étreindre à mon arrivée à l'hôpital. Je crois que je les ai aperçues dans le couloir en haut, il y a quelques heures.

— Peut-être bien. Elles ont passé la nuit ici. Enfin, nous étions toutes là. Quelle veillée de Noël épouvantable pour ces enfants ! Elles auraient dû la passer à attendre le Père Noël, pas à assister à la mort de leur père.

— Je ne sais pas quoi vous dire. » Je laissai mon regard errer vers la grande croix en bois accrochée au mur, d'où le Christ crucifié nous contemplait, le regard plein de miséricorde. « Vous êtes croyante ? Trouvez-vous au moins un semblant de paix dans la religion ?

— Pas vraiment. J'ai une vague relation avec Dieu, mais j'ai eu des moments difficiles avec l'Église quand j'étais jeune. Pourquoi, vous êtes croyant, vous ? »

Je secouai la tête. « Pas du tout.

— Je ne sais même pas pourquoi je suis venue ici, à vrai dire. Je passais devant la chapelle, et l'endroit avait l'air paisible. J'avais besoin de m'asseoir quelque part, voilà tout. L'Église ne m'a jamais bien traitée. Pour moi, l'Église catholique était aussi proche de Dieu qu'un poisson d'une bicyclette. »

Je souris. « Je suis tout à fait d'accord.

— Je n'entre pas souvent dans les églises. Sauf pour les mariages, les baptêmes et les enterrements. Il y a plus de cinquante ans, un curé m'a attrapée par les cheveux et m'a jetée dehors, et depuis, je n'ai pas eu beaucoup de temps à leur consacrer. Mais j'aurais dû vous demander pourquoi vous êtes ici, dit-elle soudain en se tournant vers moi. Quelque chose doit clocher si vous vous trouvez dans un hôpital le jour de Noël.

— Non, rien de grave. Mon fils et sa femme ont eu un bébé, un garçon. Je suis venu le voir, c'est tout.

— Eh bien, voilà une bonne nouvelle, fit-elle avec un petit sourire forcé. Est-ce qu'ils savent déjà comment ils vont l'appeler ?

— Oui. Julian.

— C'est inhabituel, nota-t-elle, songeuse. On n'en voit pas beaucoup ces temps-ci. Ça me fait penser à des empereurs romains. Ou au *Club des Cinq*. L'un d'eux s'appelait Julian, n'est-ce pas ?

— Je crois, oui. Je n'ai pas lu ces livres depuis longtemps.

— Et comment ça va, au Dáil ?

— Oh, vous n'allez pas vous préoccuper de ça aujourd'hui, ce serait un comble.

— Si. Juste quelques instants, ça me distraira.

— Rien n'a vraiment changé. Votre dauphine gère le salon de thé d'une main de fer.

— Tant mieux, se rejouit-elle. Je l'ai formée ainsi.

— Effectivement.

— Si on ne cadre pas fermement les TD, ils ne vous respectent pas.

— Ça vous manque ?

— Oui et non. La routine me manque. Me lever le matin, avoir un endroit où aller et des gens à qui parler. Mais le travail en lui-même ne me plaisait pas particulièrement. C'était un moyen de gagner ma vie, rien de plus.

— Je crois que c'est un peu ce que je ressens. Je n'ai pas besoin de travailler, mais je le fais quand même. Je ne suis pas impatient de prendre ma retraite.

— Ce n'est pas pour tout de suite. »

Je haussai les épaules. « Moins de dix ans. Ça passera vite. Mais ne parlons pas de moi. Est-ce que ça va aller, Mrs Goggin ?

— Oui, avec le temps, ça ira, dit-elle prudemment. J'ai perdu des gens dans ma vie. J'ai connu la violence, la bigoterie, la honte et l'amour. J'ai toujours survécu. Et j'ai Melanie et les filles. Nous sommes très proches. J'ai soixante-douze ans, Cyril. Si le paradis existe, eh bien, je pense que je reverrai Jonathan bientôt. Mais c'est difficile de perdre un enfant. Ce n'est pas dans l'ordre des choses.

— Vous avez raison.

— Pas dans l'ordre des choses, répéta-t-elle.

— Jonathan était votre seul enfant ?

— Non, j'en ai perdu un autre, il y a longtemps.

— Oh mon Dieu. Je suis désolé. Je ne savais pas.

— C'était complètement différent, affirma-t-elle en secouant la tête. Il n'est pas mort. Je l'ai abandonné. J'étais enceinte, et encore très jeune. C'était une autre époque, bien sûr. C'est la raison pour laquelle le curé m'a chassée de l'église, ajouta-t-elle avec un sourire amer.

— Ils n'ont aucune compassion, n'est-ce pas ? Ils parlent de valeurs chrétiennes, mais c'est théorique pour eux, pas du tout une manière de vivre.

— J'ai su par la suite que celui-là avait eu deux enfants avec deux femmes différentes, une à Drimoleague et une à Clonakilty. Le vieil hypocrite.

— Ce n'est pas lui qui a… ?

— Oh, mon Dieu, non ! C'était quelqu'un d'autre.

— Et l'enfant ? demandai-je. Avez-vous été tentée de le retrouver ? »

Elle secoua la tête. « Je suis l'actualité, j'ai vu des documentaires et des films. À mon avis, il me rendrait responsable de tout ce qui se serait mal passé dans sa vie et je n'ai pas la force de supporter ça. J'ai fait ce que je croyais être bien à ce moment-là et j'assume ma décision. Non, une sœur rédemptoriste bossue me l'a enlevé le jour de sa naissance et j'ai su que je ne le reverrais jamais. Avec les années, j'ai fini par trouver la paix. J'espère seulement qu'il aura été heureux, c'est tout.

— D'accord. » Je serrai sa main, puis elle me regarda et sourit.

« Nos chemins se croisent régulièrement, on dirait.

— Dublin est une petite ville.

— C'est vrai.

— Est-ce qu'il y a quelque chose que je puisse faire pour vous ?

— Non. Je vais rentrer auprès de Melanie. Et vous Cyril ? Où allez-vous pour le repas de Noël ?

— Chez mon ex-femme. Et son nouveau mari. Ils accueillent tous les vagabonds et chiens errants. »

Elle sourit et hocha la tête. « C'est formidable, que vous vous entendiez tous bien.

— Je n'aime pas l'idée de vous laisser ici seule. Voulez-vous que je reste un moment ?

— Vous savez, je crois que je préférerais avoir un peu de temps pour moi. Quand je serai prête, je me lèverai et je partirai. Je trouverai un taxi. Mais vous avez été très gentil, Cyril, de venir me dire bonjour.

— Je vous présente toutes mes condoléances, Mrs Goggin.

— J'ai été heureuse d'apprendre que vous aviez un autre petit-fils. Et contente de vous revoir, Cyril. »

Je me penchai et déposai un baiser sur sa joue. C'était la première fois que j'agissais d'une manière aussi intime avec elle. Je m'en allai et me dirigeai vers la porte. Juste avant de sortir, je jetai un coup d'œil par-dessus mon épaule et la vis assise bien droite, les yeux rivés sur la croix. Il m'apparut soudain que cette femme avait tant de force, tant de bonté… Comment un dieu pouvait-il permettre qu'elle perde un fils, et même deux ?

J'étais déjà dehors, dans le couloir, quand me revint une phrase qu'elle avait dite, qui me traversa l'esprit comme une décharge électrique. « Une sœur rédemptoriste bossue me l'a enlevé le jour de sa naissance et j'ai su que je ne le reverrais jamais. » Je m'immobilisai et me cramponnai au mur, en m'appuyant lourdement sur ma béquille de l'autre main. La gorge serrée, je me retournai et contemplai les portes de la chapelle.

« Mrs Goggin », fis-je, d'une voix forte, en entrant à nouveau. Elle se retourna brusquement et me dévisagea.

« Qu'y a-t-il, Cyril ?

— Vous souvenez-vous de la date ?

— Quelle date ?

— La date de naissance de votre fils.

— Bien sûr, dit-elle en fronçant le sourcil. C'était en octobre 1964. Le 17. C'était un…

— Non, l'interrompis-je. Pas Jonathan. Je parle de votre premier fils. Celui que vous avez abandonné. »

Elle garda le silence pendant un moment, ne me quitta pas des yeux, se demandant peut-être pourquoi diable je lui posais une question pareille. Puis elle me donna la date. Elle s'en souvenait parfaitement, bien entendu.

2008

Surfeur d'argent

Aquagym avec Alejandro

En arrivant à Heuston Station, je levai la tête vers le tableau des départs, mais je dus plisser les yeux pour distinguer le numéro du quai d'où notre train allait partir. Depuis des semaines, j'étais à la fois excité et plein d'appréhension à l'idée de ce voyage. Je n'aurais jamais imaginé que nous ferions ce périple ensemble, et maintenant que le grand jour était arrivé, je redoutais les émotions qu'il risquait de provoquer. La cherchant des yeux, j'aperçus ma mère de soixante-dix-neuf ans franchissant les portes, apparemment pleine d'énergie, à voir la vitesse à laquelle elle traînait sa valise à roulettes. Je me dirigeai vers elle, prêt à l'aider, et me penchai pour l'embrasser.

« Laisse, dit-elle en repoussant ma proposition. Je ne vais pas donner mes bagages à un homme qui se promène avec une béquille.

— Eh bien si. » Je la lui enlevai d'autorité.

Elle se laissa faire, et lorsqu'elle regarda à son tour le tableau d'affichage, je compris qu'elle y voyait plus clair que moi. « À l'heure, *a priori*. Ce qui est rare est d'autant plus merveilleux. »

Qu'elle soit si alerte était pour moi une constante source d'étonnement. Elle n'avait même pas de médecin traitant ; elle n'en avait pas besoin, arguait-elle, puisqu'elle ne tombait jamais malade.

« Si on montait dans le train ? suggérai-je. On pourrait essayer d'avoir de bonnes places.

— Je te suis. » J'avançai sur le quai, me dirigeant vers le wagon le plus éloigné, qui avait le moins de chances d'être bondé. Des groupes de jeunes, des parents avec des petits enfants montaient dans les premiers, et je voulais que nous soyons aussi loin que possible d'eux et de leur bruit.

« On dirait un vieux monsieur, Cyril, constata ma mère lorsque je lui fis part de cette observation.

— Mais je suis un vieux monsieur. J'ai soixante-trois ans.

— Tu n'es pourtant pas obligé de te comporter comme tel. J'ai soixante-dix-neuf ans et je suis allée en boîte hier soir.

— Non, je ne te crois pas !

— Eh si. Enfin, c'était un dîner dansant. Avec des amis. »

Quand je finis par trouver un wagon qui me convenait, nous montâmes et nous assîmes face à face, à une petite table, à côté d'une fenêtre.

« Ça fait du bien de se poser un peu, soupira-t-elle. Je suis debout depuis 6 heures.

— Pourquoi si tôt ?

— Je suis allée au club de sport.

— Pardon ?

— Je suis allée au club de sport. »

Je clignai des yeux, craignant d'avoir mal compris. « Tu fréquentes un club de sport ?

— Bien sûr. Pourquoi, pas toi ?

— Non.

— Ça ne m'étonne pas, dit-elle en jetant un coup d'œil à ma bedaine. Eh bien, tu devrais essayer, Cyril. Ça ne te ferait pas de mal de perdre quelques kilos.

— Depuis quand vas-tu dans ce genre d'endroit ? lui demandai-je, ignorant son commentaire.

— Oh, ça fait à peu près quatre ans. Je ne t'en ai jamais parlé ?

— Non.

— Melanie m'a inscrite pour mon anniversaire, pour mes soixante-quinze ans. J'y vais trois fois par semaine. Une fois pour le cours de vélo en salle, une fois pour une séance de cardio et une fois pour l'aquagym avec Alejandro.

— Mais c'est quoi, l'aquagym ?

— C'est un groupe de vieilles dames dans une piscine qui se dandinent le popotin sur une musique pop.

— Le popotin ? Et qui est Alejandro ?

— C'est un coach brésilien de vingt-quatre ans. Oh Cyril, il est adorable ! Quand on s'applique bien, il nous donne une récompense – il enlève son T-shirt. C'est une bonne chose qu'on soit dans l'eau, on est contentes d'être au frais.

— Mon Dieu..., dis-je, en secouant la tête, à la fois perplexe et amusé.

— La vieille a encore quelques ressources, fit-elle avec un clin d'œil.

— Je ne suis pas sûr d'avoir envie de les connaître.

— Je crois qu'Alejandro est peut-être bien homo aussi. Comme toi, ajouta-t-elle comme si j'avais oublié que je l'étais. Je pourrais te le présenter, si tu veux.

— Ce serait chouette. Je suis sûr qu'il serait enchanté d'être présenté à un bonhomme assez vieux pour être son grand-père.

— Peut-être que tu as raison. Il a probablement un copain, de toute façon. Enfin, tu pourrais toujours venir à l'aquagym et fantasmer sur lui, comme nous toutes. Le cours est destiné à toutes les personnes de plus de soixante ans.

— Maman, s'il te plaît, n'utilise pas ce mot-là. Dans ta bouche, ça donne la chair de poule. »

Elle sourit et regarda par la fenêtre. Le train commençait à s'ébranler. Nous avions deux bonnes heures de trajet jusqu'à Cork, puis une partie en bus pour Bantry, et après, j'avais prévu de trouver un taxi qui nous conduirait à Goleen.

« Alors, tu n'as rien à me raconter ?

— Pas grand-chose. J'ai acheté un nouveau vase pour le salon.

— Et tu ne le dis que maintenant ? »

Je souris. « Il est beau.

— Est-ce que tu es allé à ce rendez-vous ?

— Oui.

— Comment il s'appelait, déjà ?

— Brian.

— C'était bien ?

— Non.

— Pourquoi ? »

Je haussai les épaules. J'avais passé la soirée du jeudi précédent au Front Lounge avec un homme d'une cinquantaine d'années qui était sorti du placard seulement quelques semaines auparavant, après trente-quatre ans de mariage. Ses enfants ne lui parlaient plus et toute la soirée, il s'était lamenté, jusqu'à ce que je trouve enfin une excuse pour m'en aller. Je n'avais pas l'énergie de supporter ça.

« Il faut que tu sortes plus souvent. Que tu ailles à plus de rendez-vous.

— Ça m'arrive.

— Une fois par an.

— Une fois par an, ça me suffit. Je suis très bien comme je suis.

— Est-ce que tu fréquentes des chatrooms ?

— Pardon ?

— Des chatrooms, répéta-t-elle.

— Quels chatrooms ?

— Où les homosexuels rencontrent d'autres homosexuels. Vous vous envoyez des photos, vous expliquez le type d'homme qui vous intéresse, la tranche d'âge, et avec un peu de chance…

— C'est une blague ?

— Non, ça a beaucoup de succès chez les gays. Je suis surprise que tu n'en aies jamais entendu parler. »

Je secouai la tête. « Je crois que je vais me cantonner à l'approche traditionnelle. Mais comment connais-tu ces choses-là, toi ?

— Je suis un surfeur d'argent.

— Un quoi ?

— Un surfeur d'argent. Oh, je suis dans le coup, tu sais. Je prends des cours d'informatique au ILAC tous les vendredis après-midi, avec Christopher.

— Lui aussi, il enlève son T-shirt ?

— Oh non, dit ma mère en faisant la moue. Et j'aime autant. C'est vraiment un thon.

— Tu passes trop de temps avec tes petits-enfants.

— Maintenant que tu en parles, est-ce que je t'ai dit que Julia avait un petit ami ? » Julia était sa première petite-fille.

« Ah bon ?

— Oui. Je les ai surpris en train de se galocher dans le salon le week-end dernier. Je n'ai rien dit à sa mère mais après, je suis allée lui parler, lui expliquer de faire très attention et de ne pas soulever sa jupe trop rapidement. Une fille-mère dans la famille, ça suffit.

— C'est quoi, se galocher ?

— Oh, allez, fit-elle en levant les yeux au ciel. Mais d'où tu sors, Cyril ? Nous sommes au XXIe siècle.

— Je sais, protestai-je. J'imagine que c'est une forme de… » J'hésitai. « Une forme d'activité sexuelle, c'est ça ?

— Non, c'est seulement des baisers. Mais je suppose que ça peut mener plus loin. Les jeunes gens peuvent perdre le contrôle, et elle n'a que quinze ans. Enfin, ça a l'air d'être un gentil garçon, pour ce que j'en ai vu. Très poli. Il ressemble un peu à ces chanteurs du groupe Westlife. Si j'avais ne serait-ce que soixante ans de moins, je me laisserais bien tenter ! ajouta-t-elle dans un éclat de rire. Enfin… Comment ça va, au boulot ? Est-ce que je rate beaucoup de choses au Dáil ?

— Pas grand-chose, non. C'est plutôt calme. Je serai prêt à partir à la retraite quand le moment sera venu.

— Tu ne peux pas, protesta-t-elle en secouant la tête. Je ne le permettrai pas. Je ne suis pas assez vieille pour avoir un fils retraité.

— Il ne me reste que deux ans à faire. Après, c'est fini.

— Est-ce que tu as une idée pour la suite ? »

Je haussai les épaules. « Je voyagerai peut-être un peu. Si j'ai l'énergie. J'aimerais aller en Australie, mais je ne sais pas si je pourrai supporter le voyage, à mon âge.

— Un de mes amis des surfeurs d'argent est allé en Australie l'an dernier. Il a une fille qui habite à Perth.

— Est-ce que ça lui a plu ?

— Non, il a fait une crise cardiaque dans l'avion et a dû être renvoyé de Dubaï dans un cercueil.

— Très belle histoire. Très encourageante.

— Il n'aurait jamais dû y aller. Il avait déjà fait quatre crises cardiaques. Ça devait arriver, forcément. Mais il était super fort en tableur. Et en e-mail. Tu devrais programmer ce voyage. Et m'emmener avec toi.

— Tu veux ? Ça t'intéresserait de voir l'Australie ?

— Oui, si c'est toi qui payes, fit-elle avec un clin d'œil.

— C'est vraiment très loin.

— Les sièges de première classe sont très confortables paraît-il. »

Je souris. « Je vais y réfléchir.

— Nous pourrions visiter l'opéra de Sydney.

— Oui.

— Et monter sur le Sydney Harbour Bridge.

— Toi oui. Moi, j'ai le vertige. Et on ne me laisserait pas, avec ma béquille.

— Tu es vieux avant l'âge, Cyril. On ne te l'a jamais dit ? »

Le train entra dans Limerick Station. Un jeune couple monta et s'assit aux deux places de l'autre côté du couloir. On aurait dit qu'ils étaient au milieu d'une dispute et qu'ils s'étaient interrompus pour ne pas se faire remarquer par les autres passagers. Elle fulminait, visiblement, lui était assis, les yeux fermés, les poings serrés. Un contrôleur passa, vérifia leurs billets, et lorsqu'il disparut dans le wagon suivant, l'homme, qui devait avoir une trentaine d'années, fouilla dans son sac à dos et sortit une canette de Carlsberg. Il tira sur la languette et une goutte de mousse sauta au visage de son amie.

« T'es vraiment obligé ? demanda-t-elle.

— Pourquoi je devrais pas ? grogna-t-il en portant la cannette à ses lèvres pour en descendre une longue gorgée.

— Parce que ce serait bien si, juste une fois, tu n'étais pas bourré à 6 heures du soir.

— Tu te saoulerais aussi tous les jours si tu devais te supporter », rétorqua-t-il.

Je détournai le regard et croisai celui de ma mère, qui se mordait la lèvre pour ne pas rire.

« Et c'est interdit de fumer, dit la femme en le fusillant du regard lorsqu'il sortit de son sac une blague à tabac et un paquet de Rizla. On est dans un train.

— Ah bon ? Je croyais qu'on était dans un avion et je me demandais pourquoi on n'avait toujours pas décollé.

— Je t'emmerde.

— Moi je t'emmerde.

— Tu ne peux pas fumer, répéta-t-elle, plus fort.

— Je ne fume pas. Je la roule pour plus tard. » Il secoua la tête et me regarda avant de jeter un coup d'œil du côté de ma mère. « Vous vous êtes tapé cinquante ans comme ça ? » me demanda-t-il. Je le dévisageai. Me prenait-il pour le mari de ma mère ? Je ne sus que répondre. Je secouai la tête et me plongeai dans la contemplation du paysage.

« Les trains sont très confortables, aujourd'hui, tu ne trouves pas ? déclara ma mère, comme si rien ne s'était passé.

— Effectivement.

— De mon temps, c'était bien différent.

— Ah bon ?

— Bien sûr, cela fait des années que je n'ai pas pris le train. Et quand j'ai quitté Goleen, j'ai pris l'autocar, pas le train, je n'avais pas les moyens.

— C'est là que tu as rencontré Jack Smoot ?

— Non, Seán MacIntyre. Jack nous attendait à l'arrivée. » Elle soupira, puis ferma les yeux quelques instants, se remémorant cette époque.

« Tu as parlé à Jack récemment ? demandai-je.

— Il y a un mois, à peu près. Je suis en train d'organiser mon prochain voyage là-bas. »

Nous nous étions raconté presque tous les détails de nos vies, mais nous avions toujours évité de parler d'une nuit particulière à Amsterdam qui remontait à presque trente ans. Il semblait plus facile de ne pas la mentionner, bien que nous sussions l'un et l'autre que nous y étions.

« Est-ce que je peux te poser une question ?

— Bien sûr. Vas-y.

— Pourquoi n'es-tu jamais retournée là-bas ? À Goleen. Auprès de ta famille.

— Je n'aurais pas pu, Cyril. Ils m'ont chassée.

— Je le sais. Je veux dire, plus tard. Une fois que les gens se seraient calmés. »

Elle leva les paumes dans un geste qui exprimait ses doutes.

« Honnêtement, je crois que rien n'aurait été différent si j'y étais retournée. Mon père n'était pas du genre à changer d'avis sur quoi que ce soit. Ma mère ne voulait plus entendre parler de moi. Je lui ai écrit quelques fois ; elle ne m'a jamais répondu. Et mes frères, à l'exception peut-être d'Eddie, allaient forcément se ranger à l'avis de papa parce qu'ils voulaient tous récupérer la ferme quand il serait parti. Ils préféraient ne pas se fâcher avec lui. Et bien sûr, le père Monroe m'aurait poursuivie à dos d'âne si j'avais osé me montrer là-bas. Et ton père... Eh bien, ton père n'allait pas m'aider, c'était certain.

— Je comprends. » Je baissai les yeux pour gratter une marque d'un geste nerveux, qui me rappela ce moment, tant d'années auparavant, où j'étais allé au salon de thé du Dáil avec Julian Woodbead.

« Et la deuxième raison est encore plus simple. L'argent. Ce n'était pas facile de voyager à cette époque-là. Et le peu que j'avais, je le mettais de côté pour pouvoir survivre. Si je voulais des congés, j'allais passer deux jours à Bray, ou, quand j'étais d'humeur aventureuse, je poussai au sud jusqu'à Gorey ou Arklow. Puis, plus tard, j'ai commencé à aller à Amsterdam tous les trois ou quatre ans. Je n'y ai jamais vraiment réfléchi, Cyril. Une fois partie, je n'ai jamais envisagé d'y retourner. Je n'ai pas eu envie. J'ai mis tout ça derrière moi. Jusqu'à aujourd'hui.

— Je comprends. »

Un bruit nous parvint des sièges voisins et je me tournai vers le jeune couple. Sans que je m'en sois aperçu, ils avaient changé de place pour être l'un à côté de l'autre. Il l'avait enlacée et, fatiguée, elle s'était nichée contre son épaule, les yeux mi-clos ; il se pencha et déposa un baiser sur le sommet de sa tête. À ce moment-là, on aurait dit le couple idéal. D'ici une heure, pensai-je, il suffirait d'un cahot sur les rails et ils se battraient à nouveau comme des chiffonniers.

« Ah, les jeunes amoureux..., dis-je en souriant à ma mère et en désignant le jeune couple d'un mouvement du menton.

— Déjà vu, fit-elle en haussant les épaules et levant les yeux au ciel. Déjà fait. Ai même le T-shirt. »

Kenneth

Nous avions attendu quelques semaines pour nous revoir après ce fameux jour, à l'hôpital. Il était possible, bien entendu, que l'expression *une sœur rédemptoriste bossue* ait été une pure coïncidence, un hasard. Peut-être l'avait-elle employée la première, puis Charles et Maude l'avait adoptée à leur tour comme si elle avait traversé la ville dans les langes qui contenaient mon petit corps ? Ou Charles avait-il tout simplement pensé la même chose et l'expression s'était imposée ? La date de naissance aurait pu être une coïncidence. Après tout, combien d'enfants venaient au monde à Dublin un jour donné ? Mais sans pouvoir l'expliquer, je sus immédiatement qu'il ne s'agissait pas d'un hasard, que nos chemins s'étaient croisés à de multiples reprises toutes ces années sans que nous ayons découvert notre lien.

Évidemment, le moment tombait affreusement mal. Ma mère venait juste de perdre un fils ; elle n'était pas prête à gérer les conséquences d'avoir retrouvé un autre fils quelques heures plus tard. Lorsque je m'assis à côté d'elle pour lui faire part de mes soupçons, elle se montra de plus en plus bouleversée, et pour finir, je n'eus d'autre choix que d'appeler sa belle-fille, dont je récupérai le numéro auprès de l'hôpital, pour la renvoyer en taxi chez elle. Après, je patientai une quinzaine de jours avant de lui écrire – je n'assistai pas aux obsèques de Jonathan, malgré mon envie – pour lui dire que je n'attendais rien d'elle et que je n'étais pas un être malheureux qui cherchait à exercer des représailles après mon abandon tant de décennies auparavant. Je voulais simplement lui parler, que nous apprenions à nous connaître d'une manière qui ne nous avait pas été offerte jusqu'à présent.

Elle finit par répondre.

« Rencontrons-nous. Et parlons. »

Nous nous donnâmes rendez-vous au Buswells Hotel, en face du Dáil Éireann, un jeudi soir après le travail. Ce jour-là, j'eus le plus grand mal à garder mon calme, tant j'étais anxieux à la perspective de cette rencontre, mais une fois que j'eus traversé la rue, je commençai à me sentir étrangement serein. Le bar était presque désert, à l'exception du ministre des Finances qui était assis dans un coin de la salle, la tête dans les mains, visiblement en train de pleurnicher dans son verre de Guinness. Je détournai les yeux, ne voulant pas me retrouver mêlé au drame qui devait se jouer là. Je regardai autour de moi et vis Mrs Goggin, puisque c'était ce qu'elle était encore pour moi, assise à l'autre bout de la salle, et la saluai d'un geste de la main ; elle me gratifia d'un sourire crispé. Devant elle, une tasse de thé presque vide. Je lui demandai si elle en voulait un autre.

« Qu'est-ce que vous buvez, vous ?

— Je vais peut-être prendre une bière. J'ai soif après avoir travaillé toute la journée.

— Eh bien, auriez-vous la gentillesse de m'en commander une aussi ?

— Une pinte ? demandai-je surpris. De blonde ?

— De Guinness. Si ça ne vous ennuie pas. Je risque d'en avoir besoin. »

Je fus content que nous ayons décidé de boire tous les deux ; ça nous détendrait, décidai-je.

« *Sláinte* », fis-je en levant mon verre ; elle leva le sien aussi et nous trinquâmes, sans nous regarder dans les yeux comme nous étions censés le faire. Je ne savais pas comment poursuivre la conversation, et pendant un moment, nous restâmes sur des sujets anodins comme le temps et l'état du mobilier capitonné.

« Bon.

— Bon, répétai-je. Comment allez-vous ?

— Aussi bien que possible.

— Vous avez subi un deuil terrible.

— Oui.

— Et comment vont votre belle-fille et les petites ? »

Elle haussa les épaules. « Elles ont une force remarquable. C'est ce que j'admire le plus chez Melanie. Mais je l'entends la nuit, qui pleure dans sa chambre. Jonathan et elle s'aimaient beaucoup. Ils étaient ensemble depuis l'adolescence, et il aurait dû avoir de nombreuses décennies devant lui. Mais bon, vous savez ce que c'est de perdre quelqu'un trop jeune...

— Oui. » Je lui avais parlé de Bastiaan des années auparavant, quand elle travaillait encore au salon de thé.

« Y a-t-il un moment où ça devient plus facile ? » demanda-t-elle.

J'acquiesçai. « Oui. On arrive à un stade où on se rend compte que la vie doit continuer malgré tout. On choisit de vivre ou on choisit de mourir. Mais à certains moments, une chose drôle qu'on aperçoit ou qu'on entend dans la rue, une émission à la télévision, qu'on aurait envie de partager, et là, on ressent très fortement l'absence. Ce n'est pas le chagrin qui domine, pas du tout, plutôt une espèce d'amertume envers le monde. Je pense à Bastiaan tous les jours, bien sûr. Mais je me suis habitué à son absence. D'une certaine façon, c'était plus difficile pour moi de m'accoutumer à sa présence quand on a commencé à sortir ensemble.

— Pourquoi donc ?

— Parce que c'était nouveau pour moi. J'ai tout foiré quand j'étais jeune. Lorsque je me suis enfin trouvé dans une relation saine, normale, je ne savais pas très bien comment la vivre. Les autres apprennent ce genre de choses bien plus tôt.

— Enfin, il a fait en sorte que leur avenir matériel soit assuré. Je parle de Jonathan. C'est une cause d'inquiétude en moins. Et Melanie est une mère formidable. Je vis avec elles depuis Noël. Mais il est temps que je retourne chez moi. Je repars la semaine prochaine, d'ailleurs.

— Vous me parlez de votre belle-fille. Mais vous, comment vous vous en sortez ?

— Oh, je ne m'en remettrai jamais, fit-elle en haussant les épaules. Un parent ne peut pas se remettre d'une chose pareille. Il va falloir que je trouve un moyen de l'accepter.

— Et le père de Jonathan ? » Je ne l'avais jamais entendue parler de lui.

« Il a disparu depuis longtemps. C'était juste un homme que j'avais croisé. Je me rappelle à peine à quoi il ressemblait. Je voulais un enfant, Cyril, un enfant que je pourrais garder, et il me fallait un homme pour faire le bébé. Il est entré et sorti de ma vie en une nuit et je n'ai jamais cherché à en savoir davantage sur lui, je n'ai jamais voulu. Est-ce que vous trouvez que je suis une femme terriblement légère ?

— Non, plutôt une femme qui veut contrôler sa propre destinée. Qui refuse qu'on lui dise à nouveau quoi faire.

— Peut-être, approuva-t-elle en réfléchissant. Enfin, à partir de là, Jonathan fut tout ce dont j'avais besoin. Il était un bon fils. Et je crois que j'étais une bonne mère.

— J'en suis sûr.

— Est-ce que ça vous fâche ? »

Je fronçai les sourcils. « Pourquoi ça me fâcherait ?

— Parce que je n'ai pas été une bonne mère pour vous.

— Je n'ai aucune envie de vous en vouloir pour quoi que ce soit. Je vous l'ai dit dans ma lettre. Je ne cherche pas la bagarre et je ne veux rien de déplaisant. Je suis trop vieux pour ça. Nous le sommes tous les deux. »

Elle hocha la tête et parut tout à coup sur le point de fondre en larmes. « Vous en êtes sûr ? Ce ne sont pas des paroles en l'air ?

— J'en suis certain. Nous ne sommes pas obligés d'en passer par le drame. Absolument pas.

— Vous avez dû avoir des parents très aimants pour vivre les choses ainsi. »

Je pris le temps d'y songer. « C'était des parents étranges. Ni l'un ni l'autre n'était ce qu'on appellerait des gens conventionnels. Et ils avaient une approche de la parentalité très particulière. Parfois j'avais l'impression de n'être guère plus qu'un locataire dans leur maison, comme s'ils n'étaient pas vraiment sûrs de savoir ce que je faisais là. Mais ils ne m'ont jamais maltraité, ils n'ont jamais cherché à me blesser. Et peut-être m'aimaient-ils, à leur manière. Le concept même leur était sans doute un peu étranger.

— Et vous, vous les avez aimés ?

— Oui, dis-je sans hésiter. Je les ai aimés tous les deux, beaucoup. Malgré tout. Mais c'est le cas de la plupart des enfants. Ils recherchent la sécurité, et Charles et Maude me la fournissaient. Je ne suis pas du tout triste, Mrs Goggin, ajoutai-je. Je n'ai aucune amertume en moi.

— Parlez-moi d'eux. »

Je haussai les épaules. « C'est difficile de savoir par où commencer. Charles était banquier. Il était assez riche mais il fraudait constamment le fisc. Il est allé quelques fois en prison. Et quand il était jeune, il collectionnait les conquêtes féminines. Mais il était amusant. Il me répétait tout le temps que je n'étais pas un vrai Avery. J'aurais pu m'en passer.

— C'était méchant de sa part.

— Je crois honnêtement qu'il ne cherchait pas à être cruel. C'était plutôt une remarque factuelle. De toute façon, il est mort. Tous les deux sont décédés. Et j'étais à son chevet quand il est parti. Il me manque encore aujourd'hui.

— Et votre mère ?

— Ma mère adoptive.

— Non, protesta-t-elle. Elle était votre mère. Ne soyez pas désobligeant. »

Quelque chose dans sa façon de parler me fit monter les larmes aux yeux. Elle avait raison, évidemment. Si quelqu'un avait été ma mère, c'était bien Maude.

« Maude était écrivain. Vous le savez, n'est-ce pas ?

— Oui. J'ai lu la plupart de ses livres.

— Vous les aimez ?

— Vraiment beaucoup. Ses romans révèlent une grande compassion. Elle devait être une femme très attentionnée. »

Je ne pus m'empêcher de rire. « Pas du tout. Elle était beaucoup plus froide que Charles. Elle passait la plupart du temps dans son bureau, à écrire et fumer, ne sortant que rarement, et toujours entourée d'un nuage brumeux pour terroriser les enfants qu'elle croisait. Je crois qu'elle tolérait tout juste ma présence dans la maison. Parfois elle me percevait comme un allié, d'autres fois comme une source d'agacement. Elle est morte depuis longtemps. Presque cinquante ans. Je pense à elle souvent, ceci dit, parce qu'elle fait désormais partie intégrante de l'identité culturelle irlandaise. Les livres, les films. Le fait que tout le monde semble la connaître. Vous savez qu'elle est sur le torchon, maintenant ?

— Le torchon ? Que voulez-vous dire ?

— C'est un truc entre les écrivains, expliquai-je. Vous connaissez la photo, huit vieux messieurs qui sont censés être les plus grands ? Yeats, O'Casey, Oliver St John Gogarty, et toute la bande. La même photo se retrouve sur des affiches, des tasses, des sets de table et des sous-verre. Maude disait toujours que jamais une femme ne pourrait figurer sur le torchon. Et pendant des années, elle a eu raison. Mais ensuite, ils l'ont ajoutée. Elle est en plein milieu, aujourd'hui.

— Drôle de trace à laisser dans le monde, fit-elle peu convaincue.

— Effectivement…

— Et vous n'aviez pas de frères et sœurs ?

— Non.

— Vous en auriez voulu ?

— Oui, cela m'aurait plu, je crois. Je vous ai parlé de Julian autrefois, bien entendu. C'était une sorte de frère pour moi. Jusqu'à ce que je comprenne que j'étais amoureux de lui. Je regrette tellement de ne pas avoir eu le temps de connaître Jonathan.

— Je crois que vous l'auriez bien aimé.

— J'en suis sûr. Je l'ai bien aimé la fois où on s'est rencontrés. C'est un peu cruel que sa mort ait été l'occasion de nos retrouvailles.

— Eh bien, Cyril, dit-elle en se penchant vers moi avant d'énoncer cette phrase étonnante. S'il y a quelque chose que j'ai appris au cours de sept décennies de vie, c'est que le monde est complètement pourri. On ne sait jamais ce qui nous attend et souvent, ce sont des choses désagréables.

— C'est une vision du monde bien cynique, Mrs Goggin, risquai-je.

— Je ne suis pas sûre... Et peut-être que nous devrions laisser tomber Mrs Goggin, vous ne pensez pas ? »

J'acquiesçai. « Je ne sais pas trop comment je dois vous appeler.

— Catherine ?

— D'accord, Catherine.

— Je ne laissais jamais personne m'appeler ainsi au Dáil. Il fallait que j'aie de l'autorité là-bas. Je me souviens d'un jour où Jack Lynch a prononcé mon prénom ; je l'ai regardé droit dans les yeux et je lui ai dit : "Taoiseach, si jamais vous m'appelez ainsi à nouveau, vous vous verrez interdire l'accès du salon de thé pendant un mois." Le jour suivant, j'ai reçu un bouquet de fleurs et un mot d'excuses adressés à Mrs Goggin. Bien aimable, ce monsieur. Il était de Cork, lui aussi. Mais je ne lui en ai pas tenu rigueur.

— Je n'aurais jamais envisagé de vous appeler par votre prénom. Vous me terrorisiez. Comme tout le monde.

— Moi ? demanda-t-elle en souriant. Je suis adorable. Je me rappelle vous avoir rencontré, tout jeune. Vous vous souvenez de ce jour où vous êtes venu avec votre copain et avez prétendu avoir l'âge légal pour boire et j'ai dû vous mettre à la porte ?

— Oui, dis-je en me rappelant la joie que Julian pouvait provoquer à cette époque avec ses bêtises et son culot. Mais ce jour-là vous avez remis l'un des curés à sa place.

— Ah bon ?

— Ça oui ! À mon avis, personne ne lui avait jamais parlé sur ce ton de toute sa vie. Surtout pas une femme. Je crois que c'est ce qui l'a mis le plus en colère.

— Ça me réjouit, ajouta-t-elle.

— Moi aussi.

— Julian, c'est le garçon qui avait été enlevé, n'est-ce pas ?

— C'est exact. Peu de temps après, d'ailleurs.

— L'événement a fait du bruit à l'époque. Ils lui ont coupé une oreille, c'est ça ?

— Oui, et un doigt. Et un orteil.

— Quelle horreur ! Les journaux ont été tellement cruels lorsqu'ils ont su comment il était mort.

— C'était écœurant. » Je sentais la colère monter en moi. Je prétendais ne ressentir aucune amertume, mais chaque fois que ce souvenir me revenait, je découvrais que cette émotion funeste surgissait du fond de mon âme. « Personne n'avait parlé de lui depuis des années et ils ont pris un plaisir malsain à raconter au pays tout entier ce qui lui était arrivé, poursuivit-elle. Je me souviens d'une auditrice qui avait appelé lors d'une émission de radio pour dire qu'elle avait ressenti une grande compassion pour lui quand il était enfant mais que là elle n'éprouvait plus que du dégoût. Ce serait mieux pour tout le monde, a-t-elle ajouté, si tous les homos étaient rassemblés et abattus avant de pouvoir répandre leur maladie. Il n'était pas gay, n'est-ce pas ?

— Non.

— Pauvre garçon. Mais voilà ce qu'est l'Irlande vis-à-vis de vous. Vous pensez que ce pays changera un jour ?

— Pas de notre vivant. »

À ma grande surprise, quelques instants plus tard, elle se prit la tête à deux mains comme le ministre des Finances à l'autre bout de la pièce, et je lui touchai le bras, inquiet d'avoir dit quelque chose qui ait pu l'attrister. « Mrs Goggin. Catherine. Est-ce que ça va ?

— Très bien, dit-elle en retirant ses mains pour me faire un petit sourire. Écoutez, Cyril, il doit y avoir certaines choses que vous voulez savoir. Pourquoi vous ne me les demandez pas ?

— Je ne veux rien savoir dont vous ne voudriez pas me parler. J'insiste, je ne veux vous causer aucune contrariété, aucune souffrance. On peut parler du passé ou tout simplement l'oublier et regarder vers l'avenir. Comme vous préférez.

— Je n'ai jamais rien raconté. À personne. Ni à Seán ni à Jack. Pas même à Jonathan. Il ne savait rien de vous, ni de ce qui s'était passé à Goleen en 1945. Je le regrette aujourd'hui. Je ne sais pas pourquoi je ne lui en ai pas parlé. J'aurais dû. Il ne s'en serait pas formalisé, j'en suis sûre. Et il aurait voulu vous retrouver.

— Je dois avouer…, commençai-je d'une voix hésitante. Je suis curieux. Je voudrais bien savoir ce qui vous a amenée à quitter Goleen pour venir ici.

— Bien sûr. Ce serait vraiment bizarre si ce n'était pas le cas. » Elle marqua une longue pause et but une autre gorgée de bière. « Je suppose que je devrais commencer par vous parler de mon oncle Kenneth.

— Très bien.

— Je vais être obligée de remonter très loin, alors vous allez devoir être patient… J'ai grandi dans un petit village à l'ouest de Cork appelé Goleen. Je suis née en 1929, donc je n'avais que seize ans quand ça s'est passé. Et j'avais une famille, bien sûr. J'avais une mère et un père, comme tout le monde. Et une ribambelle de frères, tous plus benêts les uns que les autres, à l'exception du plus jeune, Eddie, qui était un gentil garçon, mais probablement un peu trop timide pour que ça ne soit pas un handicap.

— Je n'avais jamais entendu parler de Goleen.

— Comme tout le monde. Sauf ceux qui viennent de là-bas ou y ont vécu. Comme moi. Ma famille. Et mon oncle Kenneth.

— Étiez-vous proche de lui ?

— Oui. Il avait à peine dix ans de plus que moi et il s'intéressait particulièrement à moi parce que nous avions le même sens de l'humour. J'étais dingue de lui. Oh, il était tellement beau, Cyril ! C'est le seul homme dont je sois vraiment tombée amoureuse, de toute ma vie. Comprenez-moi bien, il n'était pas mon oncle par le sang. C'était le mari de ma tante Jean, qui était la sœur de ma mère. Kenneth était originaire de Tipperary, si je me souviens bien, mais bon, aucune importance. Tout le monde l'aimait, vous voyez. Il était grand, drôle ; il ressemblait un peu à Errol Flynn. Et il racontait tout le temps des blagues et faisait des imitations extraordinaires. Il jouait divinement bien de l'accordéon et quand il chantait une vieille chanson, personne ne pouvait retenir ses larmes. Et je n'étais qu'une gamine, à l'époque. J'avais seize ans, j'étais une idiote, la tête farcie de drôles d'idées. J'étais folle de lui et je me suis arrangée pour qu'il soit fou de moi lui aussi.

— Comment avez-vous fait ?

— Eh bien, je l'ai fait marcher. Je lui tournais constamment autour et je cherchais toutes les occasions de me trouver en tête à tête avec lui. Je ne savais pas vraiment ce que je faisais mais c'était bien agréable, ça, je le savais. J'allais jusqu'à sa ferme à vélo et appuyée sur la barrière, je lui parlais, la jupe effrontément remontée. Et j'étais jolie, Cyril. J'étais une très jolie fille à cette époque-là. La moitié des garçons du village essayaient de m'emmener au bal. Mais je n'avais d'yeux que pour Kenneth. Il y avait un lac près du village. Un jour, je l'ai vu là-bas avec ma tante. C'était le soir et ils étaient allés se baigner. Tous les deux, nus comme des vers. Ça a été une révélation. J'ai vu la manière dont il la tenait dans ses bras, les choses qu'il lui faisait. Et j'ai décidé que je voulais qu'il m'enlace comme ça, qu'il me fasse les mêmes choses.

— Est-ce que vous lui avez avoué ?

— Pas tout de suite. Kenneth et ma tante Jean formaient un couple parfait, tout le monde le disait. Ils se promenaient dans le village main dans la main, ce qui, en ce temps-là, était considéré comme un geste un peu provocant, même pour un couple marié. Je crois que le père Monroe leur en a parlé un jour. D'après lui, ça encourageait l'immoralité chez les jeunes. S'ils ne prêtaient pas attention, des jeunes filles et garçons suivraient leur exemple et se permettraient toutes sortes de comportements indignes. Je me souviens le jour où Kenneth m'a rapporté ça, il riait comme un bossu. "Tu imagines, Catherine, dit-il. Jean et moi nous tenant par la main et tout à coup, Goleen devient Sodome et Gomorrhe !"

» Et vous savez ce que j'ai fait ? J'ai glissé ma main dans la sienne et je lui ai dit que peut-être il pouvait la tenir un moment. Je revois encore aujourd'hui l'expression de son visage. Le choc et le désir. Oh, comme j'aimais le pouvoir que j'avais sur lui ! Le pouvoir que je sentais en moi ! Vous ne pouvez pas comprendre, mais c'est quelque chose dont toutes les filles se rendent compte à un moment donné dans leur vie, généralement vers quinze ou seize ans. Peut-être que maintenant, cela arrive encore plus tôt. Elles comprennent qu'elles ont plus de pouvoir que tous les hommes de la pièce réunis, parce que les hommes sont faibles, se laissent gouverner par leurs désirs et leur envie frénétique de posséder les femmes. Mais les femmes sont fortes. J'ai toujours pensé que si les femmes pouvaient mobiliser toutes ensemble le pouvoir qu'elles détiennent, elles dirigeraient le monde. Ça ne se passe pourtant pas ainsi. Je ne sais pas pourquoi. Et malgré leur faiblesse et leur stupidité, les hommes sont assez malins pour savoir que les positions de responsabilité ont la plus haute importance. Ils ont cette supériorité sur nous, en tout cas.

— J'ai du mal à le comprendre. Je n'ai jamais eu le moindre pouvoir. J'ai toujours été celui qui était en demande, pas celui qu'on voulait. J'étais toujours celui qui avait des désirs, et de toute ma vie, je crois que Bastiaan a été le seul homme qui m'ait jamais désiré. Tous ceux que j'ai rencontrés dans ma jeunesse ne me voulaient pas, moi. Ils voulaient juste un corps, quelqu'un à toucher, à étreindre. J'aurais pu être n'importe qui, pour eux. Bastiaan était différent.

— Parce qu'il vous aimait.

— Oui.

— Eh bien, peut-être que c'était mieux, en fait. Les filles peuvent être la source de beaucoup de tracas et les hommes leur pardonneront s'ils profitent d'elles. Je n'ai pas compris les tourments que je provoquais. Mais comme je vous l'ai dit, j'aimais ce que je ressentais alors j'ai continué, j'ai fait en sorte que cet homme me désire plus qu'il n'avait jamais désiré personne. Et une fois que je l'ai rendu presque fou, qu'il a atteint le point où il ne pouvait plus en supporter davantage, il est venu me voir un jour où j'étais dans sa ferme, m'a serrée contre lui, a collé ses lèvres sur les miennes, et bien entendu, je lui ai rendu son baiser. Je l'ai embrassé comme je n'avais jamais embrassé personne, ni avant, ni depuis. Ensuite, de fil en aiguille, avant que j'aie compris ce qui était en train de se passer, nous étions en plein dans ce qu'on appellerait une liaison. J'allais à la ferme après l'école, il m'emmenait dans le grenier à foin et c'était parti, nous nous en donnions à cœur joie, fous que nous étions.

— Alors, c'est lui ? C'est lui, mon père ?

— Oui. Le pauvre, toute cette affaire était une vraie torture pour lui. Parce qu'en vérité, il aimait ma tante Jean et se sentait très mal. Il se mettait toujours à pleurer, après. Parfois j'avais de la peine pour lui, d'autres fois je me disais simplement qu'il voulait le beurre et l'argent du beurre. Un jour, j'ai pris peur, quand il a dit qu'il allait quitter Jean pour qu'on puisse s'enfuir ensemble.

— Vous ne le souhaitiez pas ?

— Non, c'était trop pour moi. Je voulais ce que nous avions et je savais très bien que même si nous partions ensemble, il se lasserait de moi en un mois. C'est là que j'ai commencé à me sentir coupable.

— Oui, mais vous n'étiez qu'une enfant. Lui était un homme adulte. Quel âge avait-il ? Vingt-cinq, vingt-six ans ?

— Vingt-six.

— Alors, il était responsable de ses actes.

— Oui, bien sûr. Mais je ne crois pas qu'il aurait eu l'idée de se lancer dans quoi que ce soit si je ne l'avais pas poussé, encore et encore. Ce n'était pas son genre. C'était un type bien, j'en suis certaine aujourd'hui. Et finalement, une fois que l'excitation a commencé à s'apaiser, il a rompu avec moi et m'a suppliée de n'en parler à personne. Évidemment, jeune et idiote comme je l'étais, j'ai pris ombrage de sa décision ; je lui ai dit que je n'acceptais pas, je refusais qu'il m'abandonne, pas après qu'il s'était bien amusé avec moi. Mais il est resté inflexible et un jour il s'est mis à pleurer à nouveau devant moi, me confiant que la personne qu'il était en train de devenir n'était pas la personne qu'il avait rêvé d'être. Qu'il avait profité de moi, de ma jeunesse, parce qu'il était faible et qu'il aurait tant voulu retourner en arrière et tout changer. Il m'a suppliée d'oublier, il voulait que tout redevienne comme avant. Et je ne sais pas, son chagrin m'a fait comprendre que j'avais fait quelque chose de terrible. Je me suis mise à pleurer aussi. Nous nous sommes serrés fort et séparés bons amis, nous jurant que nous ne reparlerions plus de ce qui s'était passé entre nous et que ça n'arriverait plus jamais. C'était terminé, nous étions d'accord sur ce point. Et je crois que si le destin ne s'était pas acharné, nous nous y serions tenus. Avec le temps, tout aurait été oublié, notre relation serait devenue une épouvantable erreur de jeunesse.

— Et que s'est-il passé ensuite ?

— Ensuite, il s'est passé… vous, bien sûr. J'ai découvert que j'allais avoir un enfant. Et dans ces années-là, à la campagne, il n'y avait pas plus grande disgrâce. Je ne savais pas quoi faire, à qui me confier et pour finir, ma mère l'a découvert, elle l'a dit à mon père, il l'a répété au curé et le jour suivant, face à toute la communauté rassemblée dans l'église Notre-Dame Étoile de la mer, il m'a dénoncée devant toute ma famille et tous nos voisins en me traitant de putain.

— Il a utilisé ce mot-là ?

— Oui, bien sûr. Les curés tenaient les rênes du pays, à cette époque-là, et ils détestaient les femmes. Oh mon Dieu, comme ils haïssaient les femmes et tout ce qui était en rapport avec elles, avec le corps, les idées, les désirs des femmes. Chaque fois qu'ils avaient l'occasion d'humilier une femme, de la briser, ils s'en donnaient à cœur joie. Je crois que c'était parce qu'ils les désiraient sans pouvoir les avoir. Sauf, bien sûr, quand ils en avaient une en douce. Ce qui arrivait souvent. Oh, Cyril, si vous saviez les choses horribles qu'il a dites sur moi ce matin-là ! Et il m'a fait mal. S'il avait pu, il m'aurait tuée à coups de pied, j'en suis sûre. Il m'a chassée de l'église devant toute la paroisse, m'a mise dehors, m'a bannie. J'avais seulement seize ans, et pas un sou en poche.

— Et Kenneth ? Il ne vous a pas aidée ?

— Il a essayé, à sa façon. Il est sorti de l'église et il a voulu me donner de l'argent. Je l'ai déchiré avant de le lui jeter à la figure. J'aurais dû le prendre ! J'étais si jeune, je lui en voulais, mais ce n'était pas sa faute, je le comprends aujourd'hui. Je dois prendre ma part de responsabilité. Pauvre Kenneth, il était terrifié à l'idée que quelqu'un découvre qu'il était le père. Il en aurait été anéanti. Le scandale l'aurait tué. Bref, j'ai pris l'autocar pour Dublin ce jour-là et je me suis retrouvée à vivre avec Seán et Jack jusqu'au jour où le père de Seán est arrivé pour les tuer tous les deux ; il a presque réussi. Comment Jack Smoot a survécu, je ne le saurai jamais. Et c'est ce soir-là que vous êtes né. Seán était allongé dans le salon, son corps refroidissait, Jack était à côté de moi, et se vidait de son sang, qui s'est mélangé au mien au moment où vous êtes venu au monde en poussant vos premiers cris. Mais j'avais prévu la suite. J'avais tout organisé des mois à l'avance avec la sœur rédemptoriste bossue qui aidait les filles comme moi. Les filles-mères. Elle allait prendre le bébé dès sa naissance et le confier à une famille qui voulait un enfant mais qui, pour une raison ou pour une autre, ne pouvait pas en avoir. »

Je baissai la tête et fermai les yeux. Voilà comment s'était passée ma naissance. Voilà comment j'étais arrivé à Dartmouth Square, chez Charles et Maude.

« Je n'étais qu'une enfant. Je n'aurais jamais pu prendre soin d'un bébé. Nous n'aurions pas survécu, ni l'un ni l'autre, si je m'étais obstinée à vous garder. Alors, j'ai fait ce que je croyais être le mieux. Et je pense encore aujourd'hui que je devais agir ainsi. Si nous devons construire quelque chose tous les deux, Cyril, il faut que je vous pose la question. Est-ce qu'à votre avis, j'ai fait le bon choix ? »

Goleen

L'église Notre-Dame Étoile de la mer était baignée de soleil cet après-midi-là, lorsque nous arrivâmes. En silence, nous remontâmes le petit sentier, pour nous rendre dans le cimetière, et je la laissai aller entre les tombes, et lire les noms des défunts.

« William Hobbs, dit-elle avec un hochement de tête, en s'arrêtant devant l'une d'elles. Je me souviens de lui. Il était à l'école avec moi, au début des années 1940. Il essayait toujours de mettre sa main sous les jupes des filles. Le maître lui infligeait chaque fois de sacrées corrections. Regarde, il est mort en 1970. Je me demande ce qui lui est arrivé. » Elle recula d'un pas et examina quelques autres pierres. « Et ça, c'est mon cousin Tadhg. Et celle qui devait être sa femme, Eileen. J'ai connu une certaine Eileen Ní Breathnach autrefois. C'est elle qu'il a épousée ? » Puis elle se figea devant une stèle particulièrement chargée, la main sur la bouche. « Oh, mon Dieu. C'est le père Monroe ! Le père Monroe est enterré ici aussi ! »

Je m'approchai et lus l'inscription sur le marbre. *Père James Monroe, 1890-1968. Le curé bien-aimé de la paroisse. Un saint homme plein de gentillesse.*

« Aucune mention de ses enfants sur la pierre tombale, bien entendu, lâcha-t-elle avec une moue désapprobatrice. Je parie que les paroissiens ont dénoncé les femmes qui les ont portés à la minute où ils l'ont mis en terre. Les femmes sont toujours les putains ; les prêtres, des hommes bons qui ont été détournés du droit chemin. »

À ma grande surprise, elle s'accroupit à côté de la tombe. « Vous vous souvenez de moi, père Monroe ? Catherine Goggin. Vous m'avez chassée de la paroisse en 1945 parce que j'allais avoir un enfant. Vous avez essayé de me détruire mais vous n'avez pas réussi. Vous étiez un monstre, et où que vous soyez, vous devriez avoir honte de la manière dont vous avez vécu. »

Elle me donna l'impression d'avoir envie d'arracher la pierre à mains nues et de la briser sur son genou, mais finalement, la respiration haletante, elle se leva et s'éloigna. Je ne pus m'empêcher de me demander ce qui lui serait arrivé si le curé s'était montré bienveillant plutôt qu'impitoyable, s'il était intervenu auprès de mon grand-père et l'avait amené à comprendre que nous commettons tous des erreurs. Si la paroisse avait soutenu ma mère au lieu de la bannir.

Je m'éloignai et cherchai moi aussi parmi les tombes. Je m'arrêtai net lorsque j'en vis une au nom de Kenneth O'Ríafa. Je l'avais remarquée sans raison particulière, sauf que sous son nom se trouvaient les mots suivants : *Et son épouse Jean*. Je lus les dates. Il était né en 1919, ce qui collait parfaitement. Et décédé en 1994, l'année où j'avais veillé Charles jusqu'à son dernier soupir. Qui avait accompagné Kenneth ? me demandai-je. Pas Jean, puisqu'elle était morte cinq ans auparavant, en 1989.

« Le voici donc, fit ma mère en arrivant à côté de moi et en lisant l'inscription. Mais est-ce que tu vois ce qu'ils ont fait ?

— Quoi donc ?

— Tatie Jean est partie la première. Elle devait avoir sa propre tombe marquée *Jean O'Ríafa, 1921-1989*. Mais quand il est mort, ils ont dû enlever sa stèle à elle et la refaire pour qu'il ne soit plus question que de lui. *Kenneth O'Ríafa. Et son épouse Jean.* Toujours l'ajout après coup. Il n'y en a que pour les hommes, n'est-ce pas ? Ça doit être super pour eux, c'est sûr.

— Il n'est pas question d'enfants, fis-je observer.

— Oui, je vois.

— Bon, voici mon père », ajoutai-je, d'une voix calme et posée, plus pour moi que pour quiconque. Je ne savais pas ce que je ressentais. Ni ce que j'étais censé ressentir. Je n'avais jamais connu cet homme. Mais à en croire le récit de ma mère, il n'était pas forcément le méchant de l'histoire. Peut-être n'y avait-il pas de méchant dans l'histoire de ma mère. Seulement des hommes et des femmes qui s'étaient efforcés de faire de leur mieux. Et qui avaient échoué.

« Tous ces gens, fit-elle avec tristesse. Et tous ces événements. Regarde, ils sont tous morts aujourd'hui. Quelle importance, finalement ? »

Je me retournai et constatai que Catherine avait disparu. Je l'aperçus juste avant qu'elle franchisse la porte de l'église. Je continuai à circuler au milieu des tombes, lisant les noms et les dates, pensant aux enfants qui étaient décédés si jeunes, et m'interrogeant sur la cause de ces morts prématurées. Je me perdis dans ma rêverie pendant un long moment, puis je levai la tête et contemplai les montagnes tout autour, le village que je voyais plus bas, au bout de la route. J'étais à Goleen, l'endroit d'où étaient originaires ma mère et mon père. Mes grands-parents. C'était ici que j'avais été conçu, et, dans un monde différent, c'était ici que j'aurais pu grandir.

« Tu pries », dis-je quelques minutes plus tard en entrant dans l'église. J'y trouvai ma mère sur un prie-dieu, la tête inclinée, posée sur le dossier du banc devant elle.

« Je ne prie pas, je me souviens. Parfois, les deux attitudes se ressemblent, c'est tout. J'étais assise ici, tu vois, Cyril.

— Quand ?

— Le jour où j'ai été chassée. Nous étions tous venus ensemble à la messe, et le père Monroe m'a fait avancer jusqu'à l'autel. J'étais assise exactement à cette place. Tous les membres de ma famille étaient alignés à côté de moi. C'était il y a si longtemps, et je les vois encore, Cyril. Je les vois comme si c'était hier. Encore vivants. Encore assis. En train de me regarder avec dégoût et mépris dans les yeux. Pourquoi m'ont-ils abandonnée ? Pourquoi abandonnons-nous les gens ? Pourquoi t'ai-je abandonné ? »

Un bruit provenant de l'autel nous fit sursauter. Un jeune homme d'une trentaine d'années apparut à la porte de la sacristie. Un curé. Il se tourna vers nous et sourit, déposa quelque chose sur l'autel avant de se diriger vers nous.

« Bonjour.

— Bonjour mon père. » Ma mère resta silencieuse.

« Vous visitez la région ? demanda-t-il. La journée est magnifique.

— Nous visitons et nous revenons, déclara Catherine. Il s'est passé beaucoup de temps depuis la dernière fois que je suis entrée dans cette église. Soixante-trois ans. N'est-ce pas incroyable ? Je voulais la revoir encore une fois.

— Votre famille est d'ici ?

— Oui. Les Goggin. Vous les connaissez ? »

Il fronça les sourcils, réfléchit et secoua la tête. « Goggin, ça me rappelle quelque chose. Je crois que j'ai entendu des paroissiens parler d'une famille Goggin qui vivait ici autrefois. Mais si je me souviens bien, il n'en reste aucun. Ils se sont dispersés, je suppose. Aux quatre vents et en Amérique.

— Il y a des chances, dit ma mère. Je ne cherchais pas à les voir, de toute façon.

— Vous allez rester quelque temps parmi nous ?

— Non, répondis-je. Nous rentrons à Cork ce soir. Puis nous reprendrons le train pour Dublin demain matin.

— Eh bien, bonne visite, dit-il avec un sourire avant de retourner à ses occupations. Nous accueillons tout le monde dans notre paroisse de Goleen. C'est un endroit merveilleux. »

Ma mère maugréa entre ses dents et secoua la tête. Et une fois que le curé fut reparti, elle se leva, tourna le dos à l'autel et sortit pour la dernière fois de l'église, la tête haute.

ÉPILOGUE

2015

Sorti du port pour voguer en haute mer

Dartmouth Square

Je me réveillai au son de *La Esmeralda* de Pugni dont les notes secouaient la carcasse de la vieille maison de Dartmouth Square et montaient pour s'attarder, certes un peu étouffées, dans la chambre tout en haut où j'avais passé la nuit. Le regard perdu dans le ciel bleu encadré par la fenêtre de toit, je fermai les yeux et essayai de retrouver les sensations que j'avais éprouvées quelque sept décennies auparavant, alors que je n'étais qu'un enfant solitaire et en manque d'attention. Les souvenirs, qui avaient toujours été une partie si essentielle de ma vie, s'étaient un peu effacés, ces douze derniers mois. Aucune émotion forte ne me revint et j'en fus attristé. Je tâchais de me rappeler le nom de la gouvernante qui travaillait pour Charles et Maude et avait joué le rôle d'amie pour moi dans ma jeunesse, mais tout ce qui la concernait avait disparu. Je cherchai à retrouver le visage de Max Woodbead dans ma mémoire trouée, sans réussir. Quant à la raison pour laquelle je me trouvais ici, il me fallut un moment aussi pour m'en souvenir, puis elle me revint. C'était un jour heureux, enfin ; un jour dont je pensais qu'il ne viendrait jamais.

Je n'avais pas bien dormi – à cause des effets cumulés de l'anxiété, des cachets de témozolomide que je prenais tous les jours au coucher depuis cinq semaines et des moments d'insomnie que ces médicaments provoquaient. Mon médecin m'avait dit que je risquais d'aller moins souvent aux toilettes, mais c'était plutôt le contraire ; je m'étais levé quatre fois pendant la nuit. La troisième fois, j'avais poursuivi mon errance jusqu'au rez-de-chaussée à la recherche d'un en-cas et j'étais tombé sur mon petit-fils George, dix-sept ans, allongé sur le canapé en T-shirt et caleçon, en train de se bourrer de chips, en regardant un film de superhéros sur l'énorme écran qui occupait tout un mur du salon.

« Tu ne devrais pas être au lit ? » demandai-je en ouvrant le réfrigérateur. Je scrutai les étagères dans l'espoir vain de trouver un sandwich posé là, n'attendant que moi.

« Il n'est qu'une heure du matin », fit George en se retournant. Il écarta les cheveux qui lui tombaient dans les yeux et me tendit le paquet de chips. J'en goûtai quelques-unes. Affreux.

« C'est de la bière que tu bois là ?

— Peut-être bien.

— C'est permis ?

— Probablement pas. Tu ne diras rien, hein ?

— Si tu m'en donnes une, non. »

Il sourit et se leva. Une minute plus tard, nous étions assis côte à côte, en train de regarder des hommes adultes portant des capes bondir d'un immeuble à un autre, l'air très viril et furieux contre le monde entier.

« Tu aimes bien ce genre de films ? questionnai-je, troublé par les images trépidantes qui défilaient devant mes yeux.

— C'est tout un univers. Faut que tu voies tous les films pour comprendre.

— Quel programme, dis-moi.

— Ça vaut la peine, je te jure. » Nous continuâmes à regarder en silence jusqu'à ce que le générique commence à défiler. Il coupa le son et se tourna vers moi, un grand sourire aux lèvres. « Je te l'avais dit. C'était génial, hein ?

— Non, c'était horrible.

— Je te donnerai le coffret. Si tu les regardes tous, tu vas aimer. Crois-moi. »

Je hochai la tête. Je le prendrais s'il me l'offrait. Et je regarderais les films, juste pour pouvoir lui dire que je l'avais fait.

« Alors, fit-il, tu es excité, pour demain ?

— Je crois oui. Enfin, plutôt anxieux. Je veux juste que tout se passe bien.

— Il n'y a pas de raison. Tu sais que ça va être le premier mariage auquel j'assiste ?

— Ah bon ? fis-je, surpris.

— Ouais. J'imagine que tu as été à plein de mariages, toi.

— Non, pas autant que tu pourrais le croire. Le jour de mon mariage avec ta grand-mère m'a franchement refroidi. »

Il eut un rire moqueur. « J'aurais bien aimé être là. » On lui avait raconté l'histoire maintes fois. Alice adorait la ressortir chaque fois qu'elle avait envie de me contrarier. « Apparemment, c'était hilarant.

— Pas vraiment, non, fis-je, ne pouvant réprimer un sourire.

— Oh, allez. Tu dois être capable maintenant de voir le côté cocasse, non ? C'était il y a plus de quarante ans.

— Ne dis pas ça devant ta grand-mère, l'avertis-je, sinon elle te donnera des coups de bâton.

— Même elle, elle trouve ça drôle.

— Je n'en suis pas certain. À mon avis, elle fait semblant. »

Il réfléchit quelques instants puis haussa les épaules. « Tu sais que j'ai un nouveau costume ?

— J'en ai entendu parler.

— C'est mon premier costume. J'ai l'air superpro dedans. »

Je souris. De tous mes petits-enfants, George était celui avec lequel j'avais la relation la plus proche. En général, je n'avais jamais été particulièrement à l'aise avec les enfants – je n'en avais pas connu de près – mais à l'évidence, nous avions le même sens de l'humour et j'avais du plaisir à passer du temps avec lui. Comme il était mince, me dis-je, en le regardant, ses longues jambes blanches étendues devant lui. Et comme j'étais devenu gros. Qu'est-ce qui s'était passé ? Mon corps s'était mis à fabriquer du gras. Ma mère me harcelait depuis des années, m'encourageait à fréquenter une salle de sport, mais je trouvais cet état réconfortant. J'étais un vieillard, après tout, avec le tour de taille attendu chez un vieillard. Néanmoins c'était étrange, car je ne mangeais pas beaucoup, je ne buvais pas beaucoup, et malgré tout je me dégradais. Cela importait peu, de toute façon. Pourquoi perdre du poids alors qu'il ne me restait que quelques mois à vivre ?

Je sortis du lit, enfilai ma robe de chambre et descendis. Je trouvai Liam, Laura et les trois enfants en train de s'occuper du petit déjeuner.

« Est-ce que tu as bien dormi ? me demanda Liam.

— Très bien. Tu sais, c'est la première fois que je dors dans cette maison depuis que mon père a été enterré.

— Ton père adoptif, rectifia-t-il.

— Si tu veux. Quand était-ce ? Il y a vingt et un ans ? Ça ne me paraît pas aussi lointain. »

Laura s'approcha de moi et me mit une tasse de café entre les mains. « Ça avance bien, votre discours ?

— Tranquillement.

— Vous n'avez pas encore terminé ?

— Si. Presque. La première fois, il était trop court. Ensuite, trop long. Mais je crois que j'y suis, enfin. Je le regarderai encore une fois avant qu'on parte.

— Est-ce que tu veux que je le relise ? demanda Julian en levant le nez de son livre. Je pourrais y ajouter quelques blagues cochonnes.

— Merci pour ta proposition, répondis-je. Mais non. Je vous en ferai la surprise.

— Allez, à la douche, fit Laura, toujours efficace. Nous sommes six, alors cinq minutes par personne, sinon, le ballon d'eau chaude va se vider trop vite. OK ?

— J'ai besoin de plus de temps que ça pour me laver les cheveux », gémit Grace, la plus jeune des trois. À douze ans, elle était déjà obsédée par son apparence.

« J'y vais le premier, signala George qui sortit de la pièce en courant pour monter quatre à quatre ; j'en eus le vertige.

— Je repars dans ma chambre, dis-je en emportant ma tasse. J'irai après George. »

Il était difficile, par moments, de croire que cette maison était bien celle où j'avais grandi. Après qu'Alice et Cyril II avaient emménagé dans leur appartement, Liam et Laura s'y installèrent et ils firent tellement de travaux qu'on aurait dit une autre maison. Au rez-de-chaussée, toutes les cloisons avaient été abattues, le salon et la cuisine ne formaient plus qu'un immense espace. Le premier étage, autrefois occupé par Charles, comptait la chambre des parents et celle de George. Au deuxième, où se trouvait jadis le bureau de Maude, dans lequel elle avait écrit ses neuf romans, il y avait deux chambres, une pour Julian et une pour Grace ; le bureau avait disparu depuis longtemps. Au dernier étage, c'était la chambre d'amis, ma chambre, qui n'avait pas subi de grande modification. Je me sentais à la fois chez moi et pas chez moi. Si je regardais autour de moi, la maison m'était étrangère, mais il suffisait que je ferme les yeux et que je monte l'escalier en inhalant les odeurs et en laissant approcher les fantômes du passé. Je retrouvais alors mes sensations d'enfant, lorsque j'attendais, fébrile, que Julian vienne sonner à la porte.

Une demi-heure plus tard, en descendant au rez-de-chaussée, je fus interloqué : un garçon était debout dans le couloir et examinait les photos de famille accrochées au mur. Il se trouvait exactement à l'endroit où était autrefois le fauteuil dans lequel Julian était assis la première fois que je l'avais vu, soixante-trois ans auparavant. Il se tourna vers moi, et dans la lumière qui traversait le panneau de verre au-dessus de la porte, je le reconnus immédiatement, avec ses cheveux blonds en bataille, son joli visage et son teint parfait. Ce fut profondément troublant, et je dus me tenir à la balustrade pour ne pas tomber.

« Julian ?

— Bonjour, Cyril.

— C'est toi, n'est-ce pas ?

— Bien sûr que c'est moi. Qui voudrais-tu que ce soit ?

— Mais tu es mort.

— Oui, je sais. »

Je secouai la tête. Ce n'était pas la première fois qu'il m'apparaissait. Il venait me voir de plus en plus souvent ces derniers mois, et toujours aux moments les plus inattendus.

« Mais bien entendu, tu n'es pas ici pour de vrai.

— Comment se fait-il que nous ayons cette conversation, alors ?

— Parce que je suis malade. Parce que je vais mourir.

— Il te reste encore quelques mois.

— Ah bon ?

— Oui. Tu mourras trois jours après Halloween.

— Oh. Est-ce que c'est douloureux ?

— Non, ne t'inquiète pas. Tu partiras dans ton sommeil.

— Bon, j'ai de la chance. Et comment c'est, quand on est mort ? »

Il fronça les sourcils et réfléchit quelques instants. « Difficile à dire. Le rythme est encore plus trépidant qu'il l'était de mon vivant, je ne peux pas me plaindre.

— Il l'était déjà pas mal, dans le passé.

— Oui, mais maintenant que je suis mort, j'ai la possibilité de coucher avec des femmes de toutes les périodes de l'histoire. J'ai couché avec Elizabeth Taylor la semaine dernière. Elle est comme dans *Le Père de la mariée*, alors, tu vois, elle ne manque pas de propositions. Mais elle m'a choisi, moi.

— Tu en as, de la chance.

— C'est elle qui a eu de la chance. Et Rock Hudson m'a fait des avances.

— Et comment as-tu réagi ?

— Je lui ai dit que je n'étais pas branché par les pédales. »

J'éclatai de rire. « Je te crois, tiens.

— Non, je plaisante. Je l'ai éconduit gentiment. Mais après, Elizabeth ne m'a plus parlé.

— Est-ce qu'il y aura quelqu'un là-haut pour m'accueillir ? demandai-je plein d'espoir.

— Oui.

— Où est-il ? Il ne vient jamais.

— Il ne se montre pas ?

— Je ne l'ai pas encore vu.

— Sois patient.

— Monsieur ? »

Déconcerté, je le regardai, mais il avait changé. Ce n'était plus Julian mais un garçon plus jeune, d'environ dix-sept ans. Je descendis une marche de plus pour pouvoir le regarder sans avoir le soleil dans les yeux.

« Oui ?

— Est-ce que ça va ?

— Très bien. Qui es-tu ?

— Je m'appelle Marcus.

— Ah oui. » Je n'avais qu'une envie, m'asseoir sur la dernière marche et ne plus jamais me lever. « Le fameux Marcus.

— Vous devez être Mr Avery. Le grand-père de George.

— Je suis bien son grand-père. Mais je t'en prie, ne m'appelle pas comme ça. Appelle-moi Cyril.

— Oh, je ne pourrais pas.

— Pourquoi ?

— Parce que vous êtes... vous savez bien...

— Un vieillard ?

— Oui, je crois.

— Je m'en fiche, dis-je en secouant la tête. Je déteste quand les gens m'appellent Mr Avery. Si tu ne m'appelles pas Cyril, je ne t'appellerai pas Marcus.

— Mais quel autre nom pourriez-vous me donner ?

— Je t'appellerai Doris. Ça te plairait ?

— OK, je vous appelle Cyril », fit-il en souriant. Il me tendit la main. « Je suis heureux de vous rencontrer.

— Comment se fait-il que tu sois tout seul dans le hall ? Personne ne s'occupe de toi ?

— George m'a ouvert. Ensuite il est monté dans sa chambre parce qu'il avait vu dans le miroir qu'un de ses sourcils n'était pas bien droit. Et je ne voulais pas y aller seul, fit-il en désignant d'un mouvement de tête la cuisine, d'où provenaient les bruits émis par les autres membres de la famille.

— Je ne m'inquiéterais pas, si j'étais toi. Ils sont très accueillants. Ils ne mordent pas.

— Je sais, ce n'est pas la première fois que je les vois. Mais ça m'angoisse un peu quand même.

— Bon, je vais attendre avec toi.

— Vous n'êtes pas obligé.

— Ça ne m'ennuie pas. Tu es très élégant.

— Merci, dit Marcus. J'ai acheté un nouveau costume.

— George aussi.

— Je sais. Nous les avons achetés en même temps. Il fallait faire attention à choisir des styles et des couleurs complètement différents. Nous ne voulions pas nous ressembler, vous voyez, genre Jedward. »

Je souris. « Je les connais. Surprenant, n'est-ce pas ? Vu mon âge avancé.

— Est-ce que vous êtes excité par ce qui va se passer ? demanda Marcus.

— Les gens n'arrêtent pas de me poser la question.

— C'est un grand jour.

— Oui. Je n'aurais jamais cru le vivre, pour tout dire.

— Et pourtant, il est arrivé.

— Effectivement. »

Nous restâmes assis quelques instants, puis il se tourna vers moi et me dit, enthousiaste : « Est-ce vrai que votre mère était Maude Avery ? Enfin, votre autre mère ?

— Oui.

— On étudie deux de ses livres à l'école. J'aime beaucoup ses romans.

— Tu vois cette pièce, là-haut ? C'est là qu'elle les a écrits.

— Pas tous, dit Maude en sortant du salon pour venir s'appuyer contre le mur, et allumer une cigarette.

— Ah bon ?

— Non. Avant que tu viennes vivre avec nous, quand il n'y avait que Charles et moi dans la maison, j'écrivais en bas. Une fois qu'il était parti au travail. Franchement, la lumière était meilleure. Et j'étais mieux placée pour attraper les gens qui venaient dans les jardins.

— Vous les avez toujours détestés.

— Ils n'avaient rien à faire là. C'est une propriété privée.

— Pas vraiment.

— Si, Cyril. Ne me contredis pas, s'il te plaît. C'est tellement fatigant.

— Pardon.

— Bref, après ton arrivée, je suis montée. J'avais besoin d'espace. Et d'un endroit à moi. Il s'est avéré que j'étais mieux là-haut. J'ai écrit certains de mes meilleurs livres dans ce bureau.

— Vous savez que vous êtes sur le torchon ?

— Je l'ai appris, s'emporta-t-elle en levant les yeux au ciel. C'est répugnant. Savoir que les gens essuient leurs tasses à café dégoûtantes sur mon visage… Comment diable peuvent-ils penser qu'ils me font honneur ?

— C'est l'immortalité. N'est-ce pas ce à quoi aspire tout écrivain ? Que ses livres soient lus longtemps après sa mort ?

— Eh bien, il préfère peut-être qu'ils soient lus de son vivant.

— Vos livres continuent à être appréciés. Ça ne vous fait pas plaisir ?

— Pas du tout. Quelle importance ? J'aurais dû faire comme Kafka. Ordonner que tout soit brûlé après ma mort.

— Kafka a un musée en son honneur.

— Oui, mais il m'a confié qu'il le haïssait. Je ne sais pas trop s'il parle sérieusement. Cet homme est le champion de la plainte gémissante tchécoslovaque.

— Aujourd'hui, c'est tchèque.

— Oh, ne sois pas tatillon, Cyril. C'est tellement peu attrayant.

— Je n'arrive pas à croire que vous soyez amie avec Kafka.

— Amis serait un peu exagéré, fit-elle en haussant les épaules. Des connaissances, serait plus juste. Tu sais, Emily Dickinson est ici aussi. Tout ce qu'elle fait, c'est écrire des poèmes sur la vie, tout le temps. Quelle ironie ! Elle ne cesse de me demander de les lire. Je refuse, bien entendu. Les journées sont assez longues comme ça.

— Mr Avery ?

— Quoi ? » Je jetai un coup d'œil sur ma gauche, vers Marcus. « J'ai dit, je n'arrive pas à croire que je me trouve dans la maison où Maude Avery a écrit ses livres. »

Je hochai la tête et n'ajoutai rien pendant quelque temps. Je fus heureux de voir George descendre l'escalier quatre à quatre avec l'enthousiasme d'un jeune chiot.

« Comment sont mes sourcils ? demanda-t-il en nous regardant tous les deux.

— Parfaits. Mais je les surveillerai de près aujourd'hui, juste au cas où.

— Tu veux bien ? Ce serait génial.

— On entre ? demanda Marcus.

— Je croyais que tu y étais déjà, dit George.

— Non, je t'attendais.

— Grand-papa, dit George en fronçant les sourcils. Tu n'as pas été vicieux avec Marcus, hein ?

— La ferme, George. Ne sois pas ridicule.

— Je plaisante, c'est tout.

— Arrête, ce n'est pas drôle.

— Allez… Je suis vicieux avec lui tout le temps. Mais moi, j'ai la permission », s'amusa George.

Je secouai la tête. « J'y vais. J'ai entendu le bruit d'un bouchon de champagne. »

Je les emmenai à la cuisine, où nous attendaient Liam et Laura, tous deux sur leur trente-et-un, les verres posés devant eux, tandis que Julian continuait à lire son livre et Grace écoutait de la musique sur son iPod.

« Bonjour Marcus, dit Laura.

— Bonjour Mrs Woodbead », répondit-il poliment, et je notai qu'aucun des parents ne l'invitait à l'appeler par son prénom. Mon fils fit une remarque sur un match de foot qui avait eu lieu la veille et en une minute, les deux jeunes étaient partis dans des échanges passionnés au cours desquels je compris que l'équipe dont Liam était fan avait battu celle que Marcus soutenait et le jeune homme enrageait.

« Vous êtes très élégant, Cyril, me félicita Laura, qui se pencha et déposa un baiser sur ma joue.

— Merci. Toi aussi. Si j'avais quarante ans de moins, une orientation sexuelle différente et un fils qui n'était pas ton mari, je tenterais de te séduire en deux minutes.

— Je suis certaine qu'il y a un compliment caché quelque part, dit-elle en me servant un verre.

— C'est pas putain de génial ? lâcha George d'une voix forte, et nous nous tournâmes tous pour contempler son sourire épanoui tandis qu'il levait son verre.

— Inutile, ce langage, dit Liam.

— Ce que je veux dire, reprit George. Trouver l'amour quand on est… quand on est si… âgé, c'est fantastique. Et être capable de le dire haut et fort au monde, c'est putain de ma-gni-fi-que. »

Je souris et acquiesçai. Oui, ça l'était.

« En tout cas, c'est inattendu, dis-je.

— Non, il a raison, insista Laura en levant son verre. C'est fantastique.

— Putain de fantastique », corrigea George en attirant Marcus contre lui pour lui faire un rapide baiser sur la bouche. Je ne pus m'empêcher de constater que ses parents détournaient instinctivement le regard, tandis que ses frère et sœur gloussaient, mais ce fut un grand bonheur de voir l'instant où ils se regardèrent, les yeux dans les yeux, deux adolescents qui s'étaient trouvés – et se perdraient certainement pour se tourner vers quelqu'un d'autre bientôt, mais qui, à cet instant précis, étaient heureux. Cela n'aurait jamais pu arriver lorsque j'avais leur âge. Et pourtant, malgré ma joie de voir mon petit-fils heureux et à l'aise, il y avait là quelque chose de terriblement douloureux aussi. J'aurais tout donné pour être aussi jeune maintenant et pouvoir vivre dans une authenticité aussi parfaite.

« On devrait commencer à bouger, dit Laura quelques instants plus tard en jetant un coup d'œil à la pendule. La voiture devrait être là, non ? »

Comme par magie, on sonna à la porte et tout le monde bondit. « OK, fit Liam. Tout le monde a ce qu'il lui faut ? Papa, tu as ton discours ?

— Il est là, répondis-je en tapotant ma poche intérieure.

— D'accord. On y va. » Il se dirigea vers la porte d'entrée et l'ouvrit. Deux Mercedes gris métallisé nous attendaient pour nous conduire dans le centre.

Oui ou non

« Ils n'ont pas enlevé toutes les affiches, on dirait, déclara Charles tandis que nous roulions.

— Pardon ? » Je levai la tête vers lui, surpris de voir qu'il avait réussi à se glisser sur la banquette face à moi, à côté de Liam, George et Marcus.

« Les affiches, sur les poteaux de téléphone. Il y en a encore un nombre considérable. Le référendum a eu lieu il y a plusieurs mois déjà.

— Les gens sont paresseux. Un de ces jours, un gros orage déchirera toutes celles qui restent.

— Je suis vraiment content qu'il soit passé, fit-il en secouant la tête.

— Moi aussi.

— Je savais qu'il ferait ressortir ce qu'il y a de pire chez les gens.

— Eh bien, vous aviez raison.

— Ça a fait ressortir aussi le pire chez toi, dit Charles.

— Que voulez-vous dire ? répliquai-je, offusqué.

— Tu sais très bien de quoi je parle. Ces échanges avec tous ces débiles sur ton téléphone. Ces discussions avec des étrangers.

— Je ne pouvais pas ne pas me manifester. Je me suis tu trop longtemps. L'occasion s'est présentée et je l'ai saisie. Et je suis heureux de l'avoir fait.

— Eh bien, tu as réussi ton coup, alors tu peux laisser tomber, maintenant.

— Mais finalement, ça m'a rappelé combien les gens peuvent être intolérants. Et inélégants.

— Et tu n'étais pas partie prenante dans cette inélégance ?

— Je ne crois pas, non.

— Très bien, répondit Charles en sortant un iPhone de sa poche intérieure. Jetons un œil, si tu veux bien. » Il appuya sur quelques boutons et déroula la page. « “Pourquoi avez-vous si peur des gens heureux ? lut-il. Pourquoi ne pouvez-vous pas juste vivre et laisser vivre ?" Voyons, qui a écrit ça..., voyons... oh oui ! @cyrilavery !

— C'était cette affreuse Mandy, dis-je. Tous les jours, ses tweets affirmaient que sa relation avait plus de légitimité que celle des autres. Elle n'est qu'un être humain abject.

— Et celui-ci. "Si votre relation était épanouie, vous ne vous occuperiez pas de la vie privée des autres." Également @cyrilavery.

— Un couple marié affreux. Qui tweete toute la journée, tous les jours, alors qu'ils ne sont suivis par personne, ou presque. Ils doivent avoir leur téléphone greffé au bout des doigts. Ils ont mérité toutes les insultes dont ils ont été la cible.

— Et celui-ci ? "Vous devez avoir une haine épouvantable de vous-même pour vous comporter ainsi."

— Je sais qui c'est ! C'était l'homo qui votait non au référendum.

— Eh bien, il n'avait pas le droit ?

— Non ! m'écriai-je. Non, pas du tout ! Il cherchait juste à attirer l'attention sur lui, c'est tout ! Qu'il aille se faire foutre ! Il trahissait les siens !

— Oh Cyril, fit Charles. Arrête d'être aussi con. Quant à ce débat à la radio...

— C'est eux qui m'ont demandé de venir !

— Tu aurais dû les ignorer, tous, poursuivit Charles avec un sourire. C'est la meilleure chose à faire avec ses ennemis. Et de toute manière, ils ont perdu, non ? Ils se sont fait écraser. C'est fini pour eux. Ils appartiennent au passé. À l'histoire. Ils ne sont plus qu'une bande de bigots hurlant dans le vide, cherchant à tout prix à faire entendre leur voix. Ils allaient forcément perdre. Et tu sais quoi ? Quand ça s'est passé, ça n'a pas été la fin du monde. Alors, cesse d'être si en colère. C'est terminé. Tu as gagné, ils ont perdu.

— Mais moi, je n'ai pas gagné, lâchai-je.

— Que veux-tu dire ? »

Je secouai la tête et regardai par la fenêtre. « Quand le résultat est sorti, dis-je, j'étais devant les infos. Et il y avait David Norris. "C'est un peu tard pour moi, a-t-il dit, une fois qu'il a su que le Oui l'avait emporté et que le pays avait changé pour toujours. J'ai passé tellement de temps à pousser le bateau pour le mettre à l'eau qu'à la dernière minute, j'ai oublié de sauter à bord et maintenant, il est sorti du port pour voguer en haute mer, mais il est très beau à voir." C'est comme ça que je me sens. Sur la grève, en train de contempler le bateau. Pourquoi l'Irlande n'était-elle pas ainsi quand j'étais jeune ?

— Je ne peux pas répondre à ça, murmura Charles.

— Regarde, dit George en pointant un index vers la fenêtre, et je me tournai vers lui, un peu hébété.

— Quoi ?

— Nous y sommes. Voilà Ignac. »

La voiture s'arrêta et je vis Ignac, Rebecca et les enfants à l'extérieur, conversant avec Jack Smoot. Il était dans un fauteuil roulant mais il était venu, comme il l'avait promis.

« Je n'arrive pas à le croire, fit Marcus. J'ai lu tous ses livres trois fois. C'est mon écrivain préféré.

— Je te le présenterai, assura George fièrement. Ignac et moi, on est très copains. »

Je souris. J'étais heureux d'entendre ça.

« Allez, dis-je en ouvrant la portière. C'est parti.

— Attendez ! s'écria George. Est-ce que quelqu'un a un miroir ?

— Tu es magnifique, affirma Marcus. Arrête de te regarder.

— Tais-toi.

— Toi, tais-toi.

— Tous les deux, taisez-vous », fit Liam.

Nous sortîmes de la voiture sous le soleil et je ressentis une petite douleur à la tête ; j'avais oublié d'avaler mon cachet du matin. Ce n'était pas trop grave. Nous allions repasser par la maison tout à l'heure, en allant à la réception, et je pourrais le prendre à ce moment-là. Les médecins m'avaient dit qu'il me restait six mois à vivre, mais si j'en croyais Julian, il était plus probable que j'en aie à peine plus de deux. Trois jours après Halloween.

« Tout comme moi, déclara Charles en me saluant d'un geste de la main lorsque je descendis sur le trottoir. Une tumeur au cerveau. Finalement, tu es un vrai Avery. »

Je ris, puis me tournai pour contempler le bureau de l'état civil devant moi. La mort avait jeté son dévolu sur moi, je le savais. Mais je ne voulais pas y penser aujourd'hui.

La nouvelle Irlande

En entrant dans le bureau de l'état civil, j'aperçus Tom au fond, les bras ballants, très beau dans son costume de marié. À ses côtés, sa fille, son gendre et ses petits-enfants, tous un grand sourire aux lèvres. Lorsqu'il me vit, il me salua d'un geste et j'allai le rejoindre, les mains tendues pour l'étreindre.

« N'avons-nous pas un temps sublime pour ce grand jour ? dit Jane en se penchant pour déposer un baiser sur ma joue.

— Oui. Quelqu'un là-haut nous accorde ses faveurs.

— Et pourquoi pas ? fit Tom en souriant. Quand vous y pensiez, Cyril, auriez-vous imaginé un jour comme celui-ci ?

— Franchement ? Non.

— Votre discours est prêt ?

— Tout le monde est très préoccupé par ce discours, observai-je. Il est écrit. Il fait la bonne longueur, j'y ai glissé quelques plaisanteries et je crois qu'il plaira à tous.

— Merci.

— On a failli ne pas pouvoir venir, se rembrunit Jane.

— Pourquoi ? demandai-je, le sourcil froncé.

— Jane..., protesta Tom.

— Son arthrite, souffla-t-elle en baissant un peu la voix. Elle le fait souffrir beaucoup ces derniers temps.

— Mais aujourd'hui, tout va bien. Je me porte comme un charme.

— C'est sûr que nous ne sommes plus aussi fringants qu'autrefois. Mais nous survivrons tous à cette journée.

— Ce sera étrange pour moi, d'avoir un fils qui n'a que quelques années de moins que moi.

— Je ne vous appellerai pas papa, si c'est ce que sous-entend votre remarque ! » m'exclamai-je, en souriant. Tom était un homme adorable. Je ne le connaissais pas très bien, mais pour ce que j'en avais vu, je l'aimais bien. Architecte à la retraite depuis treize ans, il possédait une jolie maison à Howth avec une magnifique vue sur Ireland's Eye. Je m'y étais déjà rendu deux ou trois fois, et il m'avait toujours accueilli fort chaleureusement.

Ma mère et lui s'étaient rencontrés sur Tinder.

Une main se posa sur mon bras et je me tournai. Ignac était juste derrière moi. « Ils sont arrivés.

— Ils sont arrivés », répétai-je à Tom, ma voix grimpant dans les aigus comme un enfant excité, puis nous nous séparâmes. Il resterait devant tandis que j'allais derrière, et tout le monde prendrait place. Les invités s'assirent, je saluai rapidement Jack Smoot, qui me serra la main et m'avoua que c'était le seul événement qui aurait pu le faire revenir en Irlande.

« Et je me casse dès demain matin », ajouta-t-il.

Les portes s'ouvrirent et je la vis. Debout à l'entrée, avec ses quatre-vingt-six printemps, complètement insouciante et le visage aussi heureux que n'importe quelle épouse le jour de son mariage. À côté d'elle, mon ex-femme Alice et Cyril II – ma mère avait passé la nuit chez eux. Ils me la confièrent.

« Je veux te voir à la réception, lança Alice en m'embrassant. Et jusqu'à la fin, d'accord ?

— Ne t'inquiète pas, dis-je en souriant.

— Parce que si tu disparais, je la jouerai à la Liam Neeson, tu m'entends ? J'ai des compétences tout à fait particulières, je te traquerai, je te trouverai et je te tuerai.

— Alice, je t'en fais le serment solennel. Je serai le dernier à aller me coucher ce soir.

— Très bien, fit-elle en souriant, me regardant avec quelque chose qui ressemblait à de l'amour dans les yeux. Tu auras été prévenu. »

Ils s'installèrent, et nous laissèrent, ma mère et moi.

« Tu es magnifique, dis-je.

— Ce ne sont pas des paroles en l'air, au moins ? demanda-t-elle nerveusement. Je ne suis pas en train de me ridiculiser ?

— Mais qu'est-ce que tu vas chercher ?

— J'ai quatre-vingt-six ans. Et les femmes de quatre-vingt-six ans ne se marient pas. Surtout à des hommes de soixante-dix-neuf ans. Je suis une cougar.

— Tout le monde peut se marier aujourd'hui. C'est la nouvelle Irlande. Tu n'as pas entendu ?

— Cyril », fit une voix derrière moi. Je me retournai.

« Normalement, tu es occupé aujourd'hui, dis-je. Je croyais que je ne te verrais pas avant plusieurs jours.

— Tu peux venir nous rejoindre plus tard aujourd'hui, si tu veux ; ce soir, par exemple.

— Non, répondis-je en secouant la tête. Tu as dit Halloween. En fait, tu as même dit quelques jours après Halloween.

— D'accord, acquiesça Julian. Je venais vérifier, c'est tout. On va bien rigoler quand tu seras là, en tout cas. Il y a deux ou trois filles avec qui je veux qu'on organise un rendez-vous à quatre. »

Je levai les yeux au ciel. « Tu ne changeras jamais.

— J'ai juste besoin d'un copilote, c'est tout, dit-il. Tu n'auras rien à faire, rassure-toi.

— Halloween, répétai-je. Deux ou trois jours après.

— D'accord.

— Sommes-nous prêts ? demanda ma mère.

— Je le suis, si tu l'es.

— Il est là ? Il n'a pas changé d'avis ?

— Oh, il est bien là. Vous allez être très heureux, tous les deux. Je le sais. »

Elle hocha la tête et déglutit un peu en me souriant. « Je le sens, moi aussi. Il avait tort, n'est-ce pas ?

— Qui ? demandai-je.

— Le père Monroe. Quand il a dit que je n'aurais jamais droit à un mariage. Qu'aucun homme ne voudrait jamais de moi. Mais nous y sommes. Il avait tort.

— Bien sûr qu'il avait tort. Ils avaient tous tort. Complètement tort. »

Je souris et me penchai pour déposer un baiser sur sa joue. Je savais que ce serait peut-être une des dernières choses que j'aurais la possibilité de faire dans ce monde, confier ma mère à quelqu'un qui prendrait soin d'elle, et je ressentis un soulagement intense en pensant qu'il y avait une famille, une grande famille, qui s'occuperait d'elle une fois que je serais parti. Elle en avait besoin. Elle n'y avait pas eu droit pendant toutes ces années. Mais enfin, son heure était venue.

« Marche lentement, suggéra une voix dans mon dos ; je me retournai et sentis mon cœur bondir de joie dans ma poitrine. Rappelle-toi, tu as une béquille et c'est une vieille dame.

— Tu es venu ? dis-je.

— J'ai entendu dire que tu me cherchais. Par Julian.

— Je ne pensais pas te voir. Pas avant que ce soit… que ce soit mon tour.

— J'étais trop impatient.

— Tu es exactement le même que ce fameux jour à Central Park.

— En fait, j'ai perdu quelques kilos. Je me suis mis au fitness.

— Bravo. » Je le regardai et sentis mes yeux se remplir de larmes. « Est-ce que tu sais à quel point tu m'as manqué ? lui demandai-je. Cela fait presque trente ans. Je n'aurais jamais dû me retrouver condamné à passer tout ce temps seul.

— Je sais, mais c'est presque fini. Et tu ne t'es pas mal débrouillé, si on compare avec la débâcle des trente premières années. Le temps où nous avons été séparés te paraîtra négligeable par rapport à tout le temps que nous aurons devant nous.

— La musique a commencé, signala ma mère en se serrant contre moi.

— Il faut que j'y aille, Bastiaan. Est-ce que je te reverrai tout à l'heure ?

— Non. Mais je serai là en novembre, quand tu arriveras.

— D'accord. » Je pris une grande inspiration. « Je t'aime.

— Je t'aime aussi, répondit ma mère. On y va ? »

J'acquiesçai et fis un premier pas. Lentement nous avançâmes, sous le regard de nos amis et des membres de notre famille, et je la confiai à un homme gentil qui jura de l'aimer et de la chérir jusqu'à son dernier jour.

À la fin, quand toute l'assistance se mit à applaudir, je me rendis compte que j'étais enfin heureux.

Remerciements

Je remercie, comme toujours, Bill Scott-Kerr, Larry Finlay, Patsy Irwin et Simon Trewin.

RECEMMENT PARUS
DANS LA MEME COLLECTION

Kate Atkinson, *L'homme est un dieu en ruine*, traduit de l'anglais par Sophie Aslanides.

Ketil Bjornstad, *Fugue d'hiver*, traduit du norvegien par Jean-Baptiste Coursaud.

Bonnie Jo Campbell, *Il était une rivière*, traduit de l'anglais (États-Unis) par Elisabeth Peellaert.

Lars Saabye Christensen, *Beatles*, traduit du norvegien par Jean-Baptiste Coursaud.

Lars Saabye Christensen, *Obsèques* traduit du norvegien par Jean-Baptiste Coursaud.

Hector Abad Faciolince, *Angosta*, traduit de l'espagnol (Colombie) par Anne Proenza.

Julian Fellowes, *Snobs*, traduit de l'anglais (États-Unis) par Dominique Edouard.

Inès Fernández Moreno, *Le ciel n'existe pas*, traduit de l'espagnol (Argentine) par Isabelle Gugnon.

Joshua Ferris, *Le Pied mécanique*, traduit de l'anglais (États-Unis) par Dominique Defert.

Joshua Ferris, *Se lever à nouveau de bonne heure*, traduit de l'anglais (États-Unis) par Dominique Defert.

Petina Gappah, *Le Livre de Memory*, traduit de l'anglais (Zimbabwe) par Pierre Guglielmina.

Jane Gardam, *Le Maître des apparences*, traduit de l'anglais par Francoise Adelstain.

Jane Gardam, *Le Choix de Betty*, traduit de l'anglais par Francoise Adelstain.

Jane Gardam, *L'Éternel Rival*, traduit de l'anglais par Francoise Adelstain.

Fabio Genovesi, *D'où viennent les vagues*, traduit de l'italien par Nathalie Bauer.

Almudena Grandes, *Le Coeur glacé*, traduit de l'espagnol par Marianne Millon (prix Mediterranee 2009).

Almudena Grandes, *Le Lecteur de Jules Verne*, traduit de l'espagnol par Serge Mestre.

Almudena Grandes, *Inés et la joie*, traduit de l'espagnol par Serge Mestre.

Almudena Grandes, *Les Trois Mariages de Manolita*, traduit de l'espagnol par Anne Plantagenet.

Chad Harbach, *L'Art du jeu*, traduit de l'anglais (États-Unis) par Dominique Defert.

Kari Hotakainen, *Rue de la tranchée*, traduit du finnois par Anne Colin du Terrail.

Kari Hotakainen, *La Part de l'homme*, traduit du finnois par Anne Colin du Terrail.

Lindsey Lee Johnson, *L'Endroit le plus dangereux du monde*, traduit de l'anglais (États-Unis) par Elisabeth Peellaert.

Hari Kunzru, *Dieu sans les hommes*, traduit de l'anglais (États-Unis) par Claude et Jean Demanuelli.

Hari Kunzru, *Larmes blanches*, traduit de l'anglais (États-Unis) par Marie-Hélène Dumas.

Emir Kusturica, *Étranger dans le mariage*, traduit du serbocroate par Alain Cappon.

Anouk Markovits, *Je suis interdite*, traduit de l'anglais par Katia Wallesky avec le concours de l'auteur.

Anthony Marra, *Une constellation de phénomènes vitaux*, traduit de l'anglais (États-Unis) par Dominique Defert.

Anthony Marra, *Le tsar de l'amour et de la techno*, traduit de l'anglais (États-Unis) par Dominique Defert.

Nadifa Mohamed, *Le Verger des âmes perdues*, traduit de l'anglais (Somalie) par Francoise Pertat.

Neel Mukherjee, *Le Passé continu*, traduit de l'anglais par Valerie Rosier.

William Ospina, *Ursúa*, traduit de l'espagnol (Colombie) par Claude Bleton.

William Ospina, *Le Pays de la cannelle*, traduit de l'espagnol (Colombie) par Claude Bleton.

Francesco Pecoraro, *La vie en temps de paix*, traduit de l'italien par Marc Lesage.

Emily Perkins, *Les Forrest*, traduit de l'anglais (Nouvelle-Zelande) par Isabelle Chapman.

Ece Temelkuran, *À quoi bon la révolution si je ne peux danser*, traduit du turc par Ferda Fidan.

Rose Tremain, *Les Silences*, traduit de l'anglais par Claude et Jean Demanuelli.

Rose Tremain, *Le Don du roi*, traduit de l'anglais par Gerard Clarence.

Rose Tremain, *L'Ami du roi*, traduit de l'anglais par Edith Soonckindt.

Rose Tremain, *L'Amant américain*, traduit de l'anglais par Anouk Neuhoff.

Rose Tremain, *Sonate pour Gustav*, traduit de l'anglais par Françoise du Sorbier.

Alexi Zentner, *Les Bois de Sawgamet*, traduit de l'anglais (États-Unis) par Marie-Hélène Dumas.

Alexi Zentner, *La Légende de Loosewood Island*, traduit de l'anglais (États-Unis) par Marie-Hélène Dumas.

Table

I. HONTE

II. EXIL

III. PAIX

ÉPILOGUE

Imprimé en France par CPI
en novembre 2018

pour le compte des Éditions J.-C. LATTÈS
17, rue jacob – 75006 Paris

N° d'édition : 05. – N° d'impression : 2041083
Dépôt légal : novembre 2018